DIX PETITS HOMMES BLANCS

DU MÊME AUTEUR

Romans

Les Visages de l'Humanité, Lévis, Alire, 2012, 556 p.

La Faim de la Terre, tome 2 (Les Gestionnaires de l'Apocalypse – 4), Lévis, Alire, 2009. (Réédition grand format: Alire, 2011)

La Faim de la Terre, tome 1 (Les Gestionnaires de l'Apocalypse – 4), Lévis, Alire, 2009. (Réédition grand format: Alire, 2011)

Le Bien des autres, tome 2 (Les Gestionnaires de l'Apocalypse – 3), Lévis, Alire, 2004. (Réédition grand format: Alire, 2011)

Le Bien des autres, tome 1 (Les Gestionnaires de l'Apocalypse – 3), Lévis, Alire, 2003. (Réédition grand format: Alire, 2011)

L'Argent du monde, tome 2 (Les Gestionnaires de l'Apocalypse – 2), Beauport, Alire, 2001. (Réédition grand format: Alire, 2010)

L'Argent du monde, tome 1 (Les Gestionnaires de l'Apocalypse – 2), Beauport, Alire, 2001. (Réédition grand format: Alire, 2010)

La Chair disparue (Les Gestionnaires de l'Apocalypse – 1), Beauport, Alire, 1998. (Réédition grand format: Alire, 2010)

Blunt. Les Treize Derniers Jours, Québec, Alire, 1996.

La Femme trop tard, Montréal, Québec Amérique, 1994. (Réédition remaniée: Alire, 2001)

L'Homme trafiqué, Longueuil, Le Préambule, 1987. (Réédition remaniée: Alire, 2000)

Nouvelles

L'Assassiné de l'intérieur, Québec, L'instant même, 1997. (Réédition remaniée: Alire, 2011)

L'Homme à qui il poussait des bouches, Québec, L'instant même, 1994.

Essais

Questions d'écriture. Réponses à des lecteurs, Montréal, Hurtubise, 2014. (Édition revue et augmentée de *Écrire pour inquiéter et pour construire*, Trois-Pistoles, éditions des Trois-Pistoles, 2002.)

La Prison de l'urgence. Les émois de Néo-Narcisse, Montréal, Hurtubise, 2013.

La Fabrique de l'extrême. Les pratiques ordinaires de l'excès, Montréal, Hurtubise, 2012. Finaliste aux Prix du Gouverneur général 2013, catégorie « Essais ».

Les Taupes frénétiques. La montée aux extrêmes, Montréal, Hurtubise, 2012.

Autres publications

La Gestion financière des caisses de retraite (en collaboration avec Marc Veilleux, Carmand Normand et Claude Lockhead), Montréal, Béliveau éditeur, 2008.

JEAN-JACQUES PELLETIER

DIX PETITS HOMMES BLANCS

POLAR

Hurtubise

Catalogage avant publication de Bibliothèque et Archives nationales du Québec et Bibliothèque et Archives Canada

Pelletier, Jean-Jacques

    Dix petits hommes blancs

    ISBN 978-2-89723-484-3

    I. Titre.

PS8581.E398D59 2014   C843'.54   C2014-941185-5
PS9581.E398D59 2014

Les Éditions Hurtubise bénéficient du soutien financier des institutions suivantes pour leurs activités d'édition:

- Conseil des Arts du Canada;
- Gouvernement du Canada par l'entremise du Fonds du livre du Canada (FLC);
- Société de développement des entreprises culturelles du Québec (SODEC);
- Gouvernement du Québec par l'entremise du programme de crédit d'impôt pour l'édition de livres.

Conception graphique de la couverture: René St-Amand
Maquette intérieure: Folio Infographie
Mise en pages: Folio Infographie

Copyright © 2014, Éditions Hurtubise inc.
ISBN 978-2-89723-484-3 (version imprimée)
ISBN 978-2-89723-485-0 (version numérique PDF)
ISBN 978-2-89723-486-7 (version numérique ePub)

Dépôt légal: 4e trimestre 2014
Bibliothèque et Archives nationales du Québec
Bibliothèque et Archives Canada

Diffusion-distribution au Canada:
Distribution HMH
1815, avenue De Lorimier,
Montréal (Québec) H2K 3W6
www.distributionhmh.com

Diffusion-distribution en Europe:
Librairie du Québec/DNM
30, rue Gay-Lussac
75005 Paris FRANCE
www.librairieduquebec.fr

Imprimé au Canada
www.editionshurtubise.com

... il y a une chose qui ne peut pas durer:
l'irresponsabilité de l'intelligence.
Ou bien elle cessera, ou bien notre civilisation cessera.

ANDRÉ MALRAUX

À Norbert Spehner,
qui a guidé mes premiers pas de romancier.

AUX LECTEURS

Les lieux, les milieux, les institutions, les médias, les réseaux sociaux, les sites Internet et personnages publics qui constituent le décor de ce roman ont été en bonne partie empruntés à la réalité. Toutefois, les événements qui sont racontés, de même que les actions et les paroles prêtées aux personnages et aux institutions sont entièrement imaginaires — tout comme le sont les messages qui apparaissent dans les médias, les sites Internet et les réseaux sociaux.

De la même manière, les intervenants apparaissant dans les médias, sites Internet et réseaux sociaux sont des personnages inventés; leurs propos ne sauraient être attribués à des personnes réelles.

Quant au format des extraits de médias sociaux et de sites Internet, il a été modifié (allégé et partiellement uniformisé) pour des fins de lisibilité.

Espèces en voie
de disparition assistée

I

LE SOURIRE DES TÊTES COUPÉES

Natalya Circo était de nouveau dans le stand de tir. Des têtes humaines tenaient lieu de cibles. Des têtes sans corps, mais qui étaient bien vivantes.

Souriantes, même.

Fixées sur une sorte de chaîne sans fin, elles défilaient contre le mur du fond.

Le jeu était simple. Quand les têtes entraient dans le cercle lumineux, juste devant Natalya, elle disposait de trois secondes pour les abattre. Beaucoup plus de temps qu'il n'en fallait.

À sa gauche, des gens étaient enfermés dans des cages de métal. Des centaines de gens. Malgré la certitude qu'elle avait de les connaître, Natalya était incapable de se rappeler leurs noms. Elle savait seulement qu'ils avaient un lien avec elle. Qu'elle avait une responsabilité envers eux…

Sur le mur, la tête qu'elle visait lui souriait. Un homme d'une quarantaine d'années. Un bon vivant. Son sourire rayonnait la joie de vivre et la santé.

Natalya respirait de plus en plus fort. Sa main tremblait. Elle était incapable d'appuyer sur la gâchette.

La tête continuait de lui sourire. Son sourire se transforma en une expression d'ironie amusée. Elle prononça un mot. Un seul.

« Condamné ! »

Puis elle disparut brusquement du cercle lumineux.

Au même instant, un claquement sec se fit entendre. Suivi d'un cri d'horreur. Une trappe venait de s'ouvrir sous l'une des cages, précipitant son occupant dans le vide.

Le cri s'atténua progressivement, comme si la victime s'enfonçait dans les profondeurs de la terre.

Au fond du stand de tir, une nouvelle tête entra dans le cercle de lumière.

Une tête d'homme, encore une fois. Plus jeune. Blond. Son regard pétillait d'intelligence.

Natalya s'efforça de stabiliser son bras. Des larmes brouillaient sa vue. À force de volonté, elle réussit à appuyer suffisamment sur la gâchette…

Raté !

Le sourire de la tête s'élargit. Avant de disparaître, elle prononça à son tour le mot fatal.

« Condamné ! »

L'instant d'après, un autre claquement signalait l'ouverture d'une trappe.

Cette fois, le cri se prolongea un peu plus longtemps.

Natalya sentit une rage froide l'envahir. Dès que la tête suivante apparut dans le cercle, elle tira. Sans même prendre le temps de l'examiner.

La tête explosa.

L'instant suivant, une des cages s'ouvrait, libérant une femme.

Les têtes se succédaient.

De plus en plus rapidement.

Et Natalya tirait. Sans presque avoir besoin de viser. Libérant chaque fois un ou deux prisonniers des cages restantes.

Plus elle tirait, plus elle sentait une pression monter en elle. Sa main recommença à trembler. Les têtes, au lieu de défiler, se mirent à tournoyer dans l'espace. Il y en avait partout. Elles dansaient autour d'elle. Souriantes. Comme pour la narguer.

Au bout de son bras, emporté dans une gesticulation saccadée, la pointe du pistolet s'efforçait de traquer les têtes qui virevoltaient, emportées dans un ballet de plus en plus effréné.

À travers le crépitement des coups de feu, Natalya entendait claquer les trappes. Les cris d'agonie se superposaient les uns aux autres. Des hommes. Des femmes…

Et les têtes criaient de plus en plus fort : « Condamné !… Condamné !… Condamné ! »

Puis Natalya se sentit elle-même tomber. Son front heurta quelque chose de dur.

La douleur la réveilla…

Avant même qu'elle bouge, avant même qu'elle ouvre les yeux, une question s'imposa à elle.

Combien encore ? Combien devrait-elle en tuer ?

UN HOMME NEUF

Le réveil fut pénible.

À travers ses paupières closes, Alatoff Payne voyait progressivement les ténèbres s'éclaircir.

Quand on eut terminé d'enlever les bandelettes qui lui enveloppaient la tête, il ouvrit les yeux. Doucement. Incertain de ce qu'il allait voir.

Heureusement, la lumière était tamisée.

La première chose qu'il aperçut, ce furent de grands yeux noirs. Aisha.

Une Asiatique.

Avec un visage qui trahissait l'ascendance en partie arabe de sa mère.

Au moment de sombrer, c'était la dernière image qui s'était dissoute dans son esprit : le visage de la jeune femme penché sur le sien.

De la main droite, elle lui avait touché la joue avec douceur. Du bout des doigts.

Dans la gauche, elle tenait un scalpel.

Il n'avait rien à craindre, disait-elle. Il ne sentirait rien.

Puis tout était devenu noir.

Aisha…

Il ne connaissait que son prénom. Il était probablement faux.

Chaque fois, à son réveil, elle était là.

Souriante.

— Votre supplice est terminé, dit-elle.

La femme portait le même uniforme rose pâle que dans le souvenir de Payne.

Elle redressa la tête de son lit. Détacha ses bras. Lui présenta un miroir.

Payne regarda son nouveau visage.

La femme plaça ensuite une photo sur une table roulante qu'elle poussa devant lui. Il y jeta un coup d'œil. Revint au miroir… Son visage tuméfié ressemblait à une version abîmée de celui apparaissant sur la photo.

— D'ici quelques mois, vous ne verrez plus aucune différence, dit-elle.

À en croire l'image qu'il avait devant lui, il aurait non seulement changé de visage, mais rajeuni de 10 ans.

C'était la dernière chirurgie. Des altérations mineures, cette fois. On n'avait pas touché à la structure osseuse du visage. Il avait eu de la chance, lui avait expliqué Aïsha. Sa morphologie initiale n'était pas trop éloignée du modèle à imiter.

Mais, aux yeux de Payne, sa véritable chance avait été de rencontrer Darian Hillmorek. Grâce à lui, il était maintenant un homme neuf.

TUEUSE HUMANITAIRE

Natalya se redressa lentement. Autour d'elle, l'environnement retrouva peu à peu un air familier.

C'était la première fois que la chose se produisait. Elle s'était endormie à son bureau. Le choc de son front contre la plaque de métal l'avait réveillée.

Elle regarda longuement l'image qu'elle y avait collée. Une reproduction d'un tableau de Monet. De près, on ne pouvait rien deviner. Il fallait du recul pour voir les formes s'esquisser.

Impression soleil levant...

Ce tableau contenait sa vie. Ce qu'il en restait... Ce qu'elle tentait de préserver depuis qu'elle mettait ses talents de tueuse professionnelle au service d'une cause humanitaire. Enfin, humanitaire, pas exactement, pas au sens traditionnel du terme. Même si, à sa manière, elle sauvait des vies.

Pour se racheter.

Sauf que cela lui devenait de plus en plus difficile. Son cauchemar en témoignait.

D'ailleurs, le dernier contrat ne s'était pas bien passé.

Côté efficacité, il n'y avait eu aucun problème. La cible avait été éliminée. La personne à sauver l'avait été.

À cette dernière, Natalya avait expliqué la chance qu'elle avait eue. Elle allait l'ajouter à la liste de ceux qu'elle appelait ses ex. Toutes ces personnes qu'elle avait sauvées. Qu'elle revoyait même, à l'occasion.

Mais, cette fois, le processus de l'intervention avait déraillé. Elle n'avait pas réussi à établir de véritable contact avec la cible, à entrer dans son intimité comme elle avait l'habitude de le faire.

Natalya pensait qu'il fallait assumer ce contact. L'approfondir. Pour humaniser son travail. Pour que la mort de la cible ne soit pas une simple exécution... Elle voulait prendre la mesure de toute cette vie intérieure qu'elle allait effacer. De cette manière, quelque chose de sa victime continuerait de vivre en elle. Elle mourrait un peu moins.

Bien sûr, il y avait là un côté illusoire. Et douloureux.

Mais assumer cette douleur était le prix à payer pour conserver sa propre humanité. Pour se réhumaniser au terme de chaque contrat. Ne pas devenir une simple machine à tuer...

De toute évidence, le mécanisme était grippé.

Non seulement n'avait-elle pas réussi à approcher sa cible, mais elle en avait été soulagée. Comme si quelque chose avait changé en elle.

Maintenant, le contact la répugnait…

En y pensant bien, ses problèmes remontaient à sa rencontre avec Victor Prose. Entre eux, il s'était passé quelque chose qu'elle n'avait pas prévu.

ÊTRE SON EX

Alatoff Payne ne connaissait pas Hillmorek.

Il ne l'avait rencontré que deux fois. Et encore, « rencontrer » était un bien grand mot. Les deux fois, l'homme était masqué.

La première rencontre avait été brève. Hillmorek lui avait proposé de mener une autre vie. Une vie plus satisfaisante. Libérée de tous les soucis qu'il avait accumulés.

La deuxième rencontre n'avait guère été plus longue. Payne avait accepté la proposition.

Le choix n'était pas difficile : c'était ça ou mourir.

Sans la moindre hésitation, Payne avait choisi de ne plus exister… officiellement.

C'était à ce prix qu'il pourrait renaître.

Hillmorek avait accueilli sa décision avec une remarque amusée.

— Vous allez voir, l'inexistence peut être très agréable.

Puis, sur un ton plus sérieux, il avait ajouté qu'on n'y accédait malheureusement pas sans un minimum de préparation. Une transition était nécessaire. Elle était un peu douloureuse, mais ce n'était qu'un mauvais moment à passer.

Le mauvais moment avait duré plusieurs années. Les premières s'étaient passées sur une île privée. Une sorte de prison de luxe avec un train de vie de palace. Entouré de gardiens qui faisaient office de domestiques. Ou, plutôt, de domestiques capables de se transformer au pied levé en gardiens ou en gardes du corps aguerris selon les besoins de la situation.

Un menu et une cave à vin dignes d'un restaurant trois étoiles complétaient le dispositif. Avec un accès quasi illimité aux médias de la planète.

Une seule contrainte : il ne pouvait pas quitter l'île.

— Le temps de vous faire oublier, lui avait expliqué l'homme au masque. Et d'apprendre à être quelqu'un d'autre. Vous pouvez voir cela comme votre période de renoncement.

Sous la gouverne de différents assistants, Payne s'était entraîné à ne plus être lui-même. À modifier tous ces petits gestes, toutes ces réactions, ces intonations de voix que les gens associaient inconsciemment à lui.

— C'est comme une peine d'amour, avait expliqué l'un d'eux. Il faut assumer une sorte de deuil. Le processus est semblable à celui qui transforme une femme que vous aimez en une ex dont vous gardez un bon souvenir. Il faut que vous deveniez, pour vous-même, votre ex.

La dernière année et demie avait toutefois été plus pénible. On l'avait envoyé dans une clinique, en Suisse, et on l'avait confié aux soins d'Aïsha.

Mais son cauchemar touchait à sa fin.

— Vous allez maintenant rencontrer votre mécène, dit la femme.

Elle déposa une tablette numérique sur la table roulante.

La curiosité de Payne fut à la fois satisfaite… et exacerbée. Sur l'écran du iPad, l'homme avait son propre visage. Celui-là même qu'on venait de mettre plus d'un an à lui fabriquer. Mais sans les boursouflures, sans les hématomes consécutifs à la chirurgie. Seulement un peu déformé par un effet de contre-plongée. Comme si son interlocuteur regardait, lui aussi, la caméra d'un iPad posé sur la table devant lui.

Et son propre visage le regardait avec un sourire amusé.

Prose…

Bien sûr, elle avait réussi à le sauver. Elle lui avait ensuite expliqué que la seule relation qu'ils pouvaient conserver, c'était celle qu'elle entretenait avec ses ex – tous ces gens dont elle avait sauvé la vie en éliminant ceux qui voulaient les tuer.

Une relation d'amitié. Chaleureuse, oui, mais distante. En cas de besoin, il pourrait compter sur elle. Et elle, sur lui… Le reste du temps, leurs échanges se limiteraient à de brefs courriels, de rares textos.

En apparence, tout avait bien fonctionné. Autant dans l'exécution du contrat que dans son contact avec Prose. En prime, elle avait même réussi à éliminer un des démons qui hantaient sa vie. Un démon dont l'existence était liée à l'enfer qu'elle avait vécu durant son enfance.

Bernard Hogue…

Mais elle n'était plus capable de s'investir de la même façon dans ses contrats. Son efficacité était intacte, mais le cœur n'y était plus. Un malaise trouble grandissait en elle.

Natalya prit le tableau et l'accrocha au mur. Elle le regarda longuement. Puis elle esquissa un sourire. Personne ne pouvait soupçonner que l'essentiel de sa vie y était exposé.

Elle s'y immergeait régulièrement. Presque au sens littéral. Elle devenait cette fine silhouette réduite à un trait, qui tentait d'orienter l'embarcation de couleur sombre…

Au loin, un soleil à l'éclat étouffé perçait avec peine les nuages qui s'appesantissaient sur l'horizon.

À la périphérie de son champ de vision, des formes indistinctes donnaient l'impression de ruines squelettiques en train de s'écouler jusque dans l'eau.

Son regard était accaparé par l'embarcation fantôme qui suivait la sienne. On aurait dit une masse imparfaitement solidifiée, dont la forme hésitait à se découper sur le magma verdâtre dont elle semblait être une sorte de prolongement mal défini.

Comme chaque fois, Natalya sentait l'angoisse la gagner. Échapperait-elle à cette menace glauque qui la poursuivait ? Une menace qui ne semblait pas pressée de la rattraper. Qui attendait son heure...

Et quand le désespoir la gagnait, elle levait les yeux vers la lueur dorée, au-dessus des nuages.

Peut-être, après tout, le soleil réussirait-il à percer. À dissoudre les fantômes qui la pourchassaient...

Natalya retourna à son bureau. Ouvrit l'ordinateur portable. Il était temps de répondre au message qui l'avait intriguée.

Une nouvelle offre de contrat.

Comme elle allait activer la connexion, sa main s'immobilisa.

Son cauchemar lui revint brusquement à l'esprit. Tous ces gens en cage, condamnés à mourir. Tous ces gens qu'elle avait eu l'impression de connaître. Maintenant, elle savait qui ils étaient. Même si elle ne les connaissait pas.

Du moins, pas encore.

C'étaient tous ceux qui deviendraient ses ex... si elle réussissait à les sauver.

EN QUÊTE DE PETITS HOMMES BLANCS

À quoi tout cela rimait-il ?

Voulait-on qu'il devienne le sosie de quelqu'un ? Qu'il assume des risques à sa place ?

Sur l'écran du iPad, le visage regardait Payne avec un amusement contenu.

— Avant d'accéder de façon définitive à tous les avantages de votre statut, il vous reste une tâche à accomplir. Une sorte d'épreuve.

— Il n'a jamais été question d'épreuve !

— Voyez cela comme un genre de test. Pour confirmer que j'ai fait le bon choix en m'intéressant à vous.

— Je n'en peux plus d'être enfermé dans cette clinique !

— Rassurez-vous, vous pourrez sortir bientôt. Dès que la douleur dans vos jambes aura disparu.

— C'est une question de jours, précisa Aïsha, qui surveillait l'écran du iPad par-dessus son épaule.

Sans laisser à Payne le temps de réagir, le sosie poursuivit.

— D'ici là, vous recevrez vos papiers d'identité… la liste de vos propriétés, de vos comptes bancaires et de vos placements… vos cartes de crédit… toutes les pièces nécessaires pour certifier que vous êtes Alatoff Payne, principal actionnaire et chef de la direction de Payne Management… Profitez de votre chance ! Tout le monde n'en a pas une deuxième.

— Mais… l'épreuve ?

— Il s'agit d'un test en conditions réelles. Vous allez réaliser une opération.

— Vous voulez que j'opère quelqu'un ? demanda Payne, incrédule.

Le visage à l'écran éclata de rire. Un rire qui ne parut pas entièrement naturel à Payne. Comme si les traits étaient un peu figés… Son mécène portait-il un masque ? Ou un maquillage élaboré ?

Mais pour quelle raison ? Et, surtout, pour quelle raison lui avait-il fait subir cette série de chirurgies, si c'était pour qu'il finisse par ressembler à une sorte de masque ?

— Je parle de gérer une opération d'une certaine envergure sociale et médiatique, reprit le visage.

Puis, après une courte pause, comme pour souligner l'importance de ce qui allait suivre, il ajouta :

— Une opération qui sera en même temps une œuvre d'art.

Payne ne put s'empêcher de protester.

— Je ne connais rien en matière d'art !

Sur l'écran du iPad, le visage s'esclaffa de nouveau.

— Croyez-moi, dit-il, pour ce genre d'opération, vous avez toutes les compétences requises !

— Est-ce que je vais devoir tenir votre rôle ?

Cette fois, le visage s'éclaira d'un simple sourire.

— Pas du tout. Je suis tout à fait capable de l'assumer moi-même.

— Mais alors… ?

— Vous verrez en temps et lieu.

— Et cette opération ? Vous ne pouvez pas m'en dire plus ? Si je dois la planifier…

Un silence suivit.

Aïsha lança à Payne un regard qui lui sembla à la fois amusé et anxieux, comme si elle se demandait dans quel pétrin il était en train de se fourrer.

Tout au long de ce qu'il appelait leur cohabitation forcée, Payne avait été attiré par elle, mais quelque chose l'avait toujours retenu de faire le moindre geste. Ce quelque chose avait sans doute à voir avec le fait qu'elle était la cause première de toutes les douleurs qu'il avait endurées.

C'était elle qui avait procédé à toutes les chirurgies, elle qui avait maintenu les antidouleurs au seuil minimal, parce que la douleur était une source d'informations. Elle qui l'avait à maintes reprises fait attacher, pour éviter qu'il ne bouge trop, de manière à favoriser la guérison…

En même temps, c'était aussi elle qui était constamment à son chevet durant les périodes les plus difficiles, elle qui le stimulait dans ses moments de découragement, elle qui prenait le temps de lui expliquer longuement les raisons de ses moindres décisions.

Parfois, il s'était demandé si elle était aussi assidue auprès de lui pour le soutenir ou parce qu'elle avait plaisir à le voir souffrir.

La voix du iPad le ramena à la réalité.

— Je veux bien vous donner quelques éclaircissements.

Le regard de Payne se riva sur l'écran de la tablette électronique. Déjà, la voix poursuivait :

— Que pensez-vous de la petitesse ?

— Ce que je pense de la petitesse…

— Et de la blancheur ?

— La blancheur…

— D'accord, une question plus facile : que pensez-vous des hommes ?

Payne resta un moment à regarder l'écran sans répondre.

— C'est ça, le test ? finit-il par demander.

Le visage éclata de rire.

— Non… C'était seulement une façon de capter votre attention.

Après une pause, il reprit :

— Pour débuter, vous devez trouver au moins 21 hommes petits. Maximum : 1 mètre 50. À la limite, vous pouvez aller jusqu'à 1 mètre 55. Plus ils sont petits, mieux c'est. Mais il faut qu'ils soient adultes… et blancs.

— Pourquoi 21 ?

— Parce qu'il y a 21 arrondissements dans Paris.

— Je croyais que c'était 20…

— La Défense et les environs, la zone des affaires, sont habituellement considérés comme le vingt et unième.

— Au moins 21, répéta Payne en insistant sur les deux premiers mots.

— Au moins.

— Et il y a un maximum ?

— Pour cela, nous laisserons l'inspiration et les ressources disponibles nous guider.

SCULPTER DANS L'HUMANITÉ

Darian Hillmorek déposa *Les Voix du silence* sur la petite table en marqueterie Louis XVI, à côté de la fenêtre. Le blanc jauni de la couverture et les coins cornés contrastaient avec l'enchevêtrement délicat des différentes essences de bois.

Le regard de l'homme resta fixé un long moment sur le lac. Il ne prêtait presque plus attention aux transformations du réseau de rides qui couvrait la surface de l'eau. Ni aux couleurs changeantes des montagnes, loin derrière l'autre rive. Ni à ces espaces imprécis que l'humidité dans l'air dérobait de façon variable à son regard.

De plus en plus, le paysage qu'il apercevait de sa fenêtre lui apparaissait comme un concurrent. Il aurait voulu construire des œuvres qui aient le même caractère d'évidence immuable, des œuvres qui traversent les ans et les époques avec la même sérénité, malgré l'acharnement du temps à modifier son apparence.

Ses œuvres…

Comme tous les véritables artistes, les seules œuvres qui l'intéressaient étaient celles à venir. Déjà, il ne pensait presque plus au mausolée pour les visages de l'Humanité. Le projet suivait son cours. Une mécanique bien huilée…

Et puis, comme toutes les œuvres qu'il achevait, il commençait à la trouver dérisoire.

Œuvrer dans la chair était devenu banal. Prosaïquement organique.

Bien sûr, il avait élevé le travail dans la chair à un niveau jamais atteint. Il allait laisser une œuvre aux dimensions de l'humanité. Mais ce serait quand même une œuvre morte. Une sorte de cénotaphe.

C'était d'un funèbre, tout ça !

Il voulait créer une œuvre vivante. Qui s'inscrive durablement dans les mémoires. Une œuvre qui soit éducative. Qui change le regard des gens sur leur propre humanité.

Cela impliquait, inévitablement, qu'il y ait des morts. C'était la seule chose que les êtres humains prenaient vraiment au sérieux… Enfin, quand ils n'avaient pas le choix. Quand on les obligeait à la regarder.

C'était dans cette perspective qu'il avait conçu son nouveau projet artistique.

La première œuvre était amorcée. Elle avait même déjà son titre définitif. Ce serait une sorte de test pour évaluer la réactivité des gens.

Penser à ce projet lui rappela la raison pour laquelle il s'était levé.

Il reprit *Les Voix du silence* et se dirigea vers la petite armoire vitrée, à l'autre bout de la pièce. Il rangea le livre sur la deuxième tablette du haut, entre *Petite dissection de l'art occidental, précis d'art organique*, de Louis Art/ho, et les essais de Victor Prose.

La vue des livres aux couvertures colorées le fit sourire.

Prose…

Un individu pour qui il avait de grands projets. Mais il ne serait probablement pas facile à convaincre. Pour l'amener à collaborer, il faudrait piquer sa curiosité. Le provoquer, sans doute. Peut-être même le contraindre. Heureusement, pour cela, les moyens ne manquaient pas.

Le recrutement de Victor Prose était le dernier des soucis de Darian Hillmorek. Une seule chose l'inquiétait réellement : est-ce que l'écrivain serait à la hauteur du rôle qu'il entendait lui confier ? Réaliserait-il toute la portée des œuvres dont il aurait à témoigner ?

Peut-être n'arriverait-il pas à sortir des ornières de l'esthétique dominante ? Peut-être serait-il incapable d'inventer une forme littéraire qui rende justice aux œuvres dont il aurait le privilège d'observer la genèse ?

Enfin… Le temps le dirait.

Hillmorek sortit du cabinet de lecture et se dirigea vers son bureau. Dans quelques minutes, il recevrait une communication sécurisée sur son ordinateur et il ne voulait pas la rater.

Un rapport sur l'avancement des travaux préparatoires à la réalisation de sa prochaine œuvre.

II

INVESTIR DANS LE VIVANT

Anton Gregoriu souriait. Difficile de demander plus à la vie. Tout lui réussissait.

Quand il avait voulu acheter une île pour y installer sa ménagerie, un ami haut placé au gouvernement grec lui avait facilité les choses. Une poignée de millions et quelques mois plus tard, Gregoriu avait pu commencer les travaux. Le climat était idéal. La plupart des spécimens pourraient s'accommoder des lieux sans trop de difficultés.

Bien sûr, dans certains cas, il avait fallu procéder à des aménagements. Par exemple, construire une piscine glaciale et un enclos réfrigéré pour les ours polaires. En aménager une autre de manière à ce que l'eau reproduise les conditions du fleuve Yangzi Jiang, pour les dauphins d'une espèce que l'on croyait disparue… Mais il s'agissait là de détails. Pour Gregoriu, l'argent ne comptait pas. Du moins, pas avant un nombre significatif de millions.

Il avait d'abord fait fortune comme armateur. Puis comme «facilitateur» dans le trafic d'armes.

Par la suite, il avait décuplé sa fortune en investissant dans les marchés financiers.

Pour investir, il faut être informé. Et l'être avant les autres. Aussi, Gregoriu avait-il fait en sorte d'être renseigné à l'avance de certains attentats terroristes, de conflits frontaliers au Moyen-Orient, de tentatives de coups d'État, ou même de désastres écologiques…

Bref, de tout ce qui pouvait, directement ou indirectement, avoir une influence significative sur le prix du pétrole.

Il appelait cela de la convergence : mettre au service de ses investissements financiers les informations privilégiées auxquelles il avait accès grâce à ses occupations de négociant en armement.

Mais tout cela, c'était du passé. Désormais, ses activités tournaient autour d'un seul type d'investissement : la rareté.

Il n'y avait là rien de bien original. Tout le monde le faisait. Investir, c'est parier sur le fait que le produit dans lequel on investit deviendra plus rare et que, par conséquent, son prix montera.

Mais Gregoriu n'investissait pas dans des actifs traditionnels. Il avait délaissé la Bourse, les matières premières, le pétrole et tous ces produits dont on disait que le prix, à long terme, ne pouvait qu'augmenter. Il investissait dans le vivant.

Il n'avait pourtant aucun intérêt pour le génie génétique. La régénération des télomères ne l'intéressait pas davantage. Pas plus que les cellules souches pluripotentes et toutes ces acrobaties scientifiques.

Ce qui l'intéressait, c'était le vivant… vivant.

Ou, pour être plus précis : le vivant encore vivant.

Pour un temps.

Et plus ce temps était court, plus Gregoriu était intéressé. Sa passion, c'était les espèces en voie de disparition.

Il les collectionnait.

Un de ses projets était de construire une sorte d'arche de Noé. Un endroit où l'on pourrait, moyennant un juste prix, observer les espèces qui auraient disparu du reste de la planète.

Une sorte de Disneyland de l'écologie.

Évidemment, cela impliquait que ces espèces aient effectivement disparu. Là était la raison du deuxième volet de ses activités.

Ce dernier volet manifestait une plus grande créativité entrepreneuriale. Il s'agissait d'accélérer la disparition des espèces dont il possédait un nombre suffisant de spécimens.

Plus on en tuait, plus ceux qu'il détenait devenaient rares, plus leur valeur augmentait. C'était une application élémentaire de la loi du marché.

Récemment, pour diversifier ses activités, il s'était intéressé aux sous-produits des espèces rares. Notamment aux cornes de rhinocéros.

Ainsi s'expliquait en bonne partie l'accélération du massacre de ces animaux en Afrique australe : Gregoriu achetait massivement, à prix fort. Et il stockait presque tout ce qu'il achetait, de manière à maintenir la rareté.

Sur les marchés asiatiques, où la poudre de corne était réputée pour ses vertus aphrodisiaques, les prix s'envolaient. Et plus les rhinocéros s'approcheraient de l'extinction, plus les prix exploseraient… Encore la bonne vieille loi de l'offre et de la demande.

C'était pourquoi Gregoriu préférait accumuler des stocks. La corne qui valait aujourd'hui des milliers de dollars en vaudrait demain des centaines de milliers, peut-être même plus, quand l'espèce ne survivrait que dans quelques zoos.

Décidément, la vie avait été bonne pour Gregoriu. Et sa chance ne se démentait pas. Aujourd'hui encore, il se rendrait à Venise pour rencontrer une femme. Il lui avait donné rendez-vous au bar de la terrasse, sur le toit du Hilton. Elle lui proposerait une collection de 63 insectes en voie de disparition.

D'autres collectionneurs auraient peut-être ignoré les insectes. À côté des rhinocéros et des tigres, cela manquait de prestige. Mais, aux yeux de Gregoriu, tout ce qui était rare avait son prix. Qui pouvait savoir quelle somme un collectionneur accepterait de verser, dans quelques années, pour un seul de ces insectes ?

Surtout que Gregoriu était sûr d'en devenir le fournisseur exclusif. Une fois la vente conclue, il prendrait soin de faire arroser d'insecticide le site restreint d'où les insectes étaient originaires.

Au début, dans la pièce qu'elle apercevait à travers la fenêtre panoramique, ils étaient treize. Debout. Alignés contre le mur du fond. Face à elle.

Leurs chevilles étaient entravées. Leurs poignets, attachés.

Chacun avait un numéro sur la poitrine.

De 1 à 13.

Trois policiers les surveillaient, un pistolet à la main.

La jeune fille les voyait, mais eux ne la voyaient pas. Et ils ne pouvaient pas l'entendre.

Tous ensemble, ils allaient jouer à un jeu. *Lucky thirteen*. C'était son cadeau de fête. Pour ses 10 ans.

— Qui préfères-tu?

C'était la troisième fois que l'homme lui posait la question…

~

Treize personnes.

Treize vies.

Seuls ceux qu'elle allait choisir échapperaient à la mort.

L'homme qui lui avait expliqué le jeu avait insisté sur ce point: c'était une grande responsabilité; il était rare que les gens aient la possibilité de sauver des vies. Elle devait choisir soigneusement.

Puis il avait attendu. En la regardant avec un sourire rempli de gentillesse.

Quand elle avait refusé de choisir, il avait insisté.

Doucement.

Sa patience semblait infinie.

— Si tu ne choisis pas, ils vont tous mourir. C'est vraiment ce que tu souhaites?

La jeune fille avait longuement regardé les treize personnes.

Son père, sa mère, ses deux oncles, sa tante, sa cousine, sa grand-mère, deux amies de son âge, des voisins…

Puis elle avait choisi.

L'homme s'était penché vers le micro et l'avait allumé. Puis il avait énuméré sept numéros.

Deux des policiers avaient emmené les six personnes éliminées dans une autre pièce. On avait ensuite entendu plusieurs coups de feu entrecoupés de cris et de supplications.

Les personnes de l'autre côté de la vitre n'avaient eu aucune réaction. Comme si elles n'avaient rien entendu.

Une fois le calme revenu, l'homme au sourire rempli de gentillesse s'était de nouveau accroupi devant la jeune fille et l'avait regardée dans les yeux.

— Maintenant, tu dois encore choisir. Parmi les sept personnes qui restent, lesquelles préfères-tu? Lesquelles aurais-tu le plus de peine de voir mourir? Il faut que tu en choisisses deux.

L'enfant s'était remise à pleurer. À protester… Elle les aimait tous. Elle ne voulait pas qu'ils meurent.

Très patient, l'homme avait recommencé à lui expliquer qu'elle n'avait pas le choix. Il fallait voir les choses de façon positive. Elle n'envoyait pas cinq personnes à la mort : elle en sauvait deux. C'était un grand pouvoir.

Et il avait insisté.

— Il faut que tu en choisisses deux.

Après d'autres cris, d'autres larmes, l'enfant avait choisi son père et sa mère.

L'homme l'avait approuvée.

— Tu as bien choisi. À ta place, j'aurais pris la même décision.

Son ton se voulait réconfortant.

Les cinq personnes laissées pour compte furent à leur tour emmenées dans la pièce voisine. Les détonations, les cris et les supplications recommencèrent. Suivis du calme après le dernier coup de feu.

Et maintenant, l'homme reprenait sa question. Pour la troisième fois.

— Lequel des deux préfères-tu? Ton père ou ta mère?

— Vous aviez promis !

Malgré son sourire et son air de bonté, et même s'il semblait vraiment triste, l'homme se montra inflexible.

Elle devait effectuer un dernier choix, disait-il. Celui-là, il lui jurait que ce serait le dernier. C'était à cause de la règle. Une personne ne pouvait en sauver qu'une seule autre. Il n'y pouvait rien. Ce n'était pas lui, le maître du jeu. Il était là seulement pour l'aider à choisir. Pour la soutenir.

Après de nouveaux cris, de nouvelles crises de larmes, après avoir supplié de les sauver tous les deux, elle avait choisi de sauver son père.

— Tu as bien travaillé, avait dit l'homme, très doucement.

Il lui avait passé la main dans les cheveux. Puis il avait parlé dans le micro. Il avait donné le numéro de son père.

Un des gardes s'était approché de lui et lui avait tiré une balle dans la tête.

À bout portant.

— Non !…

L'homme persistait à sourire. Mais il paraissait accablé.

— Je sais. Tu avais choisi de sauver ton père… Mais on ne peut pas toujours sauver les gens que l'on veut.

Elle avait ensuite vu un des gardes enlever les menottes à sa mère, qui semblait frappée de stupeur, incapable de la moindre réaction.

L'homme lui avait dit, avec un reste de sourire un peu las, mais encore plein de compassion :

— Nous ne dirons pas à ta mère lequel des deux tu avais choisi. Ce sera notre secret.

Puis il avait ajouté, presque pour lui-même :

— Plus tard, tu comprendras.

LA CUVÉE HILLMOREK

Darian Hillmorek. C'était le nom qu'il avait choisi pour sa nouvelle cuvée de projets. Les gens n'y verraient que du feu.

Cuvée… Le mot l'amusait. Il l'avait emprunté aux financiers. Ceux-ci avaient l'habitude de classer les projets d'investissement selon l'année où ils étaient réalisés.

Il y avait de bonnes et de moins bonnes cuvées. Tout dépendait des conditions de l'économie cette année-là, de l'état des milieux financiers, du niveau des taux d'intérêt…

Pour Hillmorek aussi, les années variaient. Heureusement, il n'avait connu qu'une seule véritable mauvaise année. Mais elle avait été catastrophique. Et ce n'était pas 2008.

Il avait dû se réinventer. Revoir de fond en comble le plan d'affaires de sa vie.

Il avait alors abandonné ses projets humanitaires et renoncé à améliorer l'état de la planète.

Désormais, seuls ses projets artistiques et ses collections l'intéressaient. Son ambition était d'être le plus grand artiste de l'histoire de l'humanité.

Pour cela, il avait entrepris d'éliminer la compétition. Même si elle n'était pas à la hauteur de ce qu'il avait entrepris. Car il entendait triompher dans un désert. Rien ne devait porter ombrage à ses œuvres.

Bien sûr, les musées n'entraient pas dans ses considérations. Ni les représentants les plus célébrés de cet art officiel qui s'autoproclamait avant-gardiste. Leur fixation sur des formes d'art dépassées les discréditait par avance.

Anton Gregoriu, par contre, pouvait être contrariant.

Un homme étonnant, ce Gregoriu. Stupidement centré sur l'agrandissement de sa petite personne, obnubilé par sa volonté de s'enrichir, totalement aveugle à la portée artistique de ses œuvres… mais doué d'une intuition remarquable.

Malgré le caractère totalement inconscient de sa démarche, il pouvait devenir gênant, porter atteinte à l'unicité des œuvres que Hillmorek entendait produire. C'était pourquoi ce dernier avait jugé son élimination nécessaire. Gregoriu connaîtrait le sort des espèces qu'il collectionnait.

Une fois sa décision prise, Hillmorek était passé sans délai à la mise en œuvre. La solution lui était alors apparue évidente. Pour une élimination sûre et rapide, il devait choisir l'opérateur le plus fiable. Le plus efficace. Bref, ce qu'il y avait de mieux sur le marché.

Ce mieux avait un nom : la mystérieuse N…

Évidemment, ce serait aussi plus onéreux. Mais la question était pour lui sans importance.

Sa seule hésitation tenait à la façon dont N… avait eu raison de Hogue et de Sbire, lors de son opération précédente. Plutôt étonnante, l'aisance avec laquelle elle était remontée des exécuteurs des basses besognes jusqu'à Hogue[1].

Bien sûr, il n'avait jamais été personnellement inquiété. Mais, pour éviter qu'elle remonte jusqu'à lui, il avait dû sacrifier un certain nombre d'intermédiaires. Plus qu'il ne l'avait planifié. Cela n'aurait sans doute pas été indispensable, mais Hillmorek était un partisan convaincu de la minimisation des risques.

Par ailleurs, les exploits attribués à N… laissaient penser qu'elle n'agissait pas seule. Des rumeurs circulaient à ce sujet. Mais personne n'était parvenu à savoir avec certitude si elle avait des collaborateurs. Ou si une organisation l'appuyait.

Était-ce jouer avec le feu que de l'engager ?

Finalement, Hillmorek avait estimé qu'elle ne constituait pas une menace véritable. Il était trop bien protégé par la quantité de sas et de pare-feu qu'il avait mis en place, autant dans ses ordinateurs que dans sa vie.

Impossible qu'elle remonte jusqu'à lui. Au contraire, avec le dispositif qu'il allait élaborer, ce serait lui qui aurait de bonnes chances de découvrir son identité.

Tout ce qu'elle pourrait faire, c'était mener à bien la mission qu'il allait lui confier.

---

1. Voir : *Les Visages de l'Humanité.*

Natalya se redressa en sursaut dans son lit.

Elle aurait aimé pouvoir se dire que ce n'était qu'un cauchemar. Que les douze personnes n'étaient pas mortes… Et, effectivement, c'était un cauchemar. Sauf qu'il était réel.

Depuis plusieurs jours, dans cet état semi-conscient qui précède le réveil, elle revivait dans les moindres détails le drame de ses 10 ans.

Pour elle, le cauchemar ne s'était cependant pas arrêté ce jour-là.

Elle avait ensuite été placée dans une école spéciale. Une école où elle devait sans cesse être parmi les meilleures. Où elle avait l'obligation de réussir. Malgré des exigences souvent inhumaines.

De sa performance dépendait la vie de sa mère.

Avec ses trois décisions, qui avaient envoyé 12 personnes à la mort, elle lui avait acheté un sursis. Désormais, c'étaient tous les jours qu'elle devait la sauver…

À cette école, qui était une sorte de camp de formation, les visites aux enfants étaient rares. À peine le temps qu'il fallait pour garder le contact. Pour constater que l'autre était encore vivant.

De la sorte, le parent savait que la vie de l'enfant continuait de dépendre de son silence. Quant à l'enfant, cela lui rappelait que la vie de son parent dépendait de sa bonne performance.

La mère de Natalya n'avait su que des années plus tard dans quelle sorte d'école on avait placé sa fille. Uniquement après la chute de Ceausescu. Quand les archives de la police secrète avaient été pillées.

Car cette école n'avait pas d'existence officielle. Même si, dans son genre, elle avait la réputation d'être l'une des meilleures des pays de l'Est. Tous les élèves y avaient le statut légal de pupille de l'État. Et c'était l'État qu'ils apprenaient à servir. C'était là que le pays éduquait l'élite de son personnel clandestin.

Là qu'on fabriquait les meilleurs assassins…

Natalya se leva, un air de déterminé sur le visage.

En tuant Hogue, alias le Porc, quelques années plus tôt, elle avait réalisé une partie de sa vengeance… Le Porc. Celui qui avait tué son père. Elle l'avait ensuite retrouvé au camp-école.

Curieusement, le tuer ne lui avait pas apporté le soulagement qu'elle attendait. Peut-être parce que le travail n'était pas achevé. Qu'il restait l'homme au gentil sourire.

Maintenant, c'était lui qu'elle voulait retrouver. Celui qui lui avait imposé tous ces choix. Qui avait fait d'elle ce qu'elle était. Une machine à manipuler et à tuer.

Elle voulait retrouver le directeur de l'école. L'homme dont elle n'avait appris le nom que des années plus tard, après avoir quitté la Roumanie.

Valentin Cioban…

Mais, pour l'instant, elle avait une autre mission.

YAKA…

Victor Prose ferma la seule fenêtre ouverte sur l'écran de son ordinateur. Une heure, c'était sa limite.

Tous les jours, il s'imposait une heure d'informations québécoises et canadiennes. Pour garder le contact. Parfois, il passait en revue les manchettes des médias. Parfois, il choisissait une émission particulière, comme ce bilan sur la situation financière du Québec.

Il n'en revenait pas de la naïveté des gens. De la facilité avec laquelle tout un chacun se drapait dans ses certitudes et son indignation. Se réfugiait dans le « yaka ».

Yaka taxer les riches… Yaka couper la moitié des fonctionnaires… Yaka mettre des tickets modérateurs partout pour éviter le gaspillage… Yaka faire payer les entreprises… Yaka arrêter de subventionner les parasites sociaux… Yaka réduire les impôts pour stimuler l'économie… Yaka… Yaka…

Il aurait suffi de changer quelques mots et quelques thèmes pour avoir un bon résumé de l'opinion française ou européenne.

Yaka taxer les entreprises… Yaka augmenter les heures de travail… Yaka sortir de l'Europe… Yaka baisser les impôts… Yaka renvoyer chez eux les étrangers qui nous parasitent… Yaka augmenter les policiers dans les rues… Yaka durcir les peines contre les contrevenants… Yaka réduire les dépenses… Yaka augmenter les dépenses…

Spectacle édifiant! Hautement médiatisable! Et donc démocratique.

Un carré rouge apparut dans le coin supérieur gauche de l'écran. Un nouveau commentaire sur son blogue. Dans sa boîte personnelle.

Il l'ouvrit.

> Globalement, vos trois essais m'apparaissent justes. Intéressants, même. Vous avez bien saisi quelques-uns des signes précurseurs de la crise qui vient: les phénomènes d'escalade, de prolifération, de délinquance… Mais, selon moi, vos conclusions pèchent par timidité. Comme si vous aviez peur d'aller jusqu'au bout de votre pensée. Êtes-vous prêt à en discuter?
>
> Phénix

Phénix. L'oiseau qui renaît de ses cendres. Un mélange d'annonce de mort et de renaissance.

La réponse de Prose fut brève.

> Quelle conclusion aurais-je dû en tirer?

Quelques secondes plus tard, la réponse de son interlocuteur apparaissait à l'écran, pas moins lapidaire.

> La fin de l'Occident. Peut-être de l'humanité telle que nous la connaissons.

Un autre illuminé!

Ce n'était pas le premier auquel Prose avait affaire sur son blogue. Par politesse, et aussi parce qu'il jugeait inutile de provoquer son correspondant, il opta pour une réponse mesurée. Une réponse qui pouvait passer pour une ouverture au dialogue, mais qui avait toutes les chances de le décourager.

Pour discuter de votre point de vue, il faudrait que vous me fassiez la liste des thèses qui le résument et des arguments sur lesquels il s'appuie.

Avec ça, il allait avoir la paix.

Il se leva, sortit de son bureau, traversa le corridor le long duquel s'alignaient les pièces de l'appartement et mit son manteau. Avant de sortir, il récupéra le chapeau doublé de fourrure qu'il avait dû acheter pour affronter l'humidité glaciale du printemps parisien.

Il était temps de se rendre à la Bibliothèque François-Mitterrand pour y poursuivre ses recherches. À force d'efforts, il finirait peut-être par trouver suffisamment d'informations pour dénicher un exemplaire du roman qu'il cherchait depuis des années: *Les Naufragés du Juskoboutistan*.

LA MORT DU CLOWN

Un client avait contacté Natalya sur son site.

Situé dans le dark web, le site était inaccessible aux internautes ordinaires. Dans cette immense partie du web qu'aucun moteur de recherche classique n'indexait, pour accéder à un site, il fallait à la fois connaître son adresse précise et utiliser un logiciel spécialisé comme TOR.

TOR… Le nom venait de *The Onion Router*, ce qui était une manière de décrire son fonctionnement.

L'idée, c'était d'acheminer l'information à travers une série de relais choisis au hasard, dont chacun ne connaissait l'adresse que du précédent et du suivant. Comme chaque relais effaçait le message ainsi que les coordonnées des deux relais auxquels il était relié après avoir reçu et transmis l'information, il devenait impossible de remonter la piste… De là l'image des pelures d'oignon.

Pour plus de sécurité, Natalya utilisait un logiciel analogue à TOR, mais auquel diverses fonctionnalités avaient été ajoutées, notamment un système de codage et décodage automatisé des données ainsi qu'un proxy supplémentaire et un équivalent du logiciel TAILS – le tout sur un microdisque dur externe, gracieuseté de Wayne, un de ses ex spécialisé en informatique.

Un des avantages principaux de cette façon de faire était qu'aucune trace de ses communications ne restait sur son ordinateur portable. Le seul risque résiduel, minime, était qu'une agence de renseignements ait un coup de chance, qu'elle tombe sur son site et réussisse à y entrer malgré les dispositifs de sécurité.

Car le dark web, parfois appelé l'*undernet,* était un des principaux terrains de chasse de services de renseignement comme la NSA.

C'était là qu'on trouvait les sites de pédophiles et les blogues terroristes. Là également qu'on pouvait acheter ou vendre tout ce qu'il était illégal d'acheter ou de vendre : depuis l'armement sophistiqué aux jeunes esclaves sexuels, en passant par des défenses d'éléphant et des organes à transplanter. Et là, aussi, que les pirates informatiques établissaient leurs quartiers…

~

Le contrat que l'on proposait à Natalya consistait à protéger un journaliste. Emilio Parducci. Cela impliquait de faire disparaître celui qui voulait le tuer.

Les faits étaient relativement simples.

Sans que le journaliste le sache, un contrat avait été placé sur sa tête. La tentative d'assassinat avait cependant été contrée. Le tueur engagé pour éliminer Parducci avait été neutralisé avant de pouvoir s'exécuter. Deux balles dans la tête. Du travail bien fait. Très propre. Très professionnel.

Un autre contrat avait aussitôt été lancé. Et si le nouveau contractuel échouait à son tour, il ne faisait pas de doute qu'un troisième serait engagé.

Le client de Natalya voulait régler le problème à la source. Cette source se nommait Anton Gregoriu. C'était lui qui avait placé les contrats sur la tête d'Emilio Parducci.

Natalya prit un moment avant de répondre. Puis elle tapa rapidement deux questions sur le clavier.

Pour quelle raison Gregoriu veut-il éliminer le journaliste?
Pour quelle raison voulez-vous protéger Parducci en éliminant Gregoriu?

Elle appuya ensuite sur SEND.

Une dizaine de minutes plus tard, elle reçut une réponse détaillée… et totalement extravagante. Au point où elle ne pouvait même pas la rejeter du revers de la main : personne de sensé n'aurait inventé une explication aussi invraisemblable.

Si son client disait vrai, c'était exactement le type de travail auquel Natalya avait résolu de se consacrer. Ce fut pourquoi elle procéda sans attendre à des vérifications.

Pour ce faire, elle se tourna vers le réseau des ex. Paolo fut le premier qu'elle réussit à joindre.

Il faisait le même métier qu'elle. Et lui aussi refusait systématiquement certains types de contrats. Mais il avait une morale plus élastique que celle de Natalya : pour lui, toute personne exagérément riche, tout homme politique, tout individu relié aux banques et à l'univers de la finance constituait une cible légitime… Sans doute un reliquat de sa période anarchiste !

Moins d'une heure plus tard, Paolo la rappelait. Il lui confirmait à peu près tout.

— Tu es sûr?

— Le contrat a bien été donné. Le type qui l'a accepté s'est fait descendre deux jours plus tard.

— Tu sais de qui il s'agit?

— Le Clown… Tu le connais?

— Vaguement, comme tout le monde.

Dans le métier, il était une sorte de légende. C'était un des plus anciens. On racontait qu'il avait exercé le métier de clown pendant près de 20 ans. Pour se convaincre que la vie n'était pas intégralement invivable. Pour se prouver qu'il était possible de donner du bonheur aux gens en les faisant rire, ne serait-ce que quelques heures.

Puis, un jour, il y avait eu une manifestation.

Elle ne le visait pas personnellement. C'était la conséquence d'un conflit de travail. Des employés mis à pied par le propriétaire de la salle de spectacles étaient venus faire du grabuge. Ils avaient complètement saboté son spectacle.

Le geste avait eu une conséquence imprévue. Quelque chose avait cédé dans son esprit. Convaincu qu'il n'y avait vraiment rien à espérer de ses colocataires humains de la planète, il avait abandonné son personnage de clown. Sa lutte pour l'amélioration de l'humeur générale de la population prendrait désormais une tout autre forme. Si on ne pouvait pas réduire la misère par le rire, on pouvait réduire le nombre de misérables… et bien en vivre.

— On sait par qui il a été éliminé ?

— Un parachuté.

L'expression désignait ces contrats réalisés par des assassins professionnels de haut niveau, qui prenaient l'avion pour se rendre sur le lieu de leur travail, exécutaient rapidement le contrat et repartaient à l'étranger dans les heures suivantes.

— Et le deuxième contrat ?

— Il est apparu hier sur les principaux sites. La prime a été triplée. Je ne sais pas si quelqu'un l'a accepté.

Celui qui voulait éliminer Parducci semblait manifestement très désireux d'obtenir ce qu'il voulait. Très désireux et très pressé.

— Peux-tu faire passer le mot que c'est un contrat pourri ? demanda Natalya.

S'il y avait quelqu'un qui pouvait être sensible à cet argument, c'était bien Paolo. Il avait lui-même failli en être victime.

Dans le métier, un contrat pourri, c'était un contrat où celui qui l'exécutait faisait lui-même, à son insu, l'objet d'un autre contrat : sitôt le sien exécuté, il se faisait éliminer. Une manière efficace de couper les pistes.

C'était pour éliminer Paolo que Natalya avait été engagée. Prétexte : il avait refusé d'effectuer un contrat quand il avait appris que la cible était âgée de 12 ans. Le client avait demandé à Natalya de faire le ménage : éliminer la cible et faire disparaître le tueur récalcitrant.

Natalya avait préféré exécuter le client puis expliquer la situation à Paolo.

~

Les ex…

Avec certains, les relations étaient demeurées plus étroites. C'était le cas avec Paolo. En raison de la similitude de leur travail. Au début, ils discutaient même fréquemment de leur métier, de leur situation respective.

Puis, d'un commun accord, malgré la proximité qu'ils avaient développée, ils avaient réduit leurs contacts. À cause des risques. Il suffisait que l'un des deux fasse l'objet d'une surveillance pour que les gens de son entourage soient exposés au même type d'attention.

Il n'y avait qu'un seul de ses ex avec qui Natalya avait maintenu des contacts réguliers. Celui qu'elle l'appelait, non sans humour, son « commanditaire ». Ou son « souteneur ». Ce qui ne manquait jamais de le mettre mal à l'aise… Un ancien des Renseignements généraux, puis de la DCRI, dont les fonctions réelles restaient floues au sein de la toute nouvelle DGSI.

Il était devenu pour elle une sorte de protecteur/employeur. Il s'occupait de tous ses problèmes d'intendance.

ACHETER DEUX NOIRS ALBINOS

Après avoir raccroché, Natalya passa immédiatement un autre coup de fil. Maarten. Il travaillait pour une agence européenne vouée à la protection des espèces menacées.

Après les salutations d'usage, elle lui demanda si le nom de Gregoriu lui disait quelque chose.

— Tu parles d'Anton Gregoriu ?

De la tension était subitement apparue dans la voix de Maarten.

— Oui.

— Quelle version veux-tu ?

— Il y en a plusieurs ?

— Officiellement, c'est un philanthrope. Un homme d'affaires très riche… Fréquente le gratin international. Grande consommation de top-modèles et de stars. S'est fait une spécialité de financer la protection des espèces menacées.

— Et non officiellement ?

— Il y a des rumeurs.

— Comme ?

— Safaris clandestins de chasse au tigre, capture de lémuriens à Madagascar, trafic de fourrure de pandas géants… importation d'amphibiens en voie de disparition…

— C'est sérieux ?

— Tous ces faits sont établis. Ce qui est de l'ordre de la rumeur, c'est que Gregoriu y soit relié… Son implication n'a jamais pu être prouvée, mais certains croient qu'il serait l'organisateur secret de plusieurs de ces trafics.

— Toi, tu en penses quoi ?

— Ça fait beaucoup de rumeurs. Et qui vont toutes dans le même sens.

— Une campagne d'extermination des rhinocéros en Afrique australe, ça te dit quelque chose ?

— Il est vrai que le nombre de bêtes tuées a beaucoup augmenté depuis quelques années. Mais de là à parler de campagne d'extermination… À mon avis, c'est plutôt une conséquence du manque de moyens pour les protéger. Je vois mal qui aurait intérêt…

Natalya lui résuma l'explication que son mystérieux client lui avait fournie : l'accumulation des cornes pour constituer des stocks, l'élimination de l'espèce pour créer la rareté…

— C'est totalement cinglé.

La voix de Maarten disait toutefois clairement qu'être cinglé n'était pas un argument permettant de nier l'existence de quelque chose.

—J'ai une autre question, reprit Natalya.

—Toi, tu es sérieusement en train de préparer un dossier sur lui !

Natalya répondit sur un ton légèrement moqueur, pour désamorcer la question.

—Je prépare toujours tout très sérieusement.

—Qu'est-ce que tu veux savoir ?

—J'ai entendu dire qu'il aurait peut-être acheté deux Noirs albinos.

—Des Noirs ? Albinos ?

—Comme ceux qu'utilisent certains sorciers africains. Ils les découpent en morceaux et s'en servent pour faire des potions… Mais ceux-là, ce ne serait pas pour être revendus à des sorciers.

—*Shit !*

—Cela résume assez bien ce que je pense.

—Où as-tu entendu parler de ça ?

—Tu confirmes donc que c'est vrai ?

—Je ne sais pas. Je ne sais même pas si les rumeurs sont reliées à Gregoriu. Mais il y aurait quelqu'un, quelque part, qui aurait entrepris de constituer un véritable zoo humain… Et je ne parle pas de l'assemblée générale de l'ONU.

—Qu'est-ce que tu sais ?

—Pas grand-chose. De toute façon, il y a un embargo. On ne veut surtout pas créer de panique et alimenter toutes sortes de légendes urbaines.

—J'ai aussi entendu parler de membres d'une tribu amazonienne qui auraient été enlevés. Quatre…

—Quoi !

—Et le reste de la tribu aurait été massacré. Là encore pour créer la rareté.

Un silence suivit.

Finalement, Maarten lui dit :

— Il faut absolument que je sache d'où tu tiens ces informations.

Natalya nota que Maarten ne parlait plus de rumeurs, mais d'informations.

— Pour l'instant, je ne peux rien dire.

— Tu ne travailles quand même pas pour lui ?

— Donne-moi 48 heures.

— Tu ne peux pas protéger un type comme ça !

— Fais-moi confiance. Dans 48 heures, je répondrai à toutes tes questions. Et j'aurai peut-être une partie de la solution à votre problème.

Natalya n'était pas moins stupéfaite que Maarten. Mais pas exactement pour les mêmes raisons.

La réaction de Maarten tendait à accréditer les allégations de son client. Il y avait probablement là plus que des légendes urbaines. Mais ce qui intriguait surtout Natalya, c'était de savoir comment son client avait réussi à regrouper toutes ces rumeurs. Et pourquoi il pensait qu'elles étaient vraies. Parducci était-il son informateur ?

Chose certaine, si le journaliste avait commencé à réunir des preuves de tous ces trafics, l'acharnement de Gregoriu à l'éliminer s'expliquait facilement.

Une question cruciale demeurait toutefois sans réponse : quel était l'intérêt de son mystérieux client, dans tout cela ? Pourquoi tenait-il tant à sauver Parducci ?

Était-ce vraiment par souci de protéger les espèces en voie de disparition, comme le laissait entendre le pseudonyme qu'il avait utilisé comme signature :

Un ami des espèces menacées… et de leurs défenseurs.

LE SUISSE CANTONAL

En lisant la réponse de Prose, Hillmorek ne put s'empêcher de sourire. Il avait mordu à l'hameçon.

Pendant quelques minutes, il laissa son regard se perdre sur le lac.

C'était vraiment un endroit magnifique. Un des seuls où les privilèges de la richesse réussissaient encore à endiguer la marche triomphale de l'industrialisation bétonnière, de l'entassement urbain et de la promiscuité bruyante.

Sans parler des odeurs…

Mais ce temps arrivait à sa fin. Même autour du lac Léman, le cancer occidental multipliait les métastases. Tout au plus prenait-il des gants, s'offrant ici et là le luxe d'un déguisement écologique, contenant sur certains territoires la pulsion verticale des constructeurs, protégeant à plusieurs endroits cette espèce en voie de disparition : le Suisse cantonal vivant à l'abri du reste de la planète.

L'attention de Hillmorek revint au texte affiché sur l'écran de l'ordinateur.

> Pour discuter de votre point de vue, il faudrait que vous me fassiez la liste des thèses qui le résument et des arguments sur lesquels il s'appuie.

La réponse le ravissait. Enfin, un interlocuteur. Il semblait bien à la hauteur de ce qu'il attendait de lui.

Les doigts de Hillmorek s'activèrent brièvement sur le clavier.

> Votre réponse me réjouit. Je vous soumettrai sous peu une opinion convenablement argumentée.

Puis il appuya sur SEND.

Sa réponse était déjà prête. Elle l'était même depuis plusieurs semaines. Mais il importait que cet échange conserve une apparence de spontanéité. De naturel.

Il aurait été stupide de compromettre par une précipitation indue des projets aussi soigneusement préparés.

À l'intérieur de l'avion qui l'emmenait à l'aéroport international Marco Polo, Natalya s'était efforcée de ne pas dormir. Ce n'était pas le moment d'attirer sur elle l'attention du personnel de sécurité en faisant un cauchemar.

Pour s'occuper l'esprit, elle avait passé en revue les principaux aspects de son contrat.

De Gregoriu, elle pouvait maintenant se faire un portrait assez exact. Son implication dans le trafic d'espèces menacées ne faisait plus de doute. Le fait qu'il accepte de la rencontrer en était la plus récente confirmation.

Par contre, sur son mystérieux client, elle n'avait rien trouvé. Ni sur lui ni sur les motifs pour lesquels il s'était instauré le protecteur de Parducci.

Même Wayne n'avait rien trouvé. Et cela, malgré le fait qu'il était un des meilleurs de sa profession et qu'il avait accès aux ressources d'une agence de lutte contre la cybercriminalité. Son enquête s'était brusquement interrompue sur un serveur de l'Université de Bucarest.

Impossible de remonter plus loin.

Natalya avait tiqué quand elle avait entendu le nom, comme chaque fois qu'une piste menait en Roumanie.

— Ça ne veut rien dire, avait expliqué Wayne. Ils peuvent avoir hacké le serveur de l'université à partir de n'importe où sur la planète.

Wayne avait probablement raison. Mais Natalya conserverait l'information en mémoire. Peut-être qu'un jour, reliée à une autre…

Une fois sortie de la zone de sécurité de l'aéroport de Venise, elle se dirigea vers l'embarcadère. Le bateau-taxi qu'elle avait réservé la conduirait directement à l'hôtel, sur l'île de la Giudecca.

Sa chambre était réservée au nom de monsieur et madame Franco Lupini. C'était une façon de se protéger, au cas où quelqu'un cherche à identifier les femmes seules résidant à l'hôtel.

Il lui restait quatre heures avant de rencontrer Gregoriu. C'était plus que suffisant pour changer radicalement d'apparence et prendre possession de la petite boîte qui l'attendait à la réception de l'hôtel, gracieuseté de celui qui l'avait engagée. La boîte contenait un certain nombre d'insectes susceptibles d'établir sa crédibilité auprès de Gregoriu.

Ce dernier s'était engagé à lui acheter l'ensemble du lot le lendemain, si la vérification de l'échantillon s'avérait positive.

Pendant que le taxi de Natalya s'éloignait, un homme, sur le quai, l'observait avec des jumelles. Son crâne rasé, allongé vers l'arrière, lui donnait une apparence un peu étrange.

Il ne doutait pas que la femme réussisse à exécuter le contrat. Même s'il ignorait presque tout à son sujet. Il savait seulement qu'elle avait été bien formée. Trop bien, peut-être. Mais lui aussi avait été bien formé. Elle ne pourrait pas lui échapper.

Il composa un numéro de téléphone dont l'indicatif régional commençait par 40-21.

À plus de 1 000 kilomètres de là, un serveur souleva le combiné derrière le comptoir d'un bistro. L'homme avait une soixantaine d'années et sa barbe peinait à compenser le peu de cheveux qu'il lui restait.

— J'écoute.

— Elle est arrivée.

— Et dans la suite ?

— Tout est en place.

— Faites en sorte de vous rendre avant elle au lieu de rendez-vous.

— Qu'est-ce que je fais ?

— Absolument rien. Vous observez. Je veux savoir qui elle rencontre. Et surtout, qui la surveille.

— D'accord.

L'homme derrière le comptoir ferma son portable.

Durant ce bref échange de répliques, son regard n'avait pas cessé de parcourir la salle. Son visage affichait un sourire bienveillant. Comme s'il englobait dans une approbation légèrement amusée l'ensemble des échantillons humains qui constituaient sa clientèle.

Et lorsque l'homme vit un client s'approcher du bar, son sourire s'élargit. Difficile de ne pas croire au plaisir qu'il avait de le rencontrer, même si c'était la première fois qu'il le voyait.

UN MILIEU EXTRÊME

La rencontre avec Gregoriu au bar du Hilton fut brève.

Il examina d'abord le contenu de la boîte que Natalya avait placée sur la table, devant lui.

À un moment, il mit le doigt sur la vitre qui scellait un des compartiments et empêchait les insectes de s'échapper. Du bout de l'ongle, il vérifia que les petits points qui quadrillaient le verre étaient bien des trous pour permettre l'aération.

Puis il referma la boîte.

— Vous êtes nouvelle dans le milieu ?

— Pourquoi ?

— Je ne vous ai jamais rencontrée.

— Habituellement, je ne fréquente que les extrêmes.

Gregoriu sourit.

— Certains milieux sont par nature extrêmes.

— Vous parlez du bavardage extrême ?

Gregoriu sourit.

— Vous ne manquez pas d'air.

— Quand j'étais jeune, on m'a dit que manquer d'air portait sérieusement préjudice à l'espérance de vie. J'ai l'intention de vivre longtemps.

Puis elle ajouta, sur un ton subitement détaché, très professionnel :

— On peut passer aux choses sérieuses ?

— D'accord, dit-il en se levant. Pour discuter, nous serons mieux dans ma suite.

Natalya se leva à son tour.

— Je vous préviens, je ne bois que du champagne.

— Il existe autre chose ?

LE DOLICHOCÉPHALE S'AFFALE

Quelques minutes après le départ de Gregoriu et de Natalya, un homme assis au fond du bar du Hilton pianotait avec difficulté sur son téléphone portable. Pendant qu'il écrivait un texto, sa tête dolichocéphale lentement s'affalait sur l'appareil.

> Contact réussi. Comme prévu, une seule surveillance.

La réponse ne fut guère plus élaborée.

> Prévenez-moi quand le contrat sera exécuté.

> OK. Après?

> Suivez la surveillance.

Affectant ensuite l'hésitation maladroite de quelqu'un qui a pris trop d'alcool, le dolichocéphale tituba de façon contrôlée jusqu'à l'ascenseur.

La seule autre cliente du bar se leva à son tour. Par prudence, elle attendit d'être de retour dans sa chambre pour contacter Hillmorek par texto.

> Le poisson a été ferré.

> N'intervenez qu'en cas d'échec.

> Et ensuite? Pour N...?

> Assurez-vous de pouvoir la retrouver. Au cas où elle deviendrait un problème.

> OK.

Prête pour la prochaine
opération?

Sitôt le contrat exécuté,
je donne le feu vert aux
journalistes.

Et vous vous rendez auprès de
Payne.

C'est déjà prévu.

La femme n'avait aucune idée de l'endroit où se trouvait Hillmorek. Tout ce qu'elle savait, c'était qu'il attendait la conclusion de ce contrat pour lancer l'opération suivante.

Elle y aurait un rôle plus important. On lui avait même créé une nouvelle identité pour l'occasion.

Sandrine Bijar...

Elle aimait bien ce nom. S'il n'en avait tenu qu'à elle, elle l'aurait adopté immédiatement. Mais son employeur avait refusé. Le nom était réservé à l'opération suivante. Pour l'instant, elle ne pouvait l'utiliser que lorsqu'elle se rendait à Paris pour les activités du Club 51. Il fallait respecter l'intégrité artistique de chacune des opérations.

TROP TARD, MAIS PAS EN VAIN...

Quatre heures plus tard, Gregoriu marchait comme un somnambule vers la fenêtre située à une des extrémités de la suite, dans la partie salon. Natalya le suivait, le guidant de sa voix.

— Encore un pas. Ça y est. Vous y êtes...

Droguer son champagne avait été un jeu d'enfant. Par la suite, le plonger dans une transe hypnotique profonde n'avait guère été plus compliqué. Juste un peu plus long.

Natalya avait mis à profit l'heure qui avait suivi pour le faire parler de ses différentes collections et de ses trafics.

Une fois ces détails réglés, elle avait consacré le reste de son temps à lui faire boire du champagne. Une disparition, cela se fêtait !

De toute façon, elle n'avait pas eu besoin de l'interroger longuement. La première information qu'elle lui avait soutirée, c'était le code d'accès de son ordinateur portable. La deuxième, la clé de déchiffrement des dossiers.

Cela fait, elle s'était bornée à lui demander des précisions sur tel ou tel point. Car les dossiers de Gregoriu étaient tenus de façon minutieuse. Chacune de ses activités y était abondamment documentée. Rien n'y manquait. Ni la localisation des différents entrepôts, ni celle du zoo humain, ni la liste des endroits où étaient gardés les spécimens d'espèces en voie de disparition.

Maarten y trouverait tout ce dont il avait besoin. Y compris le lieu où le corps de Parducci était enterré. Car, pour lui, il était trop tard.

Mais, au moins, le journaliste ne serait pas mort en vain. Maarten verrait à ce qu'on lui donne le crédit qui lui revenait. Dans les médias, son nom serait associé au démantèlement de multiples réseaux de trafiquants.

Après tout, c'était lui, Parducci, qui avait amorcé l'enquête. Lui qui avait provoqué l'engrenage des événements qui avaient suivi. Sans son travail et son acharnement, les autorités n'auraient jamais eu accès à la mine d'informations que constituaient les archives de Gregoriu.

AU-DELÀ DU PORC

Une fois l'interrogatoire terminé, en attendant que le soir tombe, Natalya avait fouillé l'ensemble de la suite.

Elle n'y avait rien trouvé qui soit en relation avec les activités de Gregoriu. En revanche, elle avait découvert un bout de feuille déchirée provenant d'un bloc-notes avec l'en-tête de l'hôtel. Le papier était presque totalement dissimulé entre le mur et le côté d'un fauteuil.

Ce qu'elle y avait lu l'avait paralysée pendant un long moment. Il n'y avait pourtant que quelques chiffres. Et, juste en dessous, quelques mots en roumain rédigés en lettres moulées.

Le contrôle de soi rend libre

Les chiffres ne lui disaient rien. Mais l'expression l'avait immédiatement ramenée à son enfance. Elle avait senti un mélange de rage et d'impuissance l'envahir. Des souvenirs avaient afflué dans sa mémoire, se bousculant les uns les autres, l'empêchant de penser de façon cohérente.

Elle avait mis plusieurs minutes à s'en remettre.

~

Le contrôle de soi rend libre…

C'était la devise que le directeur du camp-école leur répétait sans cesse. Particulièrement avant les pires épreuves.

Sans contrôle de soi, disait-il, on est victime de ses réactions. Et de ceux qui savent les manipuler.

Le directeur de l'école… L'homme au sourire rempli de gentillesse. Celui qui se cachait derrière Hogue pour leur imposer les pires choses.

Même si c'était Hogue qui avait hérité du surnom de Porc, il n'était qu'un instrument. Au-delà du Porc, il y avait l'homme au gentil sourire compatissant.

Valentin Cioban.

C'était lui le vrai responsable. Lui qu'elle pourchassait en vain depuis des années.

LA FIN DE L'OCCIDENT…

Prose s'était trouvé une nouvelle façon de promouvoir ses idées tout en s'amusant : faire des mots croisés.

Faire au sens de fabriquer. En subvertissant les définitions.

Les grilles elles-mêmes étaient habituellement empruntées telles quelles à de vieux recueils de mots croisés.

Mais là n'était pas l'essentiel. Tout se jouait dans les définitions. Le travail de Prose consistait à attribuer aux différents termes de la grille des définitions à la fois humoristiques ou moqueuses et socialement pertinentes.

Bien sûr, tous les mots ne pouvaient pas faire l'objet d'une subversion. Les symboles chimiques, par exemple. Ou les chiffres romains. Encore que…

Il venait de composer une dizaine de définitions.

10 lettres : Argument massue pour établir la vérité d'une affirmation.

4 lettres : Moins on en a, plus il est difficile d'en faire.

7 lettres : But habituel de ceux qui affirment ne pas y être intéressés.

5 lettres : Ce que les membres d'un parti poursuivent habituellement en ordre dispersé.

15 lettres : On les enterre et on les oublie… jusqu'à ce qu'il soit trop tard.

12 lettres : Elles se croient toutes immortelles.

8 lettres : Quoi que certains en disent, personne n'arrive vraiment à les sacrifier.

3 lettres : Intime et tyrannique.

Il commença ensuite à placer les mots dans la grille, histoire de vérifier qu'il n'avait pas fait d'erreurs.

Au septième mot, il fut interrompu par le bip signalant l'apparition d'un carré rouge dans le coin supérieur gauche de son écran.

Prose fit apparaître la fenêtre des messages reçus sur son blogue. Sélectionna celui qui venait d'arriver.

Encore son mystérieux correspondant. Celui qui signait « Phénix ».

Cette fois, le message était nettement plus substantiel.

Les perturbations climatiques et la pollution vont empoisonner la vie de milliards de personnes ; en jeter des centaines de millions sur les routes ; aggraver les inégalités.

Déjà, la planète ne peut pas offrir à l'ensemble de la population les conditions de vie actuelles de l'Occident. Or la population continue d'augmenter. Et elle désire la même qualité de vie que les Occidentaux.

La crise alimentaire va sévir avec de plus en plus de violence ; elle va accentuer la division de l'humanité entre riches (ceux qui mangent) et pauvres (ceux qui ne mangent pas… ou pas suffisamment).

La crise économique qui s'éternise va achever de ruiner les pauvres de luxe (les classes moyennes) au profit des véritables riches. Elle va précipiter la formation de ghettos. Les sociétés vont se fracturer en minorités protégées et majorités flouées.

La médecine va être de plus en plus réservée aux riches ; les populations pauvres, surtout celles concentrées dans les régions surpeuplées, vont être décimées par des épidémies, la pollution de leur environnement et le manque d'accès aux soins.

Il en résultera inévitablement des pénuries (eau, céréales, matières premières), lesquelles vont provoquer des affrontements majeurs.

Les croyances religieuses et les nationalismes de tout acabit vont proliférer pour compenser la perte de sens et l'absence d'intégration sociale, ce qui va exacerber les conflits.

La démocratie va aggraver la situation parce qu'elle est une forme inefficace d'organisation de la survie collective : le temps que les décisions se prennent, il sera trop tard. Et quand elles seront prises, il s'agira presque toujours de décisions mitigées, insuffisantes, qui résulteront de compromis à courte vue entre toutes sortes d'intérêts particuliers.

La démographie condamne l'Occident à disparaître par assimilation : d'ici 50 ans, une grande partie de l'Europe sera islamisée. Et le reste sera en guerre pour se protéger contre l'islam. À moins que ce ne soit le contraire, que ce ne soit l'Islam qui prenne l'initiative de la guerre pour établir un Califat à Rome, comme le réclament déjà plusieurs leaders islamistes.

Voilà pourquoi, au mieux, on va assister à la naissance de deux humanités ; au pire, à sa disparition… ou à sa régression à quelque chose qui ressemblera à un âge de pierre avec, peut-être, ici et là, des poches de survie technologique.

Je pense qu'il serait sage de discuter de ces idées une à la fois. ;-))

Phénix
Artiste et archéologue du futur

Un peu ébaubi, Prose relut lentement le message.

Manifestement, ce type avait pris le temps de structurer ses idées. Et même s'il en restait à des généralités, sa réponse était soigneusement construite. Bien sûr, le ton du texte était provocant, mais il était difficile de ne pas accorder une certaine pertinence aux idées qu'il esquissait. Quant à l'ironie de la remarque finale, elle dénotait un détachement peu compatible avec un esprit illuminé.

Il y avait aussi cette curieuse revendication de compétence qu'il avait ajoutée après sa signature : « artiste et archéologue du futur ».

Prose quitta son blogue.

Il allait répondre à ce mystérieux Phénix, mais plus tard. Il voulait d'abord réfléchir à la manière dont il allait l'aborder.

LE SOMNAMBULE ET LES DAUPHINS

Le soir venu, Natalya avait amorcé la dernière phase du travail.

D'abord prendre une bouteille de champagne, la vider dans les toilettes et tirer la chasse. À plusieurs reprises.

Puis laisser la bouteille vide sur une table basse du salon, bien en vue, à côté de l'autre bouteille vide et de celle à demi entamée. Laver une des deux coupes et la remettre dans le buffet.

Ouvrir une fenêtre. Aider Gregoriu à s'y rendre. Lui suggérer d'enjamber la rambarde et de plonger dans sa piscine pour aller rejoindre les deux jeunes dauphins qu'il venait d'acheter. Des survivants miraculeux d'une espèce que l'on croyait éteinte : des dauphins de Chine. Ils peuplaient autrefois les eaux du fleuve Yangzi Jiang.

Moins d'une minute après que Gregoriu se soit écrasé sur le ciment, Natalya empruntait l'escalier de service.

Après s'être assurée qu'elle n'était dans le champ d'aucune caméra, elle déposa par terre le sac qu'elle avait au bras, ôta sa perruque rousse, enleva sa robe, descendit ses collants noirs qui étaient remontés jusqu'en haut des cuisses et déroula la petite jupe noire enroulée autour de sa taille. Elle sortit ensuite du sac un veston gris argenté qui s'harmonisait à son chandail et à ses collants, changea de lunettes et mit tout ce qu'elle avait retiré dans son sac.

Puis elle regagna sa chambre.

Les prochains jours, elle demeurerait à l'hôtel. Il n'était pas question d'attirer l'attention sur elle en partant de façon précipitée.

Après tout, elle n'était pas dans un roman d'Agatha Christie. Il n'y avait aucun danger de voir un petit détective chauve faire irruption dans l'hôtel et entreprendre d'interroger tous les clients.

Quelques minutes plus tard, elle descendait dans le hall de l'hôtel et sortait pour prendre un bateau-taxi en direction de la place Saint-Marc. Un de ses ex l'y attendait. Franco Lupini. Un négociant en bijoux qui avait une boutique à la place Saint-Marc. Franco Lupini était son identité de réserve, quand il avait besoin de se déplacer pour ses affaires sans attirer l'attention. Il la raccompagnerait à l'hôtel en fin de soirée, ce qui accréditerait l'idée qu'elle était mariée.

Natalya n'était pas vraiment inquiète pour sa sécurité. Le temps que les policiers italiens découvrent l'identité du cadavre, qu'ils se dépêchent d'en référer à leurs supérieurs, que ces derniers consultent discrètement les politiques, les dernières traces toxicologiques disparaîtraient de l'organisme de Gregoriu. Rien ne pourrait remettre en question la cause évidente du décès.

Un accident.

Après tout, la victime avait bu pas mal de champagne. Plus de deux bouteilles. Et comme on ne trouverait qu'une seule coupe utilisée dans la pièce…

Au pire, les médias évoqueraient l'hypothèse du suicide pendant quelques jours, puis l'histoire disparaîtrait de l'actualité.

Ce serait seulement plus tard que le scandale éclaterait : quand on dévoilerait les différents trafics que Gregoriu avait financés.

TOURISME DE FAÇADES

Très tôt le matin, l'époux de madame Lupini était parti de façon précipitée. Une urgence au travail.

Il ne voulait pas réveiller sa femme, avait-il longuement expliqué à la réception de l'hôtel. Il détestait devoir la quitter ainsi sans la prévenir, mais il n'avait pas le choix. Un très gros contrat était en jeu. L'entreprise risquait de le perdre s'il n'était pas là pour arranger les choses.

Pour se faire pardonner ce départ en catastrophe, il désirait qu'on lui envoie dès que possible un immense bouquet de fleurs. Et une bouteille de champagne en soirée.

Puis, se ravisant, il demanda que la bouteille de champagne et les fleurs lui soient livrées tous les jours jusqu'à ce qu'il revienne.

L'histoire ferait probablement le tour des employés de l'hôtel. Si certains d'entre eux étaient interrogés sur cette madame Lupini, ils confirmeraient sa couverture sans le savoir.

~

Après le départ précipité de son mari, Natalya assuma immédiatement le rôle de femme abandonnée qui s'immerge dans le tourisme de compensation. Ce qu'elle accrédita en se rendant sans délai acheter des dentelles traditionnelles à Burano et du cristal à Murano. Elle trouverait bien quelqu'un à qui les donner.

Dans le bateau taxi qui l'emmenait à Burano, elle pensa à Théberge et à sa femme. Elle venait d'apprendre qu'ils étaient en vacances à Paris. Pour madame Théberge, elle prendrait un chemin de table et des napperons. Pour son mari, une carafe et des verres.

Le lendemain, elle se consacrerait surtout aux boutiques de la place Saint-Marc et à l'examen des façades le long des canaux. Une touriste ordinaire… Le reste du temps, elle poursuivrait ses recherches Internet pour retrouver le mystérieux collectionneur de visages[2]. Il était encore sa meilleure piste pour remonter jusqu'à Cioban : l'homme qui dirigeait le camp-école où l'on avait fait d'elle ce qu'elle était.

Cet élément avait joué dans sa décision d'accepter le contrat sur Gregoriu. Elle avait espéré que ce mystérieux collectionneur d'espèces menacées et d'êtres humains lui permettrait de remonter jusqu'au collectionneur de visages.

Entre collectionneurs, peut-être se connaissaient-ils…

Hélas, elle n'avait rien trouvé. Même sous hypnose, Gregoriu n'avait rien pu lui apprendre, hormis les multiples trafics auxquels il s'adonnait.

En revanche, il y avait ce bout de papier qu'elle avait découvert dans la suite.

UN PHILANTHROPE ASSASSIN

Depuis que les rénovations étaient terminées et que le Gritti Palace avait rouvert ses portes, Darian Hillmorek y louait une suite en permanence.

L'essentiel de son temps, il le passait en Suisse. Au bord du lac Léman. Mais il aimait Venise. Il y venait plusieurs fois l'an. Parfois quelques jours, parfois plusieurs semaines.

Louer une suite à l'année était une façon d'avoir la possibilité d'y venir quand l'envie lui en prenait. Sans avoir à se préoccuper de

_____

2. Voir : *Les Visages de l'Humanité.*

réservations, sans avoir à subir les conséquences de l'achalandage lié à la Mostra, au Carnaval ou à la fête du *Redentore*. Bref, de tous ces événements qu'inventait la Sérénissime pour gonfler un tourisme déjà largement excessif.

Hillmorek trouvait dans la cité des Doges une forme de ressourcement. Chaque séjour avait pour lui l'effet d'une provocation créatrice. Car tout ce qui s'y trouvait se transformait lentement en vestige. En œuvre d'art. En possible message pour les siècles à venir.

Venise, c'était une métaphore : la mort harnachée par l'art. Tout y devenait intemporel.

L'économie y jouait encore un rôle, mais ce n'était qu'une question de temps avant que tout ce flot de touristes disparaisse. Seules les visites virtuelles seraient autorisées. Quelques milliardaires seraient admis sur place à l'occasion, après de généreuses donations. Mais ce serait tout.

Les seules présences humaines tolérées seraient les équipes d'entretien et les figurants pour la production des visites virtuelles. C'était la seule façon de protéger quelque chose durablement : en écarter les humains.

Pour satisfaire les amateurs de tourisme, on en fabriquerait peut-être une réplique sur la rive de l'Adriatique. Une réplique comme il en existait déjà une en Chine. Une sorte de parc d'attractions pour consommateurs d'exotisme… Il y aurait alors le musée virtuel pour les connaisseurs et le parc d'amusement pour les autres !

C'était le règne de l'offre et la demande. Demande de distinction culturelle pour les uns, demande de toc dépaysant pour les autres.

Et après, on s'étonnait de ce que devenait l'humanité !

La seule chose en manque de clients, c'était la réalité. Cela, personne ne l'offrait. Ce n'était pas assez rentable. Car la réalité aurait pu créer de l'inconfort. Et l'inconfort, ce n'était pas vendeur…

Hillmorek acheva lentement de déjeuner, laissant à plusieurs reprises son regard se perdre sur le Grand Canal.

Puis il prit son café, se mit à sa table de travail et releva l'écran de son ordinateur portable.

La veille, depuis son yacht amarré en face de la Giudecca, il avait observé le travail des policiers. Ils avaient d'abord établi une zone de sécurité autour de l'endroit où la vie de Gregoriu s'était brusquement interrompue. Puis, très rapidement, le corps avait été enlevé. Une équipe de nettoyeurs s'était ensuite empressée de faire disparaître toute trace de l'accident.

Le nom de Gregoriu avait dû remonter rapidement la filière. Jusqu'au chef de la *Questura*. Ce dernier s'était probablement empressé d'effectuer quelques consultations. Puis l'ordre était redescendu : c'était un accident. Cause de la mort ? Contact impétueux avec le sol. On expédie les formalités le plus rapidement possible.

Par acquit de conscience, Hillmorek vérifia que l'information figurait déjà dans les médias électroniques.

Bien sûr qu'elle y était. Et précisément de la façon qu'il souhaitait.

L'ÉCOLOGIE PERD UN DÉFENSEUR
MORT D'UN PHILANTHROPE
L'AMI DES ESPÈCES MENACÉES DISPARAÎT

Sur les causes de la mort, presque rien. On parlait de chute mortelle. De tragique accident.

Seul un blogueur soulevait l'hypothèse du suicide, évoquant des rumeurs selon lesquelles Gregoriu aurait été atteint d'une maladie incurable. Rien pour alimenter un scandale.

Les autorités, pour leur part, s'en étaient tenues à dire qu'elles privilégiaient la piste de l'accident. Elles avaient également précisé que plusieurs bouteilles de champagne vides avaient été retrouvées dans la suite de la victime. Et personne, à leur connaissance, n'était avec elle au moment des tragiques événements.

Cette insistance sur les bouteilles de champagne était destinée à accréditer la thèse de l'accident ; elle permettait également de suggérer au passage qu'il s'agissait d'un comportement dangereux imputable au client. Et donc que la responsabilité de l'hôtel n'était nullement en cause.

Car il ne fallait surtout pas effrayer les touristes. Leur laisser croire que la ville n'était pas sûre. Ou que, même dans les plus grands hôtels, des clients pouvaient se faire assassiner.

La thèse du suicide se trouvait également mise en doute. Car un suicide, ce n'était guère mieux qu'un meurtre. Il pouvait engendrer une mauvaise presse… L'endroit était-il déprimant ? Était-il dangereux pour ceux dont l'état psychologique est fragile ? Et puis, qui veut aller dans un hôtel où il risque de tomber sur une chambre dans laquelle quelqu'un s'est suicidé ?

Tandis qu'un accident, surtout s'il est causé par un excès d'alcool… Ce sont des choses qui arrivent. On ne peut en tenir l'hôtel responsable. Aurait-on voulu qu'il règlemente la quantité d'alcool que les clients peuvent boire ? Qu'il augmente la hauteur des rambardes sur les balcons ? Qu'il installe des barreaux aux fenêtres pour défigurer un aussi magnifique paysage ?

Dans le milieu plus restreint – et surtout plus discret – des trafiquants et des collectionneurs spécialisés, il y aurait bien sûr peu de gens pour croire à ces explications.

On se dirait plutôt que Gregoriu avait dû tenter d'escroquer un fournisseur ou un client de trop. Que ce dernier n'avait pas apprécié. C'étaient également des choses qui arrivaient… Personne ne chercherait vraiment à en savoir plus. Et surtout pas à rendre ses doutes publics.

Personne ne saurait que la disparition du « suicidé » était essentiellement due à son succès et à celui de la nouvelle collection qu'il avait entrepris de mettre sur pied, sa collection d'êtres humains.

Il fallait admettre qu'il avait été habile, songea Hillmorek. Par ses donations philanthropiques à des organisations vouées à la défense des espèces menacées, par ses contributions à la création de zones protégées, il s'était construit une réputation qui le mettait au-dessus de tout soupçon. Et mieux encore, il avait obtenu un accès à de multiples sources d'informations stratégiques, notamment sur les dispositifs de surveillance des braconniers et sur les mesures prises pour contrer les différents trafics.

Il était presque dans la position du loup qui supervise l'installation du système de sécurité dans une bergerie.

Hillmorek avait du respect pour l'habileté de Gregoriu. Et de la sympathie pour l'individu lui-même. Mais il n'en avait évidemment pas tenu compte quand il était devenu utile de l'éliminer.

Plus qu'utile : nécessaire.

Avec son activité débordante, Gregoriu commençait à devenir trop voyant. C'était une question de temps avant qu'il attire l'attention. Non seulement sur lui, mais sur certaines personnes avec lesquelles Hillmorek entretenait des relations d'affaires.

Et puis, avec sa dernière collection, Gregoriu avait commis aux yeux de Hillmorek le crime irréparable : il était venu jouer dans ses plates-bandes. Il avait même commencé à comprendre que l'être humain était la principale espèce menacée.

Pour se consacrer à ses prochaines œuvres, Hillmorek avait besoin d'avoir l'esprit en paix, libre de tout souci que pourraient lui occasionner les incursions désordonnées de Gregoriu dans ce qu'il considérait comme sa chasse gardée : l'art humanitaire.

10PHB...

Assis à la terrasse de la Frog and British Library, près de la station de métro Bibliothèque François-Mitterrand, Victor Prose prenait un café en lisant sur son iPad différents blogues hébergés par des journaux. L'un d'eux, publié sur le site du *Parisien*, l'intriguait. L'auteur abordait toutes sortes de sujets incongrus.

Depuis quelques jours, le blogueur s'intéressait à la mystérieuse campagne publicitaire qui faisait le buzz sur les réseaux sociaux.

10PHB...

... PLUS QUE DEUX JOURS

Les premières affiches étaient apparues sur les bus, la semaine précédente. Avec la mention qu'il ne restait que 10 jours. Le lendemain, elles avaient disparu.

Six jours plus tard, des affiches semblables avaient fait leur apparition sur plusieurs murs du 4e arrondissement. Avec la mention qu'il ne restait plus que quatre jours.

Puis le jour suivant, dans le troisième. Avec la mention « trois jours ». Le compte à rebours continuait.

On en était maintenant au 2e arrondissement.

Le blogueur y voyait une reprise d'une pub datant de plusieurs années, fameuse à son époque, qui montrait une fille en bikini, sans texte d'accompagnement ni référence à un quelconque produit.

Le jour suivant, une photo identique apparaissait, accompagnée d'un court texte :

LE 2 SEPTEMBRE, J'ENLÈVE LE HAUT…

Et, le jour prévu, on retrouvait la même fille, se cachant les seins avec les mains. Le texte déclarait cette fois :

LE 4 SEPTEMBRE J'ENLÈVE LE BAS.

Et effectivement, le 4 septembre, elle avait enlevé le bas. Sauf qu'elle était cette fois de dos… Et, alors seulement, on avait découvert l'identité du commanditaire.

AVENIR,
L'AFFICHEUR QUI TIENT SES PROMESSES.

La pub avait couvert la ville, tapissé les bus et alimenté toutes les conversations.

Selon le blogueur, il y avait cette fois un raffinement supplémentaire : aucune indication sur ce à quoi il fallait s'attendre. Juste une formule abstraite et un compte à rebours. De quoi nourrir toutes les hypothèses, toutes les conjectures…

La stratégie avait fonctionné. Après l'affiche parue dans le 3e arrondissement, les réseaux sociaux s'étaient emparés du phénomène.

Les spéculations se multipliaient.

Certains supposaient qu'il s'agissait d'un parfum, d'un film, d'un nouveau modèle de voiture ou d'une nouvelle émission lancée par une chaîne de télé.

D'autres étaient persuadés qu'il s'agissait de l'annonce d'une candidature politique. D'autres encore, d'un tout nouveau produit Apple.

Il y en avait même qui parlaient de terrorisme, prétendant que le compte à rebours en était vraiment un, qu'il y aurait un attentat majeur à Paris.

Des journalistes s'étaient intéressés aux poseurs d'affiches. Sans rien découvrir de particulièrement intéressant. Il s'agissait d'individus engagés *ad hoc*. Des individus différents dans chaque arrondissement. La seule chose qu'ils avaient en commun, c'était d'avoir reçu les affiches au début de la semaine, d'avoir été très bien payés et de s'être fait promettre un bonus substantiel s'ils gardaient un secret absolu sur les détails de l'affaire jusqu'à la fin de l'opération.

Le blogueur s'interrogeait sur le bien-fondé de cette stratégie. Avec les attentes que l'on était en train de créer, la révélation du produit avait de bonnes chances de décevoir. La stratégie pourrait alors s'avérer contre-productive.

Prose était plutôt d'accord. Pour ne pas paraître banale après le tapage publicitaire qui l'avait précédée, il faudrait que la révélation soit exceptionnelle.

Enfin, on verrait bien. Il ne restait plus que deux jours.

10PHB

UN BEAU-FRÈRE NON RECYCLABLE

Il était à peine 6 h 30 et c'était déjà une journée de merde.

Le crachin s'intensifiait. Il aurait suffi de quelques degrés de moins pour que la bruine se transforme en neige ou en quelque chose de plus déplaisant encore.

Hugo Maurel pressait le pas.

La rue Saint-Honoré était presque déserte. Les rares passants avaient tous un parapluie ou un imper. Certains lui jetaient un regard vaguement étonné.

Hugo n'avait pas eu le temps de passer chez lui se changer. La plus grande partie de la nuit, il l'avait passée à discuter avec des policiers.

Encore une gaffe de son imbécile de beau-frère, Julien. Le frère de sa femme. Son ex-femme, en fait. Maurel avait tendance à l'oublier.

Après avoir acheté du crack à un *dealer*, son inénarrable beau-frère avait été pris de remords. Cela faisait 43 jours qu'il était *clean*. Il ne pouvait pas faire ça à ceux qui l'avaient aidé à s'en sortir. Surtout pas à Hugo. Pas après tout ce que ce dernier avait fait pour lui !

Un sursaut inattendu de décence, en somme. Une sorte d'attaque subite de bon sens. Il avait alors décidé de se débarrasser de la drogue.

Jusque-là, pas de problème. C'était même encourageant, ce réflexe de dernière minute. Sauf que, pour ne pas trop perdre d'argent, son stupide beau-frère avait tenté de revendre sa dose.

Manque de pot, il était tombé sur un flic des narcotiques !

Toute la nuit, Maurel s'était démené pour lui éviter une inculpation de trafic. Au moment de le quitter, il était toujours placé en garde à vue, mais il avait toutes les chances de s'en tirer avec une accusation de simple consommation.

Hugo aurait donné n'importe quoi pour pouvoir divorcer de son ex-beau-frère. Mais il n'existait aucune procédure légale appropriée à ce cas. Leur lien ne relevait pas du domaine juridique. Plutôt d'une sorte d'attachement à base de nostalgie. Et de culpabilité.

Cette culpabilité, Julien ne ratait jamais une occasion de l'exploiter. Comme cette nuit… Même en sachant que Maurel ne dormait que six heures, il n'avait pas hésité à l'appeler. Ni à faire pitié. Assez pour que Maurel sacrifie son sommeil pour le tirer du nouveau bourbier dans lequel il avait allègrement sauté à pieds joints.

BFMTV / PREMIÈRE ÉDITION

> 10PHB… Cette formule mystérieuse, qui intrigue depuis une semaine les habitants de la capitale française, devrait révéler aujourd'hui son secret. C'est du moins la conclusion que suggère le compte à rebours adopté par la campagne d'affichage. Ce soir, à Info 360, nous aurons le plaisir d'en discuter avec Jérôme Delannoy…

CRACHIN SOUS VERRE

À la sortie du commissariat, Maurel s'était tout de suite dirigé vers la rue Saint-Honoré. Pas le temps de passer chez lui. Heureusement, il gardait toujours une tenue de majordome chez son employeur.

L'habit servait surtout à déconcerter et amuser les invités. Dans les faits, homme-orchestre aurait été une meilleure description de ses tâches : Maurel était à la fois secrétaire personnel, commissionnaire, sommelier, confident occasionnel, responsable de la cuisine, maître d'hôtel… Plus qu'un homme de confiance, il était un substitut multifonctions de son employeur : il s'occupait de tout ce que Guyon détestait faire et qui devait quand même être fait.

Le malheur, c'était que Guyon, hormis la lecture, n'aimait que l'univers des opérations bancaires. Et qu'il détestait tout ce qui l'empêchait d'y consacrer son temps. En conséquence, les journées de Maurel étaient de plus en plus chargées. Tous les jours, il arrivait avant 7 h. Et il ne repartait qu'en fin de la soirée.

Bien que souvent ingrat, ce travail était bien payé. Ses arrhes, comme les appelait son employeur, étaient proportionnelles à son dévouement. De toute façon, Maurel aurait été bien embêté de changer d'emploi. Même pour un salaire plus généreux. Car son travail avait un avantage : il lui permettait de demeurer chez lui le moins longtemps possible.

Quelques années plus tôt, il avait vu sa femme le quitter. Elle lui avait dit que cela ne changerait rien, puisqu'il n'était jamais là. Maurel avait répliqué que cela changeait tout, que même quand il n'était pas à la maison, il pensait tout le temps à elle.

Elle avait souri. Un sourire un peu triste. Puis elle avait répondu que tout serait donc comme avant. Rien ne l'empêcherait de continuer de penser à elle.

Depuis, Maurel rentrait chez lui pour s'écrouler dans son lit. Et quand il se levait, il se dépêchait de partir, ne prenant son premier café qu'une fois arrivé chez son employeur. La maison était trop pleine de l'absence de sa femme.

Il avait bien pensé déménager, mais avec son travail, il n'en avait pas le temps. Et puis, pendant la journée, il retrouvait ses rêves d'avant qu'elle parte : le fantôme de sa présence l'accompagnait dans toutes ses tâches, comme il l'avait toujours fait.

C'était aussi pour cette raison qu'il avait continué à s'occuper de son beau-frère. Parce que c'était le dernier lien tangible qui le reliait à elle. Qu'il était le mince espoir auquel Maurel accrochait ses dernières illusions.

Quand il arriva à la porte menant à la cour intérieure, le crachin était devenu de la pluie depuis plusieurs minutes. Mais Maurel ne la sentait plus. En pensée, il était déjà dans la maison. Il se voyait endosser sa tenue de majordome et superviser le petit déjeuner. Il avait seulement quatre minutes de retard. Rien de catastrophique…

Au moment de composer le digicode qui donnait accès à la cour intérieure, il dut s'y prendre à deux reprises : l'eau qui ruisselait dans ses yeux s'était infiltrée sous un de ses verres de contact.

Une fois entré, il s'assura d'avoir bien refermé la porte derrière lui. La douleur dans son œil s'intensifiait, mais il était presque arrivé. Il lui suffisait de traverser la pelouse pour parvenir à l'entrée de l'appartement de Guyon.

Au diable le joli sentier de pierres qui sinuait le long des murs intérieurs ! Il avait l'impression d'avoir du poivre dans l'œil. Le chemin le plus court était la ligne droite.

C'est alors qu'il s'étala de tout son long.

http://blog.luciditeoblige.fr/zoo-hum…

ZOO HUMAIN

Je tiens évidemment à ajouter ma voix à l'indignation générale. L'idée même d'un zoo humain a de quoi révulser quiconque possède ne serait-ce qu'une once de moralité. Toutefois, force est de constater que…

La suite

PETIT CADAVRE BLANC

Hugo Maurel avait le visage dans l'herbe humide quand il réalisa ce qu'il lui arrivait. Sa jambe gauche le faisait souffrir. Pourvu qu'il ne se soit rien cassé.

Vraiment une journée de merde !

En se retournant, il aperçut la curieuse masse blanche sur laquelle il avait trébuché. L'information prit quelques secondes à s'organiser dans son cerveau.

Un corps…

Complètement nu !

Blanc… Mâle, visiblement… Petit… Lisse comme celui d'un enfant…

Un à un, les détails se frayaient un chemin jusqu'à sa conscience, s'amalgamaient les uns aux autres. La masse de chair blanche sur laquelle il avait trébuché se précisait.

En même temps, les questions se bousculaient dans sa tête. Mêlées à de multiples protestations.

Qu'est-ce que cet individu faisait là, couché dans l'herbe ? Qui était-ce ?… Un étranger ? Un SDF ?… Impossible. La porte était verrouillée. Et puis, où étaient ses vêtements ?… Cela ne pouvait quand même pas être un résidant de l'immeuble. C'étaient tous des gens bien.

Des gens sérieux. Fortunés. Aucun appartement ne se vendait moins de deux millions d'euros.

D'accord, quelques-uns faisaient parfois preuve d'une certaine excentricité. Ce qui était explicable. Une certaine liberté à l'endroit des règles usuelles faisait partie depuis toujours des prérogatives des plus riches. Surtout les jeunes. Il fallait bien que jeunesse se passe… Mais de là à s'endormir tout nu sur la pelouse de la cour intérieure ! Avec cette pluie !

On aurait dit un ado. Mais il ne devait pas fréquenter les plages. Ni les cabines de bronzage. Son teint était trop blanc.

Blanc comme…

Ce fut alors que la vérité explosa dans l'esprit de Maurel… Mais c'était impossible.

Prenant appui sur son coude, il se leva pour mieux voir. Son œil droit le faisait de plus en plus souffrir. Malgré tout, il n'eut aucune difficulté à reconnaître la personne qui gisait à côté de lui.

Instinctivement, il le toucha. Comme pour s'assurer qu'il était bien réel. Ce qui le frappa le plus, c'était qu'il était froid et qu'il avait les yeux ouverts.

— Monsieur Vincent !

Maurel jeta un regard anxieux aux fenêtres, acheva de se lever, saisit le corps sous les aisselles et le tira en boitant vers la porte d'entrée de l'appartement.

Quand il sortit du petit amphithéâtre, Germain Thibau était enchanté. Devenir membre du Club 51 était une des meilleures choses qui lui soient arrivées.

Sur le contrat qu'il avait signé pour devenir membre, le nom exact du club privé était The 51ᵗʰ Shade of Black. Suivi de la traduction française : La 51ᵉ nuance de noir. Par commodité, tous les membres parlaient du Club 51.

Le nom était également celui de l'établissement où les membres se réunissaient. Comme si appartenir au groupe et au local était une seule et même chose.

Thibau ne s'attarda pas dans la salle d'accueil pour prendre un verre ou discuter avec d'autres membres. Il se dirigea tout de suite vers la sortie. La seule chose qu'il pouvait reprocher aux activités du club, c'était de se tenir au milieu de la nuit et de se terminer au petit matin. Cela dit, il n'aurait pour rien au monde renoncé à y assister.

En descendant l'escalier monumental qui menait au hall d'entrée de l'édifice, il réfléchissait à la chance qu'il avait eue de découvrir ce club. Les endroits qui procuraient ce type de divertissement étaient rares. Et difficiles à trouver. Il fallait connaître quelqu'un qui connaissait quelqu'un…

Cette découverte avait apporté une heureuse rupture dans la routine de sa vie. Trop souvent, Thibau ne pouvait satisfaire ses fantasmes que devant un écran d'ordinateur.

Mais là, dans le théâtre, tout était si réaliste. Il était impossible de dire si les victimes étaient réellement mortes. Si le fantasme mis en scène avait basculé dans la réalité.

C'était d'ailleurs une des choses que leur répétait la maîtresse de cérémonie avant chaque représentation. En utilisant exactement les mêmes mots :

— Réalité ? Fantasme ? Y a-t-il vraiment une différence ? Le fantasme que l'on croit réel l'est-il moins que la réalité que l'on perçoit à travers ses fantasmes ? Un fantasme auquel on donne corps est-il encore un fantasme ?…

Thibau aurait été bien embêté de répondre à ces questions.

Réalité ? Fantasme ?

Au fond, peu lui importait.

Si on l'avait forcé à trancher, tout ce qu'il aurait pu dire, c'était que les fantasmes mis en scène au Club 51 dégageaient une impression de réalité troublante, bien supérieure à celle qu'il éprouvait dans la banalité de sa propre vie.

Quatre spectacles en moins de deux semaines. À la sortie, on leur donnait une clé informatique contenant une copie de la représentation !

Bien sûr, c'était exclusivement pour leur consommation personnelle. Il n'était pas question de mettre ce contenu en ligne sur Internet. Par précaution, un code différent avait été introduit dans les images de chaque copie de la vidéo. Si une copie se retrouvait sur Internet, on saurait immédiatement d'où provenait la fuite.

En sortant du luxueux immeuble de l'avenue Foch, Thibau se sentait encore tout remué par le plaisir qu'il avait éprouvé.

La croix qui pivotait… chacun des quatre petits hommes, à tour de rôle, sur une de ses extrémités… la femme…

Tout avait l'air tellement réel !

Il se demandait à quoi s'attendre quand il avait lu le titre du spectacle. Car il ne pouvait pas s'agir d'une véritable crucifixion. Verser le sang des victimes était incompatible avec le rituel. Incompatible avec le type de fantasme qui réunissait les membres du Club 51.

Ciseau. Avalanche. Marche à la mort. Crucifixion…

Chacune des représentations avait été jouissive. Chacune un peu plus que la précédente. Combien de temps encore les organisateurs réussiraient-ils à se dépasser ?

La réponse à cette question devrait attendre. Une pause avait été décrétée. Deux à trois semaines. Le temps de préparer la prochaine série de représentations.

Cette pause ne déplaisait pas à Thibau, car le montant à verser pour chacune des performances était salé. Cela lui donnerait le temps de liquider quelques titres de son portefeuille boursier. De la sorte, il pourrait continuer à financer ses nouveaux loisirs sans grever son budget courant.

L'ADOLESCENCE ÉTENDUE

— Monsieur, Vincent !… Vincent, monsieur !… Vincent !

Pendant qu'il parlait, Maurel tentait maladroitement d'enlever son verre de contact.

— Calmez-vous, Hugo.

Le ton sévère de son employeur, à la limite réprobateur, aida Maurel à retrouver une partie de son calme.

— C'est monsieur Vincent, reprit-il en déposant son verre dans la paume de sa main. Il est dehors…

— Sous la pluie ?

— Oui. Et il…

Maurel n'arrivait pas à terminer sa phrase.

— Il quoi ?

— Il… Il n'a pas de vêtements… Aucun vêtement.

François Guyon poussa un soupir et secoua légèrement la tête. Ce n'était pas la première extravagance de son fils. À l'âge de 13 ans, quelque chose avait brusquement changé en lui. Il s'était mis à multiplier les provocations, s'était fait renvoyer de trois collèges privés, avait fugué, avait été arrêté à plusieurs reprises pour vol à l'étalage…

Par chance, Guyon avait réussi à tout arranger.

Il fallait être patient, lui avait conseillé sa femme. Lui aussi avait été jeune…

C'était vrai. À une autre époque, son propre père n'avait pas trouvé très drôles les frasques de son fils. Surtout quand il s'était inscrit au Parti communiste. Un député de droite dont le fils défile le 1er mai derrière le marteau et la faucille, cela crée un malaise.

Mais Vincent poussait le bouchon un peu loin. Il avait tout de même 23 ans. Normalement, ses folies de jeunesse auraient dû être derrière lui.

Quelques années plus tôt, Guyon avait confié ses inquiétudes à un de ses amis, un psychiatre célèbre : son fils était-il atteint de troubles psychologiques ? Était-ce leur faute, à lui et à sa femme ? Quelle erreur avaient-ils commise dans leur façon de l'élever ?

Le psychiatre, qui connaissait Vincent depuis qu'il était tout jeune, s'était empressé de rassurer Guyon. Il arrivait que le cerveau mette du temps à trouver son équilibre électrochimique, semblait-il. La stabilité émotionnelle était plus longue à acquérir. Surtout chez les garçons.

Son ami lui avait donné un livre qui expliquait cela. *L'adolescence étendue*.

Le livre n'avait offert aucune solution pratique à Guyon. La seule solution, c'était le temps. Il fallait laisser le temps au cerveau de trouver son équilibre ; et de le faire à son rythme.

Comme de fait, depuis un an, les choses avaient paru se placer. Vincent semblait avoir trouvé sa voie. Si on pouvait appeler cela une voie : jockey ! Mais bon… Au moins, il avait l'air mieux dans sa peau. Guyon songeait même à rétablir l'aide financière qu'il lui accordait. Trois ans plus tôt, il l'avait réduite de moitié pour l'obliger à prendre ses responsabilités.

Et voilà qu'il remettait ça !

Heureusement, cette fois-ci, l'impact de cette nouvelle extravagance était limité. Au pire, quelques voisins l'auraient aperçu étendu sur l'herbe. Il suffirait de leur parler. Ils se montreraient sûrement compréhensifs.

— Savez-vous s'il a l'intention de rentrer ? ironisa Guyon.

— Je ne pense pas.

— Vous ne pensez pas… Vraiment ?

La question de Guyon trahissait plus que de l'impatience : de l'irritation.

— Non. Il est…

— Que vous a-t-il dit ?

—Rien.

—Rien… Mais…

Guyon s'interrompit. Le visage de Maurel lui fit soupçonner la vérité.

—Il est…?

—Oui.

http:/blog.sceptiquesetparanos.fr/guylain-delarue-10phb…

Guylain Delarue 10PHB LE COMPTE À REBOURS

La surprise risque d'être désagréable. La notion même de compte à rebours implique un danger, quelque chose d'inévitable vers lequel on se dirige. Les bombes, la mise à feu de missiles, les mécanismes d'autodestruction ont des comptes à rebours. Tout comme le déclenchement des opérations militaires…

La suite

LA PLANÈTE PEUT S'EN DISPENSER

Payne éprouvait pour la femme devant lui un mélange de fascination et de méfiance. Fascination à cause de son magnétisme et de sa taille, 30 centimètres de plus que lui. Méfiance à cause de la nature de son travail et du fait qu'il n'avait aucune idée de son vrai nom.

Sandrine Bijar…

Elle faisait partie des moyens que son employeur avait mis à sa disposition, au moment où il lui avait confié cette opération.

Yeux et cheveux noirs, les traits du visage marqués, les arêtes saillantes, elle était sur le deuxième versant de la trentaine. Du moins d'après ce qu'il pouvait en juger. Avec tout ce que la chirurgie plastique permettait aujourd'hui de réaliser, il devenait de plus en plus difficile de savoir. Peut-être avait-elle bénéficié, tout comme lui, d'une reconstruction…

Son visage affichait en permanence un air vaguement ironique, comme si l'agitation du monde constituait pour elle une source continue d'amusement.

Chaque fois qu'il la rencontrait, elle semblait mettre un point d'honneur à demeurer debout. Payne se demandait si c'était pour mieux le toiser.

— Le travail est terminé, dit-elle. Comme prévu, tout est demeuré sur place.

— Vous avez fermé le club ?

— J'ai suivi vos indications.

Cette manie qu'elle avait de parler de ses « indications », alors qu'il prenait toujours soin de préciser qu'il lui transmettait des « directives » !

— Est-ce que cela va vous manquer ? demanda-t-il.

L'expression de la femme était clairement réjouie, comme si un souvenir plaisant lui revenait à l'esprit.

— Le travail avait un certain charme.

Sur les conseils de son mécène, Payne lui avait confié la supervision du Club 51. Même s'il ne parvenait pas à se sentir totalement à l'aise en sa présence.

Au moment de leur première rencontre, il lui avait demandé si la nature de ce travail l'incommodait. Elle lui avait répondu que ses tâches étaient loin de lui déplaire, mais de ne pas s'inquiéter : elle ne laissait jamais le travail interférer avec le plaisir.

Payne n'avait pas insisté.

Pour se donner une contenance, il ouvrit le dossier devant lui et fit mine de lire pendant quelques secondes.

— La diversité de vos compétences ne cesse de me surprendre. Pour superviser le club, vous aviez certains avantages, votre gabarit notamment, mais là…

— Ce n'est pas différent.

Payne leva les yeux vers elle.

— Manipuler des pervers ou des petits génies de l'informatique, reprit-elle, il n'y a pas vraiment de différence. Il suffit de savoir à quoi ils réagissent.

— Et vous contrôlez bien celui que vous avez recruté ?

— Il a terminé l'essentiel du travail. Tous les *chatbots* sont prêts à fonctionner.

— Vous êtes sûre qu'il n'y a aucun risque de fuite ?

— Les programmes informatiques sont par nature discrets. Tout ce qu'ils pourraient parfois révéler, c'est l'identité de celui qui les a fabriqués.

— C'est précisément à cet individu que je songeais.

— Je vais m'assurer personnellement de sa discrétion.

Elle avait volontairement employé une formulation ambiguë, sachant que Payne supposerait le pire.

— Vous allez le… ?

— Comme je le disais, sa tâche est remplie. La planète peut désormais se dispenser de ses services.

En fait, si on se plaçait d'un point de vue moral, la planète se porterait mieux sans le jeune hacker : il cesserait de travailler à protéger des sites pédophiles et à faciliter les échanges clandestins de groupes terroristes… Mais la femme n'avait aucune intention de révéler à Payne, ni d'ailleurs au reste de la planète, la manière dont elle entendait en disposer. L'un et l'autre auraient pu avoir des objections…

Voyant qu'il continuait de la regarder fixement, comme s'il cherchait à lire en elle, elle ajouta :

— Je suis en mesure de procéder moi-même à des ajustements au mode de fonctionnement de ces charmantes petites bêtes électroniques, si la chose s'avère utile.

Le visage de Payne se détendit légèrement.

— Je veux que cette opération soit aussi médiatisée que le scandale Gregoriu. Qu'on n'entende plus parler que de ça !

— C'est bien ce que j'avais compris.

Payne hésita un moment, puis il se leva pour lui demander, sur un ton qu'il voulait humoristique :

— Manipuler des pervers ou des petits génies, c'est différent de manipuler un employeur ?

— Non. Pas vraiment… Mais pour le faire, conclut-elle sur un ton amusé, il faudrait qu'on me paie. Autrement dit, que j'aie un autre employeur… Je vous l'ai dit : je ne mélange jamais le travail et le plaisir.

Après le départ de la femme, Payne se planta devant le mur de verre de son bureau et regarda longuement la ville. Mais il ne voyait pas le quadrillage de rues et d'édifices qui s'offrait à son regard. Il pensait à Sandrine Bijar.

Et, surtout, il se demandait comment il pourrait s'y prendre pour l'éliminer de son univers.

DEUX AMIS ET UN CADAVRE

Lambert Coppée détestait se faire demander s'il était parent avec l'autre. Celui de l'UMP.

Spontanément plus près des socialistes, il s'était toujours fait un devoir d'afficher une stricte neutralité.

Contrairement à la plupart des Français, Coppée avait même conservé une relative estime pour François Hollande. En dépit de son image catastrophique…

Il fallait l'admettre, on avait rarement vu pareil désastre : mou devant l'Europe et le patronat, incapable de mettre de l'ordre dans son propre parti, débordé par les scandales, miné par les accusations en partie légitimes de ses alliés de gauche et de ses anciens ministres, impuissant à rétablir la santé économique du pays, répétant inlassablement les mêmes formules et les mêmes promesses comme des incantations… Tel apparaissait Hollande : carrément dépassé.

Et puis, il y avait ce vaudeville qui n'en finissait plus avec la guerre des ex, les escapades en scooter, la rupture avec la première dame annoncée en catastrophe, le brûlot vengeur de la sacrifiée…

Les Français avaient opté pour un président normal, qui ressemble aux Français… C'était quoi, le proverbe, déjà ? Se méfier de ce qu'on souhaite ? Parce qu'on pourrait l'obtenir ?

Guyon accueillit Coppée à la porte de la cour intérieure. La pluie avait cessé, mais la température ne dépassait pas les cinq degrés. On annonçait une possibilité de neige pour le lendemain.

— J'ai fait aussi vite que j'ai pu.

Guyon le libéra de son manteau.

— Tu es la seule personne à qui j'ai pensé, dit-il.

Ils étaient des amis de longue date. En dépit de leurs opinions politiques opposées.

Guyon était un des seuls à savoir que Coppée penchait résolument vers la gauche, tellement ce dernier prenait soin de ne jamais afficher ses convictions, de ne jamais les laisser influencer son travail. Ce souci d'impartialité les avait rapprochés pendant leurs études. Même si Guyon était franchement de droite.

Les deux hommes avaient connu une certaine forme de réussite. Coppée s'était haussé jusqu'à la fonction de préfet de police de Paris. Quant à Guyon, il faisait ouvertement figure d'exception dans son milieu : tout banquier qu'il fût, l'idée ne serait venue à personne de remettre en cause son honnêteté. On le considérait généralement comme une sorte d'heureuse aberration.

— J'étais à la mairie, reprit Coppée. C'est cette histoire d'affiches sur les murs de la ville. La rumeur s'est propagée dans les réseaux sociaux que ce serait le compte à rebours d'un attentat…

Puis, après une courte pause, il ajouta :

— Mais je ne suis pas ici pour ça… Vincent, vous l'avez trouvé où ?

— Dehors.

Guyon emmena Coppée dans la cour et lui montra un endroit où l'herbe était foulée.

— C'est là que Maurel l'a trouvé.

— Vous n'auriez pas dû le déplacer.

— Qu'est-ce que tu voulais que je fasse ? Que je le laisse là, exposé au froid et à la pluie ?… Au regard des voisins ?

Coppée ne réagit pas à l'accès d'agressivité de son ami. Pour l'instant, Guyon était dominé par la colère. Par le refus de l'horreur. C'était normal… Ensuite viendrait la peine. Et plus tard, beaucoup plus tard, une certaine forme d'apaisement. Qui ne serait pas l'oubli. Plutôt une sorte de mélancolie, mais adoucie par les souvenirs agréables qui l'envelopperaient.

— Je sais, dit doucement Coppée.

— De toute façon, Maurel l'avait déjà amené devant la porte. Pour le mettre à l'abri de la pluie, m'a-t-il dit.

Coppée n'insista pas. Mettre un mort à l'abri de la pluie, il avait déjà vu plus étrange. Ce n'était sans doute qu'une réaction inconsciente pour nier les faits, pour faire comme si la victime faisait encore partie des vivants.

— Et maintenant, où est-il?

— Maurel?

— Ton fils.

— Dans sa chambre. On l'a mis sur son lit.

— Tu te sens capable de venir avec moi?

En guise de réponse, Guyon le conduisit à l'escalier menant à l'étage supérieur.

— Florence, comment elle prend ça? demanda Coppée.

— Elle est chez sa sœur dans le Morbihan. Elle revient ce soir.

Une fois dans la chambre, Coppée aperçut le corps recouvert d'un drap. Seul le visage était visible.

— Je l'ai transporté directement. Avec l'aide de Maurel.

— Personne d'autre n'y a touché?

— Personne.

Coppée examina brièvement le corps. Puis ils redescendirent au salon.

Des braises rougeoyaient dans le foyer.

Coppée parcourut la pièce du regard. Rien n'avait changé. Toujours le même parquet de marqueterie, les mêmes fauteuils qui entouraient la table basse où était disposé un petit assortiment de bouteilles: vieux scotch, calvados, armagnac de plus de 20 ans, porto vintage 1970…

— Tu veux quelque chose?

Coppée déclina l'offre.

Guyon se servit un verre d'armagnac et le vida d'un trait.

—Tu es sûr qu'il faut mêler la police à ça ? demanda-t-il.

—On n'a pas vraiment le choix.

—Son corps n'a aucune marque de violence… Ce n'est pas un meurtre. Même pas un suicide… À moins d'inclure dans cette catégorie les stupidités auxquelles s'adonnent les jeunes.

—Sais-tu pourquoi il était couché tout nu dans la cour intérieure ? Par cette température ?

—Est-ce qu'on sait pourquoi nos enfants font ce qu'ils font ?… Ce n'était pas sa première frasque. D'ailleurs, tu le sais. Mais depuis un an, il s'était… calmé. Il voulait sérieusement devenir jockey.

Il répéta le mot, comme s'il s'agissait de quelque chose qui dépassait l'entendement.

—Jockey !

—Je ne peux pas faire comme si je ne savais rien.

—Et moi, je n'ai pas envie de voir son nom traîné dans la boue par les médias ! Tu as une idée des histoires que les journalistes vont échafauder à partir de ça ?

Coppée se contenta de tourner son regard vers l'immense baie vitrée du salon.

Inutile de répondre. Avec les parents, c'était toujours la même chose. Ils voulaient une police sévère, qui traite tout le monde de façon égale, sans passe-droit … jusqu'au jour où leurs enfants étaient en cause.

Il reporta son regard vers Guyon.

—Écoute, je peux faire en sorte qu'il n'y ait rien d'officiel, le temps qu'on sache de quoi il est mort.

Guyon explosa.

—Il me semble que c'est clair, de quoi il est mort ! Il a passé la nuit couché dehors et il est mort d'hypothermie… ou d'une crise cardiaque… Est-ce que je sais ?…

—Bien sûr. Je comprends. Mais la question, c'est pourquoi le froid et la pluie ne l'ont pas réveillé… Tu ne penses pas ?

Guyon mit quelques instants à réaliser les implications de ce que disait Coppée.

Dans une situation normale, il aurait tout de suite fait le lien. Mais, partagé qu'il était entre l'horreur de la situation et la tristesse mêlée de rage impuissante qu'il ressentait à l'endroit de Vincent...

À quoi avait-il pensé ? C'était quoi, encore, cette connerie ?

—Tu penses qu'il a pris... quelque chose ?

—As-tu remarqué des signes, n'importe quoi, ces derniers temps ?

—Non. Vincent n'était pas un drogué !... Souvent tête folle, oui. Mais pas drogué.

Malgré sa colère contre son fils, Guyon ne pouvait s'empêcher de le défendre.

—Il a peut-être voulu faire une expérience, suggéra Coppée.

—Les seules expériences qu'il faisait tournaient autour de l'anorexie. Il disait qu'il voulait maigrir... À cause de sa foutue carrière de jockey !

—Tu sais que je n'ai pas le choix. Mais on peut limiter la casse.

—Ce qui veut dire ?

—Je peux faire appel à quelqu'un de sûr. En dehors des services réguliers. Quelques vérifications discrètes... Si l'autopsie ne révèle rien, tout s'arrête là.

—En plus, tu veux le faire charcuter !

—Si ça empêche les médias de faire une autopsie publique de l'affaire...

Après un moment, Guyon finit par se rendre aux arguments de son ami.

Coppée saisit son portable.

Voyant le regard inquiet du banquier, il s'empressa de réitérer sa promesse :

—C'est vraiment quelqu'un de sûr. Il n'y aura rien dans les médias.

Pour l'instant, il était inutile de préciser que Vincent avait probablement été assassiné. Pour cela, Coppée attendrait la confirmation du médecin légiste. Même si les traces qu'il avait aperçues sur le visage du jeune homme laissaient peu de place au doute.

—Gonzague? Ici Lambert. J'ai un petit problème... Assez urgent, oui.

Moins d'une heure plus tard, deux hommes venaient discrètement récupérer le corps de Vincent Guyon.

#10PHBATTENTAT

Pascal Dupont@pasdup
Stratagème publicitaire? Canular
étudiant? Étude de marché
"créative"? Et si c'était le compte à
rebours d'un attentat?
#10PHBattentat

UN TEMPS POURRI

Gonzague Théberge marchait avec précaution sur les trottoirs glacés de Paris. La veille, une ligne de métro avait fermé. Motif: la neige et la glace sur les rails. La ligne 6. À cause des sections hors terre... Cela valait la peine de prendre des vacances à Paris pour retrouver le climat du Québec!

À leur arrivée, il y avait plus de 10 centimètres de neige sur le toit des voitures. Et on était fin mars!

Théberge et sa femme avaient ensuite eu droit à de la pluie verglaçante, aux nuits glaciales, à la grêle et à des bourrasques dépassant les 60 kilomètres/heure. Le tout sur fond d'humidité, cette merveilleuse humidité parisienne entretenue par les tonnes et les tonnes de pierre des édifices. À la moindre occasion, elles se gorgeaient d'humidité puis, quand les circonstances s'y prêtaient, elles la rendaient à la ville.

~

En entrant dans la boutique, Théberge eut la surprise de tomber sur Laurent, le maître de salle du Florimond. Il était derrière le comptoir.

— Qu'est-ce que tu fais là ?

— En début de semaine, c'est moi qui ouvre.

— Pas à dire, vous l'avez, le climat !

— C'est une initiative du ministère du Tourisme.

Théberge le regarda d'un œil méfiant. L'autre poursuivit, imperturbable.

— Si, si. Le ministère a programmé toute une série de changements climatiques.

— C'est quoi, ces salades ?

— C'est pour que les Québécois de passage ne se sentent pas dépaysés ! Ils sont forts, non ?

Laurent n'avait pas pu garder son sérieux jusqu'à la fin. Il riait de bon cœur.

— Au lieu du climat, ils auraient dû s'occuper des logements.

— Il y a un souci ?

— Le prix.

La voix de Laurent prit un ton fataliste.

— On est à Paris…

— Pour le loyer, ça va. Il est raisonnablement exorbitant… Mais il y a les frais d'agence. Comparé à eux, Shylock faisait dans l'assistance sociale !

— Tu sais que tu râles comme un vrai Parisien, toi !

— Ensuite, quand on arrive, on découvre qu'il faut en plus se taper la facture d'électricité… L'an prochain, ce sera quoi ? Ils vont mettre une taxe sur l'air qu'on respire ?

Laurent posa un doigt devant ses lèvres.

— Chut… Il ne faut pas leur souffler l'idée.

Théberge roula des yeux et décida de changer de sujet.

— Qu'est-ce que tu me conseilles ?

Il montrait les plats préparés, sur le comptoir.

— À votre dernier voyage, vous aviez bien aimé le bœuf bourguignon. Ça te ferait plaisir ?

— D'accord. Va pour le bourguignon… Et qu'est-ce que je bois avec ça ?

— Connaissant tes goûts, tu devrais aller rue Cler. Il y a trois marchands. Tu trouveras sûrement de quoi te faire plaisir… Tant qu'à être en vacances, autant en profiter, non?

Après que Théberge eut payé, Laurent s'approcha et lui demanda à voix plus basse.

— Ta femme, comment va-t-elle?

— Elle va…

Théberge ne savait jamais quoi répondre à cette question. Quiconque voyait sa femme était persuadé qu'elle s'en tirait plutôt bien, finalement. Ils ne connaissaient pas sa résilience. Sa tolérance surréaliste à la douleur. Son besoin de n'être à la charge de personne. De faire bonne figure… Ni son habitude de s'isoler quand la souffrance devenait insupportable. Ou que l'épuisement la terrassait.

— Elle fait en sorte que ça aille, répondit Théberge. Mais avec son hémorragie au cerveau…

— C'est récent?

— Ça date de l'accident. Au début, les médecins pensaient que ça se résorberait. Qu'il y aurait peut-être quelques séquelles. Mais ils étaient optimistes… Sauf que…

— Je vois.

— Elle est sourde de l'oreille droite. En fait, elle a perdu l'usage de tout le côté droit du visage: la mobilité, la sensibilité… Même son œil. Parce qu'elle n'arrive pas à cligner sa paupière, qu'elle n'a plus de larmes. Elle doit continuellement mettre des larmes artificielles ou du gel pour le protéger… Le nerf vestibulaire aussi est endommagé. Ça amplifie ses problèmes d'équilibre… Et il y a les acouphènes. C'est habituel, il paraît, chez les gens qui deviennent brusquement sourds. Elle entend un bruit de moteur. En permanence… Tu te rends compte? Un bruit de moteur.

Laurent regardait Théberge, l'air incrédule.

— Je savais qu'elle était en convalescence. Mais quand vous êtes venus dîner au restaurant, l'autre jour… Jamais je n'aurais pensé…

— Je sais. Comme je disais, elle fait en sorte que ça aille. Malgré la douleur…

— Parce qu'en plus, elle souffre !

— Surtout le côté du visage. Mais la plupart du temps, ça va.

— Et avec tout ça, elle peut se déplacer ?

— C'est même la raison pour laquelle on a pris des vacances à Paris. Pour qu'elle puisse se concentrer sur sa réadaptation. Qu'elle oublie tout le reste… Elle veut apprendre à devenir autonome avec sa canne. Elle dit que si elle peut survivre aux piétons parisiens, elle pourra aller n'importe où !

— Et la douleur ?

— Il y a des bonnes et des moins bonnes journées.

LA TOUR D'IVOIRE DU PRINCE

Le café était plein. Sandrine Bijar avait eu du mal à trouver une place.

Elle avait à peine posé sa tablette électronique sur la petite table ronde que le serveur arrivait pour la nettoyer d'un coup de torchon.

En l'apercevant, il interrompit momentanément son geste. Puis il lui demanda, comme pour s'excuser de l'avoir dévisagée.

— Ce n'est pas la première fois que vous venez ici, n'est-ce pas ?

— En effet.

— Je me disais, aussi. Mais je n'étais pas sûr. C'est comme quand on a un nom sur le bout de la langue.

C'était la première fois que Sandrine entrait dans ce café. Mais il n'aurait servi à rien de contredire le serveur. Mieux valait lui laisser croire qu'il avait récupéré la situation. De toute façon, depuis qu'elle avait ce visage, elle y était habituée. Des inconnus qu'elle ne faisait que croiser la scrutaient souvent malgré eux. C'était d'ailleurs l'effet recherché. Un jour, cela lui permettrait de disparaître plus facilement.

— Vous désirez ?

Elle résista à l'envie de lui répondre : « Toujours. » Juste pour voir sa réaction.

— Un verre de blanc, dit-elle. Celui que vous trouvez le meilleur.

— Chablis ?

— Va pour un chablis.

Quand le serveur fut parti, elle alluma sa tablette et parcourut rapidement les grands titres de plusieurs sites d'information.

L'intérêt pour le scandale du «Collectionneur fou» ne se démentait pas. Presque tous les médias avaient repris le surnom que lui avait attribué un reporter du *Parisien*.

On n'en était plus à l'énumération des découvertes. Le zoo humain, le parc d'animaux en voie de disparition, c'était déjà de l'information ancienne. Tout comme les entrepôts de défenses d'éléphants et de cornes de rhinocéros…

Ce qui attirait maintenant l'attention, c'étaient les relations d'affaires de Gregoriu: les gens qui dirigeaient ses réseaux, ses principaux acheteurs, les gens en place qui avaient facilité ses trafics… Plusieurs personnes avaient été payées pour fermer les yeux. Ou pour accorder des permis de complaisance. Le public réclamait des noms. On voulait des coupables.

Les médias s'intéressaient aussi à ses clients. Trois d'entre eux faisaient déjà l'objet de commentaires dans la tweetosphère.

Sandrine sélectionna trois tweets dans sa *tweet list* et les joignit au rapport qu'elle était en train d'écrire.

Zinedine Sallam@Zallam
Un émir construit une tour en ivoire
dans son palais. 18 mètres. Au moins,
ils tuent des éléphants, pas des
ouvriers. #letempsdyvoir

Gontran Depardieu@Depargon
Un haut dirigeant chinois achète des
dizaines de cornes de rhino. De quoi
revitaliser les vieux du Politburo?
#etquoiencore

Hubert Husset@Huhuss
Tokyo. Resto chic. 50 000$ pour
bouffer des espèces en voie de
disparition. #onbouffelaplanète

À l'arrivée du serveur, elle referma sa tablette électronique, prit le temps de goûter son chablis et confirma qu'il était parfait.

Elle attendit ensuite que le serveur s'éloigne pour relire le message qu'elle avait écrit.

GREGOR...
Le buzz se poursuit.

10PHB...
Voir les trois tweets ci-joints.

Volet opérations : Payne se comporte selon vos attentes. Tout se déroule comme prévu. L'agitation gagne les réseaux. Les médias commencent à se joindre au mouvement.

Quand elle appuya sur le bouton d'expédition, le message, comme presque tous ceux qui sortaient de sa tablette, fut envoyé à deux adresses différentes.

FRANCE 2 / JT DE 13 HEURES

... qu'il n'y avait aucune alerte terroriste. Au cours de cette conférence de presse, la maire de Paris a invité les Parisiens à demeurer calmes et il les a assurés qu'ils pouvaient vaquer en toute quiétude à leurs occupations habituelles.

DES VÊTEMENTS PARTOUT

En arrivant à l'appartement qu'ils avaient loué rue Jean-Nicot, Théberge déposa le bœuf bourguignon sur le comptoir.

Si jamais quelqu'un lui avait prédit qu'il mangerait un jour du bœuf bourguignon en conserve ! Et qu'il aimerait ça ! D'accord, c'était de la conserve de luxe fraîchement cuisinée. Mais tout de même !

Son regard parcourut la pièce.

— J'ai fait un peu de lavage, annonça madame Théberge.

— Je ne m'en serais jamais douté.

Sur le dossier de toutes les chaises, sur le bureau, sur les poignées des battants des fenêtres, même sur les lampes éteintes, partout, des vêtements étaient en train de sécher. Quant aux barreaux entre les pieds des tabourets du comptoir, ils avaient été mobilisés pour les chaussettes.

C'était une autre caractéristique de l'appartement : aucune penderie, aucun endroit où faire sécher les vêtements. Il fallait se débrouiller.

— Tu as des nouvelles de Prose ?

— La dernière fois que je lui ai parlé, il continuait à courir les libraires spécialisés et à travailler à la Bibliothèque nationale.

Théberge eut un geste de la main qui semblait hésiter entre tous les vêtements qu'il aurait pu désigner.

— Tu t'ennuyais ?

Madame Théberge prit le bœuf bourguignon et le rangea dans le frigo sans dire un mot.

— La douleur est à combien ?

— Deux ou trois. Ça va.

C'était sans doute le plus aberrant : cette douleur chronique à laquelle elle s'était habituée. Elle l'appelait sa douleur de fond. Tant qu'elle restait à 4 ou moins sur une échelle de 10, tout allait bien. Cela faisait désormais partie de l'ordre des choses. Ce qu'elle appelait ses douleurs, c'était quand l'intensité montait au-dessus de 4. Ou quand il y s'y ajoutait des pics subits, comme des chocs électriques, qui lui traversaient le côté du visage. Alors, la douleur pouvait facilement monter à 8 ou 9. Par principe, elle refusait de l'évaluer à 10.

Madame Théberge prit sa canne.

— On y va ?

— Tu es sûre ? Il reste du verglas sur les trottoirs.

— Il y a un pic au bout de ma canne.

Se sachant incapable de la faire changer d'idée, Théberge protesta en lui demandant, sur un ton qu'il s'efforça de garder sérieux :

— Tu sais qu'il est interdit de l'utiliser contre les piétons ?

CONVERSATION AUTOMATISÉE

Payne était sceptique. L'idée de confier une partie essentielle de la mise en œuvre à des programmes informatiques ne lui plaisait pas. Même si l'idée avait l'aval de Hillmorek, il voulait faire valoir ses objections une fois encore.

Il vérifia l'heure, puis il activa l'application de messagerie.

Autour de lui, le café était presque désert et il s'était assis à une table où personne ne pourrait regarder par-dessus son épaule.

Dans la boîte de dialogue, il entra une courte phrase à destination de Sandrine Bijar.

> Et si jamais il y a un bogue ?

C'était une de ses principales objections : le manque de fiabilité. La réponse prit seulement quelques secondes à s'afficher.

> Il n'y aura pas de bogue.

> Comment pouvez-vous en être certaine ?

> Tous les chatbots ont été testés.

> Si les gens s'aperçoivent que ce sont des robots ?

> Il est rare que les gens s'en aperçoivent.

> Ça pourrait compromettre l'opération.

> Le travail de chaque bot est compartimenté.

Payne poursuivit l'échange pendant un moment, puis il quitta l'écran des yeux pour prendre une gorgée de café.

Debout devant lui, Sandrine Bijar le regardait avec un sourire moqueur.

— Qu'est-ce que… ? Vous n'êtes pas chez vous ?

— On dirait bien que non.

— Mais… avec qui je… ?

Un regard vers la tablette électronique acheva la question.

— Comme vous doutiez de l'efficacité des robots Internet, j'ai cru qu'une démonstration serait utile.

— Vous voulez dire… ?

— Un dialogue suivi, comme celui que vous avez eu, est plus difficile à maintenir que de simples interventions ponctuelles. J'ai pensé que cela vous rassurerait.

Payne prit un moment pour rassembler ses idées pendant que la femme s'assoyait devant lui.

— Convaincu ? demanda-t-elle.

— Vous en avez combien, de ces bidules ?

— Ce sont des sortes d'automates, des agents virtuels. Des espèces de virus informatiques, si vous voulez, mais programmés pour bavarder, alors que les virus servent habituellement à saboter… Ils se promènent sur le web, laissent des messages sur les blogues, ils tweetent…

— Vous en avez combien, de ces agents virtuels ?

— Suffisamment.

— Vous êtes certaine qu'ils vont fonctionner ?

— J'en ai activé une dizaine. Sur l'affaire Gregoriu. Ils parcourent les blogues et les sites des médias comme s'ils étaient de vrais internautes, recueillent des phrases et des commentaires de lecteurs quand ils correspondent à leurs paramètres, les reproduisent un peu partout, sur d'autres blogues, sur des pages Facebook, parfois en changeant des termes, parfois en les écourtant. Ils retweetent ce qu'ils jugent pertinent…

— Et les gens les prennent vraiment pour des personnes ?

— Il n'y a pas si longtemps, un de ces robots a tenu un blogue durant plusieurs mois. Il avait des milliers d'abonnés !

— Est-ce que ça veut dire qu'on va pouvoir se passer des journalistes ?

— On en a encore besoin, mais les agents virtuels vont amplifier l'effet de leurs déclarations. Même chose pour les commentaires des lecteurs. Nos intervenants vont donner le lead et les robots vont créer le buzz.

— Le lead et le buzz… Je vois.

Elle le regarda un moment, consciente de la frustration qu'il ressentait de ne pas avoir de véritable prise sur elle. Même si elle était théoriquement sous ses ordres.

— J'ai tenu à vous annoncer moi-même que tout est opérationnel, reprit-elle.

— Mais comment pouviez-vous savoir que j'étais dans ce café ?

— Il y a un petit programme dans votre portable. Il suffit que je lui envoie un message pour qu'il active le logiciel GPS et me transmette votre position. De cette façon, si j'ai besoin de vous contacter discrètement, sans que notre conversation se promène dans le cyberespace, je peux savoir où vous êtes.

— Je ne savais pas que…

— Cela fait partie du matériel normal dont disposent les agents de terrain.

Pour échapper à son sentiment de malaise, Payne revint à ses questions sur les robots Internet.

— Votre pirate informatique, vous êtes sûre qu'il n'a aucune idée du contenu que vos agents virtuels vont diffuser ?

— Je lui ai uniquement indiqué quelles fonctions je désirais. C'est moi qui ai ensuite introduit les contenus dans les banques de données qui les alimentent.

— Vous… ?

— On n'est jamais aussi bien servi que par soi-même.

— Et s'il se doute de quelque chose, votre pirate ?

— Je vous ai déjà dit que nous n'avons rien à craindre. Je m'occupe personnellement de son avenir.

FRANCE 3 / GRAND SOIR 3

> … avec un soulagement visible. Aucun acte terroriste n'a eu lieu sur le territoire parisien. Une baisse de la fréquentation a cependant été observée dans le métro et vous êtes assez nombreux, semble-t-il, à avoir choisi de ne pas vous présenter au travail aujourd'hui…

LE DERNIER BAR AVANT LA FIN DU MONDE

Natalya marchait d'un pas énergique.

La prise de contact avait eu lieu sur son site protégé. Le message était laconique.

> 19, avenue Victoria. 21 heures. Un bar. Vêtements noirs, jeunes, passe-partout… Malcolm

Elle avait opté pour une jupe à plis par-dessus des collants, un t-shirt encolure bateau, un blouson de cuir avec un col en mouton et des bottes aux genoux. Tout était noir sauf le t-shirt, qui était gris.

Elle s'immobilisa en face de l'adresse indiquée. Elle avait beau être habituée à l'humour de Malcolm, elle examina un long moment la façade de l'endroit où son ex lui avait donné rendez-vous.

Le nom du bar était déjà tout un programme à lui seul : Le dernier bar avant la fin du monde. Une affiche sur la vitrine annonçait une exposition sur *Star Trek* pour le début juin : *The Final Frontier*.

En entrant, elle se retrouva devant une réplique du Faucon Millenium accrochée au mur, le mythique vaisseau de Han Solo.

Elle se dirigea vers la droite. Au bar, on servait de la Guinness pression. Le plafond était décoré de répliques stylisées des mystérieux cercles observés dans des champs de blé et attribués à des extraterrestres.

De l'autre côté du bar, la salle en contrebas possédait un mur bibliothèque contenant des livres de SF et des jeux de toutes sortes. Les fauteuils capitonnés lui rappelaient le décor rétrofuturiste du film *Dune*.

Un repaire de *geeks* qui s'assument et de *nerds* tentés par la vie sociale en milieu protégé.

~

Elle aperçut Malcolm dans une des causeuses, près de la bibliothèque, en train de lire. Pantalon et chemise noire, lunettes à monture de corne noire, espadrilles noires… Elle eut peine à le reconnaître.

Il avait même coupé ses cheveux et les avait teints en noir. On était loin du Malcolm Gilmour en complet-cravate qui hantait les locaux du MI6.

Un verre de Guinness était posé sur la table devant lui.

Quand elle arriva près de lui, Malcolm ferma son livre et lui fit signe de s'asseoir en tapotant le siège de la causeuse. Derrière eux, une réplique de Gremlin surveillait le plafond comme s'il s'attendait à ce qu'un ennemi y fasse irruption d'un moment à l'autre.

— Tu travailles sous couverture, maintenant ? murmura Natalya avec de faux airs de conspiratrice. Je pensais que tu laissais ça à tes agents.

— C'est important de ne pas perdre contact avec le terrain.

La remarque avait été faite sur un ton à la fois amusé et un peu trop détaché.

— Pourquoi est-ce que je pense que ce n'est pas la vraie raison ?

— Parce que tu as du flair.

— Un contrat difficile ?

Elle ne voyait pas d'autre motif à ce curieux rendez-vous. Ni au fait que Malcolm ait cru nécessaire de se déguiser.

Habituellement, il lui expliquait ce qu'il attendait d'elle par communication sécurisée.

— Officiellement, je suis à Paris à titre privé. Je rends visite à des amis à Levallois-Perret.

— Le royaume des Balkany ! Tu penses passer incognito parce que tous les micros, tous les espions et tous les journalistes sont fixés sur eux ?

Malcolm prit acte de la remarque en se permettant un mince sourire. Puis il sortit un iPhone d'une poche de son veston et lui montra une photo.

Un homme blond aux cheveux raidis. Fin de la trentaine, d'après ce qu'elle pouvait en juger.

Elle tourna son regard vers Malcolm.

— Ton ami ?

— Je te présente Francis Oaken. C'est l'étoile montante du service.

— Ah ! C'est un contrat de protection.

— Pas vraiment.

Il remit le iPhone dans sa poche.

— Francis Oaken. Héritier en attente d'une immense fortune. Des liens avec la noblesse par sa femme. Je le soupçonne de vendre des renseignements à l'étranger. Je ne sais pas à qui.

— Vous avez un service pour ce genre d'enquête.

— Les choses sont compliquées.

— Politique interne ?

— Il y a de ça. Oaken est le protégé du grand patron. Mais le vrai problème, c'est que c'est lui qui dirige les affaires internes. Et comme il y a des rumeurs qu'une taupe serait infiltrée dans nos services…

— Est-ce qu'il n'y en a pas toujours, des rumeurs ?

— Je parle de rumeurs plus persistantes que celles qui courent habituellement… Oaken a décidé qu'il allait trouver la taupe. Même s'il était obligé de la fabriquer. Pour lui, c'est la meilleure façon de se protéger.

Malcolm n'avait pas besoin d'en dire plus. Natalya comprenait que Malcolm avait été choisi par Oaken pour le rôle de bouc émissaire.

Mais plusieurs détails clochaient. Quelqu'un dans la position d'Oaken pouvait-il entreprendre seul ce genre d'opération contre Malcolm ? Il avait besoin de complicités dans d'autres départements. Il fallait au minimum que certains ferment les yeux, qu'ils se sentent « autorisés » à collaborer avec Oaken… Une seule personne avait ce type de pouvoir…

Malcolm la regardait réfléchir, sachant qu'une fois le processus arrivé à son terme, elle lui ferait part de ses conclusions.

Son attente dura plus de deux minutes.

— Autrement dit, le vrai problème, ce n'est pas Oaken. Tu penses que c'est le grand patron. Oaken serait son instrument.

— Il ne sait probablement pas qu'Oaken est la taupe. Tout ce qu'il veut, c'est pouvoir murmurer, dans les oreilles de ceux qui décident de sa carrière, que la taupe a été éliminée. Peu importe qu'elle ait été fabriquée de toutes pièces pour l'occasion. Et peu importe que la vraie taupe continue ses activités. On peut vivre avec une taupe. Prendre des dispositions. S'en accommoder. Mais on ne peut pas vivre avec la rumeur qu'il y a une taupe. Surtout pas si la rumeur s'étale dans les médias.

Natalya prit quelques secondes pour assimiler l'information.

L'argument avait le mérite d'être pragmatique. Mais elle ne voyait toujours pas ce que Malcolm attendait d'elle.

— Pourquoi moi ?

— Parce qu'à l'interne, je ne sais pas à qui je peux faire confiance.

— Comment as-tu découvert ça ?

— Un informateur anonyme.

— Et tu lui fais confiance ?

— L'information était accompagnée de plusieurs indices. Des preuves circonstancielles. Mais rien de suffisant pour que j'entreprenne ouvertement une action contre Oaken.

— Tu penses que c'est quelqu'un du service ?

— Du MI6 ? C'est possible. Quelqu'un qui trouve que les choses vont trop loin et qui ne veut pas agir directement… Mais ça peut aussi être un piège. Si je lance des accusations et que je ne peux pas les prouver, je suis fini. Ça va même apporter de l'eau au moulin d'Oaken, s'il veut me faire endosser le rôle de la taupe. Je vais apparaître comme celui qui veut saboter le service de l'intérieur en suscitant la paranoïa.

— Tu veux que je l'approche et que je l'amène à se mettre à table ?

— Je ne sous-estime pas tes pouvoirs de persuasion, mais ça m'étonnerait. Il est gay.

— Mais… tu disais qu'il est marié.

— Un des investissements les plus brillants de sa carrière… Financièrement. Politiquement. Professionnellement…

— Et sexuellement ?

— Sa femme ne peut pas divorcer. Ses parents la déshériteraient. Une famille ultra catho… Comme les deux sont des gens raisonnables, ils ont une sorte d'entente.

— Chacun s'occupe discrètement de ses affaires et ne pose pas de questions.

— On peut le dire comme ça.

— Je ne vois toujours pas ce que tu veux que je fasse.

— J'ai un plan.

Évidemment qu'il avait un plan !

Natalya fit la moue.

— La dernière fois…

— Je sais. Tu as dû prendre des risques pour me sauver la peau. Mais, cette fois, il ne peut rien arriver.

— Pourquoi ai-je l'impression d'entendre le capitaine du *Titanic* ?

— Tu n'auras pas besoin de l'approcher. Je parle d'Oaken… Enfin, oui, tu vas l'approcher. Mais à distance. Sans qu'il s'en aperçoive.

Le visage de Natalya trahissait le plus grand scepticisme.

— Je vais l'approcher… à distance… sans qu'il s'en aperçoive ?

— J'ai vraiment un plan.

Malcolm parla pendant un peu plus de neuf minutes.

Quand il eut terminé, Natalya n'avait pas de questions. Son seul commentaire porta sur ses honoraires.

— Tu veux que je change complètement mon mode opératoire. Il y aura des frais supplémentaires.

— Je connais tes tarifs. Ce n'est pas une question d'argent.

— D'accord. Je commence quand ?

— Oaken arrive à Paris demain, en fin de journée. Un séjour d'une semaine. Il supervise l'implantation des nouvelles mesures de sécurité à l'ambassade ! Et dans nos différentes "maisons sûres" !… Il faut que tout soit prêt avant son arrivée.

Malcolm prit une gorgée de bière.

— Compte tenu de ma situation, il est préférable de minimiser les contacts. Inutile de te dire qu'Oaken est en position de faire surveiller qui il veut.

— S'il faut que je te parle ?

— Autant que possible, utilise ton site. J'irai voir régulièrement si tu m'as laissé un message. En cas de besoin, je ferai la même chose.

— Et si c'est urgent ?

Il sortit un téléphone portable, pianota un numéro, laissa quelques secondes à Natalya pour le mémoriser, puis le fit disparaître, ferma le téléphone et le déposa sur la table.

— Tu me sauves vraiment la vie, dit-il.

— Ça commence à devenir une habitude. Il va falloir que je songe à augmenter mes honoraires.

— Avoue que tu adores ça. Ça te donne un prétexte pour continuer à me voir !

— Bien sûr…

Il répondit à son sourire, puis il se leva et partit d'un pas rapide.

Natalya le regarda s'éloigner et sortir du bar. Personne ne semblait l'avoir suivi à l'extérieur.

Elle s'absorba ensuite plusieurs minutes dans l'observation du décor, ce qu'aurait fait n'importe quelle personne entrant dans le bar pour la première fois.

Des coups d'œil furtifs ne lui révélèrent rien d'inquiétant : personne ne semblait s'intéresser à elle de façon particulière.

Elle prit négligemment le téléphone que Malcolm avait laissé sur la table, le mit dans une poche de son blouson et sortit.

UN ÉTRANGLEMENT DISCRET

En entrant dans la salle d'autopsie, Lambert Coppée reconnut immédiatement la musique.

Mozart.

Dans les endroits où travaillait Brigitte Vasseur, il y avait toujours le même fond musical. De son avis, c'était la musique la plus vivante qui soit.

La jeune femme elle-même, aux dires de ceux qui la connaissaient, était la personne la plus vivante qui puisse être.

Bien sûr, elle aurait pu écouter sa musique de manière plus discrète. Utiliser un casque d'écoute, par exemple. Ou des oreillettes. Mais elle avait tenu à installer des haut-parleurs dans la salle d'autopsie. À ses frais. Même si cela l'obligeait à prendre ses notes à la main au lieu de les dicter, comme la majorité des médecins légistes.

Elle prétendait que c'était bon pour les morts. Que Mozart les mettait en confiance. Sa musique les rendait plus coopératifs. Ils lui racontaient plus facilement leurs secrets.

Alertée par le signal sonore de l'ouverture de la porte, Brigitte Vasseur jeta un regard derrière elle. Reconnaissant le préfet de police, elle déposa la scie circulaire qu'elle était sur le point d'utiliser pour découper une boîte crânienne, releva son masque de plastique et vint à la rencontre de son visiteur.

Tout en marchant, elle baissa le volume de la musique. Son sourire rayonnait et une trace de moquerie flottait sur son visage.

Le préfet s'étonnait chaque fois de voir un sourire aussi radieux dans un tel endroit.

— Je vais enfin obtenir le nouvel équipement que je réclame depuis deux ans ! Vous avez tenu à m'annoncer la nouvelle de vive voix ! Comme c'est gentil à vous !

— Ce n'est malheureusement pas le but de ma visite. J'ai besoin de votre avis professionnel.

— Pour que le préfet sorte de son bureau, j'imagine que c'est important !

Coppée hocha la tête et jeta un regard au corps sur la table d'autopsie.

Il n'était pas d'une nature particulièrement sensible, mais de le voir si petit, vidé en bonne partie de ses organes, la peau relevée pour dégager le crâne…

Vasseur, elle, continuait de dévisager le préfet. Son sourire s'était atténué.

— Désolé d'arriver ainsi sans prévenir, s'excusa Coppée.

— J'ai presque terminé. J'en suis à la boîte crânienne.

Coppée désigna d'un geste la table d'autopsie.

— Quel âge ?

Ce qui restait de sourire disparut du visage de la jeune femme.

— Onze ans.

— Qu'est-ce qui est arrivé ?

— Une balle perdue… Un pauvre type qui se faisait harceler par une bande de jeunes. Ils volaient des bonbons dans sa boutique. Cela durait depuis plusieurs semaines… Il y a deux jours, il est sorti sur le trottoir avec un pistolet et il a tiré en l'air. La balle a ricoché sur la tige de métal qui tenait un auvent. Au troisième étage, en face, la victime surveillait ce qui se passait, appuyée contre la rampe du balcon. La balle lui a arraché une partie du visage.

— Je ne sais pas comment vous faites…

— Ici, on a un enfant de temps à autre. Ailleurs, ils sont des milliers à être victimes de dommages collatéraux… Quand ils ne sont pas carrément utilisés comme enfants soldats.

Coppée esquissa un sourire avec difficulté.

— C'est censé me remonter le moral ?

— Ce n'est pas une question de moral, mais d'attitude. De responsabilité. On doit se garder en état de rendre service aux autres.

Le sourire revint brusquement sur le visage de la jeune femme, comme si l'explication n'avait été qu'une parenthèse.

— Vous ne croyez pas ?

— Sans doute, sans doute… Est-ce que vous avez eu le temps d'examiner le corps qui vous a été amené hier ?

Inutile de lui préciser lequel. Si le préfet se déplaçait en personne pour venir aux informations, c'était certainement celui que lui avaient apporté les deux agents de la DGSI, la Direction générale de la sécurité intérieure. Une priorité absolue, avaient-ils spécifié. La plus grande discrétion était requise. Mais cela ne s'appliquait sûrement pas au préfet.

— Toute possibilité de mort accidentelle est exclue, dit-elle d'emblée.

Coppée ne jugea pas utile de lui demander si elle était certaine de ce qu'elle affirmait. Elle était une des meilleures de sa profession.

— Donc, c'est bien un meurtre.

— Par étranglement.

— Avec quoi ?

— Pas avec une corde ni quelque chose du genre.

— Les mains ?

— Je ne pense pas. Il n'y a pas d'empreintes digitales, même si cela peut se produire quand le meurtrier transpire beaucoup. Et il n'y a pas d'hématomes laissés par la pression des doigts.

— De quelle manière l'a-t-on étouffé ?

— Je ne sais pas… Mais il a des pétéchies dans les yeux. Même sur le visage.

— Vous parlez de ces petits points rouges ? Causés par des capillaires qui ont éclaté ?

— Vous avez bien appris vos leçons !

— Quand on a un bon professeur…

Sans cesser de sourire, Vasseur secoua légèrement la tête en signe d'incrédulité, comme si elle voulait écarter délicatement une remarque plaisante, mais qui l'empêchait de se concentrer. Puis elle poursuivit son rapport :

— Le cerveau était congestionné. Cela signifie qu'on a appuyé sur les veines au point de les bloquer. Le sang continuait d'arriver

dans la tête par les artères, mais, à cause de la pression sur les jugulaires, il ne pouvait plus redescendre. La pression a augmenté, des
capillaires se sont mis à éclater… Dans le cerveau, dans les yeux…
Mais il y a aussi des traces d'anoxie au cerveau.

— Ce mot-là, par contre, je ne le connais pas.

— Le cerveau a manqué d'oxygène. Ça veut dire que la pression
sur la gorge a coupé l'arrivée d'air.

— Avez-vous une idée de ce qui a pu produire ça ? Si on ne l'a
pas étranglé avec une sorte de corde ni avec les mains…

— Les traces de pression sont diffuses. Comme si on avait utilisé
quelque chose de large et de coussiné. Quelque chose qui s'adapte
en partie au contour de la gorge…

— Il a peut-être été attaqué par-derrière. Quelqu'un l'a étouffé en
lui enserrant le cou avec son avant-bras. Comme la prise de catch.

— Cela n'aurait pas bloqué l'arrivée d'air.

— Si vous aviez à décrire l'arme du crime ?

— Une sorte de pince géante, mais rembourrée. En appliquant
une pression graduelle… Ça pourrait expliquer que l'os hyoïde ne
soit pas fracturé.

Coppée souleva les sourcils.

— Ils auraient fait attention de ne rien briser ?

— Il semblerait.

Le préfet mit un instant à digérer la réponse avant de poursuivre :

— Impossible que ce soit un accident, donc.

Ce n'était pas vraiment une question. La jeune femme le regarda
avec un sourire compréhensif.

— Cela vous aurait simplifié la vie, j'imagine.

Coppée secoua la tête, découragé.

Il pensait à Guyon.

Mais avant de lui apprendre la nouvelle, il fallait qu'il rejoigne
Leclercq.

— J'ai déjà informé votre ami des services de renseignement, précisa Vasseur, comme si elle avait deviné ses pensées. Il m'a demandé
de mettre le corps dans un frigo où personne ne penserait à aller le

chercher, sans identification, et de n'écrire aucun rapport officiel. Il a envoyé quelqu'un récupérer toutes mes notes de l'autopsie.

LE PORNOGRAPHE DÉLICAT

Jean-François Besson s'adonnait à son activité préférée : surfer sur des sites pornos.

Le club privé auquel il appartenait, La 51ᵉ nuance de noir, avait mis sur pied un serveur d'anonymisation à l'intention des membres. De la sorte, il pouvait visiter tous les sites Internet de son choix sans qu'il soit possible de remonter jusqu'à lui.

Il avait même accès à des certains du dark web. Le club leur avait fourni une liste de sites clandestins, répertoriés par spécialités (types de bourreaux, types de victimes, types de maltraitance) et par degré de violence.

Besson n'était pas amateur d'hémoglobine, d'acharnement massacreur ou de brutalisation extrême. Ce qui le fascinait, c'était la mort. Surtout la mort esthétisée.

Quelques années plus tôt, il avait fait partie des Dégustateurs d'agonie, un club privé dont les membres se réunissaient de façon clandestine pour assister à des mises à mort « créatives », l'essentiel étant de jouir de ces agonies[1]. Le club avait été démantelé et la plupart des membres arrêtés.

À sa propre surprise, Besson avait réussi à passer entre les mailles du filet. Aucune accusation n'avait été portée contre lui. Aucun policier ne s'était présenté à son domicile. Aucun média n'avait mentionné son nom.

Par prudence, il avait déménagé en France, où il avait conservé des contacts. Il s'y croyait totalement en sécurité. Il avait même recommencé discrètement à satisfaire sa passion… jusqu'au jour où il avait rencontré son employeur.

C'était ainsi que l'inconnu s'était lui-même présenté.

---

1. Voir : *La Faim de la Terre.*

— Désormais, je suis votre employeur.

Entre eux, les noms n'avaient pas d'importance, avait-il ajouté.

Besson ne l'avait rencontré qu'à deux reprises. Aucune troisième rencontre n'était prévue. Leurs communications se faisaient électroniquement.

Le premier contact avait eu lieu dans un théâtre que Besson fréquentait à l'époque, The Black Scene. On y mettait en scène des pièces érotiques à base de domination symbolique et de torture simulée.

Une brève discussion. Moins d'une minute.

Un des membres s'était approché et lui avait tendu la main. Il lui avait parlé à voix basse en évitant de croiser son regard. Ses yeux examinaient ce qui se passait autour d'eux comme pour s'assurer que personne d'autre ne pouvait surprendre ce qu'il disait.

— Je suis certain que vous vous ennuyez des Dégustateurs d'agonie. J'ai quelque chose à vous proposer. Demain au Fouquet's. Vingt heures. Je sais que je peux compter sur votre discrétion… Comme vous, sur la mienne.

Puis il s'était éloigné.

Le ton et l'attitude de l'homme n'avaient laissé aucun doute à Besson. La dernière phrase n'avait pas eu pour objectif de le rassurer. C'était une menace. À peine voilée.

Le lendemain, au Fouquet's, son « employeur » avait été charmant. Il lui avait offert un repas fastueux. Chaque plat était accompagné de grands vins : bâtard-montrachet, Château le Pin, Yquem…

Besson avait bien vu qu'il s'agissait d'un étalage de richesse destiné à établir le pouvoir de celui qui l'invitait. Néanmoins, il avait été impressionné.

Après le dessert, pendant qu'ils dégustaient un Baron Otard Extra 1795, l'homme lui avait expliqué son projet. C'était une version plus évoluée de l'expérience des Dégustateurs. Plus à l'affût des nouvelles exigences du public : direct, interactivité, publicisation dans les médias et les réseaux sociaux…

Ce qu'il attendait de Besson, c'était d'être une sorte de pare-feu humain. Il agirait à sa place.

Le travail requerrait peu d'initiative. Tout serait prévu. Enfin, presque tout. On lui dirait quoi faire. Qui engager pour le faire. Quel tarif payer… Pour les détails imprévus, si d'aventure y en avait, il pourrait utiliser son jugement.

Devenir un pare-feu : tel était le prix de sa liberté.

Lorsque sa collaboration serait requise, on le contacterait. Assez souvent, ce serait une femme. Elle se présenterait à lui sous le nom de Sandrine Bijar. Pour tout ce qui relevait de sa mission, Besson devait suivre ses directives à la lettre.

Toutefois, même avec elle, il aurait peu de contacts directs. L'essentiel des communications se ferait par courriel ou par texto.

Besson avait été ensuite sans nouvelles de son employeur pendant plusieurs mois. Puis, au moment où il commençait à croire que tout cela n'avait été qu'un mauvais rêve, il avait reçu ses premières instructions.

Depuis, des courriels et des textos relançaient Besson à tout propos. Il devait être disponible 24 heures sur 24, lui avait dit son employeur. Quand l'opération en cours serait terminée, il se verrait offrir des vacances à la mesure de son dévouement.

Aussi, quand son portable se manifesta, Besson ne fut pas vraiment surpris. Il activa le logiciel de messagerie et lut le texto qui venait de lui parvenir.

> Confirmation demandée. La première œuvre a-t-elle bien été produite ? Il n'y a aucun écho dans les médias. Votre employeur.

Besson caressa de la main son menton fuyant. Ses petits yeux presque ronds se posèrent avec inquiétude sur sa montre.

Que se passait-il ? Il y avait plus de 24 heures que la livraison avait eu lieu.

Il se contenta d'une réponse laconique.

> Exactement comme prévu.

PARCE QUE LES HOMMES NE SONT PAS DES FEMMES

Jonathan Maillot en était à sa 69ᵉ émission. Il avait pris son rythme. Les cotes d'écoute montaient régulièrement. S'il regardait ses feuilles, ce n'était pas par insécurité ou pour se donner une contenance. Cela faisait simplement partie de son rituel.

À la seconde où s'achevait le thème musical de l'intro, il releva brusquement la tête. Un sourire apparut instantanément sur son visage, comme si la vue de la caméra déclenchait un réflexe conditionné.

— De retour à *Parce que les hommes ne sont pas des femmes*, l'émission qui radiographie en direct l'opinion publique en tenant compte de qui vous êtes. Homme ou femme, jeune ou vieux… Pendant la pause, vous avez été nombreux à vous manifester sur les réseaux sociaux. Je vous rappelle notre question : qu'est-ce qui se cache derrière cette menace d'attentat qui n'a pas eu lieu ?… Avant de me tourner vers nos invités, je vous lis quelques-unes de vos réponses.

Sur l'immense écran mural, à sa gauche, s'afficha progressivement une suite de messages.

Mathilde, 36 ans…
Une expérience menée par un groupe de chercheurs en marketing.

Robert, 54 ans…
Un simple canular.

Louis, 24 ans…
Les Chinois qui veulent étudier la façon dont on réagit. Ils préparent le terrain psychologique de la prochaine guerre.

Marik, 54 ans…
La police a empêché l'attentat à la dernière minute. Elle ne dit rien pour ne pas donner d'informations aux terroristes encore en liberté.

Djamila, 28 ans…
Une rumeur lancée par la police (et probablement le ministère de l'Intérieur). C'est pour justifier l'augmentation de la présence policière dans les rues.

Le présentateur continuait de lire les messages à haute voix au fur et à mesure de leur apparition. Après le neuvième message, il reporta son regard vers la caméra.

— Personnellement, je me rallierais assez facilement au point de vue de Robert. Mais je ne suis pas ici pour étaler mes opinions. Je laisse donc la parole à nos invités, qui vont certainement nous éclaircir tout ça.

Il fit pivoter sa chaise vers la gauche. Six invités étaient installés sur des tabourets. Selon l'habitude, il y avait trois hommes et trois femmes appartenant à différents groupes d'âge.

— Je me tourne d'abord vers vous, Didier Le Gardeur. Détectez-vous une fracture générationnelle dans ces réponses ?

Un homme d'une soixantaine d'années, en complet bleu marine, lui répondit.

— Personnellement, je dirais que je trouve les jeunes un peu portés sur les théories conspirationnistes. Ce qui m'a frappé, cependant…

ENGUEULER LA PLUIE

Gonzague Leclercq discutait au bar avec Manu, désormais gérant au Chai de l'Abbaye.

— Bruno, qu'est-ce qu'il devient ?

— Il a ouvert un café bistro, rue des Petits-Carreaux. À la limite de Montorgueil.

Des éclats de voix leur firent tourner simultanément la tête vers l'entrée.

Un des serveurs tenait la porte du bistro ouverte et engueulait l'extérieur.

— Espèce de sale temps de con ! C'est quoi, cette putain de merde de climat détraqué ?

— Ça fait du bien ? lui lança Manu.

— Non mais, t'as vu ?

Sébastien, le serveur, montrait d'un geste large du bras la pluie fine qui tombait.

Tout en vidant le lave-vaisselle, Manu expliqua à Leclercq les raisons de la mauvaise humeur généralisée des serveurs.

— Avec un temps pareil, les gens ne sortent pas. Chaque degré en moins fait baisser le nombre de clients. Même les réguliers ne viennent pas aussi souvent. Plusieurs partent après un seul verre…

Voyant arriver Coppée, Gonzague se dirigea vers lui et l'entraîna à une table, dans un coin de la salle.

Quelques instants plus tard, Sébastien déposait deux verres de vin devant eux.

— C'est la maison qui régale. Un petit saint-joseph qui tient très bien sa place !

Quand le serveur fut parti, les deux hommes échangèrent quelques remarques générales sur la vague de froid qui frappait la France. Coppée remercia ensuite Leclercq pour la discrétion avec laquelle il s'était occupé du fils de son ami.

— Guyon est vraiment soulagé, dit-il.

— Ce n'était pas très compliqué.

— Malheureusement, ça risque de le devenir.

Il résuma à Leclercq les conclusions de l'autopsie.

Tout en l'écoutant, ce dernier prenait la mesure des problèmes que cela allait lui poser. Il faudrait rendre discrètement les notes au médecin légiste, élaborer une histoire qui explique pourquoi la DGSI s'était occupée du cadavre, pourquoi elle avait ensuite remis l'affaire à la Police judiciaire… Et surtout, il faudrait tenter de contrer Dumas, à la P.J.

— Je ne peux pas enterrer un meurtre, conclut Coppée. Il faut une enquête. Sur ce point, Guyon est d'accord avec moi. Il tient à savoir qui a tué son fils.

— Mais… ?

— Si je donne l'enquête à la PJ, Dumas va se dépêcher de faire une conférence de presse. Tu le connais…

— Tout va devenir public. Les médias vont débarquer chez Guyon dans les heures qui suivent.

— Il ne veut pas livrer sa famille aux paparazzi.

— Je le comprends.

— Un drame familial, les médias qui se mettent à fouiller partout, les frasques de son fils qui ressortent… Des insinuations qui se transforment en scandale à force d'être répétées. Son nom associé à celui d'autres banquiers qui font les manchettes pour des histoires de fraude ou de pots de vin… Pour sa carrière, ce serait catastrophique.

— Tu te demandes ce que tu devrais faire ?

— Tu ne pourrais pas trouver un "secret défense" ou quelque chose du genre pour conserver l'enquête ? Tu as sûrement quelqu'un en qui tu as confiance, qui n'ira pas tout déballer dans les médias ou sur Internet.

Leclercq prit une gorgée de vin pour se donner le temps de réfléchir.

Plus il tardait à régulariser la situation, plus le risque augmentait que les médias aient vent de l'affaire. Il imaginait facilement quels scénarios farfelus ils pourraient inventer. Et quelles conséquences cela aurait pour lui. Ce qu'il faisait n'était peut-être pas immoral, mais c'était illégal. Ou, du moins, aux extrêmes limites de la légalité.

D'un autre côté, il n'avait aucune difficulté à se mettre dans la peau de Guyon. À sa place, il aurait réagi de la même manière.

Quand il répondit, sa voix avait baissé d'un ton, comme s'il craignait d'être entendu par des oreilles indiscrètes.

— Je peux probablement arranger quelque chose.

— Je savais que je pouvais compter sur toi.

— Mais ça ne peut être que temporaire. Le jour où on découvrira le coupable, il va y avoir un procès. Je ne peux pas couvrir un meurtre.

— Je sais. Mais cela donne à Guyon le temps de se préparer.

Les deux hommes se réfugièrent un long moment derrière leurs verres de vin. Chacun de son côté cherchait à voir s'il avait oublié quelque chose.

Leclercq rompit brusquement le silence.

— Je pense avoir quelqu'un pour s'occuper de l'enquête.

Il sortit un téléphone portable de sa poche, sélectionna un numéro dans la mémoire et lança l'appel.

Il attendit une vingtaine de secondes en silence, puis il interrompit l'appel et activa le logiciel de courriel.

http://blog.herbiedebellegrave.fr/meurtre-dans-la…

MEURTRE DANS LA COMMUNAUTÉ BDSM?

Vincent Guyon est-il mort? Pourquoi a-t-il disparu? Sont-elles vraies, les rumeurs qui relient son décès à des pratiques sexuelles marginales particulièrement violentes? Y a-t-il eu d'autres victimes? Il est anormal que…

La suite

UNE AFFAIRE ÉTOUFFÉE

Alatoff Payne lut la réponse de Besson sans surprise. Il lui confirmait avoir réalisé la mise en scène demandée.

Guyon était donc intervenu. Il avait fait en sorte que la mort de son fils ne se retrouve pas à la une des médias.

C'était compréhensible.

Compte tenu des circonstances de sa mort, les frasques passées de Guyon junior auraient inévitablement refait surface. Pour des parents, un tel étalage public n'était jamais agréable. Pour un parent qui était de surcroît banquier, c'était la catastrophe appréhendée: sa réputation risquait d'en souffrir par association; des clients pouvaient s'en offusquer, avoir des doutes…

Compréhensible, donc, que Guyon soit intervenu. Mais sa victoire ne pouvait être que temporaire. Car il était indispensable que les médias s'emparent de cette mort. Qu'ils lui accordent l'importance qui lui revenait. Ainsi, elle pourrait jouer son rôle dans la grande opération que Payne avait pour mission de mener à terme.

Il envoya un texto à Sandrine Bijar.

Il téléphona ensuite à un journaliste du *Parisien*.

C'était une des «ressources» dont il avait hérité en acceptant son emploi. Une ressource trop précieuse pour la donner à Besson.

Quand il aurait un point de vue à faire valoir, lui avait dit Hillmorek, ou une information à diffuser, Jérôme Delannoy était la première personne à appeler. Le journaliste ne pourrait rien lui refuser. À cause de sa fille…

Elle était multihandicapée. Son état requérait des soins coûteux. Delannoy aurait été incapable de les assumer. Heureusement, il avait trouvé un bienfaiteur. Ce dernier payait la plus grande partie des coûts par l'intermédiaire d'une œuvre de bienfaisance.

En échange, le journaliste collaborait quand il recevait certaines demandes. S'il cessait de le faire, les soins cesseraient. Les conditions de vie de sa fille se dégraderaient.

Ce serait triste, bien sûr, lui avait-on expliqué. Mais elle ne serait pas la seule à connaître une vie de misère après avoir été renversée par un chauffard. Une foule de victimes devaient se contenter des soins de base que fournissait l'État.

— Delannoy!

Dans l'appareil, le journaliste avait son ton habituel: exaspéré. À la limite de l'arrogance. C'était à se demander comment il pouvait inspirer confiance à des informateurs.

— Je vous appelle pour prendre des nouvelles de votre fille. Est-ce que son état s'améliore? A-t-elle besoin de quelque chose? Si jamais nous pouvons faire quoi que ce soit…

— Que voulez-vous?

La voix du journaliste s'était adoucie. L'exaspération arrogante avait cédé la place à la hâte d'en finir.

— Donner un coup de pouce à la liberté de la presse.

— Bien sûr.

— J'ai une information pour vous. Le fils de Guyon.

— Celui qui fait des spectacles ?

— Non. François Guyon.

— Le banquier ?

— Oui.

— Il est impliqué dans une magouille ? Lui ?

La voix du journaliste trahissait en même temps son incrédulité et son intérêt pour ce qu'il imaginait déjà être le scoop de sa carrière.

— Il s'agit de son fils.

— Ah…

Sa déception était palpable.

— Les circonstances de sa mort sont pour le moins nébuleuses, affirma Payne.

— Il est mort ?

— Autant que les chances de Hollande aux prochaines présidentielles.

— Je n'ai rien vu sur le fil de presse.

Le ton de la réponse trahissait un brusque regain d'intérêt.

— Le père a fait jouer ses relations pour étouffer l'affaire. Contactez le commissaire Duprat, à la PJ. Il vous renseignera sur cette histoire.

MARSEILLE ET CHINATOWN

Cela lui arrivait souvent.

Théberge se surprenait à regarder fixement sa femme, à la fois étonné et heureux de la voir encore vivante.

Cette dernière avait pour sa part d'autres sujets d'étonnement. Elle posa le journal sur le comptoir devant elle et se tourna vers son mari.

— Je ne comprends pas, Gonzague.

— C'est normal, on est entourés de Français.

Sa tentative d'humour tomba à plat. Sa femme continua comme s'il n'avait rien dit.

— À Marseille, trois individus en tuent un autre à la kalachnikov. Ça fait à peine un entrefilet dans le journal. Comme si c'était sans importance…

— C'est Marseille…

En disant cela, il se rappelait Jack Nicholson, qui, à la fin du film, offrait, pour toute explication : « C'est Chinatown. »

Cette nouvelle tentative de Théberge pour désamorcer la discussion n'eut aucun effet. Sa femme poursuivit.

— Une avocate assassinée dans son cabinet. Un diffuseur de presse et un chauffeur d'autobus tués juste parce qu'ils ont eu le tort d'être au mauvais endroit au mauvais moment. Il y a plein de faits divers de ce genre.

— Marseille est la capitale européenne de la violence.

— Qu'est-ce qui s'est passé pour qu'ils en soient rendus là ?

— La pauvreté. À Marseille, les deux tiers de la population sont pauvres. Il y a aussi le fait que c'est un port : ça attire toutes sortes de trafiquants… Sans parler de la complaisance des politiciens, qui choisissent de faire financer leurs campagnes électorales par les criminels plutôt que d'investir dans la police pour les faire arrêter… Comme ça fait 40 ans que ça dure, les groupes criminels ont eu le temps de s'infiltrer dans l'appareil judiciaire, dans la police… d'acheter des gens. Ils se pensent intouchables… Et tout le monde finit par se dire qu'il n'y a rien à faire.

— Si ces choses-là peuvent arriver à Marseille, ça veut dire qu'elles peuvent arriver n'importe où.

— Théoriquement, oui. Dans les faits, je suppose que ça dépend de la manière dont la population réagit.

— Oui, mais pense au long terme, Gonzague ! Pense au portrait global… Chaque fois qu'une ville ou une région baisse les bras, le crime organisé devient plus fort. Ça devient plus difficile pour les autres villes et pour les autres régions de résister…

Théberge n'aimait pas la tournure que prenait la discussion. Le but de leur voyage à Paris était de procurer à sa femme le calme dont elle avait besoin. Au programme : de longues promenades,

des restos et des musées… Tout ce qui comptait, c'était la poursuite de sa réadaptation. À l'abri du stress et de la tentation de prendre le sort de tous ceux qui l'entourent sur ses épaules. Or voilà qu'elle s'inquiétait de la montée de la violence dans l'ensemble de l'Occident !

— Le crime organisé n'est pas en mesure de gouverner la planète, si c'est ce que tu crains.

— Prose en parlait, l'autre jour. La 'Ndrangheta est établie dans toute l'Europe. Il n'y a plus moyen de la déloger.

— Prose a tendance à tout voir en noir.

L'attention de Théberge fut attirée par son téléphone portable, qu'il avait déposé sur le comptoir. Un voyant lumineux clignotait.

Il consulta sa boîte de courriels.

Rappelle-moi, s'il te plaît. Il faut que je te parle de quelque chose. G2

Une seule personne signait de la sorte : son ami français qui avait le même prénom que lui. Gonzague Leclercq. Un des hauts responsables de la DGSI. Leur amitié remontait à plus de 20 ans. À l'époque, Théberge l'avait emmené à son camp de pêche, dans le Nord québécois. Ils avaient ensuite continué de se voir et de correspondre par courriels. Pour plaisanter, Leclercq avait un jour répondu à un message de Théberge signé simplement « G » en signant « G2 ». Avec le temps, la blague était devenue une habitude.

Théberge se tourna vers sa femme.

— Il faut que j'appelle Gonzague.

http://facebook.com/Mario Sicard

Mario Sicard
Il y a quatre heures

10PHB. On dirait un nom de robot. Comme R2 D2. C'est peut-être pour un film. Mais je ne comprends pas pourquoi il n'y a rien dans les médias. Si c'était un compte à rebours pour un lancement, pourquoi est-ce qu'ils attendent?…

Afficher la suite

J'aime   Commenter   Partager

Andrée Cousin, Claude Le Gall, Hélène Roux et 113 autres personnes aiment ça.

Afficher 5 autres commentaires

Christiane Huet. Ou c'est un slogan, ou c'est un nom de produit. Ça ne peut pas être autre chose. C'est peut-être leur stratégie pour faire parler les gens : tout le monde se demande pourquoi il ne se passe rien.
Il y a 3 heures J'aime

Marcel Gaillard. C'est clair que c'est de la pub! De toute façon, aujourd'hui, il y en a partout.
Il y a 3 heures J'aime

Jean-Louis Lebrun. En tout cas, on est sûr que ce n'était pas un truc terroriste. Il ne s'est rien passé.
Il y a 2 heures J'aime

Elena Sanchez. Peut-être qu'il s'est passé quelque chose et qu'ils ont réussi à tout étouffer.
Il y a 2 heures J'aime

Christiane Huet. Qui ça : ils? La police? Le gouvernement? Les illuminati? Les extraterrestres? ;-)
Il y a 1 heure   J'aime

PROFESSION : ALIBI

Payne s'était rapidement adapté à son rôle de sosie. Mais il le trouvait quand même bizarre, ce rôle.

Il n'avait jamais eu à remplacer celui qui s'était proclamé son mécène. Il n'avait jamais eu à tenir sa place dans telle ou telle circonstance. Par exemple, dans des situations dangereuses.

La plupart du temps, il était libre de faire ce qu'il voulait. On lui demandait de vivre sa vie comme il l'entendait et de faire ce qui lui plaisait.

À cette liberté n'étaient attachées que deux conditions. La première, Hillmorek la lui avait résumée dans une expression un peu simple, mais très claire : laisser des traces.

En fait, il s'agissait de plusieurs microconditions, mais qui avaient toutes pour fonction d'inscrire sa présence dans les registres de la vie publique. Par exemple, il devait porter des lentilles cornéennes couleur bleu acier, alors que ses yeux étaient bleu pâle. Et quand il ouvrait son casier à la banque, il devait porter une pellicule de plastique sur le bout des doigts, question de toujours y laisser les mêmes empreintes digitales.

Il devait également s'acquitter de certaines tâches ponctuelles d'une banalité sidérante : marcher dans telle rue à telle heure précise, dîner dans tel restaurant tel jour dans telle ville, visiter telle exposition de telle heure à telle heure…

Payne avait assez vite compris que ces menues tâches servaient à créer des alibis. Si besoin était, on pourrait ensuite prouver qu'à telle date, qu'à telle heure, ce dernier était à tel endroit.

Et puis, il y avait la deuxième condition. Le test.

Pour prouver sa valeur, il devait piloter avec succès une opération. S'il réussissait, son emploi deviendrait permanent.

Drôle d'épreuve…

L'essentiel de la planification avait été réalisé avant son arrivée. La plupart des moyens nécessaires à la réalisation des opérations avaient été assurés. Il ne lui restait plus qu'à mettre la planification en œuvre, dans l'ordre prescrit, avec les moyens mis à sa disposition… Tout au plus devait-il procéder aux légers ajustements que nécessiterait l'application du plan dans le réel. Rien de bien exigeant…

Peut-être s'agissait-il d'une simple extension de son rôle d'alibi ? Peut-être son mécène avait-il voulu se distancer de l'ensemble de l'opération, comme Payne le faisait lui-même pour certaines tâches en employant Besson ?

L'aspect de son travail que Payne trouvait le plus déconcertant, c'était l'insistance de son mécène à utiliser des termes reliés à l'art. Ainsi, l'ensemble de l'opération était pour lui une « œuvre à réaliser » ; chaque étape, un « tableau » à mettre en scène. Quant à la manipulation des médias, il y voyait l'organisation de la « réception critique de l'œuvre »… Et il ne cessait de lui prédire que l'ensemble de cette opération serait son premier « chef-d'œuvre » !

Elle avait même un titre, cette œuvre ! 10PHB.

Un titre bizarre. Semblable à une formule de marketing. Mais bon, si c'était ce que voulait son mécène, inutile de perdre son temps à se torturer l'esprit. Il devait agir. Enfin, faire agir les autres…

Payne prit son téléphone et composa un texto à l'intention de Besson.

> Procédez à l'exposition du deuxième tableau.

Puis, réalisant qu'il avait oublié quelque chose, il expédia un deuxième message, dans lequel il ne mit qu'une signature extraite du répertoire, pour authentifier le précédent.

> Tritt auf die Glaubensbahn

LES PÉCHÉS DE SON PÈRE

Huit mois avant la retraite. Huit mois avant la fin de l'esclavage.

Le commissaire Claude Duprat aimait pourtant son travail comme au premier jour. Chaque nouvelle enquête provoquait en lui la même poussée d'adrénaline. Le travail de terrain lui manquerait. Comme lui manqueraient ceux qui, avec les années, étaient devenus plus que des collègues : la texture de sa vie.

Mais, pour rien au monde, il n'aurait retardé d'une seule journée son départ à la retraite. En même temps que son emploi, il verrait disparaître la tyrannie qui s'exerçait sur lui depuis près de 10 ans.

À l'époque, on avait découvert une fraude à la banque où travaillait son père. Quelques millions d'euros avaient été détournés des comptes d'investissement des clients. Son père n'avait rien à voir dans cette affaire, mais sa signature apparaissait sur des documents. Il les avait signés pour accommoder un collègue retenu chez lui par une mauvaise grippe. Tout devait être signé avant la fin de la journée. Sans cela, des pénalités substantielles auraient été imputées aux clients… Trois ou quatre signatures pour éviter à un client et à un collègue des inconvénients majeurs, ce n'était rien.

Devant les tribunaux, son père aurait sans doute eu gain de cause. Mais cela aurait pris des années. Entre-temps, sa réputation aurait été entachée durablement. Sa carrière, détruite.

Un inconnu avait offert à Duprat de faire disparaître toutes les preuves incriminant son père. En échange, il lui demandait une collaboration occasionnelle. Rien d'exigeant. Seulement des informations. Comme gage de bonne volonté, Duprat avait dû consentir à être filmé au moment où on lui remettait un dossier et une enveloppe scellée contenant 300 billets de 100 euros. Duprat avait détruit le dossier renfermant les épreuves et déposé l'enveloppe dans un coffre bancaire ; il n'y avait jamais touché.

Par la suite, les appels étaient venus. Deux ou trois fois par année. Il s'agissait toujours de demandes d'informations sur des enquêtes en cours. Uniquement des demandes d'informations. Le maître chanteur avait tenu parole. Jamais il n'avait demandé à Duprat d'altérer ou de faire disparaître des preuves.

Mais le policier n'avait pas bonne conscience pour autant. Plusieurs des enquêtes sur lesquelles il avait communiqué des renseignements avaient brusquement avorté. Des témoins avaient modifié leur témoignage ou s'étaient récusés. L'un d'eux avait même disparu.

— Ici Jérôme Delannoy, du *Parisien*. Je vous appelle de la part d'un ami.

— Quel ami ?

— Il m'a dit que vous accepteriez de me rendre un petit service "en souvenir du bon vieux temps".

Duprat sentit un brûlement au creux de l'estomac. Il se mit alors à espérer que la réaction se limiterait à un simple reflux gastrique.

Son médecin avait évoqué un spasme œsophagien. D'éventuels calculs biliaires… Cependant, pour Duprat, quelles que soient les explications médicales, la cause réelle de son mal ne faisait pas de doute : elle résidait dans son sentiment de culpabilité. D'où son impatience à prendre sa retraite.

Il s'efforça néanmoins de conserver une voix affable.

— Qu'est-ce que je peux faire pour vous, monsieur Delannoy ?

— Je m'intéresse à l'enquête sur la mort de Vincent Guyon. Le fils de François Guyon. Le banquier.

— Il est mort ?

La surprise de Duprat n'était pas feinte.

— Son fils, oui. Il y a tout lieu de croire que certaines personnes veulent tenir sa mort secrète. Il s'agit d'un meurtre, mais on voudra probablement le maquiller en suicide ou en accident. Je vous rappelle dans une heure.

Dans l'estomac de Duprat, la sensention de brûlure s'était intensifiée. Il avala rapidement des médicaments pour atténuer la douleur : cela lui donnerait le temps de trouver l'information. Il irait ensuite se reposer chez lui et il laisserait la crise se résorber.

~

Comme prévu, Delannoy se manifesta, une heure plus tard, à la minute près.

— Qu'est-ce que vous avez pour moi ?

— Pas grand-chose.

— Vous avez le rapport d'autopsie ?

— Non… En fait, je n'ai rien. Il n'y a aucune enquête en cours.

— On m'avait pourtant dit qu'en faisant appel à vous…

— La PJ n'a jamais été saisie de cette affaire.

— Qui s'en occupe, alors ?

— Tout ce que j'ai réussi à savoir, c'est qu'un corps est effectivement arrivé à la morgue hier matin. Mais il n'y a aucun dossier. Et je n'ai aucune idée de l'endroit où il est maintenant. On m'a laissé entendre que le corps aurait été apporté à la morgue par des gens de la DGSI. Mais ce n'est rien de plus qu'une rumeur.

— La DGSI…

Delannoy mit quelques secondes à digérer l'information avant de poursuivre.

— Il y aurait un lien avec la sécurité du territoire ?

— Ou avec la sécurité de ceux qui s'occupent du territoire.

— Donc, ce n'est pas un accident.

— Les agents de la DGSI se déplacent rarement pour des accidents. Ou des suicides.

CHERCHER LE JUSKOBOUTISTAN

La Bibliothèque nationale, malgré tous ses incunables, ses livres rares, ses manuscrits, malgré tous les documents qu'elle avait récupérés sur support informatique, ne possédait aucun exemplaire des *Naufragés du Juskoboutistan* sous quelque forme que ce soit. Ou plutôt, elle en avait déjà possédé un, mais il avait disparu.

On ne savait pas s'il avait été volé ou simplement égaré, comme les centaines d'autres livres qui étaient maintenant introuvables. Tous les ans, on en récupérait un certain nombre par hasard, parfois au fond d'un tiroir dans un bureau inutilisé, parfois sous une pile de livres en attente de restauration, le plus souvent sur un mauvais rayon.

Il y avait là une sorte de malédiction, semblait-il. En dépit de tous les dispositifs de sécurité, de toutes les procédures destinées à assurer le suivi des livres, en dépit même l'accès restreint aux rayons, chaque année, des livres disparaissaient.

Pourtant, ce livre existait. Prose l'avait feuilleté à la va-vite, plusieurs années auparavant, chez un libraire spécialisé en science-fiction. Un bandeau fournissait une sorte de sous-titre : « Les villes itinérantes ».

Des villes condamnées à sillonner une planète en ruines pour survivre. Des villes qui laissaient les anciens quartiers derrière elles pour en construire des neufs devant, qui deviendraient avec le temps des quartiers centraux, puis des vieux quartiers... Des villes rongées par une maladie mystérieuse qui attaquait autant les édifices que les gens. Une sorte de rouille... Des villes qui se laissaient elles-mêmes continuellement derrière elles. Et dont les vieux quartiers se dissolvaient en une sorte de poudre rougeâtre... Des villes où les gens possédaient une image enveloppante 3D qui leur permettait d'avoir l'apparence de qui ils voulaient (Sharon Stone, Brad Pitt, Johnny Depp... dans tel ou tel rôle) pourvu qu'ils aient les moyens de payer... Une ville où le temps d'image personnelle des gens – cela pouvait aller jusqu'à 24 heures par jour – et la qualité de cette image variaient selon leur richesse...

Le livre avait intrigué Prose. Il s'était promis de revenir le chercher. Mais, à son retour la semaine suivante, le livre avait disparu.

À la Bibliothèque nationale, Prose avait espéré trouver une piste : un commentaire dans une ancienne revue, une mention dans un journal de l'époque ou même dans une correspondance négligée par les compilateurs officiels de la culture célébrée... Bref, une indication sur une personne ou une institution susceptible d'en posséder un exemplaire.

Mais non. Rien.

Il n'avait pas eu plus de succès à la bibliothèque Sainte-Geneviève, à la celle de la Sorbonne ou à la Bibliothèque publique d'information.

Un peu découragé, il décida de se changer les idées en consultant son dossier ALERTES. C'étaient là que se retrouvaient les articles provenant des sources qu'il jugeait les plus intéressantes. S'y côtoyaient des sites d'informations scientifiques, des blogues de chroniqueurs politiques, des comptes Twitter... Quand un article incluait un mot-clé, une alerte se déclenchait.

Trois alertes l'attendaient.

Le premier article le fit sourire. Une chercheuse avait testé la cruauté des humains envers les robots. À la suite de son enquête, elle proposait l'adoption d'une charte des droits des robots pour les protéger.

Le deuxième était plus déprimant. Selon un sondage, 26 pour cent des Brésiliens étaient d'avis que les femmes provocantes méritaient d'être violées.

Le troisième parlait d'une étude montrant que les pessimistes vivaient plus vieux que les optimistes. Prose songea qu'un exemple pour le moins célèbre confirmait cette hypothèse : Voltaire était mort à 83 ans alors que Jean-Jacques Rousseau avait rendu l'âme à 66 ans.

Prose avait à peine terminé sa lecture qu'une nouvelle alerte apparaissait. Elle concernait la mise à jour de statistiques sur les morts par armes à feu aux États-Unis.

Sa lecture fut interrompue par la vibration de son téléphone posé sur le bureau. Il y jeta un coup d'œil.

Théberge !

Ils échangèrent d'abord quelques remarques sur la rudesse inattendue du climat parisien.

Théberge en vint ensuite à la raison de son appel.

— Es-tu libre pour dîner ce soir ?

Prose nota qu'il y avait une certaine urgence dans la voix de son ami.

— C'est sérieux ?

— Je ne sais pas encore.

Quelques minutes plus tard, Prose fermait son téléphone portable. Il avait rendez-vous au Comptoir Tournon, à 20 h 30.

Après être demeuré un moment songeur, il revint à la dernière alerte.

L'année précédente, il y avait eu 9 146 décès par armes à feu aux États-Unis et 41 en Angleterre. Principale différence : aux États-Unis, il y avait 88,8 armes pour 100 habitants ; en Angleterre : 6,2.

Quatorze fois moins d'armes et 44 fois moins de chances de se faire tuer! Les chiffres étaient éloquents… Mais la NRA trouvait sûrement le moyen de les déclarer sans valeur!

Prose ferma le dossier des alertes et se rendit sur la page d'accueil du *Huffington Post*.

Tout en naviguant sur le site, il songeait à Théberge. Il était curieux de savoir comment il apprivoisait sa condition de retraité en vacances. Et, surtout, comment se déroulait la réadaptation de sa femme.

Il se mit ensuite à penser à ce qu'il avait lui-même vécu comme une sorte de retraite: le départ de Natalya.

Il avait réagi en se noyant dans le travail.

Curieusement, il ne ressentait pas de peine, comme cela lui était arrivé lors des ruptures précédentes. Enfin, presque pas. Ce qu'il éprouvait était plutôt un sentiment de vide, de désorientation. Comme s'il ne savait pas ce qu'il voulait faire de sa vie.

Ce sentiment était paradoxal dans la mesure où le temps pressait. Il ne rajeunissait pas. Pour réaliser les projets qui lui tenaient à cœur, le nombre d'années qu'il lui restait diminuait irrémédiablement.

Un carré rouge dans le coin supérieur gauche de l'écran interrompit sa réflexion.

Prose appuya simultanément sur trois clés. Un message s'afficha. Encore son mystérieux correspondant.

Et si on commençait par la faim?
Phénix

#DISPARITIONDUNCADAVRE

Jérôme Delannoy@jdellanoy
Mystérieuse #disparition d'un cadavre à la morgue. Nouveau billet sur le-truc-qui-inquiète.blog. leparisien.fr/archive…

DEUX GONZAGUE

Attablé avec Théberge au Comptoir Tournon devant deux verres de saint-estèphe, Leclercq commença par interroger son ami sur la santé de sa femme. Comment prenait-elle tout ça? Est-ce que son état s'améliorait? Comment était son moral?

L'année précédente, elle avait été victime d'un attentat. L'explosion l'avait plongée dans le coma durant plusieurs semaines. Quand elle avait émergé, les séquelles de son hémorragie au cerveau étaient devenues manifestes. Puis, après une courte période d'amélioration, son état s'était stabilisé... C'était le terme qu'avaient employé les médecins.

Théberge respira profondément.

— Le pire est passé. Maintenant, c'est la réadaptation.

— Elle en a pour combien de temps?

— Aucune idée... C'est ça, le pire: ne pas savoir. Ne pas savoir ce qu'elle va réussir à récupérer. Ne pas savoir combien de temps ça va prendre. Ne pas savoir si de nouvelles complications vont apparaître... Comme cette douleur qu'elle a, du côté droit du visage.

— Et toi? Ça ne doit pas être toujours facile...

Théberge lui jeta un drôle de regard. Puis il respira profondément à nouveau.

— Je suis toujours étonné de cette question. C'est tellement rien, le peu que je fais, en comparaison de ce qu'elle affronte tous les jours. Tellement rien... Honnêtement, je ne sais pas comment elle fait.

— Je comprends.

— Quand les gens que tu aimes ont mal, tu ferais n'importe quoi pour qu'ils arrêtent de souffrir. Ou seulement pour qu'ils souffrent moins. Et ce n'est pas une corvée. C'est... c'est comme si tu te donnais à toi-même de l'espace pour respirer... Tu en connais des gens, toi, qui ont l'impression de se sacrifier quand ils se donnent de l'espace pour respirer?

— Bien sûr.

129

Théberge prit une gorgée de vin. Puis il déposa lentement son verre presque vide sur la table.

— J'ai l'impression que les gens choisissent souvent de voir les problèmes qui les dérangent le moins pour se protéger du reste.

Après une pause, il ajouta :

— Entre ce qui est arrivé à Bertha et les soucis que cela me cause, ils préfèrent me parler de mes soucis !

— Parce que c'est moins inquiétant pour eux.

Théberge acquiesça d'un bref hochement de tête.

— Prose prétend qu'on n'a aucune idée de toutes les choses que notre esprit choisit de ne pas voir.

— Comment va-t-il, notre ami Prose ?

— Ça fait un certain temps que je l'ai vu. Il habite à l'autre bout de la ville… Mais il va plutôt bien, je crois. Même s'il pense encore à Natalya.

— Il t'en a parlé ?

— Bien sûr que non. C'est Prose… Mais à voir son empressement à venir à Paris… Je suis sûr qu'il espère la rencontrer.

Deux touristes entrèrent en catastrophe pour échapper à la pluie. Un homme et une femme. La femme se débattait avec son parapluie. Après avoir copieusement arrosé un des serveurs, elle réussit à le fermer.

Le couple finit par se rendre à une table, non sans avoir bousculé au passage plusieurs clients. Ils commandèrent deux thés. Même si ce n'était pas du thé en feuilles, ajouta l'homme, l'air contrarié.

Théberge reprit, sans cesser de les regarder.

— Selon Prose, la plupart des gens sont comme ces deux touristes-là : uniquement préoccupés de leurs petits embêtements et imperméables à tout ce qui peut arriver aux autres. Il appelle ça le déni… Il dit que c'est une vieille idée de Freud : notre capacité à ignorer tout ce qui pourrait menacer notre équilibre psychologique, notre goût de vivre. Commençant par le fait qu'on va mourir.

Sur ce, Théberge acheva de vider son verre.

Quelques instants plus tard, il poursuivit, avec une bonne humeur un peu forcée.

—On n'est pas ici pour parler de mes malheurs imaginaires... ou des malheurs réels de Bertha. C'est quoi, ton mystérieux problème? C'est lié à ton nouveau travail?

La Direction centrale du renseignement intérieur, la DCRI, avait récemment été transformée pour devenir la DGSI: l'équivalent, pour le renseignement intérieur, de ce qu'était la DGSE pour le renseignement extérieur.

L'idée, c'était de conserver à cette nouvelle Direction générale de la sécurité intérieure tous les pouvoirs d'enquête qu'elle avait déjà comme DCRI, et d'y ajouter des pouvoirs de police, de manière à lui permettre de lutter plus efficacement contre le terrorisme intérieur. Une manière de se prémunir contre la répétition du fiasco de l'affaire Merah, avait expliqué le ministre.

Leclercq, qui écoulait paisiblement la dernière année de sa préretraite, avait été mobilisé comme conseiller spécial du directeur affecté à la réorganisation. Après tout, c'était lui qui avait piloté l'intégration des Renseignements généraux et de la DST, lors de la mise sur pied de la DCRI. Il était en quelque sorte un expert en matière de bricolage de structures.

Il avait accepté, mais à deux conditions: conserver l'équipe réduite dont il disposait déjà et pouvoir s'impliquer dans certaines enquêtes – une façon de se reposer de la paperasse et de ne pas perdre le contact avec le terrain, avait-il expliqué au nouveau directeur.

—Indirectement, finit par répondre Leclercq.

Il regarda sa montre.

—Tu lui as bien dit 20 h 30?

—Oui. Il est peut-être coincé dans le métro.

Leclercq haussa les épaules en signe d'impuissance et commanda deux autres verres de saint-estèphe.

—On peut toujours commencer...

Il brossa à Théberge un résumé de l'étrange affaire dont il avait hérité.

— Un jeune, 23 ans. Il a été retrouvé mort dans la cour intérieure de l'édifice où il demeure. Complètement nu. Sur la pelouse. Il a été étranglé, mais on ne sait pas comment.

Gonzague sortit son iPhone et montra à Théberge une photo du corps.

— On dirait qu'il a 16 ans.

— Je sais. Il y a des restes de maquillage sur son visage. Comme si on avait voulu accentuer l'impression de jeunesse.

— En quoi est-ce rattaché à la sécurité nationale ?

— Son père est un ami du préfet. Il voulait éviter que les médias s'emparent de l'affaire… Le préfet m'a appelé. M'a demandé ce que je pouvais faire.

— Et tu as commencé par mettre l'enquête à l'abri des fuites, conclut Théberge.

C'était logique. Moins il y avait de gens impliqués dans l'enquête, plus il était facile de garder le contrôle de l'information.

— Je peux revoir le corps ?

Leclercq fit réapparaître l'image sur l'écran de son iPhone.

— Aucune trace de violence, dit-il.

Il fit un agrandissement de la tête.

— Tu vois les points rouges sur le visage ?

— Pour qu'il y en ait jusque sur le visage, il faut que le meurtrier ait bloqué les jugulaires.

— Il y a aussi eu une pression sur la gorge. Assez pour empêcher l'arrivée d'air et que ça laisse des traces au cerveau.

— Il faisait quoi, comme travail ?

— Jockey. J'ai cru comprendre que la famille n'était pas très emballée par ses projets de carrière.

— Tu penses que quelqu'un de la famille est impliqué ?

— Non. Ils auraient trouvé une façon moins voyante de se débarrasser de la victime.

— Ça pourrait être un excellent coup de poker. Ils commencent par exhiber le corps de manière provocante, puis ils contactent le préfet pour étouffer l'affaire.

— Ça m'étonnerait beaucoup qu'ils aient pensé à quelque chose d'aussi tordu. Mais toi, en revanche, tu aurais fait du bon travail chez nous !

— Justement… Si tu m'expliquais ce que je viens faire dans cette histoire ? Qu'est-ce que tu attends de moi ?

— Que tu me donnes ton avis. Seulement que tu me donnes ton avis.

LA MACHINE À DISPENSER DES SERVICES

Une petite sauterie. Très peu d'invités. C'était ainsi que Malcolm Gilmour avait qualifié l'opération qu'il avait proposée à Natalya.

Une petite sauterie…

Natalya marchait dans un corridor.

Son pouls était à 55. Stable. Son esprit, au repos.

Pour y parvenir, il lui avait fallu 12 minutes de méditation. Dix de plus qu'à l'accoutumée. Chasser de ses pensées l'image de Prose n'avait pas été facile.

Avant de venir, elle s'était assurée que l'appartement, une sorte de suite pour voyageurs fortunés, était désert. Quatre caméras judicieusement dissimulées assuraient une couverture complète de l'endroit. Les images étaient relayées en permanence sur son ordinateur portable et son iPhone – compliments de Malcolm.

Aussitôt introduite dans la serrure, la clé électronique déverrouilla la porte. Natalya la dégagea partiellement, puis l'enfonça de nouveau. Cette fois, tous les mécanismes de surveillance à l'intérieur de l'appartement furent désactivés.

Comme prévu, l'endroit était inoccupé.

Natalya se rendit dans le salon, repéra le fauteuil gris, se pencha, puis glissa un petit cylindre de plastique durci sous le fauteuil, à l'intérieur de la doublure.

Voilà.

C'était terminé.

Prévoir l'élimination d'une cible de façon aussi froide, sans prendre le temps de la connaître, sans prendre le temps de l'apprivoiser, cela la dérangeait. Elle détestait vivre ainsi dans l'urgence. Détestait l'impression d'être une simple machine à dispenser des services. Si le travail lui avait été demandé par quelqu'un d'autre que Malcolm, elle ne l'aurait pas accepté.

Chaque seconde passée sur place augmentait le risque d'être surprise. Même avec son déguisement de femme de chambre, la situation était dangereuse. Natalya prit néanmoins le temps de faire méthodiquement le tour des pièces. De repérer tous les dispositifs d'écoute et de sécurité. De s'assurer qu'ils étaient bien tels que Malcolm les lui avait décrits. De vérifier la position des caméras.

C'était pour elle une façon de maintenir ses propres exigences. De protester contre ce mode opératoire qu'on lui imposait. Une façon de préserver l'intégrité de sa personne.

Huit minutes plus tard, elle traversait la rue et réintégrait son propre appartement.

Le plus difficile restait à faire.

Attendre.

CONSULTANT À VIE

Gonzague Leclercq jeta un coup d'œil à travers la vitre qui séparait leur table de la terrasse, réprima un mouvement d'impatience, prit une gorgée de vin, puis reporta son attention sur Théberge.

— Le problème, c'est d'empêcher les fuites. J'ai deux agents dont je suis sûr. Ils vont prendre des jours dans leur réserve de congés pour se consacrer à l'enquête. J'ai même quelqu'un pour les diriger. À eux trois, ils vont s'occuper du travail de terrain. Ils ont déjà commencé… Mais j'aimerais que vous soyez là pour donner un point de vue extérieur. Toi et Prose. Nous serons les quatre seuls à avoir un point de vue global.

— Qui est le quatrième?

— Norbert. Celui qui dirige l'équipe. En matière de crimes, c'est une encyclopédie vivante. Il peut te citer tous les crimes qui ont été commis en France depuis un siècle, avec les noms de la victime et du meurtrier, l'arme utilisée, les circonstances du crime, le nom de l'enquêteur responsable de l'affaire… et le résultat du procès, quand il y en a eu un.

— Vous l'avez fait breveter ?

— Aucun danger qu'il parte. Il refuse même les promotions. Il s'est établi un rythme de vie et il s'y tient. La pire chose qui pourrait lui arriver, ce serait qu'il soit obligé de modifier son horaire ou de déménager.

— On dirait un Asperger.

— Probablement parce qu'il en est un. Ou quelque chose d'approchant.

Théberge le regarda un moment en secouant lentement la tête.

— Je pensais avoir battu tous les records d'invraisemblance avec les Clones. Mais un Asperger aux prises avec les urgences d'une enquête… Ça…

— Mon travail est justement de lui épargner tout sentiment d'urgence. Il est inspecteur de niveau 3 et dirige une petite unité spéciale dont le nombre de membres varie entre 1 et 4. selon les besoins de son travail… Dans les faits, il a toute la liberté d'un consultant.

— Comme moi, autrement dit.

— Non. Lui, il est consultant à vie. Enfin, tant qu'il le voudra… Je respecte ses 14 heures quotidiennes de vie privée. Je ne le bouscule jamais. Je ne lui impose jamais, pour travailler avec lui, quelqu'un qu'il n'accepte pas… Quand il était dans la PJ, il avait continuellement des problèmes. Il n'a pas été congédié pour la seule raison qu'il était leur dernier recours. On l'avait relégué dans un petit bureau, à l'étage des archives, et on allait le consulter pour les cas les plus tordus… Moi, je lui ai offert un vrai bureau, une vraie équipe qu'il peut composer et diriger à sa guise, selon les besoins des enquêtes. Et, surtout, je lui fiche la paix.

— Si je dois lui parler, je fais quoi ?

—Tu m'appelles. De mon côté, je m'occupe de vous mettre en contact le plus rapidement possible. S'il est à l'aise en ta présence, après quelques rencontres, il va te donner son numéro de téléphone.

Les explications de Leclercq laissaient Théberge dubitatif: un génie avait beau être un génie, si on ne pouvait y avoir accès que de temps en temps, au gré de ses humeurs et de ses obsessions. Mais bon, si Gonzague lui faisait confiance à ce point…

—Vous avez fouillé sa chambre?

Pris de court par le brusque changement de sujet, Leclercq hésita un moment avant de répondre.

—Celle de la victime? Bien sûr. Rien d'inquiétant dans son ordinateur et son téléphone Un peu de porno *soft*. Des sites de téléchargement illégal de musique et de films. Des trucs qu'on voit dans les ordinateurs de tous les jeunes

—Il a été retrouvé sans ses vêtements. C'est peut-être lié

—S'il fallait s'intéresser à tous ceux qui vont sur ces sites!

—Pas de traces de drogue?

—Non. De ce côté-là, tout paraît normal.

Le serveur arriva avec les deux verres et les annonça comme s'il s'agissait d'un événement digne d'être proclamé haut et fort.

—Les deux saint-estèphe de ces messieurs!

Les deux Gonzague goûtèrent le vin. Un échange de regards et un très léger mouvement de la tête suffirent à établir leur accord: aussi bon que le précédent.

Leclercq demanda à Théberge:

—Qu'est-ce que tu en dis?

—Du vin?

En guise de réponse, Leclercq se contenta d'esquisser un sourire et d'attendre.

—Si tu penses que je peux vous aider… reprit Théberge.

—Je sais bien que ce n'est pas facile pour toi. Avec ce qui arrive à ta femme… Si tu n'as pas le temps, tu me le dis.

—Je devrais pouvoir en trouver un peu.

136

Dans la salle, les clients s'étaient raréfiés. À l'extérieur, la pluie tombait avec une intensité accrue.

Théberge soupira. Frissonna.

— On dirait bien que le réchauffement climatique a oublié la France, dit-il.

— Dans un siècle, ici, ce sera couvert de glace et le Québec sera une immense forêt tropicale.

— C'est bien, on pourra faire de la motoneige chez vous !

Leclercq leva son verre aux Québécois, qui devraient bientôt apprendre à vivre dans la jungle.

— Une dernière chose, dit-il.

— Pas une autre affaire ?

— Non. Pas du tout… Nous voulions vous inviter au Florimond, ta femme et toi. Cela vous aurait évité l'heure de route pour venir à Mantes-la-Jolie. Mais avec ses acouphènes. je ne sais pas si c'est une bonne idée.

— Je suis sûr qu'on peut trouver un arrangement. Il suffit d'y aller au début de la semaine et d'arriver assez tard, au moment où les clients commencent à partir. On finira ça tranquillement avec Laurent et Pascal.

— D'accord. Je m'en occupe.

Leclercq regarda de nouveau sa montre.

— Il a sûrement eu un empêchement, dit Théberge.

Au même moment, Prose s'encadra dans l'entrée de l'établissement.

— Désolé du retard. Je parlais avec quelqu'un sur mon blogue et je n'ai pas vu le temps passer.

Il s'assit. Se frotta les bras pour se réchauffer.

— Vraiment un drôle de numéro, le type avec qui je parlais. Il pense que l'Occident est voué à disparaître… Remarquez, on ne serait pas la première civilisation à le faire. Mais lui…

Son informateur s'était de nouveau manifesté. Deux textos à quelques secondes d'intervalle.

> Décédé. Vincent Guyon, fils du banquier François Guyon. Circonstances mystérieuses. Suicide? Meurtre? Accident?

> Guyon fils était jockey. Beaucoup de courses sont arrangées. Pourquoi ne sait-on rien?

Depuis près de deux ans, Grégoire Bichou recevait des « informations » qu'il reprenait librement sur son blogue. Et, tous les mois, il recevait une enveloppe contenant 1 000 euros en billets de 100.

En guise de reconnaissance, lui avait dit la femme avec qui il avait conclu l'accord.

Une call-girl. Il l'avait choisie dans un catalogue en ligne.

En fait, il en avait choisi une autre. Davantage dans ses moyens. Mais c'était elle qui s'était présentée à l'hôtel.

Elle ressemblait à celle qu'il avait choisie. Mais en plus grande. En plus belle. En plus provocante.

Albertine.

C'était le nom qu'elle lui avait donné. L'air de ne pas croire elle-même que c'était son nom.

Elle lui avait d'emblée proposé un choix.

Ou bien il couchait avec elle pour le prix convenu: 300 euros – ce qui était, avait-elle précisé, bien en dessous de son tarif habituel. Ou bien il recevait 1 000 euros par mois. À vie. De quoi coucher trois fois par mois avec une fille semblable à celle qu'il avait demandée.

Bien sûr, il pourrait dépenser cet argent comme il l'entendait. Mais elle était certaine qu'il ne pourrait pas résister à s'offrir régulièrement une fille de l'agence. C'était sa drogue. Il n'y avait qu'à le regarder.

En échange de cette somme, tout ce qu'il aurait à faire, ce serait de tenir un blogue – comme journaliste, il le faisait déjà – et d'y écrire à l'occasion de courtes rubriques à partir de l'information qu'on lui fournirait.

Comme gage du sérieux de son offre, elle lui avait proposé un à-valoir de 3 000 euros. Elle avait déposé la somme sur la table du salon. Trente billets de 100 euros. Une prime de signature. S'il les acceptait, elle considérerait le contrat conclu.

Bichou avait hésité un instant. Coucher avec une fille comme elle, ce n'était pas rien. Mais 3 000 euros, c'étaient quand même 3 000 euros…

Il avait finalement pris l'argent.

— C'est quoi, vos informations ?

— Des scoops.

— Et si je prends l'argent et que je n'utilise pas vos informations sur mon blogue ?

— Je n'ai aucune inquiétude à ce sujet.

Elle s'était dirigée vers la porte. Puis, avant de sortir, elle s'était retournée vers lui.

— Demain matin, ouvrez votre navigateur Internet et tapez "Leonid Vassiliu" dans un moteur de recherche. Vous obtiendrez une réponse sur la qualité des informations que vous recevrez… et sur les raisons pour lesquelles vous seriez mal avisé de ne pas remplir votre part du contrat.

Puis elle était partie.

Le lendemain, intrigué, Bichou avait tapé le nom dans la case RECHERCHE de son navigateur.

Aussitôt, les références avaient déferlé.

Le célèbre marchand d'art autrichien, Leonid Vassiliu, avait été assassiné de façon spectaculaire au cours de la nuit. Deux missiles avaient été tirés sur son manoir, près de la côte normande, à partir d'un hélicoptère. Le fait était d'autant plus étonnant qu'on le croyait réfugié à l'étranger à cause de transactions douteuses auxquelles Interpol s'était intéressé.

Bichou avait mis plusieurs heures à digérer l'information. Comment une simple call-girl avait-elle pu être informée de l'attentat avant qu'il se produise ? Réponse évidente : ce n'était pas une call-girl.

Dans quoi s'était-il embarqué ?

Il n'avait jamais revu la femme. Par contre, les informations s'étaient mises à lui parvenir. Toujours par courriels ou par textos. Parfois deux ou trois par mois, souvent sur le même sujet. Et, parfois, il était plusieurs mois sans en recevoir.

Bichou s'était acquitté scrupuleusement de sa part du contrat. Et les enveloppes de 1 000 euros n'avaient pas cessé d'arriver, au début de chaque mois.

http://www.franceinter.fr/emission-le-journal-de-19h

> 10PHB… Le mystère continue de planer sur l'intrigante campagne d'affichage. Un non-événement aura rarement autant fait parler. Malgré les démentis rassurants des autorités, les rumeurs les plus folles continuent d'enflammer les réseaux sociaux…

INTERROGATIONS INSIDIEUSES

Avec le temps, Grégoire Bichou avait compris que son blogue faisait partie d'une stratégie globale. Quand on lui offrait des informations, elles ne tardaient pas à faire surface ailleurs dans les réseaux sociaux, puis à être reprises par différents médias officiels. À la fin, toutes les sources avaient l'air de se corroborer les unes les autres…

Bichou reporta son attention aux deux textos.

Puis il commença à écrire.

Une atmosphère de mystère entoure la mort de Vincent Guyon, le fils du célèbre banquier François Guyon. Malgré les rumeurs persistantes, son décès n'a toujours pas été confirmé.

Bichou relut la première phrase. Des rumeurs alléguées, une mort non confirmée… Il n'y avait rien là susceptible de provoquer des poursuites.

Il se remit au travail.

Serait-ce parce qu'il est le fils d'un très riche banquier? Parce que son père a fait jouer ses relations pour dissimuler sa mort? Pourquoi l'aurait-il donc fait? Parce qu'il s'agit d'un suicide, comme le soutiennent certaines rumeurs? Et si ce n'est pas un suicide, de quoi s'agit-il? D'un accident? D'un meurtre?…

Bichou s'interrompit de nouveau pour se relire.

Rien n'était affirmé. Il soulevait des hypothèses. Posait des questions… Tout le monde avait le droit de faire ça.

Guyon fils était jockey. Sa mort aurait-elle un lien avec son métier? On sait que le *racing* est, comme l'a déclaré récemment le ministre de la Justice, un «milieu propice à l'infiltration mafieuse».

Chose certaine, ces rumeurs sont malsaines. Il est dans l'intérêt de la transparence démocratique – et de la vérité – que ceux qui savent quelque chose fassent publiquement la lumière sur cette affaire.

Une protestation de vertu. Un appel à la transparence au nom de la démocratie et de la vérité… On ne pouvait rien lui reprocher. Même pas le dernier mot, qui associait implicitement cette histoire aux innombrables « affaires ».

Une fois le texte relu et posté sur son blogue, Bichou rédigea un court message sur son compte Twitter.

Grégoire Bichou@grebich
Vincent Guyon, le fils du banquier:
suicide? mort? accident? complot?
dissimulation? Les détails sur
http://blog.gregoirebichou.
fr/suic…

Après en avoir terminé avec cette « commande », Bichou entreprit de relire l'article qu'il préparait sur Gregoriu, le supposé philanthrope qui était en fait un trafiquant d'expèces en voie de disparition.

JOUR 3

UN CADAVRE À MÉDIATISER

Payne grimaça légèrement.

La douleur n'avait rien d'aigu. Plutôt une sorte d'élancement. Une tension lancinante dans la jambe gauche. À peine désagréable. Mais impossible à oublier tout à fait.

Il en avait encore pour quelques mois. Peut-être plus. Aïsha l'avait prévenu. La douleur pourrait s'accentuer dans les moments de tension. Ou en cas de changement brusque de température. C'était comme les rhumatismes. Agaçant.

Mais un os un peu malmené par une chirurgie esthétique, cela pesait peu dans la balance. Si c'était à refaire, il prendrait la même décision.

En échange de cet inconfort, Payne avait obtenu une nouvelle vie. Une vie plus riche encore que la précédente. Avec moins d'entraves. Moins d'obligations professionnelles.

Sauf qu'avant de profiter pleinement de cette nouvelle vie, il lui restait une opération à terminer. Ensuite seulement, serait-il dégagé des contraintes de la réalité quotidienne. Et cette réalité, justement, faisait preuve de peu de collaboration.

Dans les médias, il n'y avait toujours rien sur le premier corps. Le coup de fil à Delannoy n'avait manifestement pas suffi.

Chaque fois qu'il prenait un peu de recul pour réfléchir au déroulement global de l'opération, Payne ne pouvait faire autrement que de s'interroger sur l'étrange plan de son « mécène », comme Hillmorek aimait se faire appeler.

Malgré l'incongruité des tâches, les deux premières étapes avaient été relativement faciles : trouver des petits hommes blancs, puis de très grandes femmes.

La troisième étape lui avait créé davantage de difficultés. Hillmorek appelait cela : « construire une scénographie pour orienter la grille de lecture ».

Il s'agissait de planter le décor à l'intérieur duquel se déroulerait l'opération, puis de choisir des modes d'action dont le symbolisme guiderait l'interprétation des médias.

Cela impliquait de trouver des locaux, de former un groupe de référence médiatisable, de recruter des exécutants, d'inventer une sorte de signature pour les événements… C'était également au cours de cette étape que Payne avait dû trouver une manière de guider les soupçons des policiers vers une fausse piste. Avec un faux coupable à la clé.

L'étape de la conception était maintenant terminée. Payne en était désormais à la mise en œuvre. C'était à la fois plus simple, puisque tous les événements clés étaient chorégraphiés, et plus complexe, car il fallait les produire, un peu comme l'aurait fait un producteur de films.

Et il fallait aussi piloter les réactions des médias.

Hillmorek avait raison. Ce genre d'opération était un défi des plus stimulants. Mais Payne ne comprenait toujours pas le but ultime de l'exercice. Quel intérêt son mystérieux mécène avait-il à réaliser une telle opération ?

Et, surtout, pour quelle raison avait-il fait de lui son sosie ?

Incapable de répondre à ces questions, Payne les écarta provisoirement de son esprit. Il était temps de faire bouger les choses.

Les prochaines victimes feraient bientôt la manchette. Les images seraient saisissantes. Elles mériteraient une mention dans les meilleures cases horaires. Ce n'était qu'une question de temps avant que l'histoire fasse le buzz sur Internet et qu'elle soit mise en relation avec la mort de Vincent Guyon.

Mais pour cela, il fallait que cette mort soit connue. Largement diffusée.

L'information avait commencé à faire son chemin dans les médias sociaux et sur les blogues. Les médias traditionnels semblaient toutefois peu empressés de la reprendre.

Payne décida d'envoyer un nouveau message à Besson. Il était temps de rappeler certains membres des médias à leur devoir fondamental : informer le peuple de ce qui était vraiment important.

Et, pour l'instant, rien n'était plus important que les circonstances de la mort du fils Guyon.

LES AVANTAGES DU *MASTER*

Natalya émergea de la salle de bains complètement détendue. Les rares nœuds de tension que la méditation avait été incapable de dénouer, les jets d'eau du bain-tourbillon les avaient dissous.

Une heure plus tard, Francis Oaken arrivait dans l'appartement que le MI6 louait dans l'environnement chic de Levallois-Perret.

Il avait chosi l'endroit en raison de ses dispositifs de sécurité sophistiqués. Le MI6 avait l'habitude d'y installer des « collaborateurs » occasionnels sur qui il voulait exercer une surveillance continue.

Lorsque l'endroit était inoccupé, il était à la disposition des hauts dirigeants comme Oaken. Ces derniers, quand ils l'utilisaient pour leurs besoins personnels, désactivaient les dispositifs de surveillance pour ne garder que ceux reliés à la sécurité des lieux.

Natalya, pour sa part, avait établi ses quartiers dans une maison privée, en face de l'édifice où se trouvait l'appartement d'Oaken.

Elle était aux premières loges pour tout observer. En toute sécurité.

Personne, au MI6, ne savait que le vrai locataire de cette maison était Malcolm Gilmour. Tous les documents officiels faisaient référence à un des innombrables princes de la dynastie des Saoud. Pour accréditer cette version officielle, Malcolm veillait à ce que des acteurs occupent l'endroit quelques semaines par année en tenant le rôle de cet obscur prince inventé.

Grâce à la manette électronique que Malcolm lui avait remise, Natalya activa le réseau de surveillance de l'appartement d'Oaken. L'instant suivant, toutes les données enregistrées par les multiples appareils étaient automatiquement transmises à son ordinateur portable.

À l'écran, elle vit Oaken vérifier, avec une télécommande ressemblant à s'y méprendre à la sienne, que tous les dispositifs de surveillance étaient bien désactivés.

Il ne pouvait pas savoir que Natalya disposait d'un *master*. Que ce dernier avait non seulement priorité sur sa télécommande, mais qu'il pouvait la leurrer. Oaken croirait que la situation était conforme aux instructions qu'il avait entrées sur le clavier de son appareil. Rien ne lui permettrait de soupçonner que quelqu'un d'autre contrôlait sa lecture de la réalité.

Oaken s'assit et syntonisa une émission de rugby à la télé.

L'attente risquait d'être longue…

Natalya rapetissa la fenêtre de surveillance, la confina dans un coin de l'écran, en ouvrit une autre et parcourut Internet, à la recherche d'informations sur les réseaux criminels roumains. Elle n'avait pas renoncé à découvrir qui se tenait derrière Bernard Hogue. Ni qui était le mystérieux arracheur de visages.

Peut-être était-ce la raison pour laquelle elle arrivait aussi difficilement à chasser Victor Prose de son esprit ? Parce que, malgré les déclarations des autorités officielles et l'abandon de l'enquête par les différents corps policiers, plusieurs des responsables n'avaient pas été retrouvés.

Tout bien considéré, le contrat n'était pas terminé.

http://blog.luciditeoblige.fr /10phb/ un-compte…

10PHB… UN COMPTE À REBOURS ?

C'était censé être un compte à rebours. Il y avait une menace d'attentat. L'attentat a-t-il été empêché ? Le danger est-il toujours là ? Pour quelle raison les autorités ne disent-elles rien ?…
La suite

Jean-François Besson ouvrit le logiciel qui gérait ses contacts et activa le dossier « journalistes ».

La plupart d'entre eux n'étaient pas achetés. Enfin, pas au sens habituel du terme. Plutôt que de l'argent, Besson leur transmettait des informations exclusives. Ou quasi exclusives. Il arrivait qu'il les communique à deux ou trois journalistes en même temps. Mais alors, il prenait soin de les choisir dans des médias différents : un blogue Internet, un journal traditionnel, un poste de radio, une chaîne de télé...

Grâce à lui, ces journalistes avaient été les premiers à publier des informations sur l'affaire du collectionneur fou.

Le premier nom sur sa liste travaillait à Rue89. Jean-Guy Martinet.

Ce dernier détestait les informateurs anonymes. Mais il n'avait pas eu le choix, il avait dû s'y faire.

Il avait commencé par rater les deux premiers scoops que Besson lui avait transmis. Le premier concernait le zoo humain que l'on avait découvert sur une île grecque appartenant à Gregoriu. On y avait trouvé deux Noirs albinos, quelques pygmées, des Aborigènes australiens ainsi que les trois derniers survivants d'un village du Caucase. Ceux-là étaient les derniers à parler leur langue, tous les autres membres du village ayant été massacrés.

Martinet n'avait pas trouvé drôle de voir l'histoire faire la manchette des médias, le lendemain. Avec des photos des lieux. Mais il avait tenu à ses principes : ne pas publier d'information dont il ignorait la source et qu'aucune autre source ne pouvait corroborer.

Deux jours plus tard, son mystérieux informateur lui avait proposé un autre scoop. Celui-là concernait un trafic de peaux de tigre. Dans un entrepôt appartenant à Gregoriu, on avait découvert des dizaines de peaux, dont au moins une de chacune des cinq espèces existantes.

Là encore, Martinet avait tenu à ses principes. Et, là encore, des médias concurrents avaient publié l'information à la une.

Par la suite, il avait trouvé un compromis. Sur son blogue personnel, il avait créé une rubrique intitulée : «Informations qui demandent à être vérifiées». C'était là qu'il publiait les nouvelles que lui transmettait son mystérieux informateur.

Besson écrivit un bref courriel à son intention :

> Vincent Guyon, le fils du banquier François Guyon, est décédé dans des circonstances qui n'ont pas été éclaircies. L'enquête sur sa mort est gardée secrète. Il y a là matière à creuser, non ?

Il envoya ensuite un message similaire à un journaliste de *Libération*. Celui-là, il l'avait appâté en lui révélant le scandale des faux certificats d'origine d'ivoire de mammouth. Des stocks d'ivoire braconnés en Afrique étaient découpés en morceaux et se voyaient attribuer des certificats attestant qu'il s'agissait d'ivoire de mammouth, dont le commerce était autorisé.

Trois autres journalistes reçurent des messages de la part de Besson dans les minutes qui suivirent.

~

Le travail était fait. Le reste dépendrait des autres médias et des réseaux sociaux. Il n'avait aucun doute que l'information serait reprise. D'autres que lui, à l'instant même, devaient contacter d'autres journalistes, d'autres blogueurs.

Normalement, dans 24 heures, deux jours tout au plus, on ne parlerait plus que de la mort mystérieuse de Vincent Guyon.

LA SIXIÈME OPINION

Victor Prose poussa un soupir d'exaspération.

L'affirmation péremptoire et la répétition étaient en train de devenir les arguments dominants. Si suffisamment de gens martelaient la même opinion, s'ils le faisaient avec suffisamment de conviction, si suffisamment de sites la reprenaient, elle devenait vraie. Sans que cela semble créer le moindre problème à qui que ce soit.

L'échange de tweets qu'il venait de lire ressemblait aux cinq précédents. Les mêmes opinions tranchées, les mêmes certitudes, les mêmes indignations… et la même absence totale d'arguments.

Pascal Dupont@PasDup
#10PHB… est une pub. Ou une expérience menée par une agence de pub. #ExcédéDêtreCobaye

Claude Benoît@CBen
"@PasDup #10PHB… est une pub." Pas d'accord. C'est un compte à rebours. Il va y avoir un attentat.

Pascal Dupont@PasDup
@CBen Pas besoin de complot conspirationniste. C'est juste une multinationale qui veut nous fourguer un produit.

André Tousignant@ATous
@CBen@PasDup Attentat contre qui? Par qui? Les petits hommes verts?

Claude Benoît@CBen
@ATous Contre Paris. Tout le monde est visé. @PasDup

André Tousignant@ATous
"@CBen La ville de Paris" Tu délires! La vérité, c'est que c'est une expérience des services secrets américains. Business as usual! @PasDup

Pascal Dupont@PasDup
@ATous Encore les méchantes multinationales! Et si c'était juste un gag?

Victor Prose quitta Twitter et commença à prendre des notes dans un document Word intitulé *Démocratie internet*.

À la suite de l'apparition du mystérieux message sur les murs de la ville, les hypothèses vont bon train. Chacun assène ses certitudes.

C'est à désespérer de l'humanité. Plus les médias et les réseaux sociaux prennent de place dans le débat public, plus la discussion se transforme en choc stérile d'affirmations contradictoires. La répétition, l'intimidation et l'attaque contre la personne tiennent lieu d'arguments… quand il y en a.

Bien sûr, il est injuste de réduire les réseaux sociaux à cette juxtaposition de monologues agressifs. Mais il y a là une tendance. Renforcée d'ailleurs par les médias traditionnels.

C'est comme une épidémie. Une quantité croissante de gens deviennent des sortes de missionnaires. Leurs croyances varient à l'infini, mais leur comportement est semblable. Partis répandre la bonne parole – la somme de leurs certitudes – et désireux de convertir tout le monde, ils n'hésitent jamais à soupçonner d'imbécilité, de mauvaise foi ou de perversité ceux qui ont le tort d'être réfractaires à leurs enseignements. L'insulte, l'agressivité et la calomnie virale leur tiennent lieu d'excommunication.

Prose cessa d'écrire. Il n'aimait pas trop la tournure que prenaient ses réflexions. Mais ce n'était pas parce qu'il n'aimait pas une idée, ou même qu'il la trouvait franchement désagréable, qu'il allait y renoncer. Il s'était toujours fixé comme règle de suivre sa pensée là où elle le conduisait, même si ses sentiments ou ses valeurs s'en trouvaient heurtés, et ses intérêts, menacés.

Par contre, il aimait encore moins le ton du texte, presque sermonneur. Il y avait aussi cette métaphore biologique de l'épidémie et les généralisations, péniblement contenues par quelques nuances…

Il était lui-même contaminé par ce qu'il dénonçait ! C'était d'un dérisoire…

Un carré rouge apparut dans le coin supérieur gauche de son écran : un nouveau message sur son blogue.

Prose l'afficha à l'écran.

Voici quelques faits concernant notre premier sujet de discussion : la faim. L'humanité se répartit entre ceux qui mangent trop, ceux qui ne mangent pas assez et… ceux qui ne mangent pas du tout. Évidemment, ces derniers ont une espérance de vie un peu plus courte.

Phénix!…

Décidément, son nouvel interlocuteur entendait mener la discussion au pas de charge.

UN MUR DE PLÉIADE

Tous les matins, François Guyon se levait tôt et passait une heure dans sa bibliothèque, seul. Tous les soirs, avant de se coucher, il faisait la même chose.

Ce qui avait débuté comme une expérience de quelques semaines, à la suite d'un pari avec son beau-frère, était devenu un rituel.

C'était du temps pour lui.

Assis dans un fauteuil, il regardait le mur de livres devant lui. La collection de la Pléiade. Presque complète.

Sur les autres murs, il y avait des tableaux. Rien que des tableaux.

Par la fenêtre, il pouvait voir la partie de la cour intérieure où survivaient deux chênes centenaires.

Un havre de paix.

Alors que ses collègues étaient déjà rivés à leurs écrans d'ordinateur ou à leurs téléphones intelligents, il lisait.

Son beau-frère lui avait un jour reproché, pour le taquiner, de ne lire que pour son travail et de ne rien connaître d'autre que les chiffres. Guyon s'était senti piqué au vif. La remarque était exagérée, mais elle contenait un fond de vérité.

Il avait alors décidé de lire. Il avait proposé à son beau-frère de le rencontrer chaque samedi, pendant quelques mois, pour un déjeuner de discussion. Ils parleraient de leurs lectures de la semaine, de manière à vérifier s'il ratait vraiment tant de choses que ça.

L'idée de Guyon, c'était de voir ce que l'humanité avait d'intéressant à dire. Et comme il ne se sentait pas compétent pour choisir, il avait adopté le seul critère qui lui avait toujours réussi en affaires : privilégier le long terme. Opter pour ce qui dure.

En termes culturels, on appelait cela des « classiques ». C'était l'équivalent des *blue chips* des milieux financiers. Et, dans le monde francophone, il y avait une collection qui leur était consacrée : la Pléiade.

Toujours pour tenir compte de son incompétence à effectuer des choix dans un domaine qu'il ne connaissait pas, il avait acheté presque toute la collection.

Le libraire lui avait offert de commander les titres qu'il n'avait pas en magasin, mais Guyon avait refusé. Il estimait disposer d'un échantillon suffisant.

La question qui l'avait le plus embêté, c'était l'ordre de lecture. Par quel auteur commencer ? Le plus ancien ? Le plus récent ?... Par le livre contenant le plus grand nombre de pages ? Par celui qui en comptait le moins ?... Et quelle œuvre choisir à l'intérieur d'un volume ?

Une fois encore, son expérience de banquier l'avait servi. Puisqu'il s'agissait de vérifier ce que pouvaient lui apprendre ces penseurs, il procéderait comme n'importe quel professionnel effectuant un audit : par échantillonnage. Et, pour assurer l'objectivité du processus, il choisirait au hasard.

Pour éviter la tentation de l'ordre alphabétique, il avait disposé les livres de façon aléatoire dans la bibliothèque. Et depuis, chaque matin, il prenait un volume au hasard, l'ouvrait et revenait au début de l'œuvre sur laquelle il était tombé. Il consacrait alors l'heure suivante à lire le début de l'œuvre. Puis, le soir, il lisait la fin en commençant par le dernier chapitre. Et il remontait, chapitre par chapitre, vers le début.

Avec le temps, les déjeuners avec son beau-frère s'étaient espacés, mais Guyon avait conservé son rituel.

Pour prévenir toute intrusion pendant qu'il lisait, il fermait habituellement son portable.

Cette fois, pourtant, il l'avait laissé ouvert. Coppée lui avait promis de l'appeler dès qu'il apprendrait quoi que ce soit.

Le téléphone avait effectivement sonné.

À deux reprises.

La première fois, la personne au bout du fil se prétendait recherchiste pour une chaîne de télé dont Guyon n'avait jamais entendu parler. Elle voulait inviter son fils à une émission consacrée à des gens qui ont connu une jeunesse mouvementée et qui ont ensuite trouvé leur voie. Était-il possible de lui parler ?

La ruse était grossière. Guyon se contenta de lui donner le numéro de portable de son fils. C'était à lui qu'il fallait s'adresser.

L'auteur du deuxième appel s'était identifié d'emblée comme journaliste. Il lui avait demandé s'il confirmait le décès de son fils.

Guyon avait raccroché sans répondre.

Et depuis, il était incapable de lire.

Il avait pourtant été captivé par le récit dès les premières pages. Ce personnage de juge pénitent qui s'adressait au lecteur en le vouvoyant l'avait immédiatement touché. Mais, après le deuxième appel, le livre était resté sur ses genoux.

Guyon regardait le mur de livres devant lui sans vraiment le voir.

Une question affleurait à son esprit, mais sans trouver la force nécessaire de se formuler de façon explicite : pourrait-il encore, deux heures par jour, se servir de sa bibliothèque pour tenir le monde à distance ?

Pour la première fois, il réalisait non seulement tout l'espoir que l'on peut mettre dans les livres, mais aussi toute l'impuissance qui leur est inhérente.

www.franceinfo.fr/emission/le-zoom-france-info…

> Une rumeur continue d'enfler sur les réseaux sociaux. La mort de Vincent Guyon, bien qu'elle ne soit pas officiellement annoncée, serait due à ses activités dans l'univers du BDSM. Selon des sources proches…

Norbert Duquai avait un bureau attenant à celui de Gonzague Leclercq. Non parce qu'il était son secrétaire ou son adjoint, mais parce qu'il s'y sentait à l'aise.

C'était la salle où Leclercq l'avait rencontré en entrevue. Il lui avait alors proposé de quitter la Police judiciaire et de travailler pour lui.

— Vous fixez-vous même votre horaire. Vous travaillez à domicile quand vous le voulez. Vous avez accès à toutes les ressources de l'organisation. Vous allez sur le terrain seulement si vous le jugez utile. Et vous ne relevez que de moi.

En échange, il travaillerait sur les enquêtes que Leclercq lui confierait.

Duquai avait accepté la proposition. Elle respectait toutes ses demandes. Mais il avait posé une condition supplémentaire :

— Je veux travailler ici.

— Ici ?

— Dans cette salle.

Il aimait l'endroit. Par la fenêtre panoramique, il avait une vue spectaculaire sur le quartier de la Défense. Autre avantage : il bénéficiait d'un accès direct au bureau de Leclercq. Pour le joindre, il n'aurait pas à s'enfermer dans un ascenseur avec des tas de gens, à se perdre dans d'interminables corridors, à traverser des espaces de travail ouverts auxquels les cloisons mobiles donnaient des allures de labyrinthe…

Leclercq avait sacrifié à contrecœur sa salle de conférence privée et l'avait transformée en bureau.

Duquai y avait établi ses quartiers…

~

En arrivant ce matin-là, comme tous les matins, Duquai avait pris quelques minutes pour regarder la ville, debout devant la fenêtre. Il avait localisé l'édifice où il habitait et compté les fenêtres pour repérer celle de son appartement.

Son rituel terminé, il s'était assis à son bureau et il avait entrepris d'acheminer des demandes à différents départements de l'organisation.

Personne, à la DGSI, ne savait exactement à quoi il travaillait : seulement qu'il relevait directement de Leclercq et qu'il avait un accès de niveau 2. Cela le situait juste au-dessous des principaux dirigeants.

Sans que la chose n'ait jamais été officialisée, ni même mentionnée, on tenait pour acquis qu'il s'occupait des dossiers les plus délicats et dont il était le seul à avoir un aperçu global, ce qui permettait de limiter les possibilités de fuites.

C'était une application de la règle du *need to know...* En cette époque d'écoute généralisée et d'espionnage tous azimuts, il était en quelque sorte un pare-feu biologique.

Sur son bureau, Leclercq avait déposé le dossier qu'il avait constitué sur Vincent Guyon. Au centre de la couverture cartonnée, il avait collé un post-it.

QUE POUVEZ-VOUS TROUVER DE PLUS ?

Duquai nota avec plaisir que les bords du dossier étaient rigoureusement parallèles à ceux du bureau et que le post-it était centré. Enfin, presque au centre : pour l'axe vertical, c'était parfait, mais il y avait un petit décalage vers la droite sur l'axe horizontal.

Duquai rectifia la position du post-it, recula pour le regarder et sourit devant le résultat. Il ne pouvait pas en vouloir à Leclercq de cette légère déviation. Ce dernier avait manifestement fait un effort pour respecter son besoin d'ordre.

Il ouvrit ensuite le dossier et se mit à l'œuvre.

Trois heures plus tard, il avait reconstitué une grande partie de la vie de la victime. Rien ne ressortait comme cause possible de son assassinat. Même les rumeurs de son implication dans le trucage du résultat des courses se révélaient non fondées.

Aux yeux de la loi, Vincent Guyon était blanc comme neige. Et il ne s'agissait pas d'une allusion humoristique à la cocaïne !

FRIGIDES ET BARJOS

Théberge et sa femme marchaient sur le boulevard Edgar-Quinet. C'était une sorte de test. Madame Théberge avait tenu à faire le trajet jusqu'à L'Opportun. Ils devaient y manger le lendemain et elle voulait savoir à quoi s'attendre. Comment se sentirait-elle, une fois arrivée ?

Elle avait traversé avec une relative aisance l'épreuve du métro. Elle regrettait cependant de ne pas avoir apporté sa canne. Son équilibre était correct tant qu'elle ne croisait pas de gens. Mais quand des passants la dépassaient ou la croisaient, d'un côté ou de l'autre, elle tournait instinctivement la tête vers eux et perdait l'équilibre.

Elle devait alors s'accrocher au bras de son mari comme à une bouée de sauvetage... ce qu'elle détestait.

— Gonzague, tu ne trouves pas qu'il y a plus de sans-abri que la dernière fois ?

— Oui.

— J'ai l'impression que ce n'est pas seulement une question de nombre. Ils ont... plus mauvaise mine, on dirait.

— Ce qui change, c'est le nombre de mendiants contrôlés par des réseaux criminels. Surtout les femmes et les enfants. Les dirigeants des réseaux leur imposent des quotas. Quand ils ne les atteignent pas, ils ne mangent pas. Souvent, aussi, ils se font battre. Et comme les vrais dirigeants des réseaux sont à l'étranger, la justice française ne peut pas grand-chose pour les protéger.

Madame Théberge le regardait, un peu surprise de la réponse.

— C'est de ça dont Gonzague t'a parlé ?

— Non... Il a une affaire de meurtre assez étrange sur les bras ... Un jeune jockey.

— Il veut que tu travailles avec lui ?

— Pas vraiment. Juste avoir mon avis de temps à autre. Le mien et celui de Prose.

Parvenus devant le restaurant, ils s'arrêtèrent. Théberge se tourna vers sa femme.

— Et alors?

— Ça devrait aller. Tant que le bruit à l'intérieur n'est pas trop élevé.

Ils rebroussèrent chemin vers le métro. Marchèrent en silence pendant un long moment.

Puis madame Théberge saisit le bras de son mari et se tourna vers lui.

— Tu sais ce que j'aurais aimé?

— Faire la tournée des grands magasins?

— T'es bête, Gonzague. J'aurais aimé qu'on aille à une Manif pour tous…

Théberge s'arrêta net.

Il la regardait, stupéfait.

— Tu es sérieuse?

— Pas pour manifester, idiot! Mais je n'arrive pas à comprendre. J'aimerais voir les gens qui manifestent, quel genre de personnes ils sont.

— Une manifestation! Tu veux aller à une manifestation dans ton état! Tu te vois te mettre à courir pour éviter une charge des CRS?

Madame Théberge le regarda, découragée.

— Gonzague, tu baisses… Décidément, la retraite ne te réussit pas.

Elle lui expliqua ensuite, comme à un élève peu avantagé côté cellules grises:

— Pas "faire" la manif: en approcher. Voir quelle sorte de gens manifestent.

— J'apprécie ta curiosité anthropologique, mais la réponse est connue. Largement médiatisée, même.

Madame Théberge regardait son époux avec un mélange d'amusement et de curiosité.

— Je sens que je vais apprendre de profondes vérités.

— Tout est dans le nom de leur porte-parole. Frigide Barjot.

PORTRAIT DE LA FAIM

Victor Prose relisait le message de Phénix.

Non dans l'espoir de réfuter quoi que ce soit, mais pour tenter de comprendre comment fonctionnait son esprit.

> Le nombre de personnes sous-alimentées de manière grave et permanente tourne autour d'un milliard.
>
> Chaque année, plusieurs millions d'enfants meurent à cause des effets de la malnutrition.
>
> La sous-alimentation, chez un enfant de cinq ans, cause des dommages cérébraux permanents.
>
> 500 000 enfants deviennent aveugles chaque année par manque de vitamine A.
>
> Les rongeurs et les intempéries détruisent tous les ans 25 % des récoltes de la planète à cause de notre incurie.
>
> 1,2 milliard d'êtres humains vivent avec moins de 1,25 $ par jour. Je vous laisse deviner le peu qu'ils mangent.

C'était indéniable, les ravages de la faim, à l'échelle de la planète, confinaient à l'atroce. Quiconque avait seulement lu une description des effets physiques du noma – même pas besoin de voir de photo ou de rencontrer des malades – pouvait difficilement continuer à maintenir avec bonne conscience une diète occidentale.

Mais, clairement, le but de son interlocuteur n'était pas simplement d'illustrer l'ampleur du problème. La suite de son message s'attaquait aux réactions de ceux qui auraient pu changer les choses.

> Et devant tout ça, que fait-on ?

http://ump-paris17e.typepad.fr/actu/le-silence-ass…

LE SILENCE ASSOURDISSANT DE PLACE BEAUVAU

Dans les réseaux sociaux, les rumeurs se multiplient sur la mort de Vincent Guyon. La DGSI fait l'objet de nombreuses allégations. Et que fait Charles Tanguay, le ministre de l'Intérieur, lui qui pourchasse habituellement les micros ?

Rien. Il se refuse à tout commentaire.

Est-ce pour se protéger? Est-ce pour nuire à l'un de ses adversaires à l'intérieur du parti? Y a-t-il une lutte de pouvoir entre la PJ et la DGSI? Une lutte dans laquelle il ne veut pas s'impliquer avant de savoir qui sera le vainqueur?

Ce gouvernement s'enfonce dans les calculs politiques de bas étage. Nous avions la justice à deux vitesses: rapide et accessible pour les privilégiés; lente et peu accessible pour les autres. Nous en avons maintenant une troisième variété, la justice zéro vitesse: pour les cas que l'on veut enterrer.

Quel scandale veut-on étouffer? Il est urgent que le ministre de l'Intérieur...

LA FABRICATION DE LA FAIM

Plus Prose avançait dans sa relecture, plus il trouvait l'argumentation de son interlocuteur solide.

Bien sûr, ce dernier ne brossait pas un portrait complet de la situation. Il privilégiait les données les plus favorables à sa thèse. Mais tous les faits évoqués étaient fondés.

L'Organisation mondiale du commerce a déclaré inacceptable la distribution d'aide alimentaire gratuite parce que cela fausse le jeu du marché.

Le FMI, avec ses politiques d'ajustement structurel, a «aidé» plusieurs pays en développement. En échange de son aide, il a interdit les subventions, les barrières douanières et la création de réserves de semences en cas de sécheresse. Cela a eu pour conséquence de tuer l'agriculture vivrière. De ce fait, nous dit Oxfam, il a condamné des millions de personnes supplémentaires à la faim.

Bien sûr, il y a la désertification. Vous connaissez ces endroits, en Afrique, où le désert avance de cinq kilomètres par an.

Il y a aussi l'équivalent industriel de la désertification. En 2010 seulement, les investisseurs internationaux ont acheté, loué ou acquis sans contrepartie 41 millions d'hectares de terres arables dans les pays pauvres. Quand les prix ne sont pas assez élevés à leur goût, par exemple parce que la pression des famines n'est pas assez grande, ils les laissent en friche. Pour que le manque s'accroisse. Et ils attendent. Jusqu'à ce que les prix remontent sous l'effet de nouvelles famines.

Et cela, c'est sans compter les millions d'hectares de terres arables qui sont reconverties vers la production de maïs pour produire de l'éthanol. Autant de moins pour cultiver de la nourriture… Mais autant de plus pour augmenter le retour sur investissement par hectare.

On aurait dit un militant anticapitaliste qui raisonne avec la froideur et le langage d'un technocrate.

Son correspondant était vraiment un drôle d'animal.

PANNE D'ÉQUANIMITÉ

Guyon entra dans son bureau, déposa son paletot sur le bras d'un des deux fauteuils, jeta un regard au moniteur de Bloomberg et se dirigea vers la fenêtre panoramique.

Habituellement, la contemplation de la ville lui permettait d'évacuer de son esprit toute trace de nervosité. Dans son métier de gestionnaire de fonds, c'était une question de survie : ne jamais s'affoler était la condition essentielle pour profiter de l'affolement des autres.

Ce n'était pas le fruit du hasard si la banque privée qu'il dirigeait avait aussi bien traversé la crise de 2008. Malgré l'état de panique ambiant, il avait sagement appliqué les principes de base de l'investissement : il avait acheté des actifs dont les prix tombaient sans raison valable ; vendu les titres dont les prix montaient uniquement parce que tout le monde en voulait ; et refusé d'acheter des produits qu'il ne comprenait pas.

Aux produits exotiques dont les banques américaines inondaient le marché, il avait préféré des actifs que l'on pouvait qualifier de « réels » : des terres à bois, des immeubles bien situés , des réseaux de distribution d'eau ou de pétrole… Si les prix baissaient encore ou se maintenaient bas pendant un certain temps, il suffisait d'attendre. Le bois continuerait de pousser ; les locaux, d'être en demande dans les édifices ; et l'idée ne serait venue à personne de fermer les pipelines ou les réseaux de distribution d'eau.

Ensuite, au pire moment de la crise, il avait commencé à acheter les titres boursiers des entreprises qu'il savait saines, qui fabriquaient des produits dont les gens avaient réellement besoin, mais dont la valeur boursière avait été entraînée à la baisse par la vague qui avait balayé les marchés.

Autrement dit, il avait gardé la tête froide. Et quand les gens étaient redevenus un peu plus rationnels, quand ils avaient recommencé à faire des nuances, ses investissements étaient ceux dont la valeur avait le plus progressé.

Cette discipline, François Guyon avait mis une vie à l'acquérir. Mais, au moment où il en avait le plus besoin, elle lui faisait défaut.

Enfin, pas complètement. Dans des conditions similaires à celles qu'il avait vécues, bien des gens auraient été plus affectés. Mais il n'arrivait pas à penser à autre chose qu'à la mort de son fils. Il était obsédé par l'idée de le venger. Confusément, il savait que c'était là une façon de ne pas affronter sa douleur, d'ignorer le sentiment d'impuissance devant lequel le plaçait ce décès. L'impuissance, aussi, à soulager la peine de sa femme, de sa fille…

Cette obsession de vengeance lui permettait de reporter vers un futur imprécis, mais volontiers lointain, le moment où il serait confronté au vide destructeur qu'il sentait en lui. Pour l'instant, il avait une tâche. Cela passait avant tout : trouver l'assassin.

Ce qu'il ferait ensuite n'était pas clair dans son esprit : sous l'idée vague de livrer cet assassin à la justice s'agitaient des fantasmes de vengeance dont il n'osait pas trop prendre conscience.

Sans doute pour cette raison, Guyon n'arrivait pas à ressentir ce sentiment de paix intérieure, de calme – d'équanimité, comme il avait récemment lu dans un texte ancien – qu'il se faisait une obligation d'atteindre au moment de prendre une décision.

De l'agitation persistait en lui. De l'irritabilité.

Quand il était arrivé au bureau, sa secrétaire, la brave madame Cartier, l'avait informé des appels qu'il avait reçus. Encore des journalistes !

Elle leur avait expliqué que son patron réservait habituellement une plage horaire précise aux appels : de 11 h à 12 h. Le reste du temps, son téléphone était fermé.

Aussi, c'est sans surprise que Guyon entendit le timbre du téléphone se manifester à 11 h 02. Tout en prenant le téléphone, il avertit la précieuse madame Cartier qu'elle pouvait lui acheminer tous les appels.

C'était un journaliste de Rue89. Jean-Guy Martinet. Il lui demandait un rendez-vous.

— À quel sujet ?

— Votre fils. J'ai tenté sans succès de le joindre. Des rumeurs circulent à son sujet. Il serait mort. Certains disent qu'il a été assassiné. Mais la Police judiciaire ne peut rien confirmer. Avant de rédiger mon article, j'aimerais vous rencontrer.

— Autrement dit, vous n'arrivez pas à joindre mon fils, alors vous me demandez de répondre à sa place !

— Si vous me confirmez qu'il est toujours vivant, notre discussion s'arrête ici.

Guyon s'en voulait. Il avait sauté à pieds joints dans le piège.

Sa voix se fit légèrement ironique.

— Vous devez comprendre que mon fils a 23 ans. Bien que son adresse officielle soit ici, ses activités l'amènent souvent à l'extérieur plusieurs jours. Parfois même des semaines… Si vous avez des informations concernant sa santé, j'imagine que vous aurez la décence d'informer d'abord sa famille.

— Donc, vous me confirmez que vous n'avez d'aucune manière utilisé vos relations pour dissimuler le fait qu'il soit mort. Ni les circonstances de sa mort.

— Pour quelle raison aurais-je fait une telle chose ?

— Des rumeurs circulent sur les réseaux sociaux.

— Sans rumeurs, les réseaux sociaux n'existeraient pas !

— Votre fils était jockey. Le milieu des courses de chevaux est propice à certaines manipulations… Les paris illégaux, les courses truquées…

La voix de Guyon se fit glaciale.

— Comme je vous le disais, mon fils est un adulte. C'est à lui que vous devez vous adresser.

Puis il raccrocha.

Madame Cartier s'approcha pour l'informer qu'il avait deux appels en attente. Un autre journaliste, de *Libération* cette fois, et une recherchiste de France Inter.

VINGT *CHATBOTS* ET UNE CONNE

Quelle que soit la demande du client, Keven Becker était sûr de pouvoir la satisfaire. Le jeune hacker ne doutait de rien.

Il n'imaginait pas que quelque chose puisse être hors de sa portée. Monter une attaque de déni de service sur le site d'un concurrent, pénétrer la boîte de courriels d'un mari infidèle, espionner les travailleurs d'une usine pour leur patron, implanter des chevaux de Troie, voler l'identité d'une personne ou détruire toute trace informatique de son existence en effaçant ses données personnelles sur les sites officiels… Il avait tout fait.

Et il avait à peine 20 ans !

Dans le milieu, son nom de hacker commençait à être connu. Icarus.

Il se voyait comme celui qui surpasserait Julian Assange. Son avenir serait brillant. Et quand il en aurait assez de la vie clandestine, il offrirait ses services à la NSA !

La femme à qui il allait livrer les 20 derniers *chatbots* semblait croire qu'elle lui avait demandé la lune. Bien sûr, il ne l'avait pas détrompée. Plus les clients croient qu'ils demandent l'impossible, plus ils acceptent de payer.

Le jeune hacker n'était pas tellement surpris de la naïveté de sa cliente. Elle avait insisté pour le rencontrer en personne. Elle voulait qu'il lui donne une copie des logiciels sur une clé USB. Quelque chose qu'elle puisse toucher. En échange, elle lui remettrait 50 000 euros. En billets de 100… Clairement, une inadaptée au monde virtuel !

Comme il le faisait pour tous ses clients, le jeune hacker avait monté un dossier sur elle. Rien de plus facile. Ses traces étaient partout dans les réseaux sociaux. Des opinions péremptoires sur n'importe quoi, des photos d'elle qu'elle croyait avantageuses et des vidéos rigolotes qu'elle avait recueillies un peu partout… Tel était l'essentiel de ce qu'elle avait à transmettre à l'univers…

Jeanne d'Espars…

Sur les photos, malgré son âge, elle était assez attirante pour qu'il accepte de la rencontrer dans l'univers réel.

Elle ne serait pas difficile à impressionner. Une blonde aux cheveux longs, soigneusement lissés, au regard qui se voulait volontaire et qui souriait de toute la blancheur de ses dents bien alignées. Elle travaillait dans une entreprise de gestion financière, Payne Capital, adorait sortir en boîte et détestait la politique, s'il fallait en croire ses aveux sur Facebook. Son rêve était d'amasser un petit capital à Paris pour ensuite ouvrir un salon de coiffure ou un bistro dans la ville de province où vivaient ses parents. Elle était certaine de vouloir trois enfants si elle rencontrait le bon mec, mais elle hésitait encore entre un caniche et deux chats.

Une conne, quoi !

le-truc-qui-inquiete.blog.leparisien.fr/arch…

VINCENT GUYON EST-IL MORT?

Le mystère continue de planer. Se cache-t-il? A-t-il été enlevé? Dans quel but?

A-t-il été victime d'un attentat terroriste, comme certains le disent? A-t-il été la première victime de ce que plusieurs nomment déjà l'opération 10PHB? Sinon, pour quelle raison est-on sans nouvelles de lui depuis la fin du compte à rebours?

La suite

Keven Becker avait l'impression de tout savoir sur sa cliente. Y compris qu'elle était téléguidée par son patron. Probablement un exploiteur en cravate au costume à 2 000 euros. Tout cela était évident. Les gens étaient tellement prévisibles…

Son patron ne voulait pas acheter lui-même les robots Internet, histoire de se protéger contre toute poursuite éventuelle. Alors, il envoyait la secrétaire !

Tellement prévisible…

Bien sûr, le jeune hacker ignorait que le nom le plus souvent utilisé par sa cliente était Sandrine Bijar, que sa blondeur devait tout à une perruque et que le portrait qu'il s'était construit d'elle n'avait rien à voir avec la réalité.

Il ne savait pas non plus que sa propre vie allait changer de façon radicale parce que sa cliente entendait procéder à une double transaction. Avec lui, elle échangeait les 20 *chatbots* contre 50 000 euros. Avec un client russe, elle échangeait 50 000 euros contre le jeune hacker.

Une transaction à coût nul.

Pour elle…

Et ce que le jeune hacker ignorait aussi, c'était qu'il passerait les prochaines années de sa vie – qui seraient peut-être les dernières – dans une sorte de camp sophistiqué dans la campagne russe, près de Krasnoïarsk. Et qu'il serait désormais entièrement aux ordres d'un chef du crime organisé, parce que ce dernier avait besoin de hackers de bon niveau pour entretenir ses multiples sites pornos et les transformer en pièges à consommateurs…

En apercevant la femme assise à une table, au fond du café, le jeune hacker ne doutait de rien. Surtout pas de pouvoir la séduire. Sa seule préoccupation était de trouver une façon de la plaquer. Pour lui, il était évident qu'elle tenterait de s'accrocher. Mais c'était là un problème qu'il était assuré de pouvoir résoudre le temps venu.

Il ne doutait de rien.

Oaken dormait, affalé sur un divan. Pour tout vêtement, il portait un slip. À le voir, on n'aurait pas dit un bureaucrate dans la quarantaine : il avait plutôt le corps d'un agent de terrain bien entraîné.

Plus tôt en soirée, après le match de rugby, il avait regardé le premier film des *X-Men*. À quelques reprises, il s'était levé pour vérifier ses courriels sur son ordinateur portable.

Il avait ensuite dîné : un repas préparé qui était passé directement du congélateur au four à micro-ondes.

Puis il s'était réinstallé devant son ordinateur.

Natalya avait pensé qu'il allait enfin contacter son acheteur. Mais il avait accédé à un site qui se faisait une spécialité de mettre en ligne des vidéos de décapitation.

Natalya l'avait vu commencer à se masturber. Mais il n'avait pas réussi à conclure. Il s'était endormi en regardant la sixième vidéo.

La télé s'était éteinte une heure plus tard, après avoir affiché un message lui demandant d'appuyer sur une touche, n'importe laquelle, s'il désirait qu'elle demeure en fonction.

Rien n'aurait été plus facile que de le tuer maintenant. Tout était prêt. Natalya n'aurait eu qu'à entrer un code sur le clavier de la télécommande de contrôle et à appuyer sur SEND.

Mais il fallait d'abord avoir la preuve qu'il était la taupe. Si elle l'exécutait sans attendre, tous les services de renseignement britanniques seraient à ses trousses. Sans compter qu'ils demanderaient la collaboration des Français et des Américains. Et Malcolm ne pourrait pas la protéger. Lui-même ferait probablement l'objet d'une enquête. L'opposition entre lui et Oaken était connue.

Par contre, si des preuves de la trahison d'Oaken existaient, la situation serait entièrement différente. Les preuves assureraient leur protection. Des arrangements seraient négociés.

Bien sûr, aucune décision officielle ne serait jamais prise à cet effet. Mais les gens en position de décider seraient au courant de l'existence de ces preuves. Ils apprécieraient à sa juste valeur le

service qui leur avait été rendu. Ils seraient prêts à des accommodements pour éviter que l'histoire devienne publique. Tout valait
mieux qu'un énième scandale.

Quant à Malcolm, il serait sans doute promu. Et, sans que personne ne le mentionne, il saurait que son poste – et sans doute plus
que son poste – dépendrait de sa discrétion. Si la moindre rumeur
devait faire surface, il pourrait dire adieu à sa carrière. Quant à son
espérance de vie, elle entrerait brusquement dans la catégorie des
espèces menacées.

SUR UNE AUTRE SCÈNE…

Son visage est maquillé : un masque de déesse hindoue. Impossible de la reconnaître. C'est une condition qu'elle a exigée.

Lui aussi est maquillé. Un maquillage qui accentue l'impression de jeunesse que dégage la fragilité de son corps. Sans qu'il le sache, les instructions sont de ne pas abîmer son maquillage.

Il est couché sur une sorte de paillasse posée par terre, les bras allongés le long du corps. Il attend. C'est un mauvais moment à passer.

Ce qu'il ne faut pas faire pour de l'argent, se dit-il. Si seulement son père ne lui avait pas coupé les vivres. Enfin, en partie coupé les vivres. Il avait diminué le montant de son allocation. Ce qui l'avait obligé à réduire son train de vie.

Heureusement, il a trouvé ce travail d'acteur. Presque un travail de rêve. Payé à ne rien faire. Littéralement… Et dans moins d'une heure, la représentation sera terminée. Les 1 000 euros seront à lui.

Le scénario ne le dérange pas trop. Comme spectateur, il a déjà payé pour assister à un spectacle similaire. Sauf que, cette fois, c'est lui qui sera vu. Il sera l'instrument du plaisir de voyeurs qu'il ne connaîtra jamais. De voyeurs qui garderont un souvenir de lui.

Il jette un regard à la femme. Il n'en revient pas comme elle est grande. Sa minceur ajoute sûrement à cette impression. Elle n'est pas vraiment maigre, en y regardant bien. On peut déceler le jeu des muscles sous la peau. Mais tout semble allongé, chez elle. Sans doute à cause de sa taille.

La femme s'agenouille à côté de lui, prend le temps de le regarder. Puis elle lui soulève délicatement la tête et glisse une de ses jambes sous sa nuque, qui repose maintenant sur son mollet, assez près du creux du genou.

Elle procède minutieusement. Comme pour s'assurer de son confort.

Cela augure bien. Elle semble attentionnée. Lui, il n'a qu'à se laisser faire. C'est tout ce qu'on lui demande : ne pas bouger.

Il sait qu'il y a des spectateurs dans la salle obscure. Mais il ignore qu'il est filmé.

Lentement, la femme fait descendre le dos de sa cuisse sur sa gorge. Elle monte et descend, comme pour tester la résistance.

Ses yeux semblent fixés sur le visage de l'homme. Elle pourrait le voir rougir, dans les moments où la pression s'accentue. Mais son esprit est à des milliers de kilomètres.

Elle pense à sa famille. Avec l'argent qu'elle va gagner, leurs problèmes disparaîtront. Elle a fait le voyage uniquement pour ce travail.

Son attention revient au petit homme blanc.

Elle le regarde. Se demande à quoi il pense. Sait-il vraiment ce qui l'attend ?... Après tout, c'est bien possible.

Elle remet de la pression. Puis s'interrompt au dernier moment. Quelque chose la retient... Après, sa vie ne sera plus jamais la même. Elle ne pourra plus jamais se voir de la même façon dans le miroir.

Mais bon, elle a des responsabilités. Ce contrat est une planche de salut. Il lui permet de régler d'un coup toutes ses dettes. Sa famille cessera d'être harcelée et menacée à cause d'elle...

L'homme sent la circulation du sang se rétablir. Sa respiration reprendre... Finalement, ce n'est pas aussi désagréable, ces quasi-étouffements. Le pire, c'est le sentiment d'impuissance. De savoir qu'un geste trop appuyé pourrait le tuer. Que sa vie est entre les mains de cette femme, qu'il ne connaît ni d'Ève ni d'Adam.

Brusquement, la pression reprend sur sa gorge. Plus forte, cette fois. La brutalité du geste interrompt le cours de ses pensées. Un voile rouge descend sur ses yeux. Ça y est. C'est la dernière étape. Elle va l'étouffer jusqu'à ce qu'il devienne inconscient. Pour simuler la mort.

Après, ce sera terminé...

La femme augmente encore la pression. Appuie de tout son poids. Jusqu'à ce que le contrat soit exécuté.

Un caméraman s'approche et fait un gros plan sur le visage coincé entre son mollet et le dos de sa cuisse.

La femme se relève, regarde une dernière fois le corps inanimé.

Que des gens paient pour se faire tuer, même pour satisfaire des fantasmes, cela la dépasse. Elle n'en revient toujours pas. Malgré le fait qu'elle a déjà vu pire.

Cet Allemand, par exemple, qui avait placé une petite annonce pour trouver quelqu'un qui accepterait d'être tué et mangé par lui. Il avait eu l'embarras du choix. Il avait pu choisir, parmi toutes les réponses reçues, l'homme qui lui faisait le plus envie. Celui qu'il désirait le plus consommer...

Inutile de chercher à comprendre. Elle est bien payée. Ses problèmes sont résolus. Ceux de sa famille, aussi. Dans huit heures, elle sera à Stockholm au milieu des siens.

Pendant qu'elle s'éloigne, la caméra continue de tourner autour du corps.

La salle se vide.

DEUX SOUS LA COUVERTURE

Dans sa tête, les questions se bousculaient.

C'était tout de même étrange, ces deux avant-bras et ce bout de jambe qui dépassaient de la grosse couverture beige. Des avant-bras et un bout de jambe nus.

Un sans-abri ne se serait pas dévêtu de la sorte. Même sous une couverture. Et surtout pas avec le froid qui sévissait à Paris.

Et puis, la peau était trop blanche. Trop lisse. Trop propre.

Aucune trace de saleté sous les ongles.

« Une peau d'albâtre… »

L'expression avait jailli brusquement dans sa tête. Sans doute un souvenir de ses cours de littérature… Chose certaine, des SDF à la peau d'albâtre, il ne devait pas y en avoir des masses. Même dans les romans.

Une autre incongruité tenait à la position des membres. Difficile d'imaginer que quelqu'un puisse se tordre de la sorte.

À mesure que ces détails se frayaient un chemin vers sa conscience, Hippolyte Giroux sentait son malaise s'accroître. Sous ce qu'il avait pris de loin pour un simple tas de couvertures, il y avait un être humain. Peut-être deux…

Ou pire, des morceaux d'êtres humains ! Cela expliquerait l'étrange disposition des membres.

Son premier réflexe fut de s'éloigner. De fuir se mettre à l'abri. Comme si quelque chose de monstrueux était tapi sous cet amas inquiétant. À l'affût.

Mais sa curiosité fut la plus forte.

Il se pencha. Souleva la couverture… Puis il se redressa vivement.

Les deux corps qu'il avait aperçus n'eurent aucune réaction. Car ils étaient deux. Complètement nus. Aussi blancs l'un que l'autre. Aussi petits.

Et aussi morts.

On aurait pu croire qu'ils dormaient. Leur peau ne portait aucune marque de violence. Mais leur poitrine ne se soulevait pas pour marquer leur respiration. Aucun de leurs muscles ne tressaillait. Aucun frisson ne venait agiter leur peau.

Hippolyte les regardait, sidéré.

Ses mains tenaient la couverture tendue devant lui, comme dans un effort dérisoire pour donner aux deux corps un ersatz d'intimité.

Que faire ? Alerter la police ?

Il perdrait des heures à répondre à leurs questions. Et il ne pouvait pas se permettre d'arriver en retard à son travail. Sans compter que les policiers le considéreraient probablement comme suspect !

D'un autre côté, il ne pouvait pas simplement abandonner les deux victimes à leur sort. Même si elles étaient mortes, comme tout semblait l'indiquer.

Et puis, elles ne l'étaient peut-être pas. Une des deux pouvait encore être en vie.

Hippolyte se pencha pour vérifier leur pouls.

Alors qu'il venait de placer deux doigts sur la gorge de l'un des deux corps, il entendit une voix aiguë crier. Juste derrière lui.

— À l'assassin ! À l'assassin !

En se tournant, il aperçut une vieille femme qui le regardait, l'air terrorisée. À travers son manteau entrouvert, il pouvait apercevoir un t-shirt rose et bleu trop grand pour elle avec le sigle de Manif pour tous.

La femme tourna brusquement les talons et s'enfuit en direction de la rue Montorgueil.

— Police ! Police !

Résistant à l'envie de fuir à son tour, Hippolyte jugea préférable de demeurer sur place. Il avait sûrement déjà laissé des traces sur la scène de crime. Fuir n'aurait fait qu'empirer les choses.

À peine levé, Prose avait ouvert son ordinateur. Un nouveau message l'y attendait. Il l'avait parcouru rapidement.

Puis, en prenant son premier café de la journée, il avait entrepris de le relire. Lentement, cette fois.

Il en était à la dernière partie du message.

Dans la seule année 2010, les pays développés ont consacré 349 milliards pour aider leurs propres paysans à être plus compétitifs. Dans le même temps, ils interdisaient ces aides dans les pays pauvres.

Toujours en 2010, pour aider les cultures locales des pays qu'ils ont contribué à dévaster, ils ont accordé 349 millions à la FAO... mille fois moins que les subventions à leurs propres agriculteurs.

Accessoirement, l'interdiction des subventions dans les pays pauvres a permis aux pays riches d'y faire du *dumping* et d'achever le massacre de l'agriculture locale.

Il faut reconnaître que cette destruction de l'agriculture locale des pays pauvres est éminemment rentable : les multinationales de l'alimentation peuvent ensuite décupler leurs profits en vendant des semences, des engrais, des insecticides...

Bien sûr, il arrive que les paysans ne puissent pas payer tous ces produits. Que ces achats obligés les acculent à la faillite. De 1997 à 2005, en Inde seulement, 150 000 paysans se sont suicidés à cause du poids de leurs dettes... C'est triste, bien sûr. Mais on peut avoir la conscience tranquille. Ils seraient morts plus tôt encore si on ne les avait pas aidés. Au fond, on leur a fait cadeau de quelques années de vie...

Prose prit une gorgée de café. Il avait rarement été aussi embêté.

Il était frappé par l'attention que son correspondant mettait à soigner son écriture. On était loin du langage Internet habituel. En fait, on aurait dit un texte écrit puis révisé pour rendre les phrases plus fluides. Plus percutantes. Pour gommer les réactions personnelles, les réduire à une froide ironie.

Les populations victimes de la faim ne s'aident pas nécessairement elles-mêmes. Dans certaines sociétés africaines, les femmes et les fillettes ne mangent que ce qui reste, une fois que les hommes et les enfants mâles ont fini de se nourrir… s'il en reste. Devinez quel groupe a le taux de mortalité le plus élevé !

En période de famine, des marchands de grain retardent la mise en marché de leurs stocks pour que la famine s'aggrave et que les prix montent.

Son correspondant semblait décidé à n'épargner personne. Même pas les populations exploitées et les profiteurs locaux de la famine.

Le message se terminait par une question.

Comme le disait un auteur que j'aime bien : « … contrairement à l'imagerie et à la littérature, la Faim ne crie pas, ne se révolte pas. La Faim, la vraie Faim, est molle et résignée[2]. » Avez-vous une idée de ce qui va se produire si, au contact d'autres crises, celle de la Faim se transforme brusquement en exigence de justice et en besoin de vengeance ? Si la faim cesse d'être résignée ?

En post-scriptum, son correspondant lui conseillait de lire *Destruction massive*, un livre écrit par le rapporteur spécial de l'ONU pour le droit à l'alimentation. Plusieurs des faits qu'il avait évoqués provenaient de ce livre.

Cette fois encore, son correspondant avait modifié sa signature.

Phénix
Celui qui s'interroge sur l'humanité de l'humanité

Prose ferma le document.

Il ne s'agissait décidément pas d'un illuminé. Ou, s'il l'était, il faisait partie de cette étrange catégorie souvent associée aux savants fous : des gens dont chaque élément de l'argumentation est irréfutable, qui ont raison sur tous les détails, mais qui ont la fâcheuse

---

2. Georges Simenon, « Peuples qui ont faim », *Mes apprentissages, reportages 1931-1946*, Francis Lacassin éditeur, Omnibus, coll. « Carnets », Paris, 2001, p. 854-855.

manie de regrouper ces détails d'une manière qui permet d'en arriver à des conclusions aberrantes.

Prose hésitait.

S'il acceptait de répondre, dans quoi allait-il mettre le pied ? Avait-il envie de s'engager dans ce type de discussion ?

Réflexion faite, il décida de se donner encore un peu de temps avant de réagir.

UNE VIEILLE ACCUSATRICE

Debout entre les deux policiers, la vieille dame pointait du doigt Hippolyte Giroux.

— C'est lui ! Il était penché sur les cadavres. Je l'ai vu. Il était en train de les étouffer !

La voix était poussée vers les aigus sous l'effet combiné de la révulsion devant un acte abominable et de la joie hystérique que procure la bonne conscience triomphante.

Hippolyte, lui, était figé. Incapable même de parler.

Les deux policiers le regardaient avec la concentration froide d'un herpétologue qui doit décider en une fraction de seconde si le serpent qu'il vient brusquement d'apercevoir représente un danger.

Le plus jeune des deux policiers dissimulait mal une certaine agressivité que renforçaient un visage osseux, une maigreur notable et des yeux qui bougeaient de façon saccadée, comme s'ils sautaient d'un objet à l'autre.

Le plus âgé, avec son sourire bon enfant et la rondeur de ses traits, donnait au contraire l'impression d'être une bonne pâte. Mais c'était une impression trompeuse. Dissimulée par une couche de graisse plus mince qu'elle le paraissait, veillait une masse musculaire soigneusement entretenue.

— Je suis l'inspecteur Pasquier, dit-il.

Puis, se tournant légèrement vers son collègue ossu, il ajouta :

— Voici l'inspecteur Bourdin.

Il reporta son regard vers Hippolyte.

— Vous êtes ?

— Hippolyte Giroux.

— Métier ?

— Commis dans une boutique SFR.

Pasquier hocha la tête d'un air pénétré. On aurait dit que ces quelques mots recélaient pour lui des trésors d'informations qui échappaient au commun des mortels.

Il tourna la tête et se pencha pour examiner les cadavres, dans l'encoignure du mur, à l'endroit où le trottoir s'élargissait.

Un refuge parfait pour des SDF.

— Des amis à vous ? demanda Pasquier.

Il avait posé la question sans regarder Giroux.

Il continuait tranquillement d'examiner les deux corps sous différents angles, comme s'il voulait assimiler tous les détails du tableau que composaient les deux victimes avec leur environnement.

— Je vous jure que je n'ai rien à voir avec ça !

La réponse ne provoqua aucune réaction de Pasquier.

Il se releva et reposa délicatement la couverture sur les deux morts. L'équipe technique serait furieuse qu'il ait altéré la scène de crime, mais il était raisonnablement sûr de n'avoir compromis aucun indice… Et puis, il n'allait quand même pas laisser les deux victimes exposées aux regards des voisins d'en face, agglutinés à leurs fenêtres !

Il se tourna vers Giroux.

— Nous allons devoir vous interroger. Je suis sûr que vous le comprenez.

— Qu'est-ce que vous voulez que je vous dise de plus ? Je passais ici comme tous les jours pour aller au boulot. J'ai aperçu des bras et une jambe qui dépassaient de la couverture. J'ai eu un mauvais pressentiment. J'ai soulevé la couverture pour voir. Puis… Puis j'ai vérifié s'ils étaient encore… en vie… C'est à ce moment-là qu'elle s'est mise à crier.

D'un geste, il désigna la vieille femme.

— Vos papiers, fit brusquement le policier ossu.

Pasquier lui jeta un regard étonné, à la limite de la réprobation, mais ne dit rien.

Giroux fouilla dans ses poches et tendit ses papiers à Bourdin.

Ce dernier les examina longuement, avec une méfiance manifeste.

— Vous êtes sûr que c'est bien votre nom, Hippolyte Giroux ?

— Pourquoi ? Parce que je suis Noir ?

Bourdin lui jeta un regard furieux.

— Vous m'accusez d'être raciste ?

— Je ne vous accuse de rien, je vous ai seulement posé une question.

Le policier lui rendit les papiers sans dire un mot.

— Qu'est-ce que vous attendez pour l'arrêter ? cria la vieille femme.

Son ton indigné et virulent attira tous les regards sur elle. S'en suivit un silence un peu embarrassé. La vieille dame elle-même semblait ne plus rien avoir à dire.

Après quelques instants, Pasquier revint à Giroux.

— Vous n'avez toujours pas répondu à ma question. Ce sont des amis à vous ?

— Des amis ? Non.

— Des ennemis ?

— Qu'est-ce que vous allez chercher là ! Je n'ai aucune idée de qui il s'agit.

— Donc, vous ne les connaissiez pas. Est-ce que vous les aviez déjà croisés dans le quartier ?

— Aucune idée. Vous faites attention à tout le monde que vous rencontrez dans la rue, vous ?

Giroux était de plus en plus impatient. Bourdin y vit une chance de le déstabiliser.

— Vous semblez nerveux. Quelque chose vous inquiète ?

— Oui, je suis en retard ! Mon patron est un véritable maniaque de la ponctualité. Je risque de perdre mon emploi… Si vous n'avez plus de questions, je m'en vais.

Il eut à peine le temps de faire deux pas, que Bourdin lui mettait la main sur l'épaule.

— Pas si vite. Nous n'avons pas terminé.

— Et moi, je vous dis que je n'ai plus le temps !

S'efforçant d'adopter un ton qu'il voulait raisonnable, Giroux ajouta :

— Je sais qu'il y a eu deux morts. C'est grave. C'est triste… Mais si je ne pars pas tout de suite, je vais me faire mettre à la porte. Et pour moi, ce sera plus triste encore.

Il tenta de nouveau de s'éloigner. Bourdin le rattrapa et le menotta.

— On va s'expliquer au commissariat.

— Mais puisque je n'ai rien fait !

— Si vous n'avez rien à vous reprocher, vous ne risquez rien.

— Sauf de me retrouver à la rue et d'être ruiné.

Ignorant ses protestations, Bourdin le conduisit à la voiture banalisée et l'y enferma sur le siège arrière.

www.lefigaro.fr/blogs/

> LA VÉRITÉ QU'ON NOUS CACHE. OÙ EST LE CADAVRE ?
>
> Par David Croisset. La rumeur s'est propagée comme un feu de brousse dans les réseaux sociaux. Un cadavre aurait été autopsié en douce à l'institut médico-légal de Paris avant de disparaître. Purement et simplement.
>
> Sans accréditer toutes les légendes urbaines qui foisonnent sur la Toile, il serait souhaitable que les autorités clarifient une fois pour toutes…
>
> La suite

EN DIRECT DU FRIGO

Quand Bourdin revint sur la scène de crime, Pasquier avait de nouveau soulevé la couverture pour examiner les deux corps.

Bourdin ne put s'empêcher de passer un commentaire.

— Ils sont vraiment petits. On dirait des enfants.

— En tout cas, ce serait surprenant qu'ils aient été tués ici.

— Pourquoi ?

— Tu as vu leurs vêtements quelque part ?

— Je suis certain que notre ami Giroux va nous expliquer tout ça, ironisa Bourdin.

— Ça, ça m'étonnerait.

— Vous pensez qu'on ne pourra pas le casser ?

Bourdin semblait tout à coup réellement inquiet.

— Je n'ai pas voulu gâcher ton plaisir, reprit Pasquier. Mais ne te fais pas d'illusions.

— Qu'est-ce que vous voulez dire ?

— Le seul résultat que tu vas obtenir, c'est de lui faire perdre son emploi… Comment penses-tu qu'il a apporté les corps ici ?

— Ils ne doivent pas être bien lourds.

— En plein jour ? Il les aurait transportés sans s'inquiéter de se faire remarquer par des passants ?

— Peut-être qu'il ne savait pas ce qu'il faisait… Dans l'affolement…

— Après plusieurs heures, l'affolement a eu le temps de retomber.

— Plusieurs heures ?

— Tu les as touchés ? Tu as senti comme ils étaient froids ? À mon avis, ils ont été gardés au frigo… J'imagine mal pour quelle raison il les aurait conservés au froid pendant la nuit pour ensuite les transporter ici, une fois le jour levé… Mais tu fais comme tu veux.

— Vous pensez que je devrais le laisser partir ?

— À toi de voir. Peut-être qu'il a des choses à nous dire. Mais que ce soit lui le meurtrier, ça…

— Souvent, les criminels ne résistent pas à l'envie de revenir sur les lieux du crime.

— Bourdin, on n'est pas dans un roman.

Norbert Duquai arrivait toujours un peu en avance à son bureau. Mais il attendait souvent qu'il soit précisément 14 h pour se mettre au travail. Son repère était l'aiguille des secondes sur l'horloge murale.

Quand la grande aiguille franchit le XII, il déverrouilla le tiroir supérieur gauche du bureau et sortit le dossier sur lequel il avait travaillé au cours de la matinée.

Au nom de Vincent Guyon s'étaient ajoutés ceux de Gaspard Martel et Lucien Bonnet. L'un était programmeur pour un groupe informatique ; le second, étudiant en arts.

La seule ressemblance entre les trois individus était physique : aucun n'avait une taille supérieure à 1 mètre 55 et chacun avait une masse corporelle que l'on pouvait qualifier de maigrichonne.

Par ailleurs, les trois avaient bénéficié d'un rasage intégral peu de temps avant leur mort.

Autre détail étonnant : le visage des victimes avait été maquillé de manière à les faire paraître plus jeunes.

Aucun doute n'était permis : le double meurtre était relié à celui de Vincent Guyon.

Le détail qui intriguait le plus Duquai était cet effort pour « rajeunir » les victimes : élimination des poils, maquillage... On les avait même choisis de petite taille !

Qu'est-ce que cela pouvait bien signifier ?

Duquai passa plusieurs minutes à rédiger son rapport.

Puis il reposa avec précaution son porte-mine Caran d'Ache sur le bureau, le regarda, rajusta sa position et vérifia que son alignement était exactement parallèle avec le haut du bloc-notes.

Satisfait, il prit la première feuille, la plia parfaitement en trois et la mit dans la poche intérieure de son veston. Il arracha ensuite les trois premières pages blanches du bloc-notes et les passa à la déchiqueteuse. Avec les techniques d'éclairage pour faire ressortir les embossages, on pouvait maintenant obtenir la trace de ce qu'on avait écrit jusque sur la troisième feuille du dessous.

Après un moment de réflexion, Duquai regarda sa montre. Puis il se leva. Ce qu'il avait découvert méritait qu'il en informe Leclercq.

Entre eux, aucun échange important n'avait lieu sur support informatique. Ou bien les choses se faisaient verbalement, ou bien Duquai rédigeait des notes manuscrites, que Leclercq détruisait quand il n'en avait plus besoin. De la sorte, il n'y avait aucun danger que des messages aillent se perdre dans un quelconque « nuage » pour ensuite se retrouver dans les ordinateurs des médias.

— Il me reste 17 minutes, dit-il en entrant dans le bureau de Leclercq.

Leur rencontre prit la moitié de ce temps.

Après avoir lu les notes de Duquai, Leclercq hocha la tête et lui demanda s'il accepterait de diriger une équipe restreinte dédiée à cette affaire.

Une ride se forma sur le front de Duquai.

Leclercq lui expliqua ce qu'il envisageait. Il lui parla des gens avec qui il aurait à travailler.

Duquai consentit à un essai.

BFMTV

— ... cette sorte de tueurs.

— On écarte un peu rapidement l'hypothèse du terrorisme. Selon mes sources au Quai des Orfèvres, ce sont les services secrets qui ont pris la direction de l'enquête.

— C'est une simple guerre de territoire. Les barbouzes sont prêts à sauter sur tous les prétextes pour justifier leur existence.

— Vous oubliez la dimension symbolique !

— Je n'oublie rien, je dis simplement que ce tueur de nains, comme certains l'appellent...

— Techniquement, ce ne sont pas des nains. Il tue des hommes blancs qui sont petits et faibles, qui sont fragiles...

Après le départ de Duquai, Leclercq se leva et marcha nerveusement dans la pièce. Il pensait simplement rendre service à un ami et il se trouvait au milieu d'une affaire qui prenait des allures d'assassinat crapuleux. Peut-être même de meurtres en série.

Dans quelle histoire s'était-il embarqué ?

Il pouvait difficilement aller trouver Dumas, à la Police judiciaire, et lui expliquer qu'il avait un cadavre pour lui, qu'il le gardait au frais depuis plusieurs jours, histoire de rendre l'enquête plus difficile, et qu'il avait négligé de faire analyser la scène de crime !

Dumas n'attendait qu'un prétexte pour le faire tomber. Il attendait depuis plus de 20 ans. Cela remontait à leurs premières années aux Renseignements généraux. On avait préféré Leclercq à Dumas, pour une promotion.

Ce dernier ne le lui avait jamais pardonné. Il avait quitté les Renseignements généraux pour se joindre à la Police judiciaire, où il avait gravi les échelons avec la même rapidité que Leclercq l'avait fait de son côté.

Dumas avait toujours dissimulé son animosité personnelle en invoquant les tensions qui existaient depuis toujours entre les deux organisations. Et maintenant que la DCRI devenait la DGSI, et qu'on lui ajoutait des pouvoirs de police, l'antagonisme entre les deux organisations était monté d'un cran.

Officiellement, rien de tout cela n'était dit. Dans les réunions et les réceptions officielles, rien ne paraissait. Les gens étaient tout sourire. Les offres et les promesses de collaboration se multipliaient. Mais Leclercq savait très bien que Dumas n'attendait qu'une occasion.

Et voilà qu'il était en voie de lui en offrir une sur un plateau d'argent !

La seule solution était de considérer cette affaire comme une possible piste terroriste. C'était d'ailleurs ce qu'il s'était empressé de faire en envoyant une équipe récupérer les deux corps de la rue

Saint-Sauveur et en enlevant la responsabilité de l'enquête à la Police judiciaire.

Mais il ne pouvait s'agir que d'une solution temporaire. Il fallait régler cette affaire au plus vite. Le ministre n'accepterait pas de laisser planer indéfiniment la possibilité d'une menace terroriste que l'on n'arrivait pas à juguler. Surtout pas avec ce qui se racontait dans les médias sur cette histoire de publicité mystère et de compte à rebours.

10PHB…

Il avait bien besoin de cela.

S'il n'obtenait pas rapidement des résultats, ou pire, s'il y avait une autre victime, il faudrait qu'il en parle au directeur de la DGSI. Qu'il lui explique ce qui se passait réellement. Et si son initiative exposait l'organisation à des risques, si elle le mettait dans une position même pas difficile, seulement inconfortable, il serait sacrifié.

Déjà, Dumas s'intéressait personnellement à l'affaire. Il lui avait envoyé un courriel. En apparence anodin.

> Heureux de collaborer, comme toujours. Si je peux faire quoi que ce soit pour aider la justice à éclairer cette affaire…

Malgré le ton feutré du message, le simple fait que Dumas s'adresse directement à lui équivalait à une déclaration de guerre. Il était d'ailleurs significatif qu'il lui ait offert non pas de l'aider, mais de travailler à promouvoir la justice.

Leclercq devinait quel genre de justice son vis-à-vis avait à l'esprit. Une justice qui avait probablement à voir avec la loi du talion.

BFMTV

> — Imaginez l'instrument de propagande : voici ce que sont les Occidentaux ! Voyez comme il est facile de les écraser !
> — Votre interprétation m'apparaît hasardeuse !
> — Vous refusez de voir au-delà des faits individuels. À force de tout compartimenter, la logique d'ensemble vous échappe.

— De quel ensemble parlez-vous ?

— De ces deux meurtres. Et de celui qui l'a précédé, mais qu'on persiste à nous cacher, celui de Vincent Guyon. Je parle aussi de ceux qui vont suivre !

— Je dois vous interrompre, Grégoire Bichou. C'est malheureusement tout le temps que nous avons. Ceux qui voudraient poursuivre la discussion avec vous peuvent se rendre sur votre blogue…

ES ERHUB SICH EIN STREIT

Jean-François Besson ouvrit *L'Équipe* sur la table devant lui. Il était assis à la terrasse du café Le Champ de Mars.

L'actualité sportive ne l'intéressait pas particulièrement, mais le journal traînait sur la chaise, à sa gauche. Il s'en servit pour recopier de mémoire, en abrégé, l'essentiel des informations qu'il devait transmettre à Louis-Georges Andrieux.

Pour être sûr de ne rien oublier.

Il avait reçu un courriel quelques minutes plus tôt. L'adresse d'expédition était celle d'un anonymiseur. La plupart des messages lui parvenaient de cette façon. Ou par textos.

Le message était signé : *Es erhub sich ein Streit.*

Besson n'avait eu aucune difficulté à en reconnaître la provenance. Chaque fois la signature variait, mais il s'agissait toujours d'un élément tiré du même code. Celui qu'employait son mystérieux maître chanteur-employeur.

Enfin, une espèce de maître chanteur. Car il ne lui avait rien extorqué. Il se décrivait exclusivement comme son employeur et il le payait pour ses services. Mais il était impensable de ne pas lui obéir, de ne pas exécuter ses moindres instructions. Sinon, le passé de Besson reviendrait le hanter. Son employeur rendrait publique son ancienne appartenance aux Dégustateurs d'agonie…

Fidèle aux instructions reçues, Besson avait appris par cœur le message à transmettre. Il avait ensuite effacé le courriel de façon sécuritaire, puis il s'était rendu dans un autre café.

Le protocole aurait voulu qu'il se rende dans un autre arrondissement pour faire l'appel. Mais avec cette pluie froide qui tombait, il n'avait aucune envie de prolonger outre mesure son séjour à l'extérieur.

Il se contenta de traverser la rue et de se rendre au Dôme.

PÉDOPHILE EN SÉRIE

Pour tuer le temps, Natalya avait allumé la télé dans son propre appartement et syntonisé i>TÉLÉ.

Depuis une dizaine de minutes, des invités discutaient du meurtre de ceux que les médias appelaient « les petits hommes blancs ».

> — Il ne faut pas négliger l'hypothèse que ce soit un pédophile.
> — Là, je ne vous suis pas.
> — Les deux victimes sont petites et elles ont le teint pâle. Elles sont fragiles. On dirait presque des enfants.
> — Si c'est un pédophile, pourquoi ne prend-il pas carrément des enfants ?
> — Peut-être est-ce plus commode pour lui ? Peut-être ne veut-il pas s'avouer sa pédophilie ? Comme son homosexualité, d'ailleurs...
> — Vous croyez vraiment que le meurtrier est homosexuel ?
> — Compte tenu du contexte, cela me semble assez probable. Quelle meilleure dénégation que d'inverser son désir en haine pour supprimer ce qui l'attire et qu'il ne veut pas reconnaître ?

Natalya écoutait distraitement. Son esprit revenait malgré elle à Prose.

Elle se demandait si elle n'aurait pas dû garder un contact plus suivi, au lieu de lui appliquer la même règle qu'à tous les ex.

Il était à Paris. Son commanditaire l'avait prévenu. Depuis, elle évitait le plus possible les endroits où ils étaient allés ensemble.

À l'écran, les trois spécialistes continuaient de confronter leurs hypothèses, se coupant mutuellement la parole.

> — Un tueur de masse ne se limite pas à deux victimes quand il a la chance d'en tuer beaucoup plus. À mon avis, c'est plutôt une sorte de tueur en série. Il s'en tient à des victimes qui correspondent à un modèle…
>
> — Une série de deux? tués simultanément?… Avouez que cela fait une curieuse série!
>
> — Peut-être qu'il y en a déjà eu d'autres et qu'on ne les connaît pas!
>
> —Je ne comprends pas pourquoi vous répétez l'hypothèse que ce soit un pédophile refoulé…

Natalya avait de plus en plus de mal à demeurer éveillée. À plusieurs reprises, elle avait pensé à dormir quelques heures.

Mais comment savoir si ce n'était pas précisément la nuit que le mystérieux contact d'Oaken se manifesterait? C'était peut-être pour cette raison qu'il dormait dans le salon, à proximité de son ordinateur.

> — Pour identifier un tueur en série, la ressemblance des victimes n'est pas un critère suffisant. Normalement, il faut remonter à son enfance. Y retrouver l'archétype des victimes antérieures…
>
> — Parler de tueur en série, à ce stade-ci, c'est aussi sérieux que les rumeurs sur les sorciers du Zimbabwe qui traquent les Noirs albinos…

Selon Malcolm, le contact aurait lieu à l'appartement. À en juger par le comportement d'Oaken, c'était probable. Depuis son arrivée, il n'était pas sorti. Même pour aller manger. Il se contentait de ce qu'il y avait dans le réfrigérateur.

Par contre, ce que Malcolm ne savait pas, c'était si son contact viendrait en personne ou s'il se contenterait d'une communication électronique.

> — Au Zimbabwe, ce ne sont pas des rumeurs. Des albinos sont effectivement attaqués et amputés de certains membres. Parfois, ils sont même entièrement dépecés. Leurs organes sont réputés détenir des pouvoirs magiques quand ils sont correctement apprêtés par un sorcier. Ils attirent la chance et la réussite.

> — Je veux bien. Mais de là à croire que les sorciers ont agrandi leur terrain de chasse et décidé de s'approvisionner à Paris... Surtout qu'aucun des deux corps n'a été mutilé...

Natalya n'avait pas le choix d'attendre. Même les experts de Malcolm avaient échoué à surprendre les secrets d'Oaken. L'infiltration de son téléphone et de son ordinateur portable n'avait rien donné. La seule façon de le coincer, c'était de le prendre sur le fait.

Finalement, Natalya résolut de dormir. Elle ne gagnerait rien à être épuisée quand viendrait le moment d'agir.

Elle décida toutefois de se coucher sur le divan du salon, à proximité de l'ordinateur ; ce dernier continuerait de transmettre ce qui se passait dans l'autre appartement.

Par prudence, elle monta le volume.

Pour le moment, il n'y avait que la respiration sifflante et les ronflements occasionnels d'Oaken. Mais si son ordinateur émettait un signal d'avertissement, elle l'entendrait. À plus forte raison si Oaken entreprenait une conversation avec quelqu'un.

Par ailleurs, qu'elle rate quelques mots ou quelques phrases ne tirait pas à conséquence. Tout ce qui se passait ou se disait dans l'autre appartement était enregistré.

AU-DELÀ DES PIÉTONS ÉCRASÉS

Ils étaient quatre à la terrasse du Dôme. Les trois autres étaient des fumeurs qui s'étaient réfugiés à un bout de la terrasse, à proximité d'une lampe chauffante.

Besson s'était dirigé vers l'autre extrémité et il avait choisi une chaise adossée à la façade du café. De la sorte, il était protégé à la fois de la fumée et de la bruine.

Pour ne pas être interrompu pendant l'appel, il avait attendu que le serveur lui apporte le verre de côtes-du-rhône qu'il avait commandé. Il avait ensuite composé le numéro de portable du journaliste.

À peine avait-il commencé à lui parler des deux meurtres, que son interlocuteur le rembarrait.

— Je ne fais pas les chiens écrasés.

— Je sais, seulement les piétons.

Au bout du fil, il y eut un silence.

— Je ne vois pas à quoi vous faites allusion.

— À rien de particulier. Ce que vous avez fait ne m'intéresse en aucune façon. Je veux seulement vous fournir quelques informations susceptibles d'alimenter un bon papier.

Besson ne savait rien de plus. C'était tout ce que le message contenait comme indication :

> Si le journaliste vous fait des difficultés, parlez-lui de piétons écrasés. Il a commis un délit de fuite et il n'a jamais été pris. Des preuves existent… Si vous pouvez l'éviter, ne lui dites rien d'aussi précis. Contentez-vous d'y faire allusion en termes vagues.

— Je vois, fit Andrieux. Vous parliez donc de deux victimes ?

Besson n'en revenait pas du brusque changement d'attitude du journaliste. Manifestement, il voulait éviter toute discussion sur l'histoire des piétons.

— Deux hommes jeunes. Petits. Complètement nus. La peau très blanche… À peine dissimulés sous une couverture.

— Ceux dont on parle dans les réseaux sociaux ?

— Précisément.

— D'accord. Qu'est-ce que je devrais savoir de plus à leur sujet ?

— Ils paraissent plus jeunes. On dirait presque des enfants.

— Excellent, ça va faire monter les tirages et l'audimat.

Imperméable à l'humour désabusé d'Andrieux, Besson poursuivit.

— On les a trouvés dans le 2ᵉ arrondissement. Rue Saint-Sauveur. En biais avec Le Resto d'en face.

— Ce resto, il est en face de quoi, vous dites ?

— C'est le nom de l'établissement : Le Resto d'en face.

— D'accord. Et pour quelle raison ce double décès devrait-il m'intéresser ?

— C'est un double meurtre.

—Comme je disais, je ne fais pas les chiens écrasés.

—Ce meurtre n'est pas le premier du genre.

—Vous êtes sûr ?

La voix du journaliste manifestait subitement un début d'intérêt.

—Absolument.

—Il y en a eu combien jusqu'à maintenant ?

—Un seul.

—Mais vous prévoyez qu'il y en aura d'autres…

Cette fois, il n'y avait plus aucune trace de réticence dans la voix d'Andrieux.

—Le premier a eu lieu dans le 1er arrondissement. Ces deux-ci, dans le deuxième. Selon cette logique, c'est une simple question de temps avant qu'il y en ait trois dans le troisième.

—De quel meurtre parlez-vous, dans le 1er arrondissement ?

—Le crime a été dissimulé.

—Et comment savez-vous que cet hypothétique crime "dissimulé" est relié aux deux morts de la rue Saint-Sauveur ?

—La victime est un homme jeune. Très petit. Sa peau est pâle. Presque blanche. Et il a été abandonné complètement nu sur la pelouse d'une cour intérieure.

Andrieux fit une pause avant de reprendre, sur un ton presque méfiant.

—Vous vous rendez compte des implications de ce que vous affirmez ?

—Tout à fait. Ce que je dis est très clair.

—Selon vous, le corps de la première victime aurait été dissimulé ?

—Pas du tout. C'est la police qui a étouffé l'affaire pour que les médias ne soient pas informés. Le père de la victime est un riche banquier. Il a des relations.

—Est-ce que vous faites référence à Guyon ?

—Oui.

—J'ai vu passer des choses sur les réseaux sociaux. Pour l'instant, il n'y a rien de confirmé, si je ne me trompe pas.

— Pour l'instant. Mais on découvrira bientôt que le corps de son fils ressemble énormément à celui des deux autres victimes.

— Qu'est-ce que vous savez de plus ?

— On verra cela plus tard. Tout dépendra de l'utilisation que vous ferez des informations que je viens de vous procurer.

— Si j'ai besoin de vous parler, à quel numéro… ?

Besson raccrocha.

Ce rôle de manipulation téléguidée ne lui plaisait guère.

Contrôler un journaliste avait pourtant quelque chose de profondément satisfaisant. D'abord à cause du sentiment de pouvoir que cela lui procurait. Et aussi parce que c'était la preuve de ce qu'il avait toujours soupçonné, à savoir que les journalistes sont tous achetés. Ou manipulés.

Cependant, les manipuler tout en étant soi-même une simple marionnette, cela gâchait le plaisir.

#TUEURDENAINS

Nicolas Roussel tenait un blogue qui avait pour titre : *Vous en parlez aujourd'hui.*

Son ambition de devenir grand reporter était loin derrière lui. Depuis deux ans, il était affecté à ce que la direction appelait, assez pompeusement, la prise en charge informée des lecteurs. Cela signifiait qu'il parcourait les courriels, les tweets, les interventions sur les blogues du journal, qu'il effectuait un suivi des thèmes dominants dans les réseaux sociaux et les médias traditionnels, puis qu'il en « faisait quelque chose » sur son blogue.

Une fois par jour, parfois deux dans les cas exceptionnels, il y dressait un palmarès des sujets qui faisaient le buzz… ou qui, selon lui, étaient sur le point de le faire.

Comme son blogue ne bénéficiait que d'une publication électronique, Roussel jouissait d'une assez grande liberté. Tout ce qu'on lui demandait, c'était d'aller chercher la clientèle des jeunes.

Le blogueur acceptait également ce qu'il appelait des «petits contrats». À la demande d'agences de pub ou de chargés de relations publiques, il lui arrivait de placer certains sujets dans son palmarès de façon à mousser leur popularité... ce qui contribuait à arrondir ses fins de mois.

Il relut le tweet qui venait d'être posté par un auteur dont il entendait parler pour la première fois.

Albert Petit@lemoyenalbert
Victime 1 : un homme blanc petit
et nu. Victimes 2-3 : deux hommes
blancs petits et nus. Même tueur?
Amorce de série? #tueurdenains

Le message avait été posté quelques heures auparavant et le compte Twitter de celui qui l'avait posté affichait déjà 84 abonnés.

Un client lui demandait d'insérer ce tweet dans son *top ten*. Un client qu'il n'avait jamais rencontré. Un régulier, pourtant. Et qui était de loin celui qui payait le mieux.

Leur accord avait été négocié dans un café, par l'intermédiaire d'une femme beaucoup plus grande que lui. Probablement une athlète recyclée dans les relations publiques.

Roussel revoyait ses traits nettement dessinés, son sourire presque moqueur. Il s'était souvent demandé ce qu'elle était devenue...

Il décida d'insérer le message à la septième position de son palmarès. Son commentaire se résumait à quelques mots :

Quelqu'un en sait-il davantage sur les victimes?

Les questions que soulevait le tweet étaient déjà suffisamment intrigantes : inutile d'en rajouter.

Un tueur en série de nains... Ce serait quoi, la suite? Un tueur en série de roux? D'obèses? D'albinos thaïlandais anorexiques?

Roussel avait hâte de voir quel type de réactions cet étrange tweet allait provoquer.

Besson termina son verre de vin et entra dans le café pour payer.

L'endroit était presque aussi désert que la terrasse. À une table, un homme pauvrement vêtu regardait son café, immobile, comme s'il le surveillait pour qu'il ne disparaisse pas trop rapidement. Sans doute voulait-il reculer le plus possible le moment de retourner dehors.

Plus loin, un couple d'étudiants ignorait superbement les livres empilés sur leur table. Avancés au bout de leur chaise, ils se regardaient dans les yeux et parlaient à voix basse.

Besson hésita un moment : un verre de cognac l'aurait réchauffé. Mais il jugea préférable de ne pas s'attarder.

En se rendant à la caisse, il aperçut son image dans un miroir.

Comme souvent, il pensa à se payer une chirurgie esthétique. Il aurait suffi de peu de chose : un menton plus affirmé, des lèvres moins pincées, des joues plus arrondies. Et puis ses yeux…

Mais, pour l'instant, il avait un travail à terminer.

La première année, les demandes de son employeur s'étaient révélées être exactement ce qu'il lui avait annoncé : de menus services – poster des lettres dans telle ville, déposer de l'argent dans tel compte dans telle banque, transmettre des messages par téléphone à partir d'un portable dont il devait ensuite détruire la carte…

Rien de véritablement inquiétant.

Puis était arrivé ce travail, qui n'avait rien à voir avec ce qu'on lui avait demandé jusqu'à ce jour.

Il y avait d'abord le fait qu'il devait manipuler des gens en les faisant chanter. Il y avait aussi la nature même des informations qu'il devait transmettre : il y était question de meurtres passés et à venir, de tentatives de couverture de meurtres par la police…

Après avoir récupéré sa monnaie jusqu'au dernier centime, Besson sortit du café et se dirigea vers la station de métro, son journal roulé sous le bras.

Il le jetterait dans la première poubelle publique qu'il croiserait.

Ensuite, malgré la bruine qui persistait, il se rendrait à la manifestation appelée par le groupe Manif pour tous.

Bien sûr, il n'y participerait pas. À cause de sa situation, il devait se montrer prudent. Mais il se tiendrait parmi les curieux. Et, en pensée, il serait auprès des manifestants. Leur combat était le sien. Partout, sur tous les fronts, il fallait lutter contre le pourrissement des valeurs.

C'était d'ailleurs la raison pour laquelle il aimait les «événements spéciaux» organisés par le club privé qu'il fréquentait. La 51e nuance de noir. Rien n'était plus réjouissant que de voir tous ces pervers accepter les pires dégradations, les plus infamantes humiliations.

Pour l'instant, le châtiment restait symbolique et limité à quelques individus. Mais un jour viendrait où la justice sortirait du territoire restreint des pratiques clandestines; un jour viendrait où un parti politique entreprendrait un véritable ménage. Un parti qui serait un peu l'équivalent du Front national, mais débarrassé de ses lubies. Un parti intransigeant sur la défense de ce qui faisait que la France était la France… Bref, un parti qui comprendrait que les trois principaux ennemis étaient les immigrants parasites, les corrupteurs des valeurs et l'Islam.

Ce jour-là, Besson l'attendait avec impatience.

JOUR 5

TRAHISON INFORMATIQUE

Natalya était modérément reposée.

Le divan avait beau être conçu pour les siestes prolongées, elle s'était réveillée presque toutes les heures, histoire de vérifier si Oaken était toujours endormi. Et cela, c'était sans compter les deux fois où des cauchemars l'avaient brutalement tirée du sommeil.

La deuxième fois, elle avait renoncé à se rendormir. Après avoir procédé à une toilette minimale, elle avait mangé un croissant, avalé deux cafés et effectué une longue séance d'entraînement.

Pendant tout ce temps, les caméras de surveillance avaient continué de traquer les faits et gestes d'Oaken, lesquels se résumaient à des ronflements occasionnels et des arrêts respiratoires suivis de petites explosions sifflantes.

Oaken s'était levé assez tard, s'était habillé et avait pris une tasse de thé en suivant les infos à la télé.

À 10 h précises, il avait regardé sa montre et quitté son fauteuil. Les choses s'étaient alors accélérées.

Installé à un bout de la grande table de la salle à manger, Oaken avait ouvert son ordinateur portable et y avait relié un petit disque dur externe.

Après avoir établi la communication avec un serveur situé dans le dark web, il avait amorcé un échange avec un correspondant inconnu. Toutes les communications entrantes et sortantes étaient codées, mais elles étaient acheminées à l'ordinateur de Natalya exactement comme elles s'affichaient sur celui d'Oaken : en clair.

Cette dernière avait non seulement accès au texte décodé envoyé par le mystérieux correspondant, mais aussi aux réponses d'Oaken avant qu'elles soient encryptées.

Pendant qu'elle suivait leur échange, son ordinateur récupéra le contenu complet du petit disque dur externe et lança un programme-espion pour remonter la piste de l'homme à qui Oaken s'apprêtait à vendre ses informations.

Quelques minutes plus tard, Natalya avait plus de preuves qu'il lui en fallait.

Quand elle vit la confirmation du transfert d'argent apparaître sur l'écran d'Oaken, elle activa le programme de brouillage – juste avant qu'il appuie sur SEND pour expédier le dossier à son acheteur.

Pour Oaken, rien ne changea. Il vit la ligne de bleu s'étirer et remplir toute la barre de progression, comme si le dossier avait été transmis. Mais, dans les faits, plus aucune information ne pouvait sortir de son ordinateur ou y entrer.

Natalya envoya alors un bref message à Malcolm.

S'il ne répondait pas rapidement, ce serait à elle de décider. Maintenant qu'Oaken s'était compromis, la priorité était de le neutraliser.

Pendant qu'elle attendait, elle utilisa les codes qu'Oaken avait cachés dans un de ses dossiers pour rediriger l'argent qu'il venait de recevoir vers une autre banque, dans un compte auquel elle était la seule à avoir accès.

Si elle devait entreprendre une guerre contre l'homme de Roumanie, ce ne serait pas un luxe de disposer de quelques réserves supplémentaires.

Moins d'une minute plus tard, son iPhone se manifestait. Les premières notes de *La Marseillaise*.

Elle prit l'appel et dit simplement :

— Je vous rappelle.

Puis elle coupa la communication.

L'attente se poursuivit une vingtaine de secondes.

Une nouvelle sonnerie se fit entendre. Les quatre premières notes de *Westminster Quarters*, la célèbre mélodie du carillon de Big Ben. Cette fois, c'était bien Malcolm.

La décision fut rapide : Natalya devait procéder immédiatement à l'élimination d'Oaken.

http://blogs.sceptiquesetparanos.fr/guylain-delarue-et-s'il…

Guylain Delarue ET S'IL S'AGISSAIT DE CRIMES SEXUELS ?
Pourquoi les victimes sont-elles nues ? Y a-t-il là un message ? La rumeur veut que l'une d'elles, Vincent Guyon, ait fréquenté des endroits où l'on pratique le *hard* S/M. Est-ce la raison pour laquelle on a tenté de couvrir son meurtre ? Pour protéger la réputation de la famille ? Ce faisant, a-t-on contribué à laisser un assassin en liberté ? Est-ce pour cette raison que…
La suite

À l'aide de la télécommande qui contrôlait l'appartement d'Oaken, Natalya avait lancé une première série d'instructions programmées.

L'instant d'après, toutes les issues de l'appartement étaient bloquées. Non seulement l'appartement était-il isolé électroniquement, mais il s'était transformé en prison de haute sécurité. Plus personne ne pouvait y entrer ou en sortir sans les codes appropriés.

Exécuter cette première partie des consignes de Malcolm lui avait pris moins de vingt secondes. S'occuper de la deuxième partie lui demanda encore moins d'efforts : elle n'eut qu'à enfoncer quelques touches sur le clavier de son portable. Aussitôt, le petit réservoir qu'elle avait dissimulé sous un des fauteuils commença à diffuser son contenu.

Quelques instants plus tard, la tête d'Oaken vacillait. Puis elle tombait lourdement sur le clavier de son ordinateur.

Une série de caractères se mit à défiler sur l'écran. Comme si, par son simple poids, la tête persistait à tenter de communiquer par-delà la mort.

Natalya était mal à l'aise. En partie parce qu'elle venait de tuer quelqu'un, même si cette mort allait sauver la vie de Malcolm, mais surtout à cause de la façon dont elle l'avait tué. Elle se sentait comme ces fonctionnaires de la mort, dans des bureaux, qui appuient sur des boutons pour lancer des bombes. Ces fonctionnaires qui, du bout des doigts, exécutent des milliers de gens qu'ils ne verront jamais.

Tuer était une chose. Le faire de façon machinale et distante en était une autre. Quand on tuait, il fallait avoir la décence de rencontrer les gens face à face, la décence de demeurer conscient que c'étaient des vies humaines que l'on prenait, si répugnantes ces vies puissent-elles avoir été. À ces exécuteurs distants et détachés qui ne faisaient que leur travail, elle préférait presque les pervers qui jouissent du mal qu'ils infligent. Leur inhumanité même lui semblait plus humaine, d'une certaine manière, que cette froideur indifférente.

Sur l'écran, les caractères continuaient de défiler. Toujours aussi incompréhensibles. Toujours aussi incapables d'énoncer quoi que ce soit sur cette mort qui s'exprimait à travers eux.

S'IMPRÉGNER AU CAFÉ

Madame Théberge sortit de l'épicerie, épuisée. Malgré sa canne, elle tenait le bras de son mari.

L'affluence, combinée à l'étroitesse des allées, lui avait suscité une crainte permanente d'être bousculée. Et puis, il fallait trouver les produits ; baisser et relever la tête ; la tourner à droite, à gauche ; s'étire, se pencher, se relever... maintenir malgré tout son équilibre.

Sur le chemin du retour, ils s'arrêtèrent à la terrasse du Petit Cler. À la fois pour couper le trajet et pour le plaisir de prendre un verre en observant les passants.

Pendant qu'ils buvaient, lui son pessac, elle son menetou-salon, ils écoutaient les conversations. Autour d'eux, presque tous les gens parlaient de la même chose. On venait de découvrir les victimes d'un double meurtre.

> — Les deux tout nus. Rue Montorgueil. Enfin, pas loin. Devant un restaurant...
> — Des jeunes, oui.
> — Ils en ont parlé à France Inter.
> — J'ai vu une photo sur Twitter. Regarde... Des jumeaux, on dirait.
> — Ils sont vraiment petits. Tu es sûr que ce sont des adultes ?

C'était une des activités préférées de Théberge et de sa femme : s'attabler à une terrasse et se laisser imprégner par l'atmosphère de l'endroit. Mais Théberge suivait les conversations avec un certain malaise.

— C'est sur Internet. Ils ont arrêté un suspect.

— Pas difficile de comprendre ce qui s'est passé !

— Moi, je pense que c'est un truc de vampires. T'as vu comme ils ont la peau blanche. On dirait qu'ils ont été javellisés.

— Peut-être, mais ils n'ont pas de marques dans le cou.

— En tout cas, moi, mes enfants…

À travers ce qu'il entendait sur les deux hommes dont on venait de trouver les corps se dégageait un portrait assez troublant : petits, jeunes, nus, la peau très pâle… Difficile de ne pas penser au jeune Guyon.

Cette fois, il y avait deux victimes.

Une coïncidence ? Possible. Mais il fallait examiner cela plus en détail.

— Ils ne savent pas comment ils sont morts.

— Moi, je pense que c'est des jeunes des cités. Ils sont descendus en ville et…

— C'est une histoire de sectes. C'est évident !

— Même leurs vêtements ! Ils ont tout pris !

— Ma femme refuse de sortir le soir…

— Pour les femmes, je ne vois pas où est le danger…

Théberge sortit son téléphone portable et appela Leclercq.

LA MORT NORMALE D'UNE TAUPE

Habillée en femme de ménage, Natalya pénétra dans l'appartement d'Oaken, enfila des gants de chirurgien, jeta un regard au corps, récupéra le contenant métallique dissimulé sous le fauteuil et ressortit sans avoir touché quoi que ce soit d'autre.

Elle se rendit alors chez elle. Inutile de retourner à l'appartement à partir duquel elle avait surveillé Oaken. Malcolm s'occuperait d'y faire disparaître toute trace de sa présence.

Pendant le trajet, elle fut prise deux fois en photo, de loin, à partir de l'habitacle d'une voiture : une fois juste avant de prendre le métro ; l'autre, en arrivant à son appartement.

Les deux fois, il s'agissait du même appareil, de la même voiture et de la même photographe. Les deux fois, la photo fut immédiatement retransmise par courriel à une adresse dissimulée derrière toute une série de relais anonymes.

~

Arrivée chez elle, Natalya appela Malcolm.

— L'appartement est prêt à recevoir des visiteurs.

— Bien.

La mort d'Oaken serait classée « crise cardiaque ». Une mort normale. Mais elle serait quand même traitée comme un crime possible. Comme l'était la mort de tout haut responsable de l'organisation.

Et quand on vérifierait le contenu de son ordinateur, on découvrirait que c'était lui, la taupe. Francis Oaken. Malcolm y veillerait. Il avait déjà pris des dispositions pour que ce soient des gens à lui qui analysent la scène de crime.

Le MI6 ferait en sorte que l'affaire soit étouffée. Il n'avait rien à gagner à rendre publique la découverte d'un traître. Surtout à un tel niveau dans la hiérarchie. Des pressions discrètes seraient effectuées sur les membres de la famille pour qu'ils se taisent. Il y serait question de saisie possible des biens d'Oaken, du versement de sa rente… Au bout du compte, rien ne transpirerait dans les médias.

Quant à Malcolm, il se verrait attribuer une large part du succès de l'opération. Mais on s'étonnerait quand même un peu. Tout cela tombait presque trop bien : son principal rival qui mourait, le discrédit qui était jeté sur sa carrière et ses collaborateurs…

Toutefois, aucun élément ne pourrait le relier à l'affaire. Rien n'indiquerait qu'on puisse lui reprocher quoi que ce soit. Il ne serait pas inquiété.

Et puis, Oaken était réellement un traître. Il laissait derrière lui des dégâts à évaluer, des procédures de sécurité à revoir, des agents qu'il faudrait exfiltrer pour les mettre en sécurité… Il laissait aussi une piste à suivre. Pour coordonner tout ce travail, Malcolm serait le mieux placé.

Dans l'ordinateur d'Oaken, peu de détails permettaient d'identifier le mystérieux acheteur. Il avait utilisé un intermédiaire professionnel pour vendre ses secrets au plus offrant. Seul cet intermédiaire savait qui était l'acheteur final. Et cet intermédiaire était lui-même protégé par un site anonyme hébergé dans le dark web.

— Maintenant que l'opération est terminée, dit Natalya…

— Cette partie de l'opération, l'interrompit Malcolm.

— Tu ne vas pas encore me proposer de travailler pour vous !

— Non, je sais que tu tiens à demeurer indépendante. Mais si tu voulais continuer ce contrat…

— Je ne peux quand même pas éliminer Oaken une deuxième fois !

— Il reste le courtier, le type avec qui Oaken était en contact. Et surtout, il reste celui qui s'en servait pour transiger avec Oaken… L'acheteur.

L'ÉLUSIF JUSKOBOUTISTAN

En quittant son appartement de la rue Olivier-Messiaen, Prose fit un arrêt au Dupont Café. Un croissant et un café crème lui tiendraient lieu de petit déjeuner.

Il avait passé une bonne partie de la nuit à suivre l'actualité sur les réseaux sociaux et les sites des médias. Les heures où il avait dormi avaient été entrecoupées de rêves dont le souvenir était vague, mais qui lui avaient laissé une impression de malaise. Des rêves où Natalya était présente.

Prose en était encore à digérer la cascade de révélations qui avait précédé son départ. À savoir qu'elle était entrée dans sa vie parce qu'elle avait eu un contrat pour l'assassiner. Qu'il était en quelque sorte son client. Qu'elle l'avait hypnotisé pour le manipuler, de manière à mieux le protéger. Qu'elle avait fait durer leur relation pour se donner le temps de débusquer le commanditaire du contrat. Qu'elle avait ensuite éliminé ce commanditaire, ce qui était la meilleure façon de protéger durablement son client – lui, en l'occurence. Et qu'elle allait désormais disparaître de sa vie parce que d'autres contrats l'attendaient. Qu'il y avait d'autres gens à protéger…

Enfin, elle n'allait pas disparaître complètement. Il ferait désormais partie de ses ex. Ces gens dont elle avait sauvé la vie et avec qui elle conservait des liens d'amitié chaleureuse, c'était le terme qu'elle avait employé, et d'utilisation réciproque.

Prose avait eu de la difficulté à s'en remettre. Plus qu'il l'avait laissé paraître. Il avait cru qu'il tenait enfin une relation qui aurait des chances de durer. Qu'il ne vieillirait pas seul.

Dans ses pires cauchemars, il se voyait dans une maison de vieux, entouré d'un personnel qui traite les pensionnaires en débiles, avec la télé branchée en permanence sur les jeux-questionnaires et, pour tout loisir, les danses en ligne, les jeux de poches et le bingo hebdomadaire. Obligé de se coucher à l'heure où il commençait habituellement à travailler, de se lever à l'heure où, souvent, il se couchait…

C'était sans doute pour cette raison qu'il s'était enterré sous le travail. Pour cette raison qu'il s'était autant investi dans la recherche des *Naufragés du Juskoboutistan*. Parfois, il se demandait s'il ne s'était pas jeté dans cette aventure parce qu'il pressentait que cette quête n'aurait pas de fin, que le livre n'existait plus.

Mais ce n'était pas le moment de tout remettre en question. Dans moins d'une heure, il avait rendez-vous avec un libraire spécialiste des livres anciens. C'était le cinquième qu'il rencontrait. Deux des premiers avaient déjà entendu parler du livre. Par contre, aucun d'eux ne savait où il aurait été possible d'en trouver un exemplaire.

Prose termina son café, laissa six euros sur la table et se dirigea vers le métro avec le pressentiment qu'il allait au-devant d'une nouvelle déception.

François Guyon n'était pas porté sur les grandes effusions. Autant que sa joie, sa peine et sa colère s'exprimaient à travers une série de filtres et de délais destinés à limiter les perturbations qu'elles pouvaient causer dans son environnement.

Pourtant, quand sa femme lui montra quelques-uns des messages concernant la mort de leur fils qui circulaient sur Internet, il ne put s'empêcher de briser les lunettes de lecture qu'il tenait dans sa main gauche.

Ce faisant, il s'entailla la paume.

La douleur lui fit retrouver sa contenance. Il sortit un mouchoir qu'il appuya sur la plaie. Heureusement, la coupure était peu profonde.

— Il y en a des dizaines d'autres sur les réseaux sociaux, dit sa femme. Twitter, Facebook… Il y en a partout. Même sur des blogues des journalistes.

Guyon mit sa main sur l'épaule de sa femme.

— Laisse-moi, Florence. Je m'occupe de ça et je te rejoins au salon.

Elle posa brièvement la main sur celle de son mari, puis elle sortit du bureau sans un mot et referma la porte derrière elle. Quand il était dans cet état, mieux valait le laisser seul, le temps que sa colère se calme.

Guyon étala sur son bureau les sept messages que sa femme lui avait apportés. La fille d'une amie les avait trouvés sur différents sites. Elle les avait montrés à sa mère, laquelle avait tout de suite prévenu Florence.

Guyon victime de ses goûts sexuels déjantés?

Un gosse de riche qui a fait une connerie de trop…

À force de jouer avec le feu et de truquer des courses, on finit par se brûler.

Une tantouze qui a joué trop *hard*? Un étouffement érotique qui a dérapé?

Le père connaît le préfet. La police cache son cadavre… Normal.

Petit, jeune, blanc, nu… Et on voudrait nous faire croire qu'il n'a pas été victime du même tueur que les deux autres !

Les barbouzes ont enlevé le dossier à la PJ. Pourquoi ? Quel scandale veut-on dissimuler ?

Si les messages proliféraient sur Internet, les médias électroniques reprendraient certainement le sujet. Le peu d'informations disponibles ne serait pas un obstacle : plutôt une occasion. Quand rien n'est sûr, toutes les hypothèses sont possibles. Chacun avancerait les siennes sur les prochaines « révélations ». De plus en plus, semblait-il, les informations consistaient à prédire les événements plutôt qu'à les rapporter…

Les demandes d'entrevues se multiplieraient. Déjà, sa secrétaire en avait refusé plusieurs. Les consignes qu'il lui avait données étaient simples : tout refuser. Il n'allait certainement pas apporter sa collaboration à ceux qui voulaient traîner son fils dans la boue.

Guyon reporta son attention sur les messages et s'efforça de les analyser froidement.

Le plus étonnant était que la mort de son fils soit reliée à celle de deux autres victimes. La similitude des circonstances était d'ailleurs troublante… Dans quoi son fils s'était-il encore fourré ?

Le bouillonnement de colère qui monta en lui s'étouffa brusquement quand l'image du corps de Vincent lui vint à l'esprit.

Il se sentit coupable de lui en vouloir.

Guyon décida de rappeler le préfet. Autant il désirait éviter de voir la vie de son fils étalée dans les médias, autant il tenait à ce que justice soit faite.

Et à savoir ce qui s'était réellement passé.

Vincent avait-il été victime d'une sorte de tueur de jeunes, comme le laissaient entendre certains messages ? Avait-il contrarié des membres du crime organisé parce qu'il avait refusé de retenir son cheval ? Avait-il simplement été victime de la curiosité morbide qui le poussait à fréquenter les milieux les plus marginaux ?

Et puis, c'était quoi, ce déluge de commentaires dans les réseaux sociaux ? Y avait-il eu des fuites ? C'était quand même étrange, ces allégations sur la PJ et les services secrets !

ANOXIE ET PÉTÉCHIES

Leclercq avait toujours plaisir à écouter les explications de Brigitte Vasseur. Un plaisir qui ne tenait pas uniquement à la clarté de son propos.

Avec lui, la jeune femme adoptait en permanence une attitude un peu moqueuse teintée de séduction. Pour tous les deux, il était clair que c'était simplement un jeu. Mais cela changeait Leclercq de la grisaille des locaux de la DGSI... De tous ces murs froids et modernes, ces visages impassibles, ces regards mesurés...

— Aucune trace de pression sur la gorge. C'est la raison pour laquelle il n'y a pas de pétéchies. Ils ne sont pas morts étouffés... Enfin, pas étranglés.

— De quoi sont-ils morts ?

— Manque d'oxygène. On voit clairement des traces d'anoxie au cerveau.

En parlant, elle regardait Leclercq avec un mélange de défi et d'amusement. Avant qu'il proteste, elle ajouta :

— C'est la respiration elle-même qu'on a bloquée.

— Comment ?

— Je vous donne un indice. Les deux cadavres ont plusieurs microfractures sur les côtes. Il y en a même un qui a une côte flottante fêlée.

— Vous voulez dire... ?

— Qu'on a fortement comprimé leur cage thoracique. De façon prolongée. C'est probablement ce qui a réduit l'alimentation en oxygène. L'organisme est devenu en état de manque et...

— Ils ont fini par en mourir, conclut Leclercq.

— Voilà !

— Vous avez une hypothèse quant à la façon dont on les a "comprimés"?

— Il suffit d'un poids suffisant, maintenu assez longtemps.

— Quel genre de poids?

— Je ne vais quand même pas faire votre travail! répondit-elle en riant. Mais il y a un autre détail. Des empreintes digitales.

— Sur la gorge?

— Le haut de la poitrine.

— Vraiment? On peut tuer quelqu'un en appuyant avec ses mains sur sa poitrine?

— Un adulte? Ça m'étonnerait.

Leclercq médita la réponse quelques instants.

— Et s'ils s'étaient mis à plusieurs?

— Pour comprimer leur cage thoracique? Peut-être. Mais il est difficile de maintenir longtemps une pression continue... Cependant, ça cadrerait bien avec les traces de liens que j'ai relevées sur les chevilles et les poignets...

— L'ADN?

— Je me suis dépêchée d'effectuer des prélèvements sur les corps. C'est parti hier au labo.

Cela voulait dire qu'il aurait des résultats au mieux le lendemain. Il n'y avait qu'à la télé que l'analyse était effectuée en quelques minutes.

— Et la remarque de l'inspecteur Pasquier, comme quoi les corps étaient anormalement froids?

— Je peux vous dire qu'ils n'ont pas été congelés. Sinon, il y aurait des traces évidentes. Mais il est probable qu'on les ait conservés un certain temps au froid.

— Combien de temps?

— Difficile à dire. Tout dépend de la température à laquelle on les a gardés.

— Et le jeune Guyon?

— Je savais que cela vous intéresserait.

— Lui aussi?

— C'est possible. Mais c'est plus difficile à déterminer. Il y a déjà quelques jours qu'il est dans notre frigo.

Leur conversation fut interrompue par la sonnerie du téléphone de Leclercq.

#LAPOLICEESTIMPUISSANTE

Louis-Georges Andrieux@logandri
Un fou ? Un terroriste ? Un tueur en série ? Des crimes racistes ? Qui tue ? Pourquoi #lapoliceestimpuissante ? blog.lavoixducentre.fr/logandrieux/ fou-terr…

LES FUITES QUI VENAIENT DE NULLE PART

Au bout du fil, Coppée semblait soucieux.

— Il y a un problème ? demanda Leclercq.

— Je viens de parler à Guyon. Il veut savoir où en est l'enquête.

— Tu lui as dit que ce n'était pas un accident ?

— Oui. Il aimerait te parler. Est-ce que tu acceptes que je lui donne ton numéro ?

— Donne-moi le sien. Je vais l'appeler pour prendre rendez-vous avec lui. Et préviens-le : il ne doit rien dire au téléphone.

— Tu penses qu'il est sur écoute ?

— Nos téléphones sont sécurisés. Je doute que le sien le soit.

— Je comprends.

— Il ne serait pas le premier homme public à être écouté par un journaliste… Ou par les Chinois, les Israéliens…

— Ou les Américains… je sais.

— Dis-lui que je vais le rencontrer.

C'était la chose décente à faire.

— Il faut que ce soit dans un endroit discret, précisa Leclercq.

La dernière chose qu'il désirait, c'était retrouver sa photo dans les médias avec le père de la victime. Pour accréditer les allégations de complot, il n'y aurait rien de pire.

—Il y a autre chose, reprit Coppée. Dans les réseaux sociaux, les gens spéculent sur les raisons pour lesquelles les services secrets ont pris le contrôle de l'enquête. C'est clair qu'il y a eu une fuite.

—Elle ne vient pas de chez nous. Je peux te l'assurer.

—Comment peux-tu en être certain?

—À l'interne, une seule personne est au courant. Et je lui fais entièrement confiance. Les deux autres personnes impliquées sont à l'extérieur du service.

—Et tu es sûr d'elles?

—Absolument sûr.

—Ça viendrait donc du laboratoire?

—Logiquement, oui. Sauf que je suis également sûr de la personne qui a examiné le corps. Elle a pris toutes les précautions pour que rien ne sorte. Aucun rapport n'a été rendu public et le corps est à l'abri des curieux.

—Il faut pourtant que ça vienne de quelque part.

—J'ai tendance à être d'accord...

Malgré l'ironie de sa réponse, Leclercq était sérieusement préoccupé. Il était très possible que les auteurs des crimes soient eux-mêmes responsables des fuites dans les médias. Si tel était le cas, conserver le contrôle de l'enquête serait beaucoup plus compliqué.

LA LONGUE PROMENADE DES THÉBERGE

Théberge et sa femme avaient fait une longue promenade. Ils avaient d'abord emprunté la rue Saint-Dominique, traversé le Champ-de-Mars, exploré les boutiques du Village suisse, puis ils étaient revenus sur leur pas, bifurquant rue de Grenelle à la hauteur de la rue des Bourdonnais. Chemin faisant, ils avaient effectué de multiples détours pour explorer des rues transversales.

Madame Théberge était contente, mais épuisée. Aussitôt assise dans le café, elle s'était plongée dans un sudoku. Devant elle, un thé citron fumait délicatement.

Ils avaient trouvé une place au Café Roussillon, devant une fenêtre qui donnait rue de Grenelle.

Le regard de Théberge faisait des allers-retours entre les passants et son verre de vin presque vide. Tout en écoutant les conversations autour de lui, il songeait à la brièveté de la vie.

NOW YOU SEE ME, NOW YOU DON'T

Cette phrase, qu'il venait d'apercevoir sur une affiche de film, lui semblait résumer l'existence humaine.

Autour de lui, les conversations roulaient sur l'Espagne, le chômage des jeunes, l'avenir de l'Europe…

— Soixante pour cent de chômage ! Tu te rends compte ! Avant, les jeunes étaient tués à la guerre. Maintenant, il y en a trop…

— Ça va être comme en Grèce…

— En Espagne, c'est plein de Marocains qui s'installent. Ils sont subventionnés par l'Arabie saoudite. L'autre jour, un imam l'a dit : ils veulent reconquérir le pays et ressusciter le califat d'Andalousie.

— Si l'Europe perd ses jeunes, elle est foutue. Qui va payer nos pensions ?

— C'est un coup des Allemands. En 1945, ils n'ont pas été capables de nous battre avec leur armée. Aujourd'hui, ils veulent nous ruiner avec leurs banques…

— Tu déconnes ! C'est les Chinois qui vont nous acheter…

La sonnerie du téléphone de Théberge le tira de son écoute flottante des conversations.

Il jeta un coup d'œil à son appareil.

— Gonzague !

— Tu as eu mon message ?

— Oui. Moi aussi, j'ai remarqué les similitudes entre les victimes des deux affaires.

— L'enquête avance ?

— C'est justement de ça que je veux te parler. On peut se voir ?

— Quand ?

— Aujourd'hui ?

— Je peux sûrement trouver quelques heures. J'en parle à mon épouse.

— Et si je te demandais de trouver quelques jours ?

— Quelques jours…

— Pas nécessairement à plein temps, mais…

— Écoute, je vais voir ce que je peux faire.

— J'ai vraiment besoin de toi.

— Tu veux que j'emmène Prose ? La dernière fois…

— J'allais te le demander.

Après avoir raccroché, Théberge regarda sa femme. Sans lever les yeux de son sudoku, elle lui demanda :

— Un travail ?

— Pas vraiment. Gonzague aimerait seulement avoir mon opinion. Une affaire qui le préoccupe…

— C'est ce que j'avais compris.

— Quelques heures par jour… Pendant un jour ou deux…

— Gonzague, arrête de me prendre pour une demeurée ! De toute façon, c'est une excellente chose que tu travailles. Tu vas arrêter de jouer à la nounou avec moi et je vais pouvoir m'occuper de récupérer mon autonomie en paix !

Puis elle leva les yeux vers lui et sourit.

— Il faut que tu te fasses à l'idée : tu ne peux pas devenir autonome à ma place… Allez, va t'amuser avec ton ami à attraper des criminels. Je te jure que je vais très bien me débrouiller toute seule ! Je vais même me sentir plus libre de me reposer quand j'en ai besoin.

— Tu es sûre ?

— Gonzague, la dernière chose que je veux, c'est me dire un jour qu'il y a plein de choses que tu t'es empêché de faire à cause de moi.

Puis elle énonça, comme si elle avait oublié un détail :

209

— C'est une bonne idée d'emmener Prose. Lui aussi, il a besoin de se changer les idées. Je me fais du souci pour lui.

Jugeant ensuite qu'il n'y avait plus rien à ajouter, elle se replongea dans son sudoku.

Théberge la regarda un long moment.

Comment faisait-elle?

Aux prises avec des problèmes de santé qui en auraient plongé plusieurs dans un état de profond découragement, ou même de dépression, non seulement elle s'acharnait à reconquérir son autonomie, mais elle continuait à se faire du souci pour les autres.

http://ump-paris17e.typepad.fr/actu/des-barbouzes-aux...

DES BARBOUZES AUX ORDRES?

La DGSI refuse toujours de s'expliquer sur son rôle dans l'affaire Vincent Guyon. Le directeur de la Police judiciaire de Paris continue d'avaler des couleuvres et de se taire. Qui donc les empêche de parler? Au nom de quel intérêt supérieur sont-ils muselés? Hier encore, deux autres victimes se sont ajoutées. Combien en faudra-t-il avant que la population puisse savoir ce qui se passe? Il est temps que le ministre de l'Intérieur...

La suite

INDICATEUR DE MALAISE À LA HAUSSE

Victor Prose ne se sentait pas bien. Son principal indicateur de malaise venait d'ailleurs de le confirmer. Il était à la hausse de 35 minutes.

Depuis plusieurs années déjà, Prose avait observé une corrélation entre le temps qu'il passait à son ordinateur et son état de bien-être. Il avait même développé un système de mesure. Cinq heures 22 minutes par jour était son temps optimal. Plus il s'en écartait, moins bien il se sentait.

Quand le nombre d'heures variait à la baisse, il se sentait sous-informé et il s'inquiétait de ce qu'il était en train de rater.

Quand il variait à la hausse, c'était un signal de comportement compulsif. La recherche d'informations tendait alors à devenir un refuge : il s'y jetait pour fuir, sans souci de traiter correctement ce qu'il trouvait et de l'intégrer à ses projets en cours.

Pour tenir compte des inévitables fluctuations journalières, qui pouvaient être liées à des facteurs circonstanciels, il utilisait des moyennes mobiles de 5, 10 et 20 jours. Cela lui permettait de lisser le bruit de fond causé par les aléas du quotidien et de déceler les tendances à plus long terme de son comportement.

Sa moyenne cinq jours approchait des sept heures. Celle de dix jours, pour sa part, flirtait avec les six heures… Pas de doute, quelque chose le tracassait sérieusement.

Pour se changer les idées, il écrivit une réponse à son mystérieux correspondant, Phénix.

Il énuméra tous les programmes d'aide alimentaire qu'il connaissait ; les lois qui avaient été votées, un peu partout, pour protéger les terres agricoles ; les mesures mises en vigueur pour protéger les espèces menacées…

Il était faux de prétendre que l'humanité ignorait le problème de la faim, qu'elle ne se souciait pas de protéger le potentiel agricole et la diversité biologique de la planète.

Il aurait d'ailleurs été difficile de trouver un pays où la sécurité alimentaire n'était pas une préoccupation de l'État, difficile de trouver un pays où l'approvisionnement en eau potable ne faisait pas l'objet de diverses réglementations.

Cette fois encore, la réponse de Phénix fut rapide. Presque brutale.

Les faits que vous invoquez sont vrais. Et c'est précisément pour cela que la situation est sans issue.

Il est indéniable que l'humanité fait tout ce que vous dites. Et probablement plus encore… Mais, malgré tous ces efforts, la situation ne cesse de se dégrader.

Imaginez ce qui arrivera en cas de crise économique majeure. Les États vont aller au plus urgent et couper dans la plupart de ces programmes. Et je ne parle même pas de l'agitation sociale que va provoquer la crise, ce qui va compliquer encore plus les choses.

Prose s'arrêta un moment pour relire.

Il fallait reconnaître que ce type n'était pas seulement informé. Il était doué pour l'argumentation.

Mais, derrière cette apparente rationalité, Prose pouvait sentir la passion.

L'ensemble de l'Europe s'achemine vers une reprise du conflit entre l'Islam et l'Occident. On en reparlera… Ce qui s'annonce, c'est que, partout, l'homme blanc sera traqué.

Ces jours-ci, sur le Net, on peut suivre l'histoire de ces trois petits hommes blancs qui ont été assassinés à Paris. Je suis certain que vous vous y êtes intéressé. Si vous ne l'avez pas fait, vous devriez.

Un petit homme blanc assassiné dans le 1er arrondissement. Deux petits hommes blancs assassinés dans le deuxième… Vous croyez aux coïncidences? Vous pensez sérieusement que, d'ici peu, on n'en retrouvera pas trois dans le troisième?

Avez-vous saisi toute la portée, toute la valeur symbolique de ce fait divers? C'est le contraire d'un compte à rebours : le début d'une escalade!

Croyez-moi, le massacre est commencé. La seule inconnue, c'est le moment où on cessera de dénombrer les cadavres à l'unité. Le moment où on les comptera par centaines, par milliers.

C'était quoi, cette annonce d'une guerre raciale? On aurait dit un truc sorti des pires scénarios apocalyptiques de l'extrême droite!

Était-ce la raison pour laquelle, à mesure que le texte avançait, le ton devenait plus subjectif, le vocabulaire plus émotif, les arguments plus rhétoriques?… Il y avait même un appel à la crédulité : «Croyez-moi!»

Bien sûr, on pouvait objecter que c'était seulement une façon de parler. Mais Prose savait bien que c'était dans les façons de parler que se cachaient les intentions secrètes, souvent inconscientes, d'un texte.

Évidemment, tout cela n'empêche encore personne de dormir. Tout le monde se persuade qu'il s'agit d'un problème d'individus, d'une affaire de police.

Pourtant, c'est une guerre qui est amorcée. Et, dans cette guerre, un seul des adversaires possède une armée prête à être jetée dans la bataille.

Prose devait l'admettre, sur le fond, il lui aurait été difficile de réfuter cette manière de voir : il venait lui-même de consacrer trois essais à décrire cette sorte d'illusion individualiste ainsi que l'ignorance de la dimension collective qui lui était inhérente.

Mais il y avait le ton. Et cette façon de déclarer l'inévitabilité de la guerre inévitable. Comme si son correspondant prenait plaisir à présenter son analyse de manière catastrophiste.

Était-ce la simple satisfaction d'avoir raison et d'avoir enfin trouvé un interlocuteur qui puisse être témoin de son triomphe ?

Pauvres petits hommes blancs. Ils sont comme les passagers qui dansaient dans la salle de bal du *Titanic*. Ils n'ont aucune idée de ce qui les attend.

Vous faites partie de ceux qui ont la capacité de s'élever au-dessus de la masse. De ceux qui peuvent jeter un regard lucide sur la période troublée qui est la nôtre.

Je ne crois pas que nous puissions modifier le cours des choses. Mais il n'est pas impossible que nous soyons en mesure de laisser un témoignage aux générations futures. Sous réserve qu'il y en ait, bien sûr. Et qu'elles s'intéressent encore à ce qu'ont pu penser celles qui les ont précédées – ce qui est de moins en moins sûr, compte tenu de l'enfermement dans l'instant qui est la nouvelle norme.

Phénix

Prose reposa le texte sur la table.

Son interlocuteur avait réellement lu ses essais. Mais il s'amusait à les interpréter à sa guise pour les retourner contre lui avec une ironie déconcertante.

Après avoir imprimé le message pour en donner une copie à Théberge, Prose ne put s'empêcher de le relire.

C'était un curieux mélange d'argumentation rationnelle et de délire apocalyptique. Il y avait aussi ce soupçon d'autodérision qui pointait parfois. On aurait dit la fusion improbable de trois personnes : un réformateur déçu, un prédicateur illuminé qui annonce l'apocalypse et un cynique désabusé.

Il avait hâte de voir ce que Théberge en penserait.

L'ARMÉNIEN, TOM-TOM ET MONSIEUR BRICE

À l'écran, le visage de Paolo affichait un large sourire.

— Deux fois en un mois ! Je vais finir par croire que tu ne peux plus te passer de moi.

— Ce qui m'intéresse, répondit Natalya, c'est uniquement ton cerveau.

— Je ne suis pas très à l'aise avec l'idée de m'en séparer.

— D'accord, je vais me contenter de l'utiliser à distance.

Habituellement, ce n'est pas d'abord pour mon cerveau que les gens ont recours à mes services.

— J'ai besoin d'une information. Si tu peux m'aider, considère que je t'en devrai une.

La voix de Natalya avait perdu toute trace de badinage. Le visage de Paolo se fit sérieux.

— Qu'est-ce que je peux faire ?

— Il faut que je trouve quelqu'un.

— Ma spécialité, c'est plutôt de les rendre introuvables !

— Celui que je cherche est un entremetteur. Un courtier en informations.

Elle lui expliqua en termes très généraux ce qu'Oaken avait tenté de faire : vendre des informations concernant la sécurité d'un pays à un courtier, lequel avait de son côté un acheteur.

— C'est le client qui m'intéresse, dit-elle. Pour le trouver, il me faut le courtier. Je me suis dit que c'était le genre de spécialiste avec lequel tu pouvais avoir déjà été en contact.

— Quel genre d'information il voulait vendre, ton type ?

—De quoi compromettre toute la structure de renseignement d'un pays.

—Il n'y a pas beaucoup d'intermédiaires qui ont les moyens de gérer ce genre de transaction.

—Je sais.

—Qu'est-ce que tu veux, exactement?

—Idéalement, le moyen de les contacter.

—Je connais deux ou trois noms. L'Arménien, Tom-Tom, monsieur Brice… Pour ce qui est de les contacter, par contre…

—Je me contenterai de ce que tu as.

—Écoute, je procède à quelques vérifications et je te rappelle.

ALBERT PETIT MONTE

Cent trente-neuf réponses.

Au cours de la nuit, 139 internautes étaient intervenus sur le blogue de Roussel pour commenter le tweet sur le tueur de nains.

Les réponses allaient des allégations de fumisterie à la dénonciation de complots impliquant des extraterrestres chargés de nettoyer le *pool* génétique de la population humaine.

Roussel vérifia ensuite le hashtag #tueurdenains. Il répertoria près de 200 interventions. Quant à l'auteur du premier tweet, Albert Petit@lemoyenalbert, il avait maintenant 951 abonnés. Et il avait posté trois nouveaux messages:

Albert Petit@lemoyenalbert
La première victime est cachée. Son père a des relations haut placées. Jusqu'à la préfecture de Paris. #tueurdenains

Albert Petit@lemoyenalbert
Une première victime dans le 1er arrondissement. Puis deux dans le 2e. Une coïncidence? #tueurdenains

Albert Petit@lemoyenalbert
Bientôt trois victimes dans le
3ᵉ arrondissement? #tueurdenains

Un autre intervenant soulignait l'apparition d'un nouveau hashtag relié à l'affaire : #guyonmeurtrecaché. Dans son message, il affirmait détenir des preuves que Vincent Guyon avait été la première victime.

Sur Facebook, quelqu'un avait créé un groupe de discussion dont le nom était : « Tueur en série à Paris ? » Tout le monde était invité à s'inscrire pour donner son opinion.

Tout comme sur Twitter, le débat s'amplifiait. La majorité des gens semblaient tenir pour acquis qu'un nouveau tueur en série sévissait dans Paris. Le manque de confirmation de la part des autorités policières ne faisait que renforcer l'hypothèse : on n'en parlait pas pour ne pas affoler les gens. Ou parce que des gens haut placés avaient comploté pour étouffer l'affaire.

Devant l'ampleur de la réponse, Roussel décida de modifier son classement sans attendre. Il n'était pas question qu'il se laisse damer le pion sur un mouvement qu'il avait contribué à lancer !

Il supprima le tweet initial d'Albert Petit de la septième position, puis il inséra ses trois nouveaux tweets au troisième rang. Le lendemain matin au plus tard, il les mettrait en première position.

http://blog.diogene.karma.fr/de-quoi-10phb…

DE QUOI 10PHB EST-IL LE NOM?

De la turpitude ordinaire de la civilisation occidentale? De notre idolâtrie de l'ego? Du tout permis qui débouche sur le tout à l'égout, cadavres compris?

Dans la mort des petits hommes blancs, des pratiques sexuelles morbides seraient en cause, nous dit-on. C'est ce qu'on appelle la liberté de s'affranchir des tabous…

Lire la suite

Leclercq avait donné rendez-vous à Théberge au Café Constant. Quand ce dernier arriva, il était accompagné de Prose.

— J'avais peur que vous ne soyez pas libre, fit Leclercq en s'adressant à Prose. Avec un délai aussi court…

Théberge s'empressa de répondre à sa place.

— Je ne lui ai pas laissé le choix. Je lui ai dit qu'il ne pouvait pas rater une table aussi sympathique, où il faut presque toujours faire la queue pour être admis. Au fait, comment as-tu réussi à avoir des places ? On ne peut pas réserver, que je sache…

— C'est la raison pour laquelle je vous ai donné rendez-vous aussi tôt. Par précaution, je suis arrivé vers 18 h 30. À cette heure, il y a encore de la place. Surtout en début de semaine. J'ai revu le dossier dont je veux vous parler en prenant l'apéro.

Théberge appréciait le mal que son ami s'était donné. Il aurait pu les inviter dans un autre restaurant où il aurait suffi que sa secrétaire appelle pour faire une réservation. Il s'était probablement souvenu que Théberge voulait retourner à cet endroit, mais que la perspective de faire la queue le faisait toujours reculer.

Une fois les apéros de Prose et Théberge servis, Leclercq entreprit de leur expliquer le motif de leur rencontre.

— Si vous acceptez, commença-t-il, vous allez être mon arme secrète.

— Tu es en guerre ? demanda Théberge.

— Si on veut… C'est une drôle d'histoire. Tout a commencé par cet ami qui m'a demandé de lui rendre un service. Je t'en ai parlé, l'autre jour. C'est en train de prendre une tournure que j'aime de moins en moins.

Dix minutes plus tard, Leclercq leur avait résumé tout ce qu'il savait, y compris le contenu des dernières notes que lui avait transmises Duquai.

— Je suis d'accord avec toi, fit Théberge. Les trois meurtres, ça ne peut pas être une coïncidence. Il y a trop de similitudes.

— C'est bizarre, commenta Prose. Sur mon blogue, il y a un type qui a fait allusion à ces trois meurtres…

— Personnellement, ce qui me dérange le plus, l'interrompit Leclercq, ce sont les efforts du meurtrier pour les faire paraître jeunes : il les a rasés, maquillés…

Ils discutèrent durant quelques minutes sans parvenir à rien de convaincant.

D'après les informations obtenues par Leclercq, les trois victimes ne se connaissaient pas, fréquentaient des milieux totalement différents et n'avaient pas de religion, d'opinions politiques ou même de hobby semblables. Leur seul trait commun était leur apparence physique.

— C'est sur ça qu'il faut se concentrer, fit Théberge.

— C'est exactement ce que j'aimerais que vous fassiez.

— Tu veux qu'on soit directement mêlés à l'enquête ?

Sous-entendu : on est en France, je n'ai aucune accréditation et Prose n'est même pas policier.

Sur le visage de Théberge, le scepticisme était manifeste.

— Tous les deux, répondit Leclercq. Toi et monsieur Prose. Je me suis dit qu'il était temps de mobiliser les caribous.

L'expression faisait référence à un des habitués québécois du Chai de l'Abbaye. Un ami de Théberge. Les serveurs et le patron l'appelaient « Le Caribou » parce qu'il habitait le pays du froid et de la neige, qu'il était chasseur et qu'il avait trouvé le moyen de déjouer les contrôles de la douane pour leur apporter de la viande de caribou qu'il avait tué.

— Nous n'avons aucune autorité pour le faire, mentionna Théberge. Te donner notre avis de temps en temps, oui. Mais participer activement à l'enquête…

— Voici à quoi j'ai pensé…

La proposition de Leclercq était simple. Il allait constituer une petite unité spéciale. Elle serait pilotée par un de ses adjoints, lequel aurait deux assistants pour s'occuper du travail de terrain. Quant à Théberge et Prose, ils auraient le statut de consultants à l'intérieur de l'unité spéciale. Leur rôle serait d'essayer de comprendre, de formuler des hypothèses, de donner leur avis.

— Tout cela pour éviter une enquête publique sur le fils de l'un de vos amis ? fit Prose.

Manifestement, il n'était pas convaincu. Quant à Théberge, son visage montrait qu'il était totalement d'accord avec la remarque.

— Au début, c'était le cas. Mais maintenant… Il y a quelque chose que je n'aime pas dans cette histoire. Avec tout ce qui sort en ce moment sur Internet, c'est en train de prendre de l'ampleur… Des journalistes ont même commencé à harceler Guyon sur la mort de son fils…

Il y avait aussi les complications politiques de l'affaire. Ce qui avait commencé comme un service à un ami était en train de devenir un scandale susceptible de détruire toute sa carrière. Et celle du préfet. Sans parler du directeur de la DGSI et du ministre, qui seraient éclaboussés.

Mais cela, il était inutile de le préciser. Prose et Théberge l'avaient certainement réalisé.

— Je ne veux pas te laisser tomber, dit Théberge. Mais il y a mon épouse…

— Je sais. Moi aussi, ce serait ma priorité. Je me contenterai du temps que tu peux me donner.

Un silence suivit.

Prose en profita pour ramener la conversation sur son mystérieux correspondant. Il leur fit lire ses messages, notamment celui où Phénix évoquait la mort des petits hommes blancs.

Théberge et Leclercq restèrent silencieux un moment.

— On dirait un illuminé qui se sert de tout ce qu'il trouve, fit Théberge.

— Sauf qu'il ne raisonne pas comme un illuminé.

— Tu penses qu'il a un rapport avec tout ça ?

— Ce serait une drôle de coïncidence.

— Vous pouvez en apprendre davantage sur lui ? demanda Leclercq.

Prose fit signe que oui.

— Il ne demande que ça, discuter.

MA PAUVRE PETITE...

Natalya était levée depuis plusieurs heures déjà quand son ordinateur lui signala l'arrivée d'un message.

Un cauchemar l'avait privée de la deuxième partie de sa nuit. Encore le défilé de têtes. Avec une variante, cette fois. Toutes les têtes qu'elle n'arrivait pas à tuer se transformaient en celle du directeur du camp de formation, Valentin Cioban.

Et ces têtes, à leur tour, répétaient inlassablement quelques mots : « Ma pauvre petite »...

Sur cette tête-là, elle aurait bien voulu tirer. Mais quand elle appuyait sur la détente, mystérieusement, rien ne se passait.

Au moment de s'éveiller, elle était entourée d'un tourbillon de têtes qui virevoltaient autour d'elle en la regardant et qui reprenaient sans arrêt la même formule, de plus en plus fort...

« Ma pauvre petite... »

Plusieurs minutes après son réveil, la phrase résonnait encore dans sa tête. Pour se forcer à penser à autre chose, Natalya s'était assise devant l'ordinateur. Elle y était restée jusqu'à l'arrivée du message de Paolo.

La première partie du message était composée de cinq noms.

L'Arménien
Tom-Tom
Monsieur Brice
Le Borg
Dedalus

Les noms étaient suivis de l'adresse permettant de le joindre dans le dark web.

Suivait un court commentaire de Paolo.

Cette fois, tu m'en dois vraiment une.

Natalya relut le message et contacta immédiatement un autre de ses ex, Wayne.

Après avoir établi une communication sécurisée, elle lui transmit la liste des noms ainsi que l'adresse permettant de le joindre dans le dark web. Elle voulait savoir lequel d'entre eux avait servi d'intermédiaire à Oaken et, par lui, remonter à l'acheteur des informations.

ÉTOUFFER SANS ÉTRANGLER

Gonzague Leclercq examinait avec perplexité le rapport ouvert sur son bureau. Les gens du laboratoire avaient fait des miracles. Un peu moins de 60 heures pour obtenir l'analyse ADN.

Après avoir lu les premiers paragraphes du rapport, Leclercq avait ressenti un certain soulagement. L'affaire progressait. Ils avaient une piste. Des traces d'ADN appartenant à une autre personne avaient été trouvées sur chacune des victimes. Dans les trois cas, il s'agissait d'ADN féminin.

On en avait découvert sur la gorge du jeune Guyon et sur sa tête. Ce qui renforçait la thèse de l'étranglement.

Par contre, il n'y avait aucune trace d'ADN sur la gorge et le cou des deux victimes suivantes. Seulement sur leur poitrine et leur abdomen. Encore une fois, cela concordait avec les observations de la médecin légiste. Ces deux victimes-là, on ne les avait pas étranglées. Pour les empêcher de respirer, on s'y était pris autrement. On avait comprimé leur poitrine. Comment ? Cela restait à déterminer.

On a affaire à un seul meurtrier, avait conclu Leclercq. Une meurtrière, en fait. Et on a son ADN. Avec un peu de chance…

Mais, à la page suivante, le rapport précisait que ce n'était pas le même ADN. Celui prélevé sur Guyon était différent de celui qu'on avait décelé sur les deux autres victimes. Pour ces deux-là, cependant, l'ADN était identique.

Le rapport mentionnait aussi que la deuxième femme était probablement de race noire et la première, caucasienne, d'origine nordique. Les deux fois, le mot «probablement» était en caractères gras et souligné. On ne pouvait l'affirmer avec certitude, ajoutait le rapport, mais les probabilités étaient fortes. Une question d'allèles…

En marge, une annotation de Duquai expliquait que les probabilités avoisinaient les 95-98 pour cent. Les scientifiques se montraient prudents parce que des recoupements de probabilités ne permettent jamais d'obtenir une certitude.

Leclercq referma le dossier et recula sur sa chaise.

C'était quoi, ces victimes semblables, étouffées toutes les trois, mais de façon différente, par des femmes différentes, de race différente?

Que s'était-il donc passé? Les trois hommes avaient-ils été assassinés par des femmes qui ne se connaissaient pas? Compte tenu de la ressemblance physique des victimes, c'était peu probable.

S'agissait-il de femmes qui travaillaient de concert? Aucune preuve ne soutenait cette hypothèse. Du moins, pour l'instant.

Leclercq se retrouvait avec deux suspectes dont il ne savait à peu près rien. Ni les empreintes digitales relevées sur les deux dernières victimes, ni l'ADN des deux femmes n'étaient répertoriés dans les banques de données.

Pour quelle raison avaient-elles choisi de s'en prendre à de petits hommes blancs? Il n'en avait aucune idée. Il ne savait même pas comment avaient été tuées les deux dernières victimes. Et même la première, à bien y penser.

http://blog.luciditeoblige.fr/tueur-de-petits…

TUEUR DE PETITS BLANCS

Il y a un tueur de petits Blancs à Paris. Un tueur en série. Qu'est-ce que les autorités attendent pour reconnaître le fait? Pour prévenir officiellement la population? Pour décréter des mesures d'urgence?

Lire la suite

Prose devait admettre que son mystérieux interlocuteur n'était pas seulement bien informé et doué pour l'argumentation. Il aimait visiblement provoquer.

Et il continuait de le faire en soignant son style.

Peut-être y avait-il là un indice ? Peut-être s'agissait-il d'un écrivain contrarié, qui n'avait jamais trouvé d'éditeur et qui compensait ses espoirs déçus dans les médias sociaux ?

> Croyez-vous sérieusement que les Américains vont diminuer leur consommation d'énergie ? Oui, je sais, elle baisse per capita. Mais au total, c'est insignifiant. À cause de l'augmentation de la population.
>
> Croyez-vous que l'on va renoncer à utiliser 300 litres d'eau pour produire chaque litre de bière ? 340 à 620 litres d'eau pour chaque litre de boisson gazeuse ?
>
> Croyez-vous que les Chinois ne vont pas augmenter leur consommation d'énergie pour rattraper le niveau de vie des Américains ?
>
> Croyez-vous que les pays en émergence ne rêvent pas tous du mode de vie américain ? Pensez-vous qu'ils ne vont pas tous augmenter leur consommation d'énergie pour y accéder ?
>
> Croyez-vous que cette poursuite du développement ne provoquera pas des pénuries de matières stratégiques, en commençant par l'eau ?

Son correspondant avait beau déguiser ses arguments en questions, leur effet n'en était que plus percutant. Aucune personne un tant soit peu informée ne pouvait opposer un non catégorique à ces questions. Et même pas un non nuancé, dans la plupart des cas.

Il y avait par ailleurs, dans le ton du texte, une assurance qui contredisait l'hypothèse de l'écrivain frustré, qui n'a pas réussi à publier et qui satisfait sa pulsion sur Internet.

> Doutez-vous du fait que la fonte de l'Arctique s'accélère, que celle d'une partie de l'Antarctique fait de même, que l'eau produite par cette fonte absorbe plus de chaleur parce qu'elle est

plus foncée que la neige – et que tout cela accélère encore plus la fonte de la neige qui reste?

Doutez-vous du fait que le pergélisol a déjà commencé à fondre et que, en dégelant, il va libérer des quantités massives de méthane, ce qui va accélérer d'autant le réchauffement? Sans parler des résidus toxiques des forages pétroliers...

Bref, doutez-vous du fait que le réchauffement climatique va se poursuivre à une vitesse accrue? En bonne partie du fait de sa propre dynamique autonome? Doutez-vous du fait que le contrôle de la spirale du réchauffement est déjà en train de nous échapper?

Après les arguments sur la responsabilité humaine, le texte abordait la dynamique autonome du réchauffement. Toujours avec le même matraquage de faits en guise d'argumentation.

Le problème, c'était que les faits, si matraqués qu'ils soient, étaient difficilement contestables.

Où son interlocuteur voulait-il donc en venir?

Doutez-vous du fait que ce réchauffement va provoquer une augmentation des phénomènes météorologiques violents: inondations, tornades, gel, canicules, ouragans...?

Doutez-vous du fait que ces changements climatiques vont provoquer des déplacements massifs de population, occasionner des pénuries, engendrer une baisse de la production agricole et une diminution de l'accessibilité de l'eau potable?

Doutez-vous du fait que tout cela suscitera un état de guerre généralisé pour accaparer (ou conserver) les ressources restantes?

Si vous ne pouvez répondre non à la moindre de ces questions, comment pouvez-vous croire à la survie de l'humanité? Et, surtout, comment pouvez-vous croire à une évolution pacifique vers cette survie?

Décidément, le ton devenait plus agressif. Comme si l'armature de l'argumentation rationnelle avait plus de difficulté à contenir la passion de son correspondant.

En même temps, il était difficile de concevoir qu'une personne consciente de tout ce qu'il évoquait puisse ne pas ressentir d'indignation. C'était même le contraire qui était étrange : l'apathie générale qui accueillait habituellement les discussions relatives à ces sujets.

> Comprenez-vous à quel point est symbolique la disparition de ces petits hommes blancs, tout chétifs, tout fragiles ? En tant qu'hommes, blancs et occidentaux, ils représentent ce que l'humanité a produit de mieux. Du moins est-ce l'opinion implicite de la très grande majorité de nos concitoyens. Et regardez avec quelle facilité on peut les éliminer !
>
> Ces petits hommes incarnent la situation réelle de notre civilisation : minée dans ses forces vives, fragilisée par une auto-domestication débilitante, incapable d'opposer une résistance efficace à ce qui veut la détruire.
>
> Ils sont les symboles de notre avenir.

C'était quoi, cette lubie ? Quel genre de raisonnement tordu l'amenait à voir dans les victimes des deux meurtres le symbole de la décadence amorcée de l'Occident ? Pas de doute, malgré la cohérence de son argumentation sur les difficultés de la planète, son correspondant commençait à déraper.

S'il n'en avait tenu qu'à lui, Prose aurait coupé tout contact. Mais il avait promis à Leclercq de tenter d'en apprendre davantage sur Phénix.

Il estimait toutefois peu probable que son correspondant ait quoi que ce soit à voir avec cette affaire de meurtre. Il n'était pas le premier illuminé à lire dans les événements contemporains la confirmation de ses lubies. La recette était connue. Il suffisait de tout interpréter à partir d'une conviction bien arrêtée. Les paranoïaques étaient les grands spécialistes de ce type de raisonnement.

Mais bon…

Prose envoya une copie du message à Théberge pour qu'il le transmette à Leclercq.

Quant à Phénix, il maintiendrait un lien avec lui, mais il prendrait de la distance. Il allait espacer et écourter ses réponses.

Gonzague Leclercq arriva au bistro, une baguette sous le bras. Après avoir échangé quelques mots avec le serveur et commandé un expresso, il se rendit à la table où Natalya l'attendait.

— Je suis heureux que vous ayez un peu de temps à me consacrer.

— Je ne suis pas entièrement libre.

— Un contrat ?

— Je rends service à un ex.

L'expression fit sourire Leclercq.

— Vos ex…

— Entretenir de bonnes relations, cela veut dire s'occuper de ses amis quand ils en ont besoin.

Leclercq était un de ses plus anciens ex…

Natalya lui avait sauvé la vie en tuant l'individu qui avait placé un contrat sur sa tête. Avant de le faire, elle avait rencontré Leclercq pour l'informer du danger qu'il courrait. Et pour lui offrir d'éliminer ce danger. Ce qu'il avait accepté.

Par la suite, ils avaient trouvé une forme d'arrangement. Leclercq lui confiait des missions qui correspondaient aux critères qu'elle s'était fixés – sauver des vies en faisant disparaître la menace qui pesait sur eux. Le plus souvent, cela consistait à éliminer celui qui était à l'origine de la menace.

En échange, Leclercq s'occupait de ses besoins logistiques : matériel, informations, argent… Elle était une sorte d'agent libre à qui il avait recours pour traiter certaines urgences.

— J'aurais justement un petit service à vous demander, dit-il. Au nom de nos bonnes relations.

Leclercq s'interrompit avec l'arrivée du serveur, qui déposa un expresso devant lui.

Pendant qu'il s'affairait à dissoudre un carré de sucre dans son café, Natalya lui demanda :

— Quel genre de service ?

— Découvrir qui se cache derrière le meurtre des petits hommes blancs.

— Vous avez une piste ?

— Non. C'est d'ailleurs ce qui complique les choses. Il faut d'abord identifier le suspect.

— Pour ce genre de travail, vous disposez de beaucoup plus de moyens que moi.

— Je peux procéder à un premier inventaire, trouver des pistes. Mais j'aimerais que vous preniez ensuite la relève. Pour des raisons de discrétion. Je préfère le moins possible mêler notre département de cyberrenseignement à cette affaire.

— Il est toujours dirigé par… ?

Leclercq ne lui laissa pas le temps de terminer sa question.

— Oui. Toujours lui. Et c'est toujours un emmerdeur.

Le terme résumait à la fois l'incompétence que Leclercq reprochait au directeur du département d'informatique, sa prétention ridicule à « monter » dans l'organisation et la haine qu'il entretenait envers ceux qu'il jugeait, comme Leclercq, susceptibles de nuire à son improbable ascension.

— Vous voulez quoi, exactement ? demanda Natalya.

— Que vous le trouviez. Comme vous avez vos propres ressources pour explorer le web…

Natalya esquissa un sourire.

— Vous parlez de mes ex ?

— Je veux que vous trouviez cet… cet enfoiré de trucideur de petits Blancs, comme dirait mon ami Théberge. Pour ce qui est de vos "assistants", ils pourront considérer que je leur dois un service.

— D'accord.

— Mais il n'est pas question qu'ils sachent quoi que ce soit de mon implication, s'empressa-t-il de préciser. S'ils vous aident, dites-leur que vous pourrez les aider en retour, dans la mesure de vos moyens.

— Et si je le trouve, votre "trucideur" en série de petits Blancs, qu'est-ce que je fais ?

— On avisera.

Natalya regarda longuement Leclercq.

Juste au moment où elle voulait prendre du recul et réfléchir à ce qu'elle voulait faire du reste de sa vie, au moment où elle se demandait si elle ne devrait pas voir Prose plus souvent, deux nouvelles affaires lui tombaient dessus… Sans compter l'enquête qu'elle voulait mener pour elle-même en Roumanie.

— Vous en êtes où ? demanda-t-elle en guise d'accord.

Leclercq l'informa du peu qu'ils avaient découvert et de l'identité de ceux qu'il avait décidé d'impliquer dans l'enquête.

À la mention de Prose, elle se demanda si c'était seulement une coïncidence ou s'il fallait y voir un signe.

— Dans la mesure du possible, essayez de l'éviter, précisa Leclercq. Du moins pour l'instant. Ce serait bien que vous conserviez un regard indépendant.

Natalya acquiesça d'un simple signe de tête.

— Il est parfois préférable de laisser dormir ses vieux démons, formula Leclercq après un moment.

— Les démons travaillent dans l'ombre. Seule la lumière peut en venir à bout.

— Je ne parlais pas de Prose.

— Moi non plus.

Un silence suivit. Une sorte de trêve décidée simultanément.

Ce fut Leclercq qui reprit.

— Vous avez trouvé quelque chose sur l'arracheur de visages ?

Il faisait référence au mystérieux criminel qui avait semé des cadavres un peu partout sur la planète, des cadavres dont le visage avait été arraché. Au sens littéral. Parce que c'était une façon de leur faire perdre la face.

Avec Leclercq, Prose et Théberge, Natalya avait contribué à détruire l'organisation qui était derrière ces meurtres. C'était à cette occasion qu'elle avait retrouvé Hogue – et qu'elle l'avait éliminé. Mais celui qui avait prélevé les visages avec une précision chirurgicale, comme si on leur avait enlevé un masque, celui-là leur avait échappé.

—Toujours rien, répondit Natalya.

— Ce qui me semble évident, c'est que les prélèvements de visages ont cessé.

—Ou qu'ils se poursuivent de façon plus discrète.

—C'est malheureusement possible. S'ils disposent plus efficacement des corps…

Leclercq termina son café. Se leva.

—Je vais quand même faire prévenir Prose que vous travaillez aussi sur cette affaire. De cette façon, si vous vous croisez, la surprise sera moindre.

Avant de partir, il remit à Natalya une clé USB déguisée en porte-clés.

—Vous y trouverez tout ce qu'il faut pour être avisée au fur et à mesure des progrès de l'enquête. Et pour me contacter, au besoin. De mon côté, je vous transmets sans délai toute nouvelle information.

UNE AMBIANCE BIEN TEMPÉRÉE…

Payne parcourait Internet. La musique jouait en sourdine.

C'était une autre lubie de Hillmorek : pour chacune des tâches importantes qu'il confiait à Payne, il lui prescrivait des pièces musicales à écouter pendant qu'il les accomplissait. Pour induire des façons d'être, pour sentir la situation. On aurait dit un metteur en scène qui voulait guider le jeu d'un acteur.

Payne reporta son attention vers l'écran, y jeta un dernier coup d'œil, puis ferma le navigateur.

Inutile de poursuivre les recherches. La conclusion était claire : la progression du nombre de messages, autant sur Twitter que sur Facebook, dépassait largement ses espérances. Les *chatbots* avaient effectué un travail incroyable. Les médias traditionnels n'auraient pas d'autre choix que de prendre le train en marche. Il était crucial de profiter du momentum pour désorienter les policiers et les entraîner sur une fausse piste.

Payne s'octroya une petite gorgée de scotch. Son verre était à peine entamé.

Les réseaux sociaux lui faisaient penser à des cynodromes. Il suffisait d'agiter un lapin pour que toute la meute, à l'instar des lévriers, se précipite à sa poursuite. Le seul problème, c'était qu'ils se lassaient rapidement : il fallait sans cesse agiter un nouveau lapin.

Il ouvrit le logiciel de courriel et rédigea un bref message.

Activez un autre hashtag : #petitsblancsmassacrés. Indiquez le lieu de la découverte des deux nouveaux corps. Mentionnez que ce lieu est situé dans le 2e arrondissement. Amorcez ensuite la phase 3.

Il ne restait qu'à ajouter une signature pour authentifier le message. Dans ses communications écrites avec Besson, il utilisait le même code que Hillmorek employait pour signer les messages qu'il lui adressait.

Il parcourut le répertoire des titres dans Wikipédia, en choisit un et l'inscrivit dans un paragraphe distinct, à la suite du texte.

Nun ist das Heil und die Kraft

La seule chose importante était de ne jamais utiliser deux fois le même élément du répertoire.

Après avoir relu le message, Payne l'envoya par l'intermédiaire d'un anonymiseur. Le message expédié, il remonta le volume de la musique.

Un verre de scotch sans glace, mais refroidi à la bonne température… une pièce confortable, ni trop humide ni surchauffée… un *Clavier bien tempéré*…

Hillmorek avait raison : une ambiance appropriée était la clé de l'équilibre intérieur. Et de l'efficacité.

le-truc-qui-inquiete.blog.le .fr/arch…

Jérôme Delannoy LE MINISTRE DE L'INTÉRIEUR SOMMÉ DE S'EXPLIQUER

L'enquête sur le meurtre des petits hommes blancs continue de faire des vagues à l'intérieur de l'Hémicycle. Des députés de la gauche ont confié en privé leur malaise et souhaité que le ministre…

La suite

VIE RÉGLÉE ET VOITURE AVEC CHAUFFEUR

Leclercq regarda Norbert Duquai entrer dans son bureau.

Grand, athlétique, des yeux bleus capables de déstabiliser la plupart des interlocuteurs… Il respirait le calme et l'assurance.

Malgré les années qui avaient passé, Leclercq ne s'était jamais tout à fait habitué à l'apparence de son agent, si contraire à ce qu'il était.

— Alors, comment trouvez-vous cette nouvelle affaire ? demanda-t-il.

— Passionnante et inquiétante à la fois.

— Qu'est-ce qui vous agace ?

— Plusieurs choses. L'activité sur les réseaux sociaux, par exemple. Les deux hashtags les plus populaires sont #tueurdenains et #tueurdepetitsblancs ! Vous imaginez ? Il est aussi question de Noirs albinos… de sorciers africains…

— Et les victimes ? Vous avez trouvé quelque chose ?

— Toujours rien qui explique pourquoi elles ont été choisies. Exception faite de leurs caractéristiques physiques, elles n'ont aucun point commun.

— Vous partez ?

— Oui.

Duquai regarda la montre à son poignet.

— Le chauffeur sera à la voiture dans une minute trente. Ça me laisse le temps de descendre.

« Comme tous les jours », songea Leclercq. À 18 h.

Duquai menait une vie réglée. À la minute près. Il détestait qu'on bouscule son horaire. L'organisation de son temps de travail était l'unique domaine où il acceptait un certain imprévu.

Ce qu'il détestait encore plus que de bousculer son horaire, c'était qu'on le bouscule, lui. C'était la raison pour laquelle il ne se déplaçait que dans une voiture avec chauffeur. Conduire, dans Paris, c'était s'exposer à une agression permanente. Son équilibre n'y aurait pas survécu.

Même le simple spectacle de cette agressivité éprouvait ses nerfs. Très souvent, durant le trajet, il fermait les yeux et il écoutait de la musique.

— Vous sentez-vous prêt à rencontrer mes amis canadiens? demanda Leclercq.

— J'ai réfléchi à ce que vous m'avez dit à leur sujet. Je pense pouvoir travailler avec eux. Probablement même y trouver du plaisir.

— À quel moment prévoyez-vous les intégrer à l'enquête?

— Demain.

Puis il ajouta, après une pause:

— J'y vois une expérience intéressante de socialisation.

PANIQUE EN ATTENTE

Malgré le froid, madame Théberge avait déposé son sac de provisions par terre pour s'accorder quelques minutes de repos. Autour d'elle, les mères et les nounous attendaient que l'école déverse son flot d'enfants.

Adossée au mur de l'école de la rue Cler, à bonne distance de la porte, elle écoutait les conversations des femmes autour d'elle.

Il y avait d'abord les salutations avec lesquelles les femmes s'abordaient, puis, très vite, les conversations déviaient sur le «tueur de nains», comme plusieurs l'appelaient. Ou le «tueur de petits Blancs».

— Moi, je suis sûre que c'est une sorte de fou. De tueur en série, comme ils disent à la télé.

— Mon mari pense que c'est des terroristes.

— En tout cas, moi, j'ai interdit à mes deux grandes d'aller dans le 3ᵉ et le quatrième…

— C'est des filles, elles ne risquent rien !

— Avec les fous, on sait jamais.

— Ça, madame Janin, vous avez bien raison !

Quelles que soient les conversations vers lesquelles elle tournait son attention, le sujet était le même.

— Vous y croyez, vous, que c'est un des pervers sexuels ?

— De nos jours, il n'y a plus rien qui peut me surprendre.

— Au Rwanda, c'est de cette manière-là que les choses ont commencé. Au début, il y en avait seulement quelques-uns…

— Moi, j'aimerais savoir ce que le gouvernement attend. Parce que, sérieusement…

Quand madame Théberge s'était arrêtée, elle ne prévoyait pas rester aussi longtemps. Mais elle se sentait concernée malgré elle par toutes ces conversations. Derrière les boutades et les jugements péremptoires, elle percevait une réelle inquiétude.

— Je ne pensais pas revivre ça ici !

— Moi, je sais pourquoi ils ne l'arrêtent pas. C'est quelqu'un de haut placé. Ça ferait un trop gros scandale.

— C'est comme Jack l'Éventreur. Il n'a jamais été arrêté parce qu'il faisait partie de la famille royale.

Les conversations furent brusquement interrompues par l'ouverture des portes. Une marée d'enfants se précipita à travers la masse des mères et des nounous pour trouver chacun la sienne.

Une dizaine de minutes plus tard, la foule s'était clairsemée. Il ne restait que quelques femmes qui attendaient les retardataires.

Madame Théberge reprit son sac et, appuyée sur sa canne, se dirigea vers la rue Saint-Dominique. Puis elle tourna à droite. Elle n'était plus qu'à quelques intersections de la rue Jean-Nicot et de leur appartement.

Tout en marchant, elle pensait à son mari, qui avait de la difficulté à ne pas la surprotéger. Déjà, à Montréal, il était porté à en faire trop. Depuis qu'ils étaient à Paris, c'était pire.

Normalement, il n'aurait rien demandé de mieux que de s'investir dans l'enquête de son ami Gonzague. Mais là, il hésitait, il revenait à tout propos à la maison pour s'assurer qu'elle ne manquait de rien.

Il faudrait qu'elle lui parle de ce qu'elle avait entendu. De l'inquiétude qu'elle sentait chez les gens. S'il pouvait aider son ami, il fallait qu'il le fasse.

LE 37ᵉ TABLEAU

Natalya regardait le petit tableau, à la recherche d'imperfections. Il mesurait 32 centimètres de largeur sur 20 de hauteur. Tous les tableaux qu'elle avait peints avaient les mêmes dimensions. Elle ne prévoyait pas s'attaquer à d'autres formats. Pas plus qu'elle ne comptait vendre un seul de ses tableaux.

Il s'agissait pour elle d'une sorte de thérapie. Le but était de s'immerger dans une activité qui exigeait une attention totale et minutieuse. Une sorte de méditation qui l'ancrait dans le présent. Par le moindre de ses gestes.

C'était aussi une façon de se construire une histoire. De pouvoir se représenter sa vie. Enfin, pas toute sa vie. Seulement celle qu'elle avait eue depuis qu'elle en avait repris le contrôle.

Ce tableau était le trente-septième. Sur la toile, malgré les zones inachevées, on pouvait reconnaître le visage de Victor Prose.

Un signal en provenance de son téléphone brisa sa concentration. Elle mit plusieurs secondes à émerger.

Un texto de Wayne.

> Ai laissé un message
> sur ton site.

Quelques instants plus tard, Natalya prenait connaissance du courriel qu'il avait envoyé sur son site sécurisé.

> Le courtier que tu recherches est monsieur Brice. Malgré son nom, il est roumain, s'il faut en croire les rumeurs. Aucune photo de lui n'existe…

Encore la Roumanie…

L'espace de quelques secondes, Natalya fut replongée dans son enfance. Elle était en apprentissage au camp-école. Des images de l'homme au sourire compatissant traversèrent sa mémoire en rafale. De brefs flashes…

Puis son attention revint au texte.

> … du moins dans les banques de données auxquelles j'ai accès. J'ai pu repérer quatre occurrences du mot «Oaken», onze de «MI6» et six de l'expression «dispositif stratégique».
>
> Je n'ai pas eu le temps d'aller plus loin avant que les procédures de sécurité se déclenchent. Un peu plus et je n'arrivais pas à battre de vitesse le dispositif de traçage. Je te jure que ce type-là ne rigole pas avec la sécurité de son serveur.

Après avoir terminé la lecture du message, Natalya écrivit une brève réponse par texto.

> C'est un début de piste. Je n'avais rien. En échange, si je peux t'être utile…

S'ensuivit un échange rapide.

M'en souviendrai.

Je l'espère, j'ai un autre service à te demander.

Tu es certaine de ne pas vouloir qu'on s'associe ? ;-))

Tu ne serais pas à l'aise dans mon univers.

Tu crois ? ;-(((

Les meurtres des petits hommes blancs, à Paris, tu as suivi ça ?

Un peu.

Tu en penses quoi ?

Pas grand-chose. Toutes sortes de gens en tuent toutes sortes d'autres, continuellement, partout sur la planète. Pour toutes sortes de raisons…

Tu philosophes, maintenant ?

Mais il y a quelque chose de curieux : le trafic Internet…

Une grande partie du trafic est générée par des robots.

Tu es sûr ?

Si tu veux, je regarde ça de plus près…

http://blog.raslebol.fr/que-fait-la-police…

LES QUESTIONS D'UN PÈRE

Leclercq avait proposé à Guyon de l'attendre en face de chez lui. Il passerait le prendre et son chauffeur les promènerait dans Paris pendant qu'ils parleraient.

—Je ne suis pas habitué à jouer les espions, dit Guyon au moment où la voiture démarrait. Dans mon métier, il faut surtout se défendre contre eux!

Malgré les circonstances, sa voix demeurait assurée.

—Je suis désolé de m'imposer ainsi à vous, reprit Guyon.

—Vous ne vous imposez pas. À votre place, j'aurais agi de la même manière. Et probablement avec moins de retenue.

—Est-ce que vous avez découvert la cause de son décès?

—Il est mort étouffé. Par compression de la gorge.

—C'est donc un meurtre.

Malgré le caractère affirmatif de la phrase, il restait dans la voix de Guyon une nuance d'interrogation. Comme s'il n'avait pas abandonné l'idée que son fils ait connu une mort moins violente, plus… acceptable.

Leclercq conserva un ton neutre, objectif.

—Il est très possible que le meurtrier soit en fait une meurtrière.

—Une femme? Vous avez une idée du nombre de femmes qu'il y a sur la planète?

L'ironie était une bonne façon d'atténuer l'impact des événements, songea Leclercq. Tant que Guyon conserverait cette attitude, il tiendrait le coup.

— Nous avons retrouvé des traces d'ADN sur le corps de votre fils. Je peux vous dire qu'elle est de race blanche, ce qui élimine quelques milliards de suspectes. Et elle est probablement d'origine nordique… Pour le moment, nous n'en savons pas plus.

Guyon mit un moment à répondre.

— Désolé. Je sais que vous faites ce que vous pouvez.

— Je comprends ce que vous pouvez ressentir.

— Est-ce que sa mort est liée aux deux autres meurtres dont on parle ?

— Il y a des ressemblances troublantes. Je ne peux pas vous en dire davantage pour le moment.

— Je comprends.

Manifestement, il échouait totalement à comprendre, songea Leclercq. Il en était encore à absorber le choc. À rassembler ses forces pour ne pas s'écrouler sous la violence du coup qui lui avait été porté.

— Le plus dur, confia Guyon, c'est tout ce qui circule sur Internet. Vous avez vu ?

— En partie.

— Qu'est-ce que je peux faire ?

— Si vous intervenez, ou pire, si j'interviens, cela ne fera qu'aggraver la situation.

— Ils parlent de courses truquées…

— On n'a rien trouvé de ce côté. Je veux dire, il y a bien sûr des courses truquées, mais il n'y a aucune indication que votre fils y ait été mêlé.

— Et les allégations sur ses goûts… particuliers ?

— Rien non plus. On sait qu'il fréquentait à l'occasion des clubs de S/M, mais rien qui sorte de l'ordinaire. Enfin, de cet ordinaire-là, je veux dire. Selon nos informations, il était plus observateur que participant.

— C'est censé me réconforter ?

Leclercq comprenait la réaction de Guyon. Ce dernier devait apprivoiser l'idée que de purs inconnus exploraient la vie privée de son fils. Qu'ils interrogeaient les traces qu'il avait laissées, à l'affût de confidences involontaires. Et qu'ils y découvriraient des choses dont il n'avait même pas idée.

— Je peux vous assurer que nous faisons tout notre possible pour résoudre cette affaire rapidement. Et le plus discrètement possible.

Tout en parlant, Leclercq imaginait à quel point ce qu'il disait, qui exprimait exactement la réalité, devait paraître de la pure langue de bois. Mais que pouvait-il dire d'autre?

PISTE POUR FEMME SEULE

Malcolm était demeuré à Paris pour superviser le nettoyage de l'appartement dans lequel Oaken était mort. Toute trace de la présence du MI6 devait être éliminée.

Il était dans un taxi quand le texto de Natalya fut relayé de son ordinateur à son cellulaire.

> Mon invitation tient toujours.
> On se voit ce soir?

Aucun logiciel de surveillance n'aurait pu déchiffrer dans ce message une demande de communication urgente par contact sécurisé.

Malcolm s'empressa de répondre.

> Comme prévu.

Quelques minutes plus tard, il descendait du taxi et, tout en marchant sur le trottoir, il joignait Natalya à un numéro sécurisé. Tous les messages étaient encryptés avec une clé théoriquement inviolable.

— Tu as quelque chose pour moi? demanda-t-il d'emblée.

— Le nom du courtier est monsieur Brice. Je sais que ce n'est pas grand-chose, mais…

— Selon les rumeurs, ce serait…

— Un Roumain, je sais.

Après une légère pause, elle donna à Malcolm le reste des informations que Wayne lui avait transmises.

— Je ne vois pas ce que je peux faire de plus, conclut-elle.

— Pour l'instant, je suis d'accord. On peut en reparler dans un ou deux jours.

Natalya refusa de saisir la perche tendue.

Malcolm poursuivit :

— Je vais trouver ce que je peux sur monsieur Brice. Si je découvre quoi que ce soit d'intéressant, je te rappelle.

— Entendu.

— J'imagine qu'au moins un de tes projets tourne autour de la Roumanie. Je me suis dit qu'on pourrait…

— Collaborer ?

— Oui. Enfin…

Malcolm avait raison. Si monsieur Brice était vraiment roumain, et s'il avait obtenu le statut dont il jouissait, il devait être au courant de beaucoup de choses. Y compris de ce qui se passait en Roumanie, à l'époque où Natalya était au camp-école. Il devait savoir qui était qui, autant dans le monde du renseignement que dans les milieux criminels. Et s'il ne savait rien de précis sur le camp de formation, il connaissait probablement des gens qui, eux, étaient au courant.

C'était une piste qui méritait d'être suivie. Mais elle la suivrait seule.

— Pour l'instant, j'ai autre chose. Mais plus tard, peut-être…

FRANCE 2/JT 20H

Nouveau cheval de bataille pour les militants de Manif pour tous : la sécurité pour tous. Réagissant aux meurtres commis par celui qu'on surnomme désormais « le tueur de petits Blancs », l'organisation appelle à une manifestation devant le ministère de la Sécurité publique. Écoutons ce que le porte-parole du mouvement avait à dire à notre reporter :

« Le meurtre affreux des deux petits hommes blancs – et peut-être celui de Vincent Guyon, on le saura quand la justice des riches cessera de nous cacher la vérité – est la conséquence des mœurs dévoyées et de l'élimination des valeurs chrétiennes de la vie publique. Ces meurtres ne sont que les premiers signes de ce qui attend la société française. Si nous ne rétablissons pas bientôt… »

37 VIES

Après avoir raccroché, Natalya retourna au petit tableau qui l'attendait sur le chevalet.

Il lui fallut plus de 10 minutes pour retrouver le calme intérieur nécessaire à son travail. Elle prit alors un pinceau à la pointe minuscule et déposa un tout petit point de couleur sur la toile.

Il ne fallait rien précipiter. Prendre le temps qu'il fallait. S'assurer que sa main ne tremble pas. Et savoir parfaitement ce qu'elle voulait faire.

Dans un tableau hyperréaliste, les erreurs, si petites soient-elles, sont longues et difficiles à rattraper… lorsqu'il est possible de le faire.

Natalya prit du recul pour regarder le tableau.

Le travail avançait de façon satisfaisante. Encore quelques semaines, peut-être un mois, et il pourrait rejoindre ses 36 prédécesseurs. L'espace qu'elle avait loué pour les entreposer, dans une banque suisse, n'était même pas rempli à moitié.

Comme pour les autres, elle en conserverait une copie numérique haute résolution dans son ordinateur. Quand elle était en proie au découragement, quand elle baissait sa garde et qu'elle laissait son passé l'envahir, quand elle avait l'impression que son existence était un immense gâchis, elle regardait sa collection de tableaux.

Cela lui redonnait de l'espoir.

Sa vie n'était peut-être pas inutile, peut-être pas sans valeur, malgré toute la destruction qu'elle avait causée, puisqu'elle avait sauvé 37 vies…

Sans oublier qu'elle avait éliminé autant de sources de destruction.

SUR UNE AUTRE SCÈNE...

Les deux hommes sont ligotés, chacun sur un matelas posé par terre. Leur tête et leurs membres sont maintenus en place de telle façon qu'ils ne peuvent pas bouger. Bien sûr, cela n'aurait pas été nécessaire. On leur a expliqué que c'est pour le spectacle. Tout comme la substance qu'on leur a injectée juste avant le lever du rideau. Pour les aider à demeurer détendus. Paraître tout à fait immobiles. Cela fait partie de la mise en scène.

Cependant, aucun des deux hommes n'a été prévenu que l'autre serait là. Ce détail n'a pas été spécifié dans leur contrat. Sans doute une modification de dernière minute à la scénographie.

Une femme noire de près de deux mètres, obèse, s'avance sur la scène. Les deux hommes n'ont aucun moyen de savoir qu'elle pèse 157,9 kilos. Son visage est masqué.

La femme jette un coup d'œil rapide aux deux hommes. Ce ne sont pas les premiers. Il y a des années qu'elle gagne sa vie en écrasant des hommes de tout son poids... Curieux fantasme. Ça et ceux qui jouent à être des bébés... avec les couches, les biberons... les berceaux ajustés à leur taille...

Mais elle n'est pas là pour porter un jugement. Encore moins pour essayer de comprendre. Ce n'est qu'un travail. Rien d'autre qu'un travail. Même s'il est plutôt lucratif.

Elle s'approche du premier corps. Lui tourne le dos.

Elle est vraiment immense, pense l'homme à côté duquel elle s'est placée. Il a beau savoir à quoi s'attendre...

La femme s'assied sur son estomac. Juste avant qu'elle le fasse, l'homme gonfle la poitrine.

Réaction prévisible, songe la femme. Elle se relève un peu et se laisse retomber lourdement. À plusieurs reprises. Jusqu'à ce qu'elle soit certaine que presque tout l'air est sorti des poumons.

Il ne lui reste plus qu'à attendre. Ce ne sera pas très long. Ensuite, elle s'occupera du deuxième.

Puis, le soir même, elle partira pour une clinique médicale, en Inde. Liposuccion, chirurgie plastique, réduction de l'estomac… le tout suivi d'une convalescence et d'une remise en forme.

Sur l'ordinateur, elle a même vu à quoi elle ressemblera. Elle sera enfin normale. Du moins, presque. Encore un peu grande, mais mieux proportionnée.

Bien sûr, il y a un prix à payer. C'est la première fois qu'on lui demande d'aller jusqu'au bout.

Pour elle, cela ne change rien. Il lui suffit d'attendre quelques minutes de plus avant de se relever. La difficulté de respirer et le manque d'oxygénation du sang feront le reste.

Au moment où elle se relève pour la deuxième fois, le technicien responsable de filmer la performance lui lance, sur le ton satisfait de celui qui est assuré de faire une bonne blague :

—À couper le souffle !

Il lui dit ensuite qu'il va faire quelques gros plans sur son corps, pour le montage. Des plans de coupe.

Dans la salle, les spectateurs commencent à quitter leurs sièges.

SIX PETITS BLANCS

Simon Littoral était un habitué du iGlou Bar.

En lieu et place des murs de glace caractéristiques de ce genre d'établissement, l'administration se contentait de cloisons de verre givré et maintenait la climatisation à quatre degrés.

En été, l'établissement offrait un refuge contre la canicule. Il s'était aussi donné comme mission de réconcilier les *geeks* – et plus généralement les amateurs de gadgets— avec la culture du vin. D'où la nécessité d'offrir non seulement un excellent choix de vins, mais la meilleure connexion Internet de la ville.

Pour l'instant, avec le printemps qui n'en finissait pas de ressembler à l'hiver, l'établissement comptait principalement sur son aspect « bar à vin/branché » pour attirer les clients.

Aux yeux de Simon Littoral, toutefois, les saisons n'avaient pas d'importance : le iGlou Bar était l'endroit où il amenait les femmes dont il tombait amoureux, l'endroit où il allait boire pour les oublier après leur départ et l'endroit où il allait tuer le temps entre deux amours.

Les six petits verres de blanc étaient alignés devant lui sur le comptoir. Avec un minimum de concentration, il arrivait à les voir distinctement.

Il vida rapidement les deux premiers.

Sandrine…

Elle était partie sans même le prévenir. Son seul message avait été le vide qu'elle avait laissé dans son appartement. Du jour au lendemain, tout ce qu'elle y avait apporté avait disparu.

Il vida un autre verre cul sec.

Douze jours qu'elle était partie !

Habituellement, après une rupture, deux ou trois cuites lui suffisaient pour retrouver son équilibre. Il avait l'habitude.

Toutes les femmes le quittaient. C'était dans l'ordre des choses. Autant il lui était facile de les séduire, autant il semblait incapable de maintenir une relation. Mais c'était la première fois que l'une d'elles le quittait sans prévenir. Sans même un mot d'explication laissé sur la table. Sans un message sur son répondeur le priant de ne pas chercher à la retrouver.

Si ce n'avait été la disparition de tout ce qui lui appartenait, Littoral aurait pu croire qu'elle avait été victime d'un accident.

Il fixa longuement le quatrième verre, comme pour bien y accrocher son regard. Il allongea ensuite lentement la main, porta le verre à ses lèvres et le vida avec application.

L'opération lui prit un peu plus de temps que pour les trois premiers. Les verres de blanc commençaient à produire leur effet. Sans parler de tout l'alcool qu'il avait ingurgité avant d'arriver au bar.

Sandrine…

Étrangement, c'était celle qui était restée le plus longtemps avec lui. Soixante-six jours… Le chiffre lui fit penser à 666. Est-ce que cela faisait partie d'un plan diabolique ? Peut-être aurait-il dû prendre l'initiative de la rupture. Ne pas croire que, cette fois-ci, ça y était…

Sandrine… Pourquoi donc… ?

Il regarda le cinquième verre d'un air méfiant. Cligna des yeux. Puis il sortit brusquement son téléphone portable de la poche de son pantalon. Regarda l'heure… Il était encore dans les temps. Une fois encore, il réussirait à terminer la course.

Il rangea son portable avec difficulté.

Lors des deux premières tentatives, l'appareil refusa d'entrer dans sa poche et glissa le long de sa jambe.

La troisième fut la bonne.

Un sourire de satisfaction apparut brièvement sur les lèvres de Littoral.

Il reporta son attention sur le cinquième verre. Approcha doucement sa main. S'arrêta. Secoua la tête comme pour éclaircir sa vision. Puis il saisit le verre d'un geste brusque, le porta à ses lèvres et avala sans transition une première gorgée.

Quelques gouttes éclaboussèrent son visage. Rien de sérieux.

Il vida son verre en penchant la tête en arrière.

Sandrine…

Il n'avait aucune idée où elle habitait. Il ne l'avait jamais su. Elle lui avait dit de ne pas chercher à savoir. Il avait son numéro de portable, c'était suffisant pour la joindre.

Dans le cerveau de Littoral, malgré les vapeurs de l'alcool, une idée commençait lentement à prendre forme… C'était planifié! Depuis le début, elle savait qu'elle partirait brusquement sans laisser d'adresse!

Son regard s'immobilisa sur le verre devant lui. Un grand vide se fit dans ses pensées. Ou plutôt, un sentiment de perte. Comme si tout son esprit tournait autour d'une idée qu'il n'arrivait pas à formuler.

Cela lui avait échappé. Il y avait quelque chose… qui voulait dire quelque chose…

Sur le comptoir, le dernier verre le narguait. Comme s'il le mettait au défi de le boire.

— Toi… tu ne t'en tireras pas!… T'as beau penser que j'ai trop bu…

Littoral avança précautionneusement la main dans sa direction, le heurta du bout des doigts, mais sans le renverser, puis referma la main autour du verre.

— Je te… l'avais dit… que tu ne… t'en ti… re… rais… pas!

Il approcha son visage et se pencha pour minimiser la distance entre sa bouche et le verre. Il y touchait presque du bout des lèvres.

— Tu es… foutu. Je suis peut-être… foutu, mais toi aussi… tu es… foutu!

Il appuya sa bouche au bord du verre. Confusément, il savait que quelque chose n'allait pas. Habituellement, l'effet n'était pas aussi fort. Pas aussi rapide.

Littoral fit un effort pour se concentrer.

Il pencha le verre jusqu'à ce que le bord soit bien appuyé sur ses dents du bas. Puis il releva la tête tout en maintenant le verre contre ses lèvres.

De petites rigoles coulèrent des coins de sa bouche.

Il avait presque tout avalé. Le rituel avait été suivi à la lettre. Il pouvait maintenant retourner chez lui.

Quelques instants plus tard, il sortait en titubant. Heureusement, il habitait tout près : moins de 500 mètres en empruntant la ruelle à côté du bar.

Comme d'habitude, il avait réglé l'addition au moment de commander les six petits verres de blanc. Le bouquet final. Celui qui déclencherait un feu d'artifice dans son cerveau.

Il avait tout juste le temps d'arriver chez lui. L'effet de l'alcool serait alors à son maximum. Il s'effondrerait dans son lit sans avoir une seule pensée pour Sandrine…

Littoral était au milieu de l'étroite ruelle lorsqu'il trébucha sur une masse à la fois molle et résistante.

Il s'écroula et perdit conscience.

http://www.reuters.fr/article/topnews/id…

TROIS PETITS HOMMES BLANCS ASSASSINÉS

Trois nouveaux corps viennent tout juste d'être découverts dans une ruelle du 3e arrondissement parisien. Une fois encore, il s'agit de petits hommes blancs. Cette affaire, qui prend de plus en plus une allure de meurtres en série…

COMA ÉTHYLIQUE

Le bruit lui déchirait l'intérieur de la tête. Son corps était secoué sans arrêt. Tantôt il se sentait brusquement déporté vers la gauche. Tantôt vers la droite. Tantôt c'était la surface sur laquelle il était allongé qui se soulevait puis retombait.

Simon Littoral avait l'impression d'être prisonnier à l'intérieur d'un manège qui aurait échappé à tout contrôle.

— Où suis-je?

— Le pire est passé. Vous allez vous en sortir.

Sortir de quoi? Que lui était-il arrivé?

Il se souvenait confusément du bouquet final. Il avait enfilé les six petits verres de blanc. Ensuite… Ensuite il était sorti du iGlou Bar. Il avait emprunté la ruelle. Puis… plus rien.

Il ouvrit lentement les yeux, regarda autour de lui et répéta sa question.

— Où suis-je?

— Dans une ambulance. On vous emmène à l'hôpital.

Une ambulance…

Effectivement, l'homme qui lui parlait ressemblait à un infirmier. Et le décor, à celui de l'intérieur d'une ambulance.

Pourquoi était-il dans une ambulance?… Tout ce qu'il pouvait imaginer comme raison, c'était ce mal de tête qui l'empêchait de penser.

— Pourquoi je suis… ici?

— Coma éthylique. Vous êtes tombé dans une ruelle.

Il avait trop bu…

C'était possible. Cela pouvait expliquer son mal de tête.

Mais on ne va pas à l'hôpital parce qu'on a trop bu. On se couche et on dort.

— Je ne veux pas… aller à l'hôpital.

— C'est plus prudent. On va vous examiner.

— J'ai seulement trop bu… Pas de quoi… fouetter un chat.

— En tombant, vous vous êtes peut-être infligé des blessures internes.

Il était tombé! Lui qui était comme les chats, qui retombait toujours sur ses pieds…

— Mes chats! Il faut que je nourrisse… mes chats.

— Après les examens, vous pourrez y aller.

— Vous ne comprenez pas!… Je vous dis que…

— Je suis certain que vos chats peuvent attendre quelques heures encore.

Littoral tenta de se lever de la civière sur laquelle il était attaché.

Puis il renonça.

Laissa retomber sa tête.

Il fit un effort pour bien articuler et parler d'une voix calme. Pour paraître se maîtriser.

— D'accord. J'étais ivre… Sur la voie publique… C'est quoi, le drame ?… Je veux retourner m'occuper de mes chats.

— Croyez-moi, vos chats sont la dernière chose pour laquelle vous devriez vous faire du souci.

DES CONTRAIRES QUI S'ATTIRENT

Olivier Rabotin se leva sur la pointe des pieds pour embrasser sa femme.

Pour rire, elle lui dit de prendre garde. Avec les tueurs de nains dont ils parlaient à la télé…

Rabotin fit mine de s'en offusquer.

Entre eux, c'était un sujet récurrent de plaisanteries. Elle le taquinait sur son mètre 61, il se moquait de son mètre 87. Une manière d'exorciser leur différence de taille…

Cela faisait plus de trois ans qu'ils vivaient ensemble. Et presque quatre que le jeu durait. Depuis le premier soir, en fait. Quand elle avait accepté de l'accompagner au cinéma. En plaisantant, elle lui avait demandé si c'était un film pour adultes. L'invitait-il parce qu'il avait besoin d'être accompagné d'une grande personne pour être admis ?

Ils avaient terminé la soirée dans un bistro.

Elle lui avait alors avoué avoir été surprise qu'il l'aborde.

Il lui avait expliqué que c'était un choix logique de sa part. Les femmes trop grandes intimidaient les hommes ; et les hommes trop petits étaient ignorés par la plupart des femmes. Il avait donc plus de chances avec les grandes qu'avec les autres. C'était comme les laids avec les femmes trop belles.

Rabotin n'avait jamais eu de véritable complexe à cause de sa taille. Autant en amour que dans sa vie professionnelle, il estimait avoir plutôt bien réussi. Et quand il lui arrivait de s'inquiéter, sa femme lui disait, avec son humour habituel, qu'il était assez grand là où il le fallait.

De façon générale, son mètre 61 lui créait peu de soucis.

Cependant, depuis ces histoires de sorciers africains, de Noirs albinos et de tueurs de nains, Olivier Rabotin était plus nerveux quand il sortait. Au point de prendre avec lui le pistolet dont il avait hérité de son grand-père. Un vétéran de la bataille de Normandie.

www.nationvraie.fr/actu/manif-pour tous-secu…

> L'APPUI DE NATION VRAIE – MANIF SÉCURITÉ POUR TOUS
>
> C'est maintenant clair. Il s'agit de terrorisme. Et sous la forme la plus abjecte qui soit. La plus aveugle. Celle qui tue des Français au hasard. Pourvu qu'ils soient blancs. Et petits.
>
> Le terrorisme au jour le jour. En escalade
>
> Il est impératif qu'on cesse de museler la police. Qu'on augmente les patrouilles dans les rues. Les Françaises et les Français ont le droit d'être protégés.
>
> La situation est grave. Pour cette raison, et malgré nos divergences idéologiques avec Manif pour tous, nous, militants de Nation vraie, avons décidé d'appuyer leur initiative. Demain, nous répondrons «Présents!» à la manifestation qui se tiendra devant le ministère de la Sécurité publique.
>
> C'est l'avenir de la France qui est en jeu. De notre civilisation. Seule une mobilisation massive…

UNE PEUR MORTELLE

Olivier Rabotin marchait depuis six minutes.

Il avait beau ne pas croire à ces histoires de tueurs de nains et de sorciers africains, il n'en demeurait pas moins que six personnes avaient été tuées en moins d'une semaine. Trois le matin même… Six personnes dont il partageait les principaux traits physiques.

D'accord, il n'était pas albinos. Mais son teint était pâle. Presque blanc. Au point où il devait éviter le bronzage. Il ne brunissait pas : il rôtissait !

Enfant, il avait cru pendant tout un été, à cause d'un oncle farceur, qu'il attirait les coups de soleil. Chaque journée ensoleillée, il s'était tenu à l'écart des fenêtres. Pour éviter que les coups de soleil se jettent sur lui.

Il n'était pas non plus ce qu'il était convenu d'appeler une « petite personne » – la nouvelle expression à la mode pour désigner les nains. C'était censé être une marque de respect. Du moins, selon les codes en vigueur de la rectitude politique. Personne ne semblait s'être avisé que l'expression s'opposait à « grande personne », terme par lequel on désignait habituellement les adultes.

Techniquement, avec son mètre 61, Olivier Rabotin n'était pas un nain. Mais il avait de nombreux centimètres de moins que l'adulte normalement constitué. Surtout les jeunes… Eux, les jeunes, il ne savait pas ce qu'il leur était arrivé. On aurait dit que chaque génération était un peu plus grande que la précédente…

Encore quelques minutes et il serait sorti du 4e arrondissement.

Même si Rabotin ne se pensait pas sérieusement menacé, il jetait régulièrement un coup d'œil derrière lui. À quelques reprises, il avait même cru être suivi.

De fait, plusieurs personnes lui avaient emboîté le pas. Mais simplement parce qu'elles allaient dans la même direction que lui. Après un moment, elles avaient bifurqué pour prendre une rue transversale. Ou bien elles l'avaient dépassé quand Rabotin avait ralenti son allure ou qu'il s'était arrêté devant un commerce.

Mais là, quelqu'un semblait le suivre avec insistance.

À plusieurs reprises, Rabotin avait jeté un regard par-dessus son épaule. Son suiveur gagnait du terrain.

Rabotin ralentit le pas.

Quand il se retourna, l'individu était presque sur lui.

—Qu'est-ce que vous avez à me regarder comme ça ? lui demanda le suiveur.

Il prit Rabotin par l'encolure de son manteau.

— C'est parce que je suis black ?

Paniqué, Rabotin mit la main dans la poche de son manteau.

Le bruit du coup de feu fut suivi par un air d'incrédulité sur le visage du Noir.

— Merde !… Il m'a tiré dessus, le con.

Les mains de l'homme se crispèrent sur l'encolure du manteau de Rabotin. Comme pour se retenir.

Sans savoir pourquoi, sans même en avoir conscience, Rabotin appuya deux autres fois sur la gâchette.

LES INSAISISSABLES *NAUFRAGÉS*

Le libraire l'attendait sur le seuil de son commerce, dont il venait tout juste de relever le grillage qui protégeait la vitrine. Il avait pour nom Ayoub Chedid.

Prose le trouva d'emblée sympathique.

À peine 40 ans, une moustache discrète, les cheveux en bataille, des yeux vifs dont le regard brillait à travers des petites lunettes rondes cerclées d'un mince fil doré, il était visiblement à l'aise au milieu des milliers de livres qui recouvraient les étagères et tapissaient les murs.

— Après votre appel, j'ai entrepris des recherches, dit-il. Venez…

Il conduisit Prose à son bureau, au fond de la librairie, et lui désigna une chaise à côté de la sienne. Il ouvrit ensuite le portable qui était sur son bureau.

— Je pense avoir trouvé une piste, annonça le libraire.

Un nom apparut à l'écran.

ÉTIENNE LOMBARD

Prose sentit l'excitation monter. Subitement, il y avait de la lumière.

— Il en a un exemplaire ?

— Il y a six mois, il en a mis un en vente.

— Je n'ai rien vu sur Internet, l'interrompit Prose.

— C'est un vieil homme. Plus de 80 ans. Il ne veut rien savoir des ordinateurs. Pour lui, ils sont la cause de la disparition progressive des livres. Il aurait l'impression de collaborer avec l'ennemi s'il en possédait un. Encore plus s'il s'en servait pour acheter ou vendre des livres.

— Comment avez-vous su qu'il en avait un exemplaire ?

— Le proverbial ami du non moins proverbial autre ami.

Un peu déconcerté par l'expression, Prose hésita quelques secondes avant de demander :

— Ce monsieur Lombard, on peut le joindre ?

— Je lui ai téléphoné. Mais il est très affaibli. Je n'ai pu lui parler que quelques minutes. Le temps d'apprendre qu'il avait vendu ses trois derniers exemplaires il y a quelques mois.

— Il en avait trois exemplaires !

— Le plus étonnant, c'est que les trois ont été achetés par le même client. Il lui a même demandé s'il connaissait d'autres collectionneurs ou libraires qui en possédaient : il était acheteur. Quel que soit le nombre. Et il était prêt à payer un bon prix. Nettement au-dessus de celui du marché.

Prose était catastrophé.

— Vous comprenez ce que cela signifie ?

— Quelqu'un a entrepris de faire disparaître le livre. C'est d'ailleurs pour cette raison que j'étais si désireux de vous rencontrer. Connaissez-vous l'identité de cet acheteur ? Avez-vous une idée de ses motivations ?

Prose mit un moment à retrouver ses esprits. Dans sa tête, les hypothèses se bousculaient.

— Ou bien il veut être le seul à le posséder, dit-il finalement. Ou bien il veut faire disparaître toute trace de cet auteur… Dans le deuxième cas, c'est peut-être un descendant rancunier qui a une raison particulière de lui en vouloir. Ou le descendant d'un de ses ennemis…

À mesure qu'il parlait, Prose reprenait de l'aplomb. Émettre des hypothèses, imaginer des scénarios, envisager des motifs… Il était dans son élément.

— Dans l'autre cas, reprit-il, je ne vois qu'un collectionneur. Un individu qui veut pouvoir dire qu'il est le seul à posséder son œuvre. Peut-être même qu'il veut être le seul à savoir qu'elle existe.

— Je sais bien que les collectionneurs sont une espèce un peu particulière. Mais ce que vous évoquez…

— Voyez-vous une autre explication?

— Il pourrait s'agir d'un coup de marketing. Un chercheur prépare une thèse sur un auteur que personne ne connaît. Il est le seul à avoir accès à l'œuvre… Lancer un auteur mort depuis un demi-siècle, ce ne serait pas dépourvu de panache. Un peu comme lorsque la critique a permis de découvrir l'existence de Georges de La Tour après trois siècles d'oubli.

— Ce n'est pas impossible, admit Prose.

Il connaissait bien l'histoire de ce peintre, dont les toiles en grande partie non signées avaient été attribuées à d'autres. Dans certains cas, la signature avait été même grattée pour permettre une attribution à un peintre plus prestigieux.

Mais un roman tel que les *Naufragés du Juskoboutistan* pouvait-il justifier une telle entreprise? On ne parlait pas d'un ensemble de tableaux de maître vieux de plus de trois siècles, mais d'un livre unique, écrit au début du siècle précédent, par un auteur peu connu… À moins que, dans le livre, on ne fasse référence à d'autres œuvres, que l'auteur ne soit un écrivain célèbre, qui avait publié le roman sous un pseudonyme…

— Je ne sais pas si ces informations vous seront utiles, fit Chedid. J'aurais aimé en faire davantage.

— On ne sait jamais ce à quoi une nouvelle information peut un jour mener.

Changeant brusquement de sujet, le libraire lui demanda:

— Vous prévoyez demeurer à Paris longtemps?

— Je n'ai encore rien décidé. Tout dépend de mes recherches.

— Si cela vous intéresse, nous nous réunissons entre amis une fois par mois. Uniquement des amateurs de livres anciens. On discute de nos découvertes, des rumeurs du milieu…

Prose hocha la tête en signe d'assentiment.

— D'accord. Si les circonstances le permettent, ce sera avec plaisir.

LE HASARD FAIT MAL LES CHOSES

Sandrine Bijar ne croyait pas aux coïncidences. Mais là !…

Sur le site de France 2, on annonçait la découverte de trois nouvelles victimes. Encore trois hommes blancs de petite taille. On les avait découverts empilés l'un sur l'autre dans une ruelle.

Jusque-là, rien d'étonnant. Ce n'était pas elle qui s'occupait de cette partie de l'opération, mais elle était dûment informée du calendrier des événements.

Les trois cadavres avaient fait leur entrée dans l'actualité le jour prévu. Pas de problème, donc.

Sauf qu'il y avait cette précision, à la fin de l'article : la police détenait un témoin important, Simon Littoral.

Simon Littoral ! C'était quoi, cette histoire ?

Ce fut avec un mélange de curiosité et d'appréhension qu'elle lut la suite.

> Ce dernier aurait été retrouvé dans un état d'ébriété voisin du coma éthylique, écroulé sur les cadavres. Selon nos informations, il n'aurait repris conscience que dans l'ambulance qui l'emmenait à l'hôpital. La police n'a encore fait aucune déclaration sur ce que sait ce témoin ni sur son éventuelle implication dans…

Sandrine ferma le navigateur Internet de son iPad.

Elle n'avait pas le choix, il fallait qu'elle appelle Bucarest.

> … n'a pu que constater le décès de Naïm Bouzid. Le jeune homme avait à peine 19 ans. Cette nouvelle victime alimente les craintes de voir cette série de meurtres attiser les tensions raciales et…

LE PLUS GRAND DES ROMANCIERS

La voix manifestait une bienveillance qui semblait inaltérable, mais la question décourageait les faux-fuyants.

— Que sait-il ?

Une question simple, en apparence. Toutefois, la réponse était loin de l'être. Sandrine Bijar hésita toutefois un moment avant de répondre.

— Rien de précis.

À l'autre bout du fil, le silence se poursuivit.

Elle imaginait l'homme qui souriait de façon chaleureuse, bien qu'avec un soupçon de tristesse, comme pour l'encourager à poursuivre. Il était probablement derrière le bar de son bistro, à Bucarest.

— J'ai été stupide avoua-t-elle. J'ai parlé à Littoral de ce que je… faisais. En termes généraux. Mais c'est suffisant pour attirer l'attention sur moi, si jamais les policiers l'interrogent.

— Vous l'avez fréquenté depuis combien de temps ?

— Soixante-six jours.

Inutile de lui en dire davantage, songea Natalya. Il connaissait les règles qu'elle s'était elle-même imposées. Jamais plus d'un mois. Pour éviter tout attachement. Et leur cortège inévitable de situations embarrassantes. Comme celle-ci.

Mais, cette fois, elle avait cédé au besoin de se reposer. D'avoir une sorte de pied à terre. Un espace privé qui ne soit pas exclusivement individuel. Elle avait même apporté des vêtements chez lui !

Qu'est-ce qui avait bien pu lui prendre ? Littoral avait beau se montrer drôle et attentionné, être un compagnon sexuel agréable, cela ne changeait rien à la situation. Elle savait comment les choses allaient se terminer… Avec les jours qui passent viennent immanquablement les questions. Et les réponses évasives. Mais qui, additionnées, le deviennent de moins en moins, évasives.

— Je n'arrive pas à y croire ! reprit-elle. Cette histoire-là se serait produite par hasard ? Pourquoi ont-ils déposé les cadavres précisément sur son itinéraire pour retourner chez lui ?

— Le hasard est le plus grand des romanciers, disait Balzac.

Puis, sur un ton où il n'y avait plus aucune trace d'humour, il ajouta :

— Malheureusement, je ne dirige pas une maison d'édition. Avez-vous informé Hillmorek ?

— Je n'ai pas osé. S'il pense que je suis un risque potentiel, il va me retirer du projet.

— Ou carrément vous faire disparaître. Ce qui signifierait des années de travail perdues.

— Est-ce que je dois éliminer Littoral ?

SOURIRE DE HAUTE LUTTE

Le bistro était ouvert depuis un petit quart d'heure. Les deux clients qui attendaient sur le trottoir étaient entrés derrière le barman et s'étaient installés à une table, au fond de la section bar.

Sans rien leur demander, le barman leur avait apporté leurs deux cafés. Dans 20 minutes, ce serait au tour des deux premières bières.

L'un des deux faisait partie de la SRI, les services de renseignement roumains. Ce dernier l'appelait le *shlemiel*. Un nom qu'il se gardait bien d'utiliser en sa présence. Sous sa couverture de poivrot, il était là pour surveiller l'homme derrière le comptoir.

L'autre était un authentique poivrot et il était infiniment reconnaissant à son ami de tous les verres qu'il lui payait. Il ne savait pas que toutes ces consommations étaient une gracieuseté du budget de l'État – et encore moins qu'il était utilisé comme accessoire pour donner de la crédibilité à la couverture du *shlemiel*.

Le barman, lui, le savait. Mais il s'employait à faire comme si de rien n'était. Mieux valait tolérer une surveillance bien identifiée, que s'en débarrasser et ne pas savoir qui prendrait la relève.

Il était encore en train de vérifier l'inventaire de la veille et de préparer sa journée quand son téléphone portable avait sonné. Il avait alors légèrement monté le volume de la musique d'ambiance et s'était réfugié à l'autre bout du bar. Du coin de l'œil, il surveillait le *shlemiel* et son acolyte pour s'assurer qu'ils ne s'approchent pas trop.

La conversation durait depuis quelques minutes.

— L'éliminer attirerait davantage l'attention sur lui, dit-il.

— Je sais.

— Il faut que Sandrine Bijar disparaisse.

— Que je change tout de suite d'identité ? Mon employeur compte encore sur elle…

— L'idéal serait que vous soyez madame Bijar uniquement lorsque cela s'avère indispensable. Le reste du temps, prenez une autre identité.

— D'accord.

— Et comment se comporte cette chère madame Circo ?

— Elle poursuit sa croisade. Pour l'instant, elle aide un de ses ex. Mais je pense que c'est terminé.

— A-t-elle revu Prose ?

— Pas encore. Ce qui m'étonne, je dois dire.

— Avez-vous bien planté les éléments susceptibles de l'intéresser ?

— Oui. Et il semble qu'elle les ait trouvés. Autant la petite note à Venise que les indications dans l'ordinateur d'Oaken. La piste qu'elle a demandé à un de ses ex de suivre s'est arrêtée à Bucarest, comme prévu.

— Excellent ! L'essentiel est de l'attirer ici sans qu'elle sache qu'elle y est amenée.

— Je dois avouer que je suis surprise. Comment pouviez-vous savoir qu'une fois averti de ce qui se tramait contre lui, Gilmour se tournerait vers elle ? Et que ce serait elle qui serait conduite à fouiller l'ordinateur d'Oaken ?

— Je n'en étais pas certain, mais j'avais de bonnes raisons de l'espércr. Quand je suis intervenu pour que Malcolm Gilmour apprenne le sort qu'Oaken lui réservait, j'ai fait en sorte qu'il ne puisse pas savoir à qui il pouvait faire confiance à l'interne. Il y avait alors une assez forte probabilité qu'il se tourne vers Natalya.

— Et s'il ne l'avait pas fait ?

— Nous aurions fait ce que nous faisons toujours. Nous aurions trouvé autre chose.

Après avoir raccroché, le barman resta un moment immobile. Puis il se tourna vers le nouveau client qui venait de s'installer au comptoir et se dirigea vers lui. Son sourire un peu triste, qui semblait avoir survécu à tous les malheurs du monde, était le même que lorsqu'il s'était éloigné pour prendre l'appel.

Chacun pensait spontanément que ce sourire s'adressait à lui. Aucun n'aurait pu imaginer le travail qu'il avait fallu au barman pour maintenir ce sourire. Pendant toutes ces années…

#COMBIENDECADAVRESENCORE

Grégroire Bichou@grebich
Et de 3 ! Combien de cadavres faut-il
pour que la PJ se décide à agir ?
4 dans le 4e arrondissement ? 5 dans
le 5e ? Voir www.grebich.fr/blog…

PRISON CHAMPÊTRE

Simon Littoral examinait la chambre dans laquelle on l'avait confiné.

Une chambre spacieuse, aérée, confortable. La fenêtre donnait sur un immense parc ceinturé par des murs en béton recouverts de vignes. Le contraire d'une cellule.

Son séjour à la clinique médicale avait duré moins d'une heure. À peine le temps qu'un médecin l'examine et qu'on lui fasse des tests pour s'assurer qu'il n'avait ni blessures internes ni commotion cérébrale.

Il s'en tirerait avec un cas spectaculaire de gueule de bois, lui avait promis le médecin.

Aussitôt son état jugé stable, les policiers en civil qui l'escortaient l'avaient transporté dans une maison de campagne. Pour s'assurer de sa collaboration, on lui avait promis que quelqu'un passerait s'occuper de ses chats.

Le transport s'était effectué sur une civière, dans un véhicule équipé comme une ambulance, mais dont l'extérieur avait des allures de corbillard chic. La présence des policiers armés à ses côtés soulignait cette allusion discrète à la mort.

Un instant, Littoral avait craint qu'on le conduise dans un cimetière. Sa tombe était peut-être même déjà creusée !

Malgré les propos rassurants de l'un des policiers – et le fait qu'il lui ait montré une carte qui l'identifiait clairement comme tel –, Littoral ne s'était senti rassuré qu'au moment où on lui avait dit de s'allonger sur le lit.

Enfin, partiellement rassuré. Car les deux policiers refusaient de répondre à ses questions.

Où l'avait-on emmené ? Que lui était-il arrivé ? Pour quelle raison la police s'intéressait-elle à lui ?

Malgré son insistance, la seule réponse qu'il obtint fut une promesse : quelqu'un viendrait bientôt, qui répondrait à ses questions. En attendant, le mieux qu'il avait à faire était de se reposer, de laisser son corps récupérer.

En partant, les policiers n'avaient pas eu besoin de lui signifier que ce serait une mauvaise idée de tenter de s'enfuir : la grille de fer à l'entrée du parc et les chiens qui se promenaient sur la pelouse constituaient un message suffisamment clair.

— Si vous vous ennuyez, vous avez la télé. Il y a une centaine de chaînes. Et si vous avez faim, vous n'avez qu'à soulever le téléphone : quelqu'un s'occupera de vous.

Leclercq n'arrivait pas à détacher son regard des trois corps. Ils étaient étendus côte à côte sur des tables en inox identiques.

C'était comme s'ils lui disaient : « Malgré nos différences, nous sommes tous semblables. Nous finissons tous de la même manière. »

Finirait-il son existence, lui aussi, sur une de ces tables, avec une immense couture en Y sur la poitrine ?

— Désolé de vous avoir fait attendre, fit une voix derrière lui.

L'arrivée de Brigitte Vasseur mit un terme à ses ruminations. Le sourire de la médecin légiste dissipa son malaise et lui fit presque oublier l'aspect morbide de l'endroit.

— Vous avez fait connaissance ? lui demanda la jeune femme.

— J'attendais que vous me présentiez.

Elle s'approcha de la table la plus proche et consulta le dossier déposé aux pieds de la victime.

— Toussaint Barbier. Vingt-deux ans. Plusieurs problèmes de santé à cause d'un diabète de type A.

— J'imagine que ce n'est pas ce qui l'a tué.

— Les trois sont morts de la même façon. Forte pression sur la gorge. Rupture de l'os hyoïde. Pour ce que ça vaut, je dirais que l'étouffement a été nettement plus brutal que dans les cas précédents.

— Pensez-vous que nous avons affaire à un phénomène d'escalade ?

— C'est possible. La première victime a été étouffée de manière presque délicate, si on peut dire. Pour les deux autres, c'était déjà plus long, plus pénible. Avec celles-ci, la brutalité du procédé est manifeste… Dans les trois cas, le procédé est différent. Je serais étonnée que le changement de méthode soit dû au hasard.

— Qu'est-ce qu'il peut bien chercher à nous dire ?

Pour Leclercq, il était maintenant probable qu'il s'agisse d'un tueur en série. Et que, comme dans la plupart de ces cas, son rituel soit une façon de communiquer. De parler de lui-même.

— J'ai envoyé des prélèvements au labo, reprit la médecin légiste. Pour l'ADN.

— Bien.

— Quand les corps sont arrivés, ils étaient anormalement froids. Comme les précédents. À mon avis, ils ont été conservés dans une sorte de frigo. Mais, comme je vous le disais l'autre jour, ils n'ont pas été congelés.

— Ils sont morts depuis combien de temps ?

— Difficile à dire. S'ils ont été conservés à une température proche de zéro, ça peut facilement faire une semaine. Peut-être plus.

— Autrement dit, il peut y en avoir d'autres en réserve.

— Techniquement, c'est tout à fait possible.

Cela voulait dire que le meurtrier ne fonctionnait pas à l'adrénaline, songea Leclercq. Il n'obéissait pas à une pulsion qui le poussait à tuer de plus en plus, à des intervalles de plus en plus rapprochés. Il n'était pas aspiré dans une spirale de violence.

Au contraire, c'était un esprit méthodique. Il avait d'abord commis ses crimes et il avait conservé les corps. Cela lui avait permis d'opérer dans une relative tranquillité, à l'abri de l'agitation populaire… Puis, cette étape achevée, il avait entrepris de révéler les victimes au public. Et il le faisait de manière à produire un effet d'escalade.

Combien d'autres cadavres avait-il en réserve ? Quatre ? Neuf ? Quinze ? Comptait-il poursuivre sa progression numérique ? Préparait-il une sorte de bouquet final ? Habituellement, les tueurs en série ne procédaient pas de la sorte. Ils étaient comme les collectionneurs, saisis par une quête infinie que seule pouvait interrompre la mort – la leur.

Si cette hypothèse était avérée, protéger tous les hommes blancs de petite taille ne servait à rien. Sauf à rassurer la population. Les prochaines victimes étaient déjà mortes.

En arrivant au bureau, il demanderait à Duquai de vérifier les disparitions. D'abord à Paris. Puis dans toute la région d'Île-de-France.

— Vous pensez vraiment qu'il en a d'autres en réserve ? demanda Vasseur.

— Cela expliquerait pourquoi on n'a aucune scène de crime, seulement des corps.

Leclercq respira profondément et jeta un dernier regard aux trois cadavres.

— Il faut que j'y aille, dit-il. Vous pouvez faxer les trois rapports à Duquai ?

— Bien sûr.

Il désigna les corps d'un geste.

— Vous les mettez au frais comme les trois autres.

Leclercq n'avait pas encore atteint la sortie, que son esprit était déjà en train d'aborder le problème suivant : s'il s'agissait d'un tueur en série, retenir les indices qu'il détenait au lieu de les transmettre à la PJ constituait une entrave à la justice. Et chaque jour qui passait aggravait l'accusation qui pourrait éventuellement être portée contre lui.

Tôt ou tard – et probablement plus tôt que plus tard –, il y aurait de sérieuses complications. D'autant que les médias multipliaient les dénonciations de l'incompétence policière.

Il sortit son téléphone portable.

www.lefigaro.fr/blogs/

QUAND L'IMPROVISATION DEVIENT MEURTRIÈRE

Par Magalie Marchand. Les autorités policières couvrent ce qui pourrait être un assassinat. Des tueurs œuvrent impunément dans Paris. Les rumeurs d'attentats terroristes se multiplient. Les citoyens se sentent traqués. Et que fait le gouvernement ?… Le ministre de l'Intérieur déclare qu'il n'y a pas de problèmes. Le préfet de police, pour sa part, affirme qu'il y en a un, mais que la situation est maîtrisée. Quant à la direction de la Police judiciaire de Paris, elle se refuse à tout commentaire… Tout cela sent l'amateurisme.

Pendant ce temps, des gens se font tuer. D'autres vivent dans la peur. Et c'est l'ensemble de la population qui fait les frais de cette improvisation meurtrière…

La suite

Simon Littoral fut réveillé par un sentiment de gêne sur son bras gauche. Une main le touchait. Délicatement. Du bout des doigts.

En relevant les yeux, Littoral aperçut un homme qui avait un physique de gardien de plage. Grand, musclé, des cheveux blonds légèrement ondulés, des yeux bleu marine, le teint bronzé… Curieusement, sa main était gantée. Des gants chirurgicaux.

L'homme avait un visage avenant. Ce n'était pas tant qu'il souriait, mais l'ensemble de ses traits dégageait une impression de douceur discrète.

— Je suis Norbert.

— Norbert qui ?

— Je suis policier.

— La Police judiciaire ?

— Pas exactement.

Il parlait avec une certaine bienveillance impersonnelle, feutrée. Ses phrases étaient formulées presque *recto tono*.

— Il y a quelques éléments d'information que j'aimerais éclaircir avec vous. Si vous êtes en état de répondre, bien sûr.

Littoral se demanda un instant si c'était un type spécialisé dans la torture. À cause de ses gants chirurgicaux. Cependant, il n'avait avec lui aucun instrument susceptible de l'inquiéter. Même pas un stylo et un calepin.

Et puis, il n'y avait rien de menaçant dans l'attitude du gardien de plage.

— On m'a dit que vous vous en tireriez avec un solide mal de tête, expliqua ce dernier. Comment vous sentez-vous ?

— À part l'impression d'avoir le cerveau à l'intérieur d'une boîte de métal qui amplifie tous les sons ? Bien, je suppose…

— Tant mieux.

— Est-ce que je suis accusé de quelque chose ?

— Accusé, non. Mais soupçonné.

— De quoi ?

—De vous comporter de façon stupide à l'endroit de votre propre corps, de vous infliger des douleurs inutiles, d'attenter à votre espérance de vie… En fait, c'est plutôt une certitude qu'un soupçon. Mais il n'y a là rien qui concerne la police.

Un sourire apparut brièvement sur les lèvres du policier.

Littoral mit un certain temps à réagir.

—Mais… pourquoi suis-je ici ?

—J'ai des questions à vous poser.

—Si je n'ai rien fait…

—Rien fait, cela me semble évident. En revanche, ce que vous avez vu…

—Qu'est-ce que je peux bien avoir vu ?

—Vous confirmez vous appeler Simon Littoral ?

—Oui. Je l'ai déjà dit à ceux qui m'ont amené ici.

—Avez-vous l'habitude de boire autant ?

—Qui vous a dit que… ?

—Le barman. Il a spécifié que vous aviez déjà bu avant d'arriver. C'est exact ?

—Euh… oui.

—À quel endroit ?

—J'ai pris deux ou trois verres à la Grappe d'or. Peut-être quatre… Ou cinq…

—Selon le barman du iGlou Bar, cela fait deux semaines que vous partez tous les soirs dans cet état.

—C'est faux ! D'habitude… je réussis à me… rendre chez moi. Pourquoi a-t-il dit ça ?

—Vous devriez lui être reconnaissant. Cela vous disculpe complètement.

—De quoi ?

—De trois meurtres. Vous n'étiez pas dans un état qui vous aurait permis de les commettre.

—Quels meurtres ?

Le gardien de plage éluda la question.

—Avez-vous le souvenir d'avoir vu les corps ?

— Quels corps ?

— Je vois…

— Moi, je ne vois pas du tout !

— Quand on vous a retrouvé, vous étiez couché à plat ventre par-dessus trois cadavres empilés l'un sur l'autre.

— Empilés l'un sur l'autre ?… Et moi, j'étais…

Littoral n'en revenait pas.

Si on le soupçonnait de trois meurtres, il comprenait qu'on ait pris toutes ces précautions. Mais le gardien de plage venait pourtant de lui dire qu'on ne le soupçonnait pas.

— Si je comprends bien, reprit ce dernier, vous n'avez aucun souvenir du moment où vous vous êtes étendu sur ces trois corps.

— Je ne me suis certainement pas… étendu, comme vous dites… sur des cadavres !

— Dans l'état où vous étiez, vous vous êtes peut-être simplement affalé sur eux. C'est possible ?

— Sur des cadavres ?

— Une autre possibilité est que vous soyez simplement tombé par terre et que quelqu'un vous ait ensuite déplacé. On peut même imaginer que c'est la personne qui a déposé les trois cadavres dans l'allée qui vous a ensuite jeté sur la pile… Une forme d'humour, peut-être. Vous étiez ivre mort.

La tentative de blague échappa totalement à Littoral.

— De quels cadavres parlez-vous ?

— On les a trouvés dans la ruelle. Vous étiez étendu sur eux, inconscient. Les gens ont tout de suite vu que votre cas était différent.

— Pourquoi ?

— Les trois autres étaient nus. Petits, blancs et complètement nus… Il y a toutes les chances qu'ils aient été victimes du "tueur de nains", comme l'appellent les médias. Vous voyez de quoi je parle ?

— Oui, je…

Littoral regarda le gardien de plage pendant plusieurs secondes sans terminer sa phrase, en secouant lentement la tête.

— C'est… c'est quoi, cette histoire ?

— Ils étaient empilés au milieu de la ruelle. Vous étiez allongé sur eux.

— Je sais, vous l'avez dit. Mais…

— Mais quoi ?

— C'est impossible… Jamais, je ne…

— C'est là que les infirmiers vous ont découvert. Vous avez repris conscience dans l'ambulance.

— Et les corps ?

— Le médecin légiste est en train de les examiner.

Littoral ferma les yeux. Cela en faisait beaucoup à assimiler en peu de temps. Une idée le frappa soudain.

— Pourquoi je ne suis pas dans un commissariat ? Pourquoi m'avez-vous conduit ici ?… Pourquoi est-ce que je ne peux pas retourner chez moi ?

— Parce que nous avons besoin de votre collaboration.

Le visage de Littoral se fit méfiant.

— Quel genre de collaboration ?

— Nous aimerions que votre identité demeure secrète. Que vous ne contactiez pas les médias. Nous savons qu'ils sont déjà à la recherche du "mystérieux témoin qui dormait sur les cadavres". Je pense que ce ne serait pas une bonne idée que les journalistes et les photographes se mettent à débarquer chez vous.

— Pourquoi ? Je pourrais probablement me faire un peu d'argent.

— Pour augmenter leurs tirages ou gonfler l'audimat, ils sont capables d'insinuer toutes sortes de choses. Laisser entendre que vous n'êtes pas étranger à l'affaire, par exemple. Ou simplement que vous avez aperçu le tueur… Ce qui pourrait l'inquiéter. Lui donner envie de s'assurer de votre silence.

— Mais… je n'ai rien fait, moi !

— Je sais. Rien. Sauf boire à vous rendre ivre mort. Mais ça, le tueur ne le sait pas.

— Vous voulez dire que…

— Mettez-vous à sa place. Il apprend qu'il y a peut-être un témoin en mesure de l'identifier.

—Qu'est-ce que vous voulez que je fasse ?

—Rien. Demeurer ici et cesser de boire. Du moins, de boire autant.

—Rester combien de temps ?

—Quelques jours. Peut-être une semaine. Le temps que les choses se tassent. Qu'on laisse couler l'information que le témoin – vous, en l'occurrence – n'a rien vu.

Littoral prit le temps d'assimiler la proposition.

—D'accord… Les trois cadavres, vous savez qui ils sont ?

—Ils sont en cours d'identification. C'est d'ailleurs une des questions qu'il me reste à vous poser.

Norbert sortit trois photos de son porte-documents et les étala sur le lit.

Trois photos de visage. Prises à la morgue, de toute évidence.

Littoral posa un doigt sur une des photos, puis le retira, comme s'il avait touché quelque chose de visqueux.

—Lui !

—Qui est-ce ?

—Je ne me souviens pas de son nom. Mais il est presque tous les jours au iGlou Bar. C'est souvent un des premiers arrivés. Il travaille comme gardien de nuit. Il prend deux ou trois verres, mange un peu, puis il va se coucher… C'est une sorte d'acteur porno.

—Comment savez-vous cela ?

—Il m'a déjà proposé de jouer dans un film. Ils avaient besoin de figurants.

—Vous savez pour qui ils tournaient ce film ?

—Aucune idée.

—Et vous n'avez aucun souvenir du nom de cet acteur ?

—Attendez… Attendez… Je pense que c'était quelque chose qui finit en i. C'est ça ! Slimani… Et il avait un prénom de ministre.

Duquai, qui connaissait par cœur la liste des membres du cabinet, commença à faire des suggestions.

—Est-ce que c'est Michel ? Raymond ? Laurent ? Philippe ? Stéphane ?

— Non ! Un ministre de l'ancien gouvernement. Du temps de Sarko. C'est… C'est… Il était dans le deuxième gouvernement de Fillon… Frédéric ! C'est ça ! Frédéric Slimani.

— Bien.

Le gardien de plage regarda brusquement sa montre. Puis il se leva.

— Il est l'heure. Il faut que j'y aille.

Il retira ses gants chirurgicaux et sortit sans plus d'explication.

Quelques instants plus tard, dans la voiture qui le ramenait chez lui, Duquai téléphona à Gonzague Leclercq.

Il lui répéta mot pour mot la conversation qu'il avait eue avec Littoral, y ajoutant des commentaires sur l'attitude physique du témoin pendant la discussion.

Pour lui, ce n'était pas difficile. Toutes les conversations qu'il jugeait importantes, tous les livres et tous les articles qu'il estimait intéressants, il les mémorisait.

Sans véritable effort.

C'était le contraire qui lui posait problème. Oublier.

Après avoir raccroché, Duquai regarda de nouveau sa montre. Il sentait monter en lui une légère inquiétude. Pourvu que la circulation ne l'empêche pas d'arriver à temps chez lui. C'était tout l'horaire du reste de sa journée qui risquait d'être perturbé.

FRUGAL AVEC MODÉRATION

Gonzague Théberge, comme souvent, écoutait la télé sans la voir. Il préparait ce qui leur tiendrait lieu à la fois de déjeuner et de petit-déjeuner.

« Préparait » était un grand mot. Tout ce qu'il avait à faire, c'était réchauffer le chou farci qu'il avait acheté à la boutique du Florimond et faire chauffer l'eau pour les pâtes.

Sur le comptoir, les fromages qu'il avait achetés rue Cler achevaient de se détendre. Un fougerus et un cantal…

Un repas frugal, mais sans verser dans l'ascétisme.

À la télé, le présentateur parlait du « mystère des petits hommes blancs ».

> La série se poursuit. Malgré le refus des autorités de le confirmer, il est maintenant clair que nous avons affaire à un tueur en série. Trois autres victimes ont été découvertes. Dans le 3e arrondissement, cette fois.
>
> On se demande ce que les autorités attendent pour appeler la population à la prudence et augmenter la présence policière dans les rues du 4e arrondissement...

Malgré sa méfiance envers «la bêtise jacassante et militante», Théberge devait admettre que le journaliste n'avait pas tort. La plus élémentaire prudence exigeait que les habitants du 4e arrondissement fassent preuve de vigilance. Surtout s'ils étaient petits, blancs, de sexe masculin et s'ils affichaient un teint de rat de bibliothèque.

À l'écran, le présentateur avait amorcé une entrevue. L'invité était un maire récemment élu sous la bannière du Front national.

> — Pourquoi serais-je surpris que les autorités refusent de confirmer l'hypothèse d'un tueur en série? Il n'y a là rien de nouveau! La justice et la police françaises fonctionnent à pas de tortue. Sauf quand c'est pour attaquer le Front national... Prenez Sarkozy. Le Conseil privé a attendu plus de cinq ans pour invalider ses comptes! Et regardez DSK! N'importe qui d'autre serait en prison. Lui, il continue d'accumuler les contrats et de se remplir les poches pendant que ses procès traînent en longueur.
>
> — Donc, selon vous, Alain-Bernard Dupéré...
>
> — À ce rythme-là, le tueur en série aura le temps de faire plusieurs fois le tour des arrondissements avant qu'on reconnaisse qu'il y a un problème!
>
> — À quoi faut-il s'attendre?
>
> — Ce gouvernement diabolise l'opposition légitime que nous représentons. Quand des musulmans se font agresser, on accuse tout de suite le Front national. Et quand ce sont des Blancs, on nous le met encore sur le dos! Ce n'est quand même pas la faute du Front national si un tueur en série s'en prend à des hommes blancs aux pratiques sexuelles douteuses!
>
> — Ces pratiques douteuses, comme vous dites, font au mieux l'objet de rumeurs.
>
> — Vous verrez bien! Ils vont bientôt accuser Manif pour tous et les opposants au mariage des homosexuels d'être responsables de ces meurtres!

La sonnerie du téléphone se manifesta au moment où Théberge vérifiait l'amollissement du fougerus.

Leclercq l'appelait pour lui signifier que l'unité spéciale allait accélérer la cadence.

http://facebook.com/Li Alf

Li Alf
Hier à 21:34

Monsieur Selfie récidive. Il s'était pris en photo rue Saint-Sauveur, à l'endroit où on a découvert les cadavres des deux petits hommes blancs. Aujourd'hui, il poste un *selfie* pris dans la ruelle à côté du iGlou Bar, là où on a trouvé les trois nouvelles victimes. L'artiste dit qu'il veut ancrer ses œuvres à la fois dans l'actualité et dans l'expérience corporelle de l'être humain. Selon lui, l'idéal serait de faire des *selfies* pendant que les cadavres sont encore sur place. La totalité de sa production est présentée sur son site. www2.monsieurselfie.org

J'aime   Commenter   Partager

Claudie Gaubert, Florence Larcher, Pierre-André Combes et 283 autres personnes aiment ça...

TUEUR EN SÉRIE... SÉRIE DE TUEURS...

Lorsque Théberge entra dans le bar, il fut dirigé par un garçon de table vers un salon particulier. Leclercq l'y attendait, accompagné d'un homme dans la quarantaine. Ce dernier portait une petite moustache ainsi que la Légion d'honneur.

Leclercq procéda aux présentations.

—Lambert Coppée, préfet de police de Paris... Gonzague Théberge, un as enquêteur de Montréal.

Coppée donna à Théberge une poignée de main ferme, mais qui lui parut d'abord hésitante. Comme si la fermeté avait dû vaincre une résistance avant de s'affirmer.

— La Belle Province… les grands espaces…

— Il n'y a pas que la neige, les Autochtones et les caribous, vous savez.

Théberge avait apporté la précision sans se départir de son sourire.

— Bien entendu. Mes services me tiennent informé des travaux de votre Commission Charbonneau et de l'UPAC. Tout un travail, que vous êtes en train d'accomplir.

— Vous n'avez pas l'air de vous embêter non plus. Avec les affaires Cahuzac, Bettencourt et Tapie… Sans parler du financement occulte de la campagne de Balladur et de toutes les casseroles, comme vous dites, que traîne Sarkozy.

— Vous êtes également bien informé, à ce que je vois.

Leclercq les laissa bavarder quelques minutes encore. Pour chacun des deux, c'était une façon de jauger l'autre. D'évaluer jusqu'où pourrait aller la confiance qu'il lui accorderait.

Un serveur vint s'enquérir de ce qu'ils désiraient boire. Quelques minutes plus tard, il déposait devant chacun un verre de saint-émilion.

Une fois le serveur parti, Leclercq jugea qu'il était temps de passer à l'objet de la rencontre.

Il déposa trois photos sur la table. Les trois avaient été prises à la morgue.

Théberge fut le premier à réagir.

— Même mode opératoire?

— Également morts par asphyxie… Petits. Peau très pâle. Constitution fragile… Points rouges dans les yeux et sur le visage comme la victime 1.

Théberge examina les photos. On aurait dit qu'il espérait y découvrir un indice qui avait échappé à tout le monde.

Sans lever les yeux, il demanda:

— À quel endroit ont-ils été trouvés ?

— Dans le 3ᵉ arrondissement.

Inutile d'en dire plus. Avant la fin de la journée, les écrans de télé seraient tapissés des images des victimes. Les médias les passeraient en boucle.

Pour tous, médias et public confondus, la conclusion serait évidente : il y aurait bientôt quatre nouvelles victimes. Dans le 4ᵉ arrondissement.

Coppée hocha la tête, l'air accablé.

— Vous croyez qu'il s'agit d'un tueur en série ?

— La similitude des victimes milite en faveur de cette hypothèse. Mais…

Leclercq n'expliqua pas davantage ce qui le faisait hésiter.

Théberge, de son côté, semblait préoccupé, comme s'il butait sur un problème.

— Si c'est un tueur en série, il choisit ses victimes selon leurs caractéristiques physiques.

— Cela me semble plutôt évident, répondit assez sèchement Coppée.

Habitué à être en situation d'autorité et à ce que les gens à son service exécutent ses ordres, il avait peu de patience pour les inévitables ressassements des enquêtes qui piétinent.

— *Très* évident, même, répondit Théberge. Le seul problème avec les évidences, c'est que c'est la meilleure façon de faire marcher les imbéciles.

Leclercq se dépêcha d'intervenir.

— Je suis d'accord, dit-il en s'adressant à Théberge. C'est *très* évident… Tu penses qu'on nous mène en bateau ?

— Je ne sais pas. Les tueurs en série ont habituellement une forme de raisonnement plus tordue. Leurs rituels sont… plus subtils, plus symboliques.

— Peut-être qu'il faudrait chercher de quoi ces petits hommes blancs sont le symbole.

La question resta un moment en suspens. Puis Théberge répondit à Leclercq avec une autre question :

— Vous les avez identifiés ?

— Oui. Leurs identités sont gardées secrètes pour le moment.

— Les parents ? Qu'est-ce que vous leur avez dit ?

— Rien.

— Vraiment ?

Théberge semblait estomaqué.

— Tant que les victimes ne sont pas formellement identifiées, précisa Leclercq, on ne peut pas les prévenir. On pense tenir quelques jours encore.

— À part leur taille et leur "blancheur", est-ce que les victimes ont d'autres points communs ?

— On n'a rien trouvé. Origine sociale, emploi, religion… famille, engagement politique… Rien. Norbert s'occupe de réunir tout ce qu'on peut découvrir sur eux.

— Norbert… ?

— Norbert Duquai.

— Du Quai des Orfèvres ? demanda Théberge.

— C'est son nom : Norbert Duquai. Mais oui, autrefois, il était au Quai des Orfèvres. À sa manière, c'était une de leurs légendes. Malgré sa très courte carrière, il a dénoué plusieurs affaires compliquées… et accumulé d'innombrables blâmes. Il n'est jamais parvenu à s'adapter aux règlements et aux contraintes du service. Il faisait sans cesse perdre leur calme à ses supérieurs. Il a fini par prendre une retraite prématurée, si on peut dire.

Leclercq se tourna vers Coppée avant d'ajouter :

— C'était avant ton temps.

— Et il travaille pour toi !

— Il suffit de savoir comment le prendre.

— Et comment faut-il le prendre ?

— Il travaille à ses conditions.

— À ses conditions ? répéta le préfet.

Manifestement, il n'avait jamais imaginé qu'un policier puisse travailler à « ses » conditions.

Leclercq poursuivit, comme s'il n'y avait là rien d'extraordinaire.

— Quand il n'est pas sur le terrain, il parcourt des dossiers d'affaires non résolues. De temps à autre, il envoie quelques suggestions qui permettent d'en régler une.

Leclercq jeta un regard amusé à Copée avant de continuer.

— C'est lui qui coordonne tous les aspects techniques de l'enquête. Il distribue le travail entre les différents services de manière à ce que personne ne puisse effectuer de recoupements.

Puis il se tourna vers Théberge :

— Tu vas le rencontrer tout à l'heure. Il aimerait que tu l'accompagnes. Quelques personnes à interroger… Je suis certain que ce sera le début d'une collaboration intéressante.

— Vous avez des pistes ? demanda Coppée.

— Il est trop tôt pour parler de pistes. Mais on a un nom. Un acteur porno qui connaîtrait une des victimes. Duquai s'occupe de le localiser.

— Et l'ADN ? s'enquit Théberge. Qu'est-ce que ça donne ?

— Pour les trois derniers, les analyses sont en cours.

— À mon avis, vous allez trouver des traces d'ADN féminin identique sur les trois corps. Et s'il est différent de celui prélevé sur les autres victimes, comme je le pense, ça fout en l'air la théorie du tueur en série. On aurait plutôt une série de tueurs… De tueuses, en fait.

Coppée semblait de plus en plus catastrophé.

— Si jamais il y a des fuites et que ces informations…

Théberge s'adressa à lui :

— Pas "si". Quand… Six morts, c'est beaucoup trop pour espérer garder le secret indéfiniment.

— Quand ça sera connu, on ne pourra plus traiter les trois affaires séparément. Il va falloir que la PJ récupère l'enquête. Et j'ai beau être le préfet de Paris, c'est Dumas qui dirige la PJ. Il va vite comprendre qu'on a voulu protéger Guyon et son fils. Et il va s'en servir.

Coppée n'avait aucune difficulté à imaginer ce que ferait Dumas.

Dans un premier temps, il se débrouillerait pour que l'histoire se retrouve à la une des médias. Puis il ferait traîner les choses, de manière à retarder l'arrestation du coupable et lui permettre de faire d'autres victimes. Il pourrait alors prétendre que la décision de Coppée avait saboté l'enquête et monter un dossier contre lui : un dossier sur les ingérences «politiques» dans l'enquête et les tragiques conséquences qu'elles avaient eues.

Tout cela était prévisible. Depuis le temps que Dumas rêvait d'avoir sa place ! Et il lui offrait stupidement une occasion en or de le faire ! Avec, en prime, la possibilité de s'en prendre à la DGSI et à Leclercq, son autre bête noire.

Coppée demanda à Leclercq :

— À ton avis, combien de temps peut-on encore tenir ?

— Toutes les victimes sont des Blancs. Si on présente la chose sous l'angle du terrorisme, je pourrai peut-être conserver le contrôle de l'enquête quelques jours encore.

CORPS EMPILÉS

Prose avait travaillé une bonne partie de l'après-midi à ses recherches. Sans succès. Les élusifs *Naufragés du Juskoboutistan* persistaient à lui échapper.

Malgré les nombreuses références au livre qu'il avait retracées dans des revues, malgré les allusions aux *Naufragés* qu'il avait découvertes dans certains livres de critique littéraire, malgré même les extraits que citaient quelques sources, il en était venu à se demander si le livre existait encore.

Dire qu'il l'avait déjà vu, ce livre, chez un bouquiniste ! Qu'il l'avait tenu dans ses mains ! Il avait lu la quatrième de couverture… Un livre ne pouvait quand même pas disparaître complètement de la sorte ! Un manuscrit, oui. Mais pas un livre publié. Même si un collectionneur s'acharnait à récupérer toutes les copies disponibles.

Peut-être était-il simplement trop fatigué ? Peut-être était-ce la cause de son découragement ?

Pour se changer les idées, Prose entreprit de parcourir les informations sur le mystérieux « tueur de nains ».

La tweetosphère était en feu. Sur les hashtags #tueurdenains et #tueurdepetitsblancs, les clics se multipliaient. Les commentaires allaient bon train.

Du côté des médias classiques, les journalistes, faute d'informations nouvelles à diffuser, relayaient les commentaires du tout-venant. Pour remplir le temps d'antenne et donner l'impression de suivre l'actualité, ils s'adonnaient à leur activité préférée : spéculer à partir des questions du public, la plupart du temps avec l'assistance de spécialistes, réels ou autoproclamés.

Normal, songea Prose. C'est le genre d'émission qui coûte le moins cher à produire.

Très rapidement, il constata qu'un grand nombre d'interventions pouvaient être regroupées autour de deux préoccupations. La première était la probabilité que l'on découvre bientôt quatre cadavres dans le 4e arrondissement.

Sur ce sujet, l'indignation allait croissant et les questions se multipliaient : dans combien de temps les quatre meurtres auraient-ils lieu ? Dans quelle partie de l'arrondissement avait-on le plus de chances de découvrir les cadavres ? Pourquoi les autorités n'avaient-elles pas renforcé davantage la présence policière dans les rues ? Qu'est-ce que ce gouvernement pourri attendait pour agir ?

Le deuxième sujet de préoccupation était l'élusive victime initiale. La « tête de série », comme l'avait appelée un présentateur. L'expression avait fait fureur. Plusieurs l'associaient déjà au fameux patient « zéro » des épidémies.

Pourquoi ne l'avait-on pas encore trouvée ? Était-ce Vincent Guyon, comme le prétendaient diverses rumeurs ? Si oui, pourquoi les autorités refusaient-elles de l'identifier comme étant la première victime ?

Il y avait aussi cette histoire délirante de Noirs albinos et de sorciers du Zimbabwe.

Mais le plus intrigant était cette vidéo qui circulait sur YouTube : on y voyait les cadavres empilés dans la ruelle. Malgré la mauvaise qualité de l'image et le faible éclairage, on pouvait distinguer quatre corps. Et le plus étrange, c'était que le corps du dessus n'était pas nu comme les trois autres. Sans doute était-ce le mystérieux témoin que les policiers s'étaient empressés de soustraire au regard public.

Sur lui aussi, les hypothèses et les rumeurs se multipliaient.

Par ailleurs, cette vidéo posait un autre problème : par qui avait-elle été tournée ? Par les auteurs des meurtres ? Par un simple passant qui avait profité de l'occasion ?

Tout ce qu'on savait, c'était que la vidéo originale avait été retirée. Mais de multiples copies continuaient de se répandre sur Internet…

Un carré rouge apparut dans le coin supérieur gauche de l'écran et se mit à pulser.

Un message sur son blogue. Prose le fit apparaître à l'écran.

Phénix !

À LA SANTÉ DE SANDRINE

Théberge s'était installé à l'une des deux places libres, au comptoir. Norbert avait pris l'autre, à sa droite.

— Ici, dit Théberge, on va pouvoir discuter plus librement avec Bruno sans avoir l'air de l'interroger.

— Bruno ?

— Le gérant. Celui qui nous a accueillis à l'entrée. Il y a plusieurs années que je le connais. C'est un ami.

— Ah… C'est pour cette raison que vous préférez qu'on ne montre pas nos insignes.

— Exactement.

— La prochaine fois, prévenez-moi. Je déteste les situations imprévues. Si je suis perturbé, cela nuit à mon efficacité.

Un instant, Théberge fut sur le point de répliquer. Puis il se souvint de ce que Gonzague lui avait dit : un Asperger léger ou quelque chose d'approchant. Avec, en plus, des problèmes de troubles compulsifs. Que Duquai ait accepté de bousculer son horaire et de travailler le soir était déjà remarquable. Mieux valait se montrer conciliant.

— Promis, dit Théberge.

— Bien.

— Je compte sur vous pour tout mémoriser, reprit Théberge. Gonzague m'a parlé de vos talents. Mais si vous avez des questions, il ne faut pas hésiter.

— Je ferai de mon mieux.

Le visage de Norbert semblait s'être éclairé. Il savait maintenant précisément ce qu'il avait à faire.

Bruno, qui venait d'aller servir deux bavettes sur la terrasse, revint derrière le comptoir. Il déboucha une bouteille de château Haut Selve 2009, versa trois verres, en déposa deux devant Théberge et Duquai, garda le troisième.

— À l'amitié à travers les continents !

Il leva son verre.

Tous les trois trinquèrent. Bruno et Théberge sans réserve. Duquai ne fit que tremper ses lèvres.

Bruno vida le reste de la bouteille dans deux autres verres et les mit sur le plateau d'un serveur qui passait :

— Pour la table du fond, sur la terrasse. C'est offert par la maison.

Puis il ramena son attention vers Théberge.

— Ça se passe bien ? Pas trop pénibles, les vacances ?

— Non… En fait, ce ne sont pas exactement des vacances. L'inspecteur Duquai, avec qui j'ai le plaisir de collaborer…

Il se tourna vers Duquai, accompagnant les présentations d'un geste de la main.

— Nous travaillons sur une affaire délicate. Qui demande de la discrétion.

— Un barman est par définition un cimetière de confidences. Mais tu me dis ça comme si je pouvais faire quelque chose pour toi.

— Peut-être.

Théberge sortit une photo de la poche intérieure de son manteau. La déposa sur le comptoir devant Bruno.

— Tu l'as déjà vu ?

— Oui. Simon Littoral. Il vient assez régulièrement.

Il releva les yeux de la photo avant de poursuivre.

— Il est toujours avec de jolies filles. Au début, il changeait presque toutes les semaines.

— Une sorte de don Juan ?

— Plutôt un charmeur… Tu vois, c'était comme s'il faisait ça sans s'en rendre compte. Il était drôle, attentionné. Avec tout le monde. Autant les hommes que les femmes… Et puis, il y a deux mois, peut-être un peu plus, il s'est mis à venir toujours avec la même. J'ai pensé qu'il s'était rangé.

— La femme, tu pourrais la décrire ?

— Grande, brune, la trentaine. Une belle femme. Qui ne parlait pas beaucoup. Un peu mystérieuse… Tu sais, je ne serais pas étonné qu'elle ait déjà été serveuse. Ou même patronne.

— Elle en a parlé ?

— C'est à cause de ses yeux. Sans en avoir l'air, elle suivait tout ce qui se passait dans la salle. Toujours… Tu voyais que c'était une habitude.

Théberge fit une légère pause, comme si quelque chose le préoccupait. Il rempocha la photo, puis il reprit :

— Je ne voyais pas vraiment Littoral comme une sorte de charmeur rigolo.

— Depuis deux semaines, à peu près, il n'était plus le même… Il s'est mis à venir seul. Il ne plaisantait plus, ne parlait plus aux habitués. Tout ce qui l'intéressait, c'était son rituel… Je pense que c'est à cause de la fille.

— La grande femme brune ?

— Oui. Le premier jour, il a pris un verre de vodka. "À la santé de Sandrine", qu'il a dit en levant son verre. Le lendemain, il en a pris deux. Puis trois le jour suivant. Chaque jour, il en prenait un de plus. Il insistait pour qu'ils soient tous bien alignés devant lui.

— Après la deuxième semaine, il devait avoir du mal à se rendre à la fin.

— Il s'est arrêté à six. Il n'en prenait jamais plus.

— Pourquoi six ?

— Aucune idée. Il arrivait. Commandait ses verres d'un coup. Les alignait méticuleusement sur le comptoir. Puis il les vidait. L'un après l'autre.

Théberge prit une gorgée de vin.

Interprétant son geste comme un signal, Norbert en prit une, lui aussi, nettement plus petite.

— Qu'est-ce qu'il a fait ? demanda le barman.

— Rien. Mais il a peut-être été témoin de quelque chose.

— Si je le vois, je te donne un coup de fil ?

— Ce ne sera pas nécessaire. Il va être un certain temps sans venir.

— Qu'est-ce qu'il lui est arrivé ?

— À part un coma éthylique ? Rien de sérieux. Mais, comme je le disais, il a été témoin d'un crime.

Puis Théberge ajouta, avec une certaine exaspération :

— Le problème, c'est qu'il était tellement bourré qu'il ne se souvient de rien.

— Quand il est parti, il était éméché, mais il marchait à peu près droit. Je ne comprends pas…

— Je te crois. Il avait une autre station sur son parcours. Tout près. Le iGlou Bar. Il effectuait le même manège qu'ici. Six verres alignés… Là-bas, c'était du vin blanc.

— Quand même… Six autres, tu dis ?

— Je sais. Douze verres…

— Plus que douze. Quand il arrivait ici, il avait déjà commencé. S'il avait le même rituel ailleurs…

Théberge se tourna vers Norbert.

— Je comprends qu'il ne se souvienne de rien. Encore heureux qu'il ait réussi à rentrer chez lui les jours précédents.

— Entre nous, demanda Bruno, c'est sérieux, ces histoires qui circulent, de tueurs de nains qui s'attaquent aux petits Blancs ?

— Tu es inquiet ? demanda Théberge.

— J'ai deux clients qui ont cessé de venir. Ils attendent que le tueur soit arrêté pour recommencer à sortir le soir.

— Petits, je présume.

— Qu'est-ce que tu crois ?

http://ump-paris17e.typepad.fr/actu/police-incompétente-ou...

POLICE INCOMPÉTENTE OU MUSELÉE ?

Combien de temps encore les Parisiens seront-ils exposés à des attentats terroristes pour la simple raison qu'ils habitent tel ou tel arrondissement ? Pourquoi la police est-elle impuissante ? Parce qu'elle est incompétente ou parce que sa priorité est de protéger certaines réputations ?

La suite

L'EXACTITUDE RELATIVE DES SOUVENIRS

Après leur discussion avec Bruno, Norbert avait proposé à Théberge d'aller terminer leur verre à la table de la terrasse. Surpris de l'invitation, ce dernier s'empressa d'accepter. Si Duquai suggérait de prolonger leur rencontre, alors qu'il aurait dû être chez lui depuis plusieurs heures déjà, il devait avoir des motifs sérieux.

Ils avaient à peine pris place que deux autres verres se matérialisaient devant eux.

Théberge remercia le serveur et leva son verre en direction de Bruno.

Norbert l'imita. Puis il reporta son attention sur Théberge.

— Si je prends un autre verre, je ne peux pas garantir l'intégralité du compte rendu ni l'intégrité de mes souvenirs. Déjà que j'ai fait une entorse à mon horaire en sortant le soir sans m'y préparer une semaine à l'avance.

— Je suis certain que vous vous rappellerez l'essentiel.

Théberge leva son verre et porta un toast.

— À l'exactitude relative des souvenirs !

— À leur parfaite exactitude, répondit Norbert.

Il ajouta ensuite, avec une pointe d'humour :

— La vérité des souvenirs, c'est comme les horaires : il faut les respecter le plus possible.

— Puisque vous en parlez…

— C'est à cause de Gonzague.

Puis, comme s'il se souvenait brusquement du prénom de Théberge, il ajouta :

— Je parle de l'autre Gonzague.

— J'avais compris.

— Si on ne règle pas cette affaire rapidement, tout ça va se retourner contre lui.

— Il vous en a parlé ?

— Bien sûr que non. Mais il a eu l'imprudence de se rendre vulnérable… Et puis, prendre le temps d'observer les lieux, cela peut être utile pour l'enquête.

Théberge parcourut lentement la salle du regard.

— Utile ?

Duquai lui expliqua qu'il avait l'habitude de s'asseoir dans les lieux que fréquentaient les témoins pour se faire une idée de l'endroit.

— Comme Maigret ! Vous vous imprégnez de l'atmosphère.

— Pas pour m'imprégner. Si je prends le temps de bien regarder, c'est d'abord pour conserver une image claire de l'endroit. De façon à pouvoir m'en rappeler de manière précise, des années plus tard. Comme si je prenais une photo.

— Vous possédez un don remarquable.

— Qui peut aussi s'avérer une malédiction.

Théberge le regarda, étonné.

Norbert poursuivit :

— Je peux me rappeler avec exactitude le déroulement des dernières journées de la vie de mon fils. Presque tout ce qu'il a dit. Ses expressions. Les traces de la douleur sur son visage quand l'effet des médicaments s'estompait… Le soulagement quand il avait une nouvelle injection de morphine…

— Je suis désolé.

— Vous n'avez pas à être désolé. J'ai aussi de très beaux souvenirs. Le visage de sa mère quand elle l'a pris dans ses bras pour la première fois. Sa joie et son air de triomphe quand il a fait ses premiers pas…

— Je comprends. On est loin de Maigret et de l'imprégnation.

— Pas autant que vous pourriez le croire. J'ai toujours tempéré ce qu'on nous apprend dans les cours de criminologie et de techniques d'enquête par la lecture des Maigret et des romans de Simenon en général. Il y a là une intuition intéressante. Sa théorie de la faille.

— La faille ?

— Selon lui, chez toute personne, il y a une faille. Elle peut être invisible, même à ses propres yeux. Elle peut ne jamais se manifester. Mais elle est toujours là. Si le bon ensemble de circonstances se produit, si les coups du destin frappent au bon endroit, la faille va faire éclater la personne. La pousser sur la pente de l'autodestruction. Souvent, à mesure qu'elle s'autodétruit, la personne va en entraîner d'autres dans sa chute… J'ai résolu plusieurs enquêtes en trouvant la faille qui avait fait éclater un des protagonistes.

— Et, dans ce cas-ci, chez qui allez-vous chercher une faille ?

— Je suis mystifié. Tout a l'air trop… mécanique. On ne dirait pas un crime d'être humain.

BILLARD DE GROS NOMS (1)

Hervé Dumas, le directeur de la Police judiciaire de Paris, estimait être en bonne position pour lancer les hostilités.

Au cours des trois derniers jours, le service de presse de la Police Judiciaire avait recensé près d'une cinquantaine d'interventions des médias qui blâmaient la police. On lui reprochait son incapacité à s'occuper du tueur de nains et on la tenait pour responsable du climat de peur qui se répandait dans la ville.

Dumas avait un dossier de presse sur son bureau. Tant les grands titres des journaux que les manchettes des médias électroniques s'accordaient pour dénoncer l'incompétence de la police, juste bonne à harceler les citoyens et incapable d'arrêter les criminels.

LE TUEUR SE MOQUE DE LA POLICE
COMBIEN DE MEURTRES FAUDRA-T-IL ENCORE?
QUE FAIT LA POLICE?
BAGDAD-SUR-SEINE
CES PETITS HOMMES BLANCS QU'ON ABAT
TUEURS DE PETITS BLANCS: 6. POLICE: 0
MANIF SÉCURITÉ POUR TOUS: LE DROIT D'ÊTRE PROTÉGÉ

Il en était de même des messages que la population était invitée à laisser sur le compte Twitter de la Police judiciaire. Le ton allait de l'indignation et la colère à l'insulte méprisante.

La police piétine. Elle en a
l'habitude: depuis le temps qu'elle
piétine nos libertés…

Laissez les manifestants tranquilles et
occupez-vous des criminels.

Si on avait tué des policiers, l'armée
occuperait les rues. Mais c'est
seulement des citoyens qu'on
assassine. Des citoyens blancs.

Dumas poursuivit sa lecture pendant quelques instants avec une satisfaction grandissante.

Sans le savoir, les médias lui avaient fourni une ligne d'attaque imparable : la DGSI avait fait main basse sur l'enquête et c'était lui qui était blâmé ! Les magouilles de Coppée avec la DGSI étaient en train de détruire la réputation de son organisation.

Cela le justifiat de protester officiellement. Il avait beau être un joueur d'équipe, il ne pouvait pas laisser passer ça.

#TUEURENSÉRIEPARMINOUS

Jérôme Delannoy@jdellanoy
Et de six ! Le doute n'est plus permis.
Il y a un #tueurensérieparminous. Sa
cible : des hommes. Petits. Et blancs.
le-truc-qui-inquiete.blog.leparisien.
fr/arch...

BILLARD DE GROS NOMS (2)

Alexandre Vernon en était encore à apprivoiser son emploi. Sa récente nomination à la tête de la DGSI était le plus grand défi de sa carrière. Le genre de défi qui établissait une réputation. Ou la détruisait.

Jusqu'au jour de sa nomination, il avait cru – naïvement, il en était maintenant conscient – que le plus difficile était d'être nommé.

Dès le lendemain, il découvrait que le véritable défi, une fois nommé à ce poste, c'était d'y survivre. Il fallait naviguer entre les clans, écouter ce que disaient les politiciens sans avoir l'air de mépriser la naïveté de leurs calculs, leur laisser croire qu'ils pouvaient compter sur lui sans jamais prendre d'engagement ferme, négocier avec les autres services et les militaires sans pour autant se compromettre, se battre pour les budgets...

Dans une journée, il lui restait bien peu de temps pour s'occuper du vrai travail : assurer la sécurité des Français.

La tâche lui semblait infinie… Il y avait les criminels, bien sûr. Et les terroristes. Mais il y avait aussi les arnaqueurs en tous genres à la tête des multinationales. L'espionnage industriel. Celui des pays dits amis. Celui des autres.

C'est pourquoi l'appel de Dumas, le directeur de la Police judiciaire, avait mis Vernon de mauvaise humeur. Il n'avait pas besoin de ça. C'était quoi, cette accusation de jouer dans ses plates-bandes et de lui faire porter le chapeau ? C'était quoi, ce reproche de lui mettre sur le dos l'incompétence de son propre service ?

En raccrochant, son assurance était ébranlée. Il décida de s'accorder une heure pour se calmer. Après, il convoquerait Leclercq.

Au cours de sa conversation avec Dumas, le chef de la DGSI n'avait admis aucun tort, aucun empiètement de juridiction, aucun comportement inapproprié. Tout au plus avait-il concédé de possibles problèmes de communication. Il était demeuré vague sur les opérations de son agence et il s'était engagé à rappeler Dumas quand il aurait vérifié certains détails.

Mais Leclercq devrait s'expliquer. Il avait beau avoir une réputation de magicien pour faire apparaître les informations les plus inattendues et avoir l'oreille du ministre, il avait beau l'avoir aidé à trouver ses marques en lui révélant les petits secrets de l'organisation, plus rien de cela ne comptait. Si Leclercq avait réellement interféré avec l'enquête sur ces meurtres pour protéger quelqu'un, il serait sacrifié.

Ce serait le minimum qu'exigerait le ministre. Même si Leclercq était un de ses amis. Il n'aurait pas le choix. Sa survie politique en dépendrait. Pour écarter tout soupçon de favoritisme, ou même d'implication personnelle dans l'affaire, il devrait rapidement donner un coupable en pâture aux médias.

Vernon espérait seulement que ce sacrifice serait suffisant. Que le ministre ne jugerait pas nécessaire d'ajouter un autre nom à la liste des sacrifiés : le sien.

http://facebook.com/Marie Wilson

Marie Wilson
Hier à 23:18

Encore trois meurtres. Moi, je ne mets plus les pieds dans le 4e. Ni le 5. Ni le 6!

J'aime   Commenter   Partager

Andrée Moulin, Claudine Le Bihan, Romaine Gagné et 64 autres personnes aiment ça.

Afficher cinq autres commentaires

Christian Besnard. Tu es une fille. Tu ne cours aucun danger!
Il y a 10 heures   J'aime

Abira Dialo. Moi, je suis d'accord avec toi, Sylviane. On sait jamais, avec ces malades-là.
Il y a 9 heures   J'aime

Rosine Talbi. Tu pourrais déménager dans le 3e! Le danger est passé. ;-))
Il y a 9 heures   J'aime

Léo Morice. Moi, je ne suis pas une fille. S'ils ne l'arrêtent pas bientôt, je pars en vacances. Je reviendrai quand ce sera terminé.
Il y a 4 heures   J'aime

Pénélope Jones. Moi, je ne bouge pas. Avec les terroristes, faut pas se laisser intimider.
Il y a 4 heures   J'aime

FRED

En prévision de sa visite au iGlou Bar, Norbert Duquai avait ajouté une petite laine sous son veston. De ce fait, il se sentait un peu à l'étroit. Assez pour ressentir un inconfort.

Il n'avait cependant pas enfilé les gants chirurgicaux qu'il s'assurait de toujours avoir avec lui. À cause de la température, l'endroit ne lui semblait pas devoir recéler une faune bactérienne particulièrement dense et agressive.

Deux clients discutaient avec le barman. Leurs bières étaient maintenues froides par la surface réfrigérée du comptoir. Duquai se dirigea vers eux.

L'établissement n'avait pas la réputation d'être un endroit dangereux, mais Duquai n'y avait jamais mis les pieds. Il détestait l'inconnu. Sous toutes ses formes. Et, par-dessus tout, il détestait les interactions sociales en milieu non contrôlé.

Parfois, il se demandait si sa mémoire hors de l'ordinaire n'était pas une sorte de mécanisme de défense, une faculté qu'il avait développée pour se protéger contre l'inattendu.

Son premier geste fut de mettre sa plaque de la DGSI sur le comptoir, bien en vue du barman.

Puis il se dépêcha de délimiter le périmètre de la conversation.

— Vous n'avez rien à craindre. Ni pour vous ni pour l'établissement. Je cherche simplement quelqu'un. Frédéric Slimani. C'est un habitué, m'a-t-on dit.

— Connais pas. Qu'est-ce qu'il a fait ?

Le regard du barman et des deux clients était fixé sur Duquai.

Soulagés de ne pas être l'objet de sa curiosité, ils continuaient néanmoins à se méfier. Peut-être n'était-ce qu'une ruse ? Avec les barbouzes, on ne sait jamais.

Et puis, ils n'allaient pas balancer un type qui ne leur avait rien fait.

Duquai s'empressa de désamorcer leur inquiétude.

— Rien qu'on puisse lui reprocher, dit-il.

Puis il ajouta, comme s'il s'agissait d'une blague :

— Sauf de manquer de goût dans le choix de ses occupations professionnelles.

Duquai ne voyait pas bien en quoi la remarque pouvait être drôle, mais il espérait qu'elle serait perçue comme telle.

L'humour était pour lui comme une langue seconde qu'il avait apprise sur le tard : à force d'étude et sans jamais savoir s'il en percevait bien les nuances. Les choses qui le faisaient rire, très souvent, ne faisaient pas rire les autres. L'inverse était également vrai.

— Pourquoi voulez-vous lui parler, s'il n'a rien fait?

— Il détient peut-être à son insu des informations sur le meurtre des petits hommes blancs.

— Vous pensez qu'il est mêlé à ça!

Le barman tombait des nues. La méfiance se rallumait dans ses yeux. Duquai s'efforça aussitôt de le rassurer.

— Nous n'avons aucun indice, absolument aucun indice, qu'il est mêlé à ces meurtres.

— S'il n'est mêlé à rien…

— Nous pensons qu'il peut avoir vu ou entendu, sans le savoir, des choses qui pourraient faire avancer l'enquête.

De nouveau, Duquai eut l'impression de voir les rouages s'activer dans le cerveau du barman.

S'il refusait de collaborer et que ça retardait l'arrestation du tueur de petits hommes, et si ce meurtrier faisait d'autres victimes, on pourrait le tenir pour responsable d'avoir nui à l'enquête et permis ces nouveaux crimes… D'un autre côté, si la rumeur se répandait qu'il collaborait avec les barbouzes, ce ne serait pas bon pour sa réputation. Ni pour celle du bar. La clientèle pourrait en prendre ombrage… Par contre, s'il contribuait à l'arrestation du tueur de nains et que cela se savait, cela pourrait lui faire une belle publicité.

— Il ressemble à quoi, votre témoin?

En guise de réponse, Duquai mit une photo sur le comptoir.

Elle datait un peu, mais c'était tout ce qu'il avait trouvé dans les archives au nom de Frédéric Slimani.

— Fred!… C'est Fred en plus jeune.

Duquai se tourna vers le client qui s'était exclamé.

— La photo date un peu. Vous le connaissez?

— Et comment! Il me doit 30 euros!

— Et moi 25, renchérit l'autre.

Le barman, visiblement soulagé de ne pas être celui qui avait identifié Slimani, était maintenant désireux de paraître coopératif.

— Il devrait arriver d'ici une heure. D'habitude, il s'installe au bout du bar.

BILLARD DE GROS NOMS (3)

— Je ne tolérerai pas que les barbouzes viennent mettre leurs gros sabots dans mes enquêtes ! Et encore moins qu'ils me laissent nettoyer après eux ! Il est inacceptable que…

Le ministre de l'Intérieur écouta jusqu'à la fin les protestations du directeur de la Police judiciaire de Paris. Par politesse. Et aussi par stratégie. Il savait par avance tout ce que l'autre allait dire. Il aurait pu le dire à sa place. Mais ce n'était pas pour apprendre quoi que ce soit qu'il l'écoutait. C'était pour que l'autre se sente écouté.

Profitant d'une pause qu'il jugea suffisamment longue pour ne pas paraître lui couper la parole, il répondit sur un ton convaincu, mais qui laissait transparaître une pointe d'humour.

— Mon cher Dumas, je vous promets que, moi ministre, aucun dirigeant n'aura à nettoyer les dégâts d'une autre agence. Et de plus, moi ministre, aucune agence ne sera longtemps dirigée par quelqu'un qui laisse des dégâts derrière lui.

Le directeur de la Police judiciaire ne put s'empêcher de sourire. Que le ministre se permette de faire avec lui de l'humour sur la personne du président, ce n'était pas rien. Il y avait là une main tendue, un témoignage de confiance. Il voulait lui montrer qu'il faisait partie de ceux avec qui il estimait que des rapports de complicité étaient possibles.

Dumas reprit, d'une voix radoucie :

— Je tiens à ce que cette situation soit éclaircie au plus tôt. Vous avez pensé à ce que cela pourrait donner dans les médias ? Un préfet qui utilise les services secrets pour camoufler le meurtre du fils d'un ami ! Quitte même à saboter une enquête sur un tueur en série ! Le tout coordonné par un ami personnel du ministre, qui plus est !

— Je n'ose évidemment pas imaginer qu'il s'agit là d'une menace.

La tension dans la voix du ministre, plus encore que ce qu'il avait dit, fit craindre à Dumas d'avoir été trop loin. Aussi, ce fut sur un ton plus que conciliant qu'il poursuivit, comme si son interlocuteur évoquait là une absurdité.

—Pas du tout! C'est pour vous protéger que je vous dis cela. C'est un coup à faire sauter un ministre, cette histoire. Et pour une fois qu'on en a un qui comprend les réalités de notre métier…

DE LA PORNO, MAIS DES PRINCIPES

Duquai s'installa à une table, commanda une eau minérale et exigea le ticket pour sa note de frais.

Il repassait le dossier qu'il avait réussi à constituer sur Slimani. Les yeux fermés, il tournait lentement les pages dans sa tête.

L'attente fut moins longue qu'il le craignait.

Quarante minutes plus tard, Slimani fit son entrée et se dirigea vers le bout du bar.

Duquai se présenta, lui paya un verre et lui expliqua la situation. Il lui demanda ensuite de lui répéter ce qu'il avait raconté à Littoral.

—Faut comprendre, commença Slimani. On est des artistes, on n'est pas des pervers. Notre religion, c'est la beauté des corps, la célébration du plaisir…

Pendant qu'il parlait, Duquai comparait mentalement l'allure du témoin avec l'image de lui qu'il avait trouvée. Le visage paraissait plus rond malgré la barbe taillée au carré. Ses traits étaient plus empâtés. Ses yeux, par contre, manifestaient la même hésitation entre la candeur naïve et l'ahurissement. Quant à ses vêtements amples, ils dissimulaient mal que l'empâtement n'était pas limité à son visage.

Le travail devait être plus difficile à trouver et moins payant. Les intervalles entre deux contrats, s'allonger. D'où l'obligation de taper à l'occasion les autres habitués.

Pendant que Duquai analysait l'apparence du témoin, ce dernier poursuivait son histoire.

— C'est la raison pour laquelle j'ai refusé, quand la femme m'a proposé un travail. Comme je disais, j'ai des principes.

— C'était quoi, le travail ?

— Elle faisait du recrutement pour des clubs privés. Des endroits chics où les clients ont les moyens de payer.

Slimani hésitait à continuer.

Il se demande sans doute jusqu'où il peut aller, songea Duquai. Ce qu'il peut dire sans s'incriminer lui-même.

Il le relança.

— Quel genre de recrutement ?

— Elle avait besoin d'un dominateur. Un vrai… Je veux dire, quelqu'un qui n'a pas peur de faire vraiment mal. Et qui aime ça… Il paraît que les clients le sentent quand le dominateur fait seulement semblant.

— Et vous avez refusé ?

— Et comment, que j'ai refusé ! On ne sait jamais ce qui peut arriver, dans ce genre de truc. Un accident. Un client qui panique… On sait jamais.

— C'est pourquoi vous avez refilé le tuyau à Littoral ?

— Je ne savais pas si ça l'intéresserait. Mais comme c'était payant… Je me suis dit que, s'il acceptait, il me donnerait peut-être une sorte de commission, qu'il me paierait un verre ou deux… Après, j'ai compris que c'était inutile. Je n'ai pas insisté.

— Après quoi ?

— Je l'ai vu avec elle. Deux ou trois fois.

Se pouvait-il que cette femme soit celle dont parlait Littoral ? Celle qui l'avait brusquement abandonné.

Duquai s'efforça de ne laisser paraître aucune réaction.

— Cette femme, elle a un nom ?

— Je ne le connais pas. Je sais seulement qu'elle est grande, autour de 1 mètre 90. Elle a les yeux et les cheveux noirs. Et elle était tout habillée de noir.

Une bonne idée de déguisement, songea Duquai. Une sorte de costume de travail. On ne voyait que le noir. Il lui suffisait d'enlever sa perruque – c'était probablement une perruque – et de changer de vêtements pour se fondre dans le décor. Même la couleur des yeux pouvait être due à des lentilles teintées.

Un déguisement qui ressemblait beaucoup à la femme que Littoral avait décrite, par ailleurs. Sandrine Bijar.

— Vous savez autre chose sur elle ?

— Pas sur elle. Mais je me rappelle le nom de l'agence pour laquelle elle faisait du recrutement. Désirs extrêmes.

— C'est le seul nom qu'elle a donné ?

— Oui… Non… Enfin, c'est l'agence pour laquelle elle travaille. Mais elle a mentionné deux autres clubs privés. Attendez… L'Abattoir… Lui, je m'en souviens, à cause du nom. Mais l'autre… C'est bête, ça ne me revient pas.

— L'Abattoir ? Vous êtes sûr ?

Slimani se mit à rire.

— Ce n'est pas ce que vous pensez. C'est juste une question de pub et de décor.

Quelques minutes plus tard, Duquai remercia Slimani et se dirigea vers la sortie. Il avait hâte de retrouver un cadre plus normal. Ou, du moins, plus habituel.

Sitôt dans la voiture, il enleva la petite laine qu'il avait mise sous son veston.

Pendant que le chauffeur se rendait dans le 7ᵉ chercher Théberge, Duquai sentait monter en lui une fébrilité qui n'était pas déplaisante. Le monde commençait à s'ordonner ; les événements, à s'intégrer dans une structure cohérente.

Il avait hâte de voir ce que l'ami québécois de Leclercq penserait de tout ça.

BILLARD DE GROS NOMS (4)

— Cher ami, quelle bonne surprise !

En fait, Leclercq n'était pas vraiment étonné de l'appel du ministre. Ce dernier avait dû contacter la Police judiciaire pour s'informer sur l'affaire des petits hommes blancs et on l'avait mis au courant de son intervention.

— Tu ne t'ennuies pas trop, à la retraite ?

— Semi-retraite, je te rappelle.

— C'est vrai. Sur quoi travailles-tu, ces temps-ci ?

— Je m'occupe…

— C'est ce qu'on m'a dit.

La voix du ministre n'avait pas sa chaleur habituelle. Leclercq tenta de détendre l'atmosphère.

— J'espère que tu ne me relances pas, une fois encore, pour que j'aille travailler avec toi.

Le ministre lui avait offert à plusieurs reprises d'aller le rejoindre à Place Beauvau. Comme conseiller personnel. Les deux hommes se connaissaient depuis l'enfance et ils s'appréciaient.

— Pour quelle raison je te demanderais de m'aider ? D'après ce que j'ai compris, tu fais déjà une partie de mon travail… et de celui du Quai des Orfèvres.

— Tu as parlé à Dumas ?

— Parler est un grand mot. Disons que j'ai écouté ses doléances. C'est quoi, cette histoire ?

— Des broutilles.

— Des broutilles ? Je veux bien que les services secrets vivent dans un monde différent du reste des gens, mais six meurtres…

— Je veux dire, c'était ce que je croyais, au début. Un ami du préfet voulait éviter de voir le nom de son fils dans les médias.

— Guyon ?

— Oui.

— Ce qu'on raconte est donc vrai ?

— Pour ce qui est du fils de Guyon, tout porte à croire qu'il est la première victime.

— Et ensuite ? D'après ce que j'ai compris, l'enquête n'est pas exactement une réussite.

— Quand j'ai accepté de rendre service à Coppée pour aider Guyon, il n'y avait aucun moyen de prévoir ce qui allait suivre.

— Vernon est au courant ?

Alexandre Vernon, le directeur de la DGSI.

— Pas encore. Au début, c'était un crime banal. Je voulais lui en parler au briefing mensuel, dans deux jours. Puis il y a eu les autres crimes…

— Tu te rends compte de la situation dans laquelle tu me places ?

— J'imagine que ce n'est pas très confortable.

— Si je tente de te couvrir, tous les médias vont me tomber dessus.

— Je sais.

— Dumas est furieux. Il vient de m'appeler. Il en a assez d'être interpelé par les médias et de se faire demander pourquoi la police ne fait rien.

— Qu'est-ce que tu lui as dit ?

— Que tout serait clarifié avant la fin de la journée.

— Tu peux lui dire qu'on poursuit une menace terroriste. Après tout, c'est la raison pour laquelle cette agence a été créée.

— Elle a été créée pour les prévenir, pas pour en agiter la menace à tout propos ! Nous allons continuer à démentir tout risque d'attentat.

— C'est l'hypothèse du tueur en série qui va s'imposer dans l'opinion.

— À choisir entre la possibilité que quelques individus puissent s'ajouter au nombre des victimes et le danger d'un attentat majeur susceptible d'en faire des centaines, le choix est vite fait.

Un silence suivit.

— Je vais appeler Vernon, avertit le ministre. Tu me donnes une heure, puis tu vas le voir. Il t'informera des mesures qu'on a décidé de prendre.

— Écoute, je sais que tu n'as probablement pas le choix de me sacrifier. Mais il faut que tu me donnes un peu de temps.

— Je ne pense pas que Vernon se montre très compréhensif. Il va vouloir sauver sa peau.

— Si on redonne l'enquête à la PJ, Dumas va s'en servir pour régler ses comptes avec Coppée et avec la DGSI. Il n'a pas digéré de ne pas être nommé à la direction générale de la PJ et d'être confiné à la région de Paris. Il est sûr que c'est Coppée qui l'a bloqué.

— Ce qui n'est pas faux.

— Il va faire traîner les choses pour que la situation s'aggrave. Multiplier les conférences de presse. Faire des allusions à l'incompétence des services secrets… Il ferait n'importe quoi pour avoir la peau de Coppée et la mienne.

— Je sais, mais qu'est-ce que je peux faire d'autre ?

— Me donner un peu de temps.

Un assez long silence suivit avant que le ministre demande :

— Combien de temps ?

— Trois jours.

— C'est hors de question. Tu as le reste de la journée.

— Ce n'est pas suffisant.

— Je ne peux pas faire mieux.

— D'accord pour le reste de la journée. Ça me donne le temps de prendre mes dispositions.

— Quelles dispositions ?

— Tu ne veux pas le savoir.

SUICIDE AU LONG COURS ET MALFRATS MALINTENTIONNÉS

Leur destination était une propriété située un peu à l'extérieur de Versailles.

Durant le trajet, Duquai expliqua à Théberge qu'il se déplaçait toujours dans une voiture avec chauffeur – toujours la même voiture, toujours le même chauffeur.

Conduire était pour lui un stress intolérable. Et puis, que de temps perdu !

Comme pour appuyer sa dernière affirmation, il proposa de mettre à profit la durée du trajet pour établir leur stratégie.

Finalement, l'exercice ne prit que quelques minutes. Ils s'entendirent sur le fait que Duquai s'occuperait des présentations, car il connaissait déjà Littoral. Puis il se cantonnerait dans un rôle d'observateur, où il se sentait plus à l'aise. Théberge se chargerait de l'interrogatoire lui-même.

Une demi-heure plus tard, ils traversaient un grand parc avant de pénétrer dans la cour d'un édifice un peu trop modeste pour être qualifié de château, mais suffisamment vaste et luxueux pour échapper à la définition usuelle de la résidence privée. Un Anglais y aurait vu une sorte de manoir.

— Nous l'avons installé ici pour le mettre à l'abri des médias, fit Duquai.

— Comment réagit sa famille?

— Ce qu'il lui reste de famille habite le Var. Il est monté à Paris pour trouver du travail. Il travaille dans une boîte de communication. Il avait pris un congé maladie au moment où c'est arrivé. Il y a peu de risque que quelqu'un s'inquiète de lui avant un certain temps… On y va?

— Je vous suis.

Duquai et Théberge descendirent de voiture.

Après s'être enregistrés auprès de l'homme de garde, à l'entrée de l'édifice, ils se rendirent à la chambre de Littoral.

Ce dernier les accueillit avec une impatience difficilement contenue.

— Combien de temps encore je vais moisir ici?

Duquai lui répondit d'une voix calme, presque monocorde.

— Vous êtes ici pour votre protection.

— Protection contre qui? Savez-vous au moins de quoi vous devez me protéger?

— Contre celui ou ceux qui ont tué les trois hommes. Probablement le même ou les mêmes qui vous ont jeté sur la pile de cadavres.

— À la télé, ils disent que vous n'avez aucune piste.

Théberge jugea bon d'intervenir pour calmer les choses. Ou, du moins, faire diversion.

— Monsieur Littoral, pouvez-vous nous parler de mademoiselle Sandrine Bijar?

— Qu'est-ce que vous lui voulez ? Elle n'a rien à voir dans tout ça… Et d'abord, vous êtes qui, vous ? C'est quoi, ce drôle d'accent ? Vous arrivez de votre village de Picardie ?

— Gonzague Théberge, répondit ce dernier avec une certaine hauteur. Je suis accessoirement de Montréal. Plus significativement, j'appartiens à la même planète que vous, ce qui n'est pas une cause particulière de fierté. Encore moins de réjouissance. Si j'ai permis à mes coordonnées spatiotemporelles de jouxter momentanément les vôtres, c'est pour aider monsieur Duquai, ici présent, à y voir plus clair dans ce panier de crabes dont vous semblez être un des hors-d'œuvre.

Il était difficile de savoir qui, de Littoral et de Duquai, était le plus étonné.

— L'extraction de la vérité, poursuivit Théberge, est un art qui s'apparente à la dentisterie. Plus le patient est crispé, plus il gesticule… plus l'opération est douloureuse pour lui. Et fatigante pour l'opérateur. Vous permettez qu'on s'assoie ?

Sans attendre la réponse, Théberge prit possession d'un des fauteuils. Après une hésitation, Duquai suivit son exemple et s'assit dans l'autre.

Littoral les regarda un moment, bouche bée, trop surpris pour répondre.

Théberge lui désigna son lit d'un geste de la main.

— Je vous en prie, faites comme chez vous.

Littoral hésita un moment puis s'assit au bord du lit.

Théberge ne lui laissa pas le temps de reprendre l'initiative.

— Donc, vous aimiez une femme qui s'appelle Sandrine. Elle vous a plaqué. Depuis, vous buvez. Et, accessoirement, vous vous êtes allongé en toute inconscience sur une pile de cadavres. C'est bien ça ?

— Euh…

— Bien. Jusqu'à maintenant, vous n'avez rien fait de répréhensible, hormis une brève déambulation sur la voie publique dans un état que la loi et le bon sens réprouvent. Une infraction mineure qui ne sera, l'inspecteur Duquai ici présent me l'a assuré, d'aucune façon retenue contre vous. Donc…

Après une pause où il parut hésiter sur un mot, Théberge reprit :

— Donc, disais-je, vous vous en tirez plutôt bien. L'État jette un regard indulgent sur vos bénignes tentatives de suicide au long cours à l'aide de l'alcool. En prime, il vous offre sa protection pour vous mettre à l'abri des malveillances éventuelles des malfrats malintentionnés qui ont malencontreusement croisé la trajectoire de votre existence… Nous sommes bien d'accord ?

Duquai regardait Théberge avec un très léger sourire.

Littéral, lui, semblait perdu.

— Je vois mal où vous voulez en venir.

— À deux ou trois questions. Cela va de soi. Plus rapidement vous y répondrez, plus rapidement nous réussirons à circonvenir les malfaisants susmentionnés et plus rapidement vous échapperez aux délices de ce paradis climatisé qui vous semble un enfer. Suis-je clair ?

— Je… je suppose.

www.nationvraie.fr/actu/terroristes-ou-perv…

TERRORISTES OU PERVERS CRIMINELS ?

Trois de plus. Trois victimes abandonnées dans une ruelle. Complètement nues. Et on voudrait nous faire croire qu'il s'agit de terrorisme !… Ce sont des crimes pervers. Voilà ! Pour quelle raison les autorités ne le disent-elles pas ?

Et pourquoi la police est-elle impuissante à arrêter le responsable de ces meurtres ? Y aurait-il quelqu'un à protéger ? Quelqu'un de haut placé qui serait impliqué dans ces crimes ? Serait-ce un policier ?

La suite

UN INTERROGATOIRE ROBORATIF

Théberge se sentait en pleine forme. Il se rendait compte que la pratique de l'interrogatoire lui manquait. C'était une des rares occupations où il pouvait traquer sa bête noire préférée, la bêtise militante, ainsi que son associée fréquente, la dissimulation malavisée.

— Première question. Ça vous vient d'où, cette manie du marathon de l'apéro insistant? Cette habitude de boire jusqu'à plus soif et à plus rien?

— Sandrine…

— Sandrine? C'est pour elle que…

— Vous ne comprenez rien!

Théberge se contenta de laisser son regard fixé sur Littoral et d'attendre. Après quelques instants, ce dernier reprit, d'une voix qui ne laissait plus paraître que de la tristesse:

— C'est un rituel qu'on avait. Un jour, elle m'a dit que, si je mourais, elle continuerait chaque soir notre rituel à ma santé. Que ce serait sa façon de maintenir notre lien… Elle croyait beaucoup aux rituels. Elle disait qu'ils contribuent à garder les gens en vie. Que cela les empêche de se décomposer.

— La conservation dans l'alcool… Ce n'est pas une si mauvaise idée, pour peu que l'alcool en question soit du musigny ou un romanée-saint-vivant. Bien sûr, le romanée conti serait préférable, mais il faut savoir demeurer réaliste. Même dans ses rêves.

Puis Théberge sembla se rappeler la raison de l'interrogatoire.

— Donc, si vous n'aviez pas effectué cette sieste inopinée sur des cadavres, vous auriez recommencé le lendemain. Et vous auriez pris six verres de blanc.

— Oui. Toujours six.

— Pourquoi six?

— Parce que c'est ma limite. Je n'ai pas les capacités de Sandrine. Elle supportait beaucoup mieux l'alcool que moi.

— Excellente explication. Concise, limpide.

Théberge paraissait sincèrement réjoui de la réponse et fermement résolu à ignorer les manifestations d'impatience de Littoral.

— Vous la connaissiez depuis combien de temps, cette Sandrine, quand elle a joué les filles de l'air?

— Soixante-six jours.

— Vous avez le nombre d'heures?

Voyant que Littoral s'absorbait dans ses pensées, comme s'il prenait la question au sérieux et cherchait à y répondre, Théberge s'empressa d'enchaîner :

— Laissez! Dites-moi plutôt où vous l'avez rencontrée.

— À la Grappe d'or.

Théberge ne laissa paraître aucune réaction.

— Et je suppose que vous aviez l'habitude d'aller avec elle au iGlou Bar.

— Oui.

Ainsi s'expliquait le pèlerinage. Restait à trouver où se situait la première escale.

— Avant d'aller à la Grappe d'or, vous arrêtiez-vous dans un autre bar?

— Jamais.

Théberge était intrigué. Bruno leur avait pourtant assuré que Littoral n'était pas à jeun quand il commençait sa tournée chez lui.

— Vous ne preniez rien ailleurs?

— Jamais. On commençait par six verres à la maison, histoire de se faire un fond, et ensuite on allait dans les bars.

— Pourquoi à la maison?

— Parce que ça coûte moins cher.

— Et vous preniez six verres à chaque endroit?

— C'était selon… Normalement, oui. Mais je ne vois pas en quoi cela vous intéresse. Vous n'avez pas des meurtres à résoudre?

Théberge voulait en apprendre davantage sur cette mystérieuse Sandrine, mais il craignait de braquer Littoral s'il paraissait la soupçonner. Une longue explication était la solution.

— C'est une question de méthode, dit-il. Il est important de bien fixer le décor. De comprendre précisément de quelle manière les choses se sont déroulées. Parfois, c'est en parlant de détails qui n'ont rien à voir avec l'enquête qu'un souvenir revient aux témoins… Votre vie, au cours des derniers mois, a été fortement associée à cette femme. Des souvenirs, des images, des remarques ont pu se greffer à l'évocation de sa présence… Je vous demande un peu de patience. Pouvez-vous m'accorder encore quelques instants ?

— Je suppose, oui.

Duquai jeta un regard interrogateur à Théberge, mais ne dit rien. Ce dernier y alla d'une nouvelle question :

— Vous connaissiez cette demoiselle Sandrine depuis combien de temps ?

— Je vous l'ai dit tout à l'heure : quand elle est partie, cela faisait 66 jours qu'on était ensemble.

— C'est vrai. Et vous avez bu pendant 11 jours.

— Si vous le dites.

— Cela faisait donc 77 jours que vous la connaissiez. Bien… Vous savez quel métier elle exerçait ?

— Hôtesse.

— Dans un restaurant ?

— Non. Une agence de rencontres. Enfin, pas une vraie agence. Une agence un peu spéciale.

Une agence un peu spéciale.

Théberge prit le soin de formuler la question suivante avec hésitation, comme s'il la posait uniquement pour la forme, comme si l'hypothèse lui semblait inconcevable.

— Voulez-vous dire qu'elle se… prostituait ?

— Qu'est-ce que vous croyez !

Littoral était outré. Il fit une pause pour se ressaisir avant de poursuivre.

— Elle ne se prostituait pas : elle aidait des gens à le faire… D'une certaine façon.

Théberge jeta un regard à Duquai, toujours impassible, avant de demander à Littoral :

— Êtes-vous en train de me dire qu'elle était… souteneur ?

— Pas du tout ! Décidément, vous ne comprenez rien !

— Alors, éclairez-moi.

— J'ai été clair, il me semble.

— Soyez indulgent. Je ne demande pas mieux que de profiter de vos iridescentes lumières. Avouez qu'il serait bête de se quitter sur un malentendu.

Littoral semblait mal à l'aise. Mais, maintenant qu'il avait commencé à parler, il ne voulait pas laisser les policiers sur une fausse image de Sandrine.

— C'était une facilitatrice.

— Elle facilitait des rencontres ?

— Exactement. Elle s'occupait des gens qui ont des besoins particuliers et qui ne savent pas à qui s'adresser.

— Quel genre de besoins ?

— Des gens qui ont besoin d'être… dominés, battus… humiliés. Elle leur fournissait des adresses.

— Diriez-vous que c'était une sorte de rabatteuse ?

— Pas du tout ! C'étaient les clients qui la payaient pour avoir des adresses. Elle n'a jamais accepté un sou de ceux chez qui elle les envoyait. Son travail à elle, c'était de faire des recherches pour trouver des endroits à ses clients.

— Comment pouvez-vous être sûr qu'on ne la payait pas ?

— Parce que les adresses qu'elle leur donnait, c'étaient des endroits où on paie les clients pour leur permettre de satisfaire leurs désirs !

PASSAGE À L'ÉCLUSE

À cause de son faible pour les bordeaux, Leclercq donnait souvent rendez-vous à Natalya à L'Écluse de la place de la Madeleine ou dans d'autres établissements du même nom, ailleurs dans la ville.

Quand elle arriva, elle aperçut Leclercq en train de lire *Le Monde*, à une table près de l'entrée. Il avait déjà bu un demi-verre de vin. En face de lui, un autre verre, non entamé celui-là, attendait manifestement qu'elle arrive.

— Grand-Puy-Lacoste 2009, dit-il en guise d'accueil.

— On se gâte.

— J'anticipe ! J'ai fait le pari que vous m'apporteriez des informations qui justifieraient cette petite gâterie, comme vous dites.

Elle prit le temps de goûter au vin.

— Très bon. Mais vous êtes sûr qu'il est prêt ?

— Bien sûr que non. Je voulais voir comment il avait évolué… C'est potable, non ?

— Très intéressant. Un peu jeune, mais intéressant.

Leclercq souriait.

Autant Natalya se prétendait d'une totale ignorance en matière de vin, autant elle semblait douée pour mettre le doigt sur leurs défauts – dans la mesure où la jeunesse pouvait être considérée comme un défaut du vin lui-même, et non de celui qui le boit trop tôt.

Natalya amorça son rapport.

— L'activité des robots Internet se poursuit. Elle s'est même intensifiée. Plusieurs blogues reprennent déjà les informations qu'ils diffusent. Ça s'est même transmis dans les médias officiels.

— C'est une campagne orchestrée ?

— Orchestrée et très efficace.

— Vous savez qui est à l'origine de cette campagne ?

— L'ami dont je vous ai parlé travaille à le découvrir . S'il trouve celui qui les a mis les robots en circulation…

— De mon côté, il y a du nouveau. Je vais avoir besoin de vous.

Natalya écouta sans dire un mot ses explications sur la situation un peu difficile dans laquelle il s'était placé.

Quand il eut terminé, elle lui demanda simplement :

— Qu'est-ce que vous attendez de moi ?

Il mit une enveloppe sur la table devant elle, qu'elle s'empressa de faire disparaître dans son sac.

— Les photos des six victimes, dit-il. Avec un dossier minimal sur chacune. Peut-être que vos ex ont sur elles des informations que nous n'avons pas.

Il lui parla ensuite de la femme dont l'acteur porno avait parlé à Duquai, ainsi que de l'agence pour laquelle elle faisait du recrutement : Désirs extrêmes. Il lui donna la description que Slimani avait faite d'elle, qui correspondait au portrait que Littoral avait fait de Sandrine Bijar.

— Il l'a même aperçue à quelques reprises avec lui. Il s'agit probablement de la même femme.

— Qu'est-ce qu'en dit Littoral ?

— Sans le savoir, il a corroboré le témoignage de Slimani. Il prétend qu'elle aide les gens qui ont des goûts spéciaux à trouver des endroits pour les satisfaire. Slimani, lui, parle carrément de recrutement. Selon lui, elle travaille pour une agence qui recrute des clients pour des clubs privés… Des clubs où ce sont les clients qui se font payer pour satisfaire leurs désirs hors normes.

— Ils appellent ça des théâtres de fantasmes.

— Vous connaissez ?

— Ce sont des sortes de théâtres sexuels où les spectateurs sont invités à participer. Les participants, pour leur part, revendiquent le statut d'intervenant théâtral…

— On est loin de Molière et Racine.

— Mais assez proche d'Ionesco… Dans certains cas, les participants sont effectivement payés par les organisateurs du spectacle pour satisfaire leurs désirs sur la scène. Surtout quand ce sont des gens qui ont des fantasmes de soumission. Ou de domination… Il y a souvent des rumeurs sur cette sorte de lieu.

— Quel genre de rumeurs ?

— Des filles qui sont enlevées, droguées, puis vendues pour ces soirées. De jeunes garçons, aussi… Je suis certaine que vos services connaissent un certain nombre de ces endroits.

— Probablement. Vous savez lesquels mériteraient une attention spéciale ?

— Je peux regarder.

Natalya était réticente à montrer à Leclercq tout ce qu'elle savait sur ce type d'établissement.

Déjà, à l'époque où elle était en Roumanie, elle avait entendu de nombreuses histoires sur ces théâtres. Bernard Hogue était celui qui lui en avait parlé le plus souvent. Il en fournissait plusieurs en jeunes garçons et en jeunes filles. Parfois même, il s'agissait carrément d'enfants.

Les noms qu'elle avait entendus lui revenaient en mémoire. The Black Scene, The Deep… Raging Fire…

Il n'était pas question qu'elle demande à Leclercq d'entreprendre des recherches sur ces noms. Elle préférait conserver à l'abri de la curiosité de la DGSI tout ce qui était relié à cette partie de sa vie.

Elle aurait plutôt recours à Wayne. Il n'avait pas son pareil pour franchir les voiles corporatifs et pénétrer les sociétés-écrans. S'il y avait quelqu'un capable de découvrir qui étaient les propriétaires de ces établissements, c'était lui.

Leclercq vida son verre. Se leva.

— Si vous trouvez quoi que ce soit…

— Bien sûr.

Après le départ de Leclercq, Natalya prit le temps de terminer lentement son verre. Autant pour réfléchir que pour profiter du vin.

Elle avait maintenant une nouvelle piste. Il était important de rester calme. De ne rien précipiter.

Ces théâtres de fantasmes lui permettraient peut-être de remonter jusqu'à la personne qu'elle recherchait.

Valentin Cioban…

Mais d'abord, elle devait aider Leclercq.

DES MASQUES ET UN MIROIR

Son bureau était au 11e étage. Debout devant le mur de verre qui donnait sur l'axe Louvre-Concorde, Payne regardait la ville.

Hillmorek avait raison. Prendre de la hauteur était une nécessité. On ne pouvait pas être visionnaire quand le regard était enfermé dans une boîte. Il fallaitt que le regard porte.

Après plusieurs minutes de contemplation silencieuse, Payne était revenu s'asseoir devant son ordinateur et il avait mis des écouteurs. Son choix s'était porté sur la *Symphonie du Nouveau Monde*.

Une musique appropriée pour l'exploration d'Internet, de l'avis de son mécène.

Il importait de ne rien laisser au hasard, de soigner tous les détails. Et, surtout, de décoder les moindres signes de dysfonction. C'était pourquoi, deux fois par jour, il survolait ce qui se racontait dans les médias et les réseaux sociaux.

L'opération devait être menée de façon exemplaire. Plus qu'exemplaire : parfaite. Son employeur avait insisté sur la chose. Et l'un des critères de cette perfection, c'était la capacité d'intégrer dans un plan minutieusement élaboré des événements imprévisibles qui surgissaient en cours d'opération. Cela conférait à l'ensemble une impression de naturel, de « non construit » qu'une planification, si soignée qu'elle soit, ne pouvait produire à elle seule.

Curieuse personne, son employeur. Très curieuse personne.

Payne ne l'avait vu que trois fois. Deux fois masqué et une fois avec un visage identique au sien.

Au début, il avait cru que Hillmorek voulait faire de lui son sosie. Il s'était ensuite demandé s'il ne s'agissait pas, là aussi, d'un masque. Mais plus sophistiqué…

Lors de la troisième rencontre, Payne avait demandé à Hillmorek si c'était son vrai visage.

— Nous sommes toujours masqués, avait répondu son employeur. Nous changeons de masque selon les gens que nous rencontrons. Cela s'appelle le savoir-vivre. Ou l'instinct de conservation… Même seuls avec nous-mêmes, nous sommes masqués. Et ces masques changent au gré de nos humeurs. De nos intérêts. Des circonstances de notre vie… De notre besoin de nous voir de telle ou telle façon selon ce que nous venons de vivre… Le mot "personne" vient de *persona*, qui signifie masque. Notre personnalité, c'est l'ensemble des masques que nous portons. Alors, masqué pour masqué, autant être masqué. De cette façon, on n'est pas masqué !

Son employeur avait ensuite conclu, sur un ton d'ironie amusée :

— De toute façon, si quelqu'un peut comprendre ce que cela signifie, de porter un masque en permanence…

Payne se toucha instinctivement le visage. Puis son esprit revint à l'opération en cours.

C'était sa dernière épreuve. Bientôt, il pourrait devenir de façon définitive et permanente la nouvelle personne qu'il était déjà.

Dans une première étape, son employeur lui avait soumis une liste de personnages types : violonistes, juifs, femmes voilées, nains, banquiers, infirmes, présentateurs de télé, SDF, catholiques… La liste comptait une soixantaine de catégories.

Il lui avait demandé d'imaginer trois scénarios, dans les catégories de son choix, pour en faire mourir un certain nombre. De manière créative. Et pédagogique.

Les deux premiers scénarios avaient été refusés au motif qu'ils étaient trop conventionnels, qu'ils ne contenaient aucun élément de critique sociale. Le troisième, cependant, le scénario avec les nains, offrait des possibilités. Mais c'était encore assez convenu. Il fallait trouver un angle original.

Au cours de la discussion qui avait suivi, ils avaient évoqué *Fifty Shades of Grey*. Une aberration aux yeux de Payne.

Son employeur lui avait demandé, l'air amusé, presque moqueur, ce qu'il reprochait à cette série de livres. N'était-ce pas un succès ? Et si c'en était un, il devait bien y avoir là quelque chose qui rejoignait les gens !

Pris au dépourvu, Payne avait protesté que c'était affreusement commercial. Que c'était du *hard* BCBG, si une telle chose pouvait exister… En terminant, il avait cité le commentaire d'une écrivaine québécoise, qu'il avait lu sur un blogue. Natasha Beaulieu.

« Il faut quand même le faire ! Un roman sadomaso supposé *dark* qui se termine par : "Ils vécurent heureux et ils eurent beaucoup d'enfants !" »

Son employeur avait réfléchi quelques secondes. Puis un sourire malicieux était apparu sur son visage.

— C'est effectivement une brillante observation. Mais cela demeure une observation. La question intéressante, c'est : que pouvez-vous en faire ? Comment pouvez-vous transformer cette remarque en quelque chose de violemment critique ? Quelque chose qui montre que le S/M n'est pas une pratique anodine… qu'il échappe à l'empire du *cute* et qu'il peut agir comme révélateur social.

Dans un effort inconscient pour échapper à l'emprise de son mécène et retrouver un contact plus direct avec lui-même, Payne tourna son regard en direction du miroir en pied installé entre deux œuvres de Picasso.

Des copies. Mais reconnues comme telles. Signées par le copiste au verso. Et qui valaient chacune plusieurs centaines de milliers d'euros.

Les Demoiselles d'Avignon et *Les Baigneuses*. Deux œuvres qui ressemblaient à des jeux de miroirs dans lesquels les personnages auraient égaré leurs différents morceaux. Comme si leur recomposition s'était arrêtée en chemin…

C'était avec la même sensation d'étrangeté que Payne reconnaissait dans le miroir l'image censée être la sienne.

Il lui arrivait de se demander si son employeur le faisait marcher. Si, après cette mise à l'épreuve, il y en aurait une autre. Puis une autre…

Payne ferma les yeux et se pinça délicatement la base du nez.

De toute façon, il allait bientôt savoir à quoi s'en tenir. L'opération 10PHB était en bonne voie. Et puis, s'il y avait d'autres mises à l'épreuve du même genre, ce ne serait pas la fin du monde. Il bénéficiait d'une vie plus que confortable, disposait de tous les moyens nécessaires pour mener à terme ses entreprises et, surtout… il n'était pas mort.

Il se tourna vers la mosaïque d'écrans télé qui couvrait le mur, à sa gauche. L'un après l'autre, il activa le son des huit premiers écrans. Quelques secondes chacun. Le temps de voir de quoi il s'agissait.

Au neuvième, son attention resta captive. Il s'agissait de la chaîne Internet LiveViewTV. On y annonçait une nouvelle victime dans l'affaire des petits hommes blancs. Cette fois, c'était un petit homme blanc qui était le meurtrier. Il avait tué un Noir.

Le petit homme apparaissait quelques secondes à l'image, l'air effaré, sans paraître se rendre compte qu'il était filmé. Il était difficile de savoir si son comportement était dû au fait d'avoir tué quelqu'un… ou simplement d'être au centre de toute cette attention.

DÉLIRE INTERPRÉTATIF

Prose continuait de surveiller ce qui se disait et s'écrivait dans les médias sur le meurtre des petits hommes blancs. En apparence, les opinions allaient dans tous les sens.

Certains favorisaient l'hypothèse du tueur en série. *Le Parisien*, par exemple, mettait l'accent sur la série de crimes et s'interrogeait sur ceux qui allaient suivre. À la une, on pouvait lire :

UN NOUVEAU TYPE DE TUEUR EN SÉRIE?

France Soir avait choisi comme « angle » de s'intéresser à la petite taille des victimes. On pouvait y lire le point de vue du porte-parole de l'Association des personnes de petite taille de la région Île-de-France. Le chef de pupitre avait coiffé l'article d'un titre en conséquence :

PETITE TAILLE – GRANDS PROBLÈMES

L'Express, pour sa part, y voyait un exemple de la montée généralisée de l'insécurité. Selon un des chroniqueurs, le phénomène était la conséquence de la tolérance dont la justice faisait preuve à l'endroit des délinquants ainsi que du laxisme du nouveau gouvernement dans la répression de la délinquance.

Le titre se présentait comme une argumentation télescopée. On passait directement de l'identification du problème à la conclusion :

L'INSÉCURITÉ – UN LAXISME CRIMINEL

Un autre commentaire déplorait la régression généralisée des valeurs citoyennes. D'autres encore évoquaient l'influence pernicieuse de la culture américaine.

Marianne, pour sa part, mettait l'accent sur le fait que toutes les victimes étaient des hommes et qu'ils étaient de race blanche.

Prose regarda l'ensemble des notes qu'il avait prises, un peu découragé. Il suffisait presque de savoir qui parlait ou écrivait pour prévoir ce qu'il allait dire. Les événements semblaient être un simple prétexte à réitérer leur ligne éditoriale.

Sur le front politique, les réactions étaient tout aussi prévisibles.

L'UMP, toutes tendances confondues, voyait dans ces crimes une énième preuve de l'incompétence du gouvernement socialiste. Tous les éventuels présidentiables – ou plutôt, tous ceux qui se percevaient comme tels – y allaient de leur dénonciation : l'inertie du président, l'absence de programme du PS, leur amateurisme en matière de sécurité, leur pratique de l'autojustification… Et tous ces présidentiables présumés tiraient la même conclusion : des torts irréparables étaient causés à la France.

Au passage, chacun trouvait le moyen de décocher des flèches aux autres présidentiables. Il s'en trouvait même pour regretter Sarkozy et suggérer, une fois encore, que les circonstances pourraient le forcer à revenir.

Quant au PS, à son habitude, il tirait dans toutes les directions. Valls promettait un rehaussement des dispositifs de sécurité, Montebourg mettait le parti en garde contre les dérives autoritaires, Harlem Désir dénonçait la stigmatisation des minorités visibles… Quant au président, pour avoir son point de vue, plusieurs suggéraient d'attendre ce que dirait son alter ego aux *Guignols de l'info* !

Fidèle à lui-même, Mélenchon voyait dans ces crimes le symptôme de la maltraitance des banlieues depuis des décennies. Et, logique, il déclarait :

> On ne s'attaque pas à un symptôme. On éradique ses causes !
> Il faut un immense programme de valorisation des banlieues !
> Pour le financer, il suffirait d'une toute petite portion des profits extravagants des grandes entreprises.

Le Front national, pour sa part, s'attardait à la race des victimes. Un commentaire affiché sur son site avait pour titre :

Un autre blogueur se demandait à qui cela profitait, de terroriser les Blancs. Qui donc avait l'habitude de ce genre de comportement ?... La réponse n'était pas difficile à trouver : les jeunes des banlieues ou les immigrants illégaux. Probablement liés à des éléments terroristes.

Sur tous les fils de presse, la déclaration de la présidente du Front national reprenait le même thème :

> La violence de ces crimes ne doit pas faire oublier leur caractère raciste. N'assassiner que des Blancs, c'est aussi du racisme.

S'ensuivait une série de revendications pour juguler l'insécurité : des peines plus sévères, plus de policiers dans les rues, un meilleur contrôle de l'immigration… Certains proposaient même d'établir un cordon sanitaire autour des banlieues et de les « nettoyer ».

Pour échapper à ce délire interprétatif, songea Prose, il faudrait découvrir quel est le facteur déterminant : la courte taille des victimes ? La couleur de leur peau ? Le fait que ce soient des hommes ? Ou la simple progression numérique liée aux arrondissements ?

Il décida d'appeler Théberge.

Pendant qu'il écoutait la sonnerie de l'appareil, une partie de son esprit envisageait déjà le prochain appel qu'il voulait passer… Natalya.

C'était le genre d'histoire où elle serait dans son élément. Et ça lui donnait un prétexte pour la relancer.

Mais il n'était toujours pas sûr des raisons pour lesquelles elle était partie. Était-ce à cause de lui ? À cause d'événements liés à son travail, dont elle n'avait pas voulu lui parler ? Ou simplement à cause des circonstances, comme elle le lui avait dit ?

Il fut tiré de ses pensées par la voix de Théberge.

— Oui ?

— C'est Victor. J'ai pensé à quelque chose.

— Tu m'en vois sidéré.

Puis la voix de Théberge reprit, sur un ton d'excuse :

— Je suis désolé. J'ai les nerfs un peu en boule. J'imagine que je fais une overdose de bêtise… À propos, es-tu libre ce soir ? Gonzague aimerait nous rencontrer de nouveau.

— Un dîner aux frais de ton ami espion ? Tu crois vraiment que je raterais ça ?

— Il subit de plus en plus de pression. Toute cette histoire risque de lui sauter à la figure.

HYPOTHÉTIQUE ET NON OFFICIEL

Le directeur de la DGSI, Alexandre Vernon, avait écouté les explications de Leclercq avec étonnement.

— Jamais d'implication personnelle. Je croyais que c'était la règle cardinale de quiconque travaille dans votre domaine.

Vernon avait fait la remarque sur un ton faussement naïf.

Leclercq sentit s'alléger le poids sur ses épaules. Si le directeur entendait limiter ses manifestations de déplaisir à des remarques ironiques, tout n'était pas perdu. Il y avait peut-être moyen de négocier.

— Je sais, dit-il. Je l'ai moi-même rappelé des centaines de fois à nos agents !

Le ton de Leclercq disait sa frustration de s'être piégé lui-même dans une situation impossible et, pire, de l'avoir fait en transgressant une des règles de base du métier.

À sa surprise, il vit un sourire glisser furtivement sur les lèvres du directeur. Ce dernier trouvait sans doute plus confortable d'avoir devant lui un homme faillible, plutôt que cette légende vivante que l'on décrivait à toutes les recrues.

Ce fut d'une voix neutre, sans la moindre trace d'impatience ou de reproche, que le directeur poursuivit. Un professionnel qui s'adressait à un autre.

— Maintenant, on va prendre les problèmes dans l'ordre. J'ai convenu, à la demande du ministre, de vous donner le reste de la journée. À partir de minuit ce soir, vous êtes en congé administratif.

— Je comprends.

C'était le plus important. Il avait besoin de ce temps pour s'organiser.

— Une enquête interne sera diligentée, lui apprit Vernon.

Puis, avant que Leclercq puisse réagir, il ajouta :

— Je vais m'assurer personnellement que vous soyez traité de manière équitable. Mais, pour l'enquête, je n'ai pas le choix. Dumas va probablement s'assurer qu'il y ait des fuites ; puis il va laisser entendre à des journalistes qu'il faudrait une enquête publique. Si je peux leur répondre que nous avons déjà une enquête interne en cours...

— Vous avez raison.

À sa place, il aurait agi de même.

— Et maintenant, continua Vernon, vous allez m'aider à réparer les pots cassés. Premièrement, il faut expliquer l'implication initiale de nos services. Il faut justifier, ne serait-ce que devant les autorités politiques, le fait que nous avons enlevé l'enquête à la PJ.

— On peut invoquer la sécurité intérieure. Des informations confidentielles sur une cellule terroriste.

— Terrorisme contre qui ? Les nains ?

Décidément, Vernon entendait profiter de la situation pour ironiser à ses dépens. Tant mieux. Tout ce qui lui permettait de laisser sortir de la vapeur était bienvenu. Ce serait plus facile de discuter avec lui quand viendrait le temps de négocier le plan que Leclercq avait en tête.

— Terrorisme de droite, répondit-il. Des têtes brûlées qui veulent créer de la panique pour que l'opinion publique exige un renforcement des contrôles. Juste parmi les militants du Front national, on pourrait en trouver des centaines qui seraient d'accord avec ce type de stratégie ! Leurs revendications sont déjà dans les médias !... Des peines plus lourdes ! Plus de policiers dans les rues ! Halte à l'immigration sauvage !

— Et pourquoi choisir comme victimes des hommes petits et blancs ?

— Pour le symbole. Pour montrer que ce sont toujours les Blancs qui sont victimes de la violence. Ils le disent eux-mêmes! C'est déjà dans les médias!

— Et pourquoi… petits?

— Parce qu'ils sont plus vulnérables, plus faciles à attaquer. Et cela rend les attentats encore plus révoltants.

Un silence suivit.

Quand le directeur reprit, son ton était presque rêveur.

— Retourner ça contre le Front national. Pour nos dirigeants politiques, ce serait du petit lait… Oui, ça pourrait aller.

Puis il reporta son regard sur Leclercq.

— Et l'enquête? demanda-t-il d'une voix redevenue professionnelle.

— On la laisse à Dumas.

— Ça, on n'a pas tellement le choix.

— Et on lui offre publiquement notre collaboration. Si les choses dérapent, on devra assumer une partie de la responsabilité. Mais s'il réussit, on récoltera une partie du mérite.

— Et pourquoi ferait-il cela? Aussitôt qu'il aura nos dossiers, il va nous envoyer promener. Surtout si les choses se passent bien.

— On n'est pas obligés de lui donner tout ce qu'on a. On peut se garder suffisamment de matériel pour poursuivre le travail. Alors, s'il essaie de ralentir l'enquête, comme je pense qu'il le fera, on aura les moyens de la débloquer en apportant de nouvelles preuves, de nouveaux éléments au dossier.

— Il y a un seul problème dans votre stratégie. Vous n'avez pas l'air de le réaliser, mais nous sommes dessaisis de l'affaire. Le ministre a été très clair: comme il n'y a plus de menace terroriste, il n'est pas question d'ameuter la population en enquêtant sur un éventuel attentat.

— Rien n'oblige à ce que cette enquête soit officielle. Si nos services tombent sur des informations pertinentes, on s'empresse de les communiquer à la PJ… ainsi qu'aux médias et au ministre. De cette façon, Dumas ne pourra pas les enterrer pour bloquer l'enquête.

— Et qui la ferait, cette enquête non officielle ?

— Quelqu'un qui ne travaille pas officiellement pour la DGSI.

— Vous pensez à quelqu'un qui est momentanément relevé de ses tâches régulières, j'imagine ?

— Par exemple…

— Tout ceci suppose que cet hypothétique intervenant non officiel va réussir.

— Bien sûr.

— Et s'il ne réussit pas ? Ou pire, s'il est démasqué ?

— Il sera le bouc émissaire… Vous venez à peine d'arriver en poste : on ne pourra pas vous reprocher de ne pas avoir encore mis l'ensemble de l'organisation à votre main.

— Tout jouer sur un coup de poker. C'est votre proposition ?

— Ce que je propose, c'est de faire en sorte qu'on puisse effectuer notre travail dans les meilleures conditions : en contrôlant l'enquête. De cette façon, on est sûrs qu'elle ne sera pas instrumentalisée par la PJ. Ou par d'autres qui voudraient se faire du capital sur notre dos.

— Si cette hypothétique opération non officielle réussit, Dumas s'arrangera pour en recueillir tout le crédit.

— On peut envisager de faire savoir discrètement, à des gens qui comptent, qui a vraiment fait quoi. La rumeur va se répandre. Le ministre et ses collègues sauront à quoi s'en tenir. Quels que soient les grands titres… Et puis, commencer votre mandat par un coup d'éclat va établir votre crédibilité à l'intérieur du service. Surtout que vous acceptez de prendre personnellement des risques pour protéger l'organisation. Vous allez gagner le respect des gens.

Le directeur prit le temps de digérer l'argument.

— D'accord, disons que cette hypothétique opération non officielle est mise sur pied. Comment peut-on garantir qu'il n'y aura pas bientôt quatre meurtres dans le 4e arrondissement ?… Et qu'alors, ce sera probablement ma tête à moi qu'on se mettra à réclamer !

— Personne ne peut fournir ce type de garantie.

— Ce n'est pas ce que la population a envie d'entendre. Vous avez une idée de la panique qui est en train de se répandre ?

— Je sais.

— Et, surtout, ce n'est pas le genre de réponse que nos maîtres, dont l'élection dépend de l'humeur du public, veulent entendre.

Leclercq lui expliqua alors l'hypothèse de l'inspecteur Pasquier, globalement confirmée par Vasseur, selon laquelle les victimes étaient déjà probablement mortes et conservées au frais.

— À combien estimez-vous leur nombre ?

— Difficile à dire. Théoriquement, il peut y en avoir 20, 30, 50… Mais déjà, 50, ce serait étonnant, compte tenu du petit nombre d'individus susceptibles de correspondre au signalement des victimes.

BFMTV / MIDI|15H

> … les hashtags #tueursdenains et #tueursdepetitsblancs continuent d'attirer massivement les internautes. On voit aussi apparaître de nouveaux hashtags centrés sur la défense des victimes. L'Association des personnes de petite taille de France a lancé ce matin une campagne de sensibili…

UN RETRAITÉ, UN ÉCRIVAIN, UN ASSASSIN

— À combien évaluez-vous les chances de succès de cette hypothétique opération ? demanda Vernon.

— Assez bonnes.

Le directeur regarda Leclercq d'un air où l'amusement le disputait à l'agacement.

— Cela fait partie de votre promesse de toujours me donner l'heure juste, j'imagine.

Leclercq ne jugea pas utile de répondre.

— Combien d'hommes travailleraient non officiellement sur l'hypothétique enquête non officielle ? s'enquit Vernon.

— Trois.

Cette fois, sur le visage du directeur, c'était l'incrédulité qui le disputait au découragement.

Leclercq poursuivit :

— Il faut limiter l'implication officielle de l'organisation.

— Trois membres de l'organisation en plus de vous, donc.

— Non, seulement un. Norbert.

— Et les deux autres ?

— Des externes... Pour ce qui est de Norbert, il va servir d'interface avec les différents services de l'organisation pour les aspects techniques de l'enquête. Ce sera une sorte de pare-feu. On isole d'un côté tous ceux qui cueillent et traitent les informations dans l'ensemble de nos services ; de l'autre, ceux qui les utilisent, soit l'équipe réduite que je dirige. Norbert sera le seul lien entre les deux groupes. De cette façon, on peut utiliser pratiquement toutes les ressources de l'organisation sans que personne ne soit en mesure d'avoir un portrait global de notre travail.

— Ça ne risque pas d'éveiller des soupçons, toutes ces demandes de Norbert ?

— Pas dans les premiers temps, en tout cas. À cause de son statut, les gens sont habitués à ce qu'il leur fasse toutes sortes de requêtes sans en expliquer les raisons.

— Et si des gens posent quand même des questions ?

— Il suffit de dire qu'il travaille sur une affaire majeure.

— Comme quoi ?

— Laissez entendre, sans le reconnaître explicitement, qu'il s'intéresse à un groupe de recruteurs qui emmènent des jeunes en Afghanistan pour les former au djihad.

— Astucieux. Ça n'implique aucune menace à court terme et on fait de la prévention pour le long terme.

— Ce qui est, après tout, l'essentiel de notre nouveau mandat.

— Et les autres personnes de votre groupe ?

— Un vieil ami maintenant retraité. Un policier.

— De la Police judiciaire ?

— Non. Il est du Québec.

Sur le visage du directeur, la surprise fit rapidement place à la compréhension.

— Celui avec qui vous avez déjà travaillé ?

— Exactement. Théberge.

— Et le troisième ?

— Un des amis de Théberge. Un écrivain.

— Bien sûr, c'est tout à fait indiqué.

Leclercq ignora le ton ironique de la réponse. C'était pour Vernon une façon de protester sans rejeter catégoriquement sa proposition.

— Il y a plus de 60 ans, dit-il, que les services de renseignement utilisent des gens issus des milieux académiques comme analystes.

— Possible. Mais ne trouvez-vous pas que votre équipe manque sérieusement… de muscle ?

— C'est pourquoi j'ai pensé à une autre personne. Mais qui serait en quelque sorte extérieur à l'équipe.

— Un professionnel ?

— C'est l'intervenant dont je vous ai déjà parlé. Celui qui s'occupe des cas "problématiques". Compte tenu de ses activités, il est préférable qu'il n'ait aucun lien avec l'organisation.

— Je suppose que vous parlez du type d'intervention susceptible de faire économiser à l'État le coût de multiples procès ?

— Et celui des interminables séjours en prison des condamnés.

Un sourire apparut sur le visage du directeur.

— J'imagine ce que cela donnerait dans les médias.

Il feignit de donner une conférence de presse.

— Mesdames, messieurs, compte tenu de la gravité des événements, j'ai décidé d'assigner quatre personnes à cette enquête. Des gens d'expérience. Un retraité et un écrivain. Aucun des deux ne connaît vraiment le pays, ce qui leur permettra d'apporter un regard neuf sur cette affaire !… Et j'oubliais : pour les aider, j'ai requis les services d'un agent atteint d'Asperger et de trouble obsessif compulsif. Un assassin professionnel complétera l'équipe.

Reprenant d'une voix normale :

— Quelque chose me dit que la population ne se sentirait pas totalement rassurée.

—Je serai là, moi.

—C'est vrai. Je pourrais préciser que le tout sera supervisé par celui que l'on soupçonne d'avoir dissimulé un crime pour accommoder un ami. Je suis sûr que ce serait très vendeur.

Leclercq accueillit de bonne grâce les sarcasmes de son chef. Ce dernier était en train d'apprivoiser l'idée. De l'accepter, même, mais en faisant état de tout ce que cela exigeait de lui comme compromis.

—Parlant de rassurer la population, intervint Leclercq, il faudrait tripler la présence policière dans les rues du 4ᵉ arrondissement. Plus la population aura l'impression qu'on prend le problème au sérieux, plus nous aurons de temps.

—Vous avez une idée de la facture?

—C'est le prix à payer pour "l'impression" de sécurité liée à "l'impression" d'agir qu'on veut donner.

—Si vous voulez mon avis, c'est davantage une question d'agitation que d'action.

—Bien sûr. Mais l'agitation est plus visible. Quand le public est concerné, il faut toujours doubler l'action par de l'agitation. Du point de vue de l'efficacité, c'est un pur gaspillage, je vous l'accorde. Comme quand un ministre va sur les lieux d'un sinistre. Il serait beaucoup plus avisé de demeurer à son bureau et de planifier sans attendre l'intervention du gouvernement pour venir en aide aux sinistrés… Mais les gens ne jugent pas l'efficacité. Pas à court terme, du moins. Ils jugent à partir de "l'impression" d'efficacité que leur donnent les événements. Et cette impression dépend de ce qu'ils peuvent voir. C'est pourquoi il faut que le ministre se rende sur les lieux du désastre, qu'il ait l'air profondément touché. Même si c'est une perte de temps…

—C'est votre ami ministre qui vous a enseigné ces éléments de philosophie politique?

—Pas du tout. Seulement les nécessités de la survie dans une organisation dirigée par des politiques.

Puis, après une courte pause, Leclercq revint à l'augmentation de la présence policière dans les rues.

— Dumas va certainement se faire tirer l'oreille. Déjà, pour l'instauration des patrouilles, il était réticent. Il voulait que ce soit l'armée qui s'en occupe. Si on lui demande de les tripler...

— Vous pouvez lui expliquer que ça paraîtrait mal, dans les médias, qu'il refuse de protéger les citoyens. De quoi aurait-il l'air, si d'autres attentats devaient se produire ?

— Par contre, si la demande venait du ministre et qu'elle était accompagnée de budgets spéciaux. Je parle du ministre qui est un ami à vous...

— D'accord, je lui en glisse un mot. Et pour l'enquête ?

— Faites ce que vous estimez nécessaire.

— J'ai combien de temps ?

— Tant que les événements ne m'obligeront pas à m'apercevoir de ce que vous faites.

— Entendu.

Il fallait lui donner ce crédit, songea Leclercq, on ne pouvait pas reprocher au nouveau directeur son manque de clarté.

— Et comme vous ne ferez rien, conclut le directeur, j'aimerais que vous m'informiez régulièrement de ce que vous n'êtes pas en train de faire.

EN QUÊTE DE PROTAGONISTE ET D'ANTAGONISTE

Prose avait rejoint Théberge à son appartement. Ils avaient ensuite marché ensemble jusqu'au Florimond.

Leclercq les y accueillit. Il avait réservé la table ronde, à gauche en entrant. C'était la plus isolée, coincée entre les deux murs du coin et le comptoir. La possibilité qu'on écoute leur conversation y était minime.

En attendant que Laurent, le maître de salle, vienne s'informer de ce qu'ils désiraient, ils parlèrent des répercussions de la mauvaise météo sur l'humeur des Parisiens et des progrès de madame Théberge dans sa réadaptation.

Leclercq les informa ensuite de sa propre situation. Pendant quelques jours encore, il aurait une certaine marge de manœuvre à la condition d'agir de façon clandestine. Mais il faudrait qu'il obtienne rapidement des résultats. Sinon, il pourrait dire adieu à ce qui restait de sa carrière.

On lui épargnerait probablement l'épreuve du lynchage médiatique. On justifierait publiquement ses actions par la crainte d'attentats terroristes. On le défendrait. Pas tant pour lui-même que pour protéger l'organisation ainsi que les politiques susceptibles d'être éclaboussés par un scandale. Cela lui permettrait d'échapper à une mise en examen pour entrave à la justice et abus de pouvoir. Mais, dans le milieu, il deviendrait infréquentable.

On lui infligerait la pire sanction qui soit, la mort exceptée : il ne saurait plus rien. Les entreprises de sécurité privées seraient prévenues : l'engager déplairait à ceux dont dépendait l'attribution de leur licence d'opérer.

Autour de lui, ce serait le vide.

Et on le tiendrait sous surveillance. On suivrait ses incursions sur Internet pour voir à quoi il s'intéressait. On tiendrait un registre des gens qui lui rendraient visite. On les interrogerait pour les décourager de le revoir.

Bref, il serait considéré comme un électron libre qu'il importait de contrôler.

~

Une fois les apéros commandés, Leclercq en vint à la principale raison de cette rencontre précipitée : la constitution d'une sorte de groupe de travail non officiel, on pouvait même dire clandestin, dont il leur demandait de faire partie.

— Nous serions combien ? demanda Théberge.

— Pour l'essentiel, les mêmes. Vous deux, moi, Norbert...

Leclercq tourna la tête vers Prose.

— Je parle de Norbert Duquai. Gonzague l'a déjà rencontré.

Leclercq hésita avant de poursuivre, comme s'il cherchait ses mots.

— Norbert est quelqu'un de particulier. Très efficace, mais particulier. Il a une forme d'Asperger et de trouble obsessionnel compulsif. Enfin, quelque chose qui y ressemble. Il a besoin d'un horaire stable, de travailler dans un milieu familier, de ne pas être bousculé dans ses habitudes…

— Et il est policier !

— Plutôt une sorte de bras droit. C'est mon principal collaborateur. En général, il est disponible huit heures par jour. Exactement huit heures par jour. C'est lui qui va faire le lien avec les spécialistes de la DGSI dont nous aurons besoin.

— Et nous ? demanda Théberge.

— On se rencontre pour analyser la situation, prendre connaissance des résultats des différentes analyses, planifier les interventions…

Puis, s'adressant de façon particulière à Théberge, il ajouta :

— Duquai a manifesté le désir que tu l'accompagnes pour effectuer des perquisitions, interroger des témoins… J'ai l'impression qu'il t'aime bien.

Ils furent interrompus par l'arrivée des apéros. Leclercq expliqua au maître de salle qu'ils commanderaient le repas un peu plus tard.

— Pas de souci. Y a pas le feu au lac… Quand vous êtes prêts, vous me faites signe.

Leclercq jeta un regard à la salle, histoire de vérifier que personne ne s'intéressait à eux, puis il desserra légèrement sa cravate.

— Et maintenant, si vous le permettez, je vais vous résumer ce que nous avons trouvé. Commençons par les victimes. Comme vous le savez, il y en a eu trois autres. Encore des petits hommes blancs. Ils ont été découverts dans le 3e arrondissement. Étouffés, eux aussi. Mais de façon plus brutale. Dans les trois cas, l'os hyoïde a été fracturé. Les hématomes sur la gorge sont très marqués.

— Des empreintes de doigts ? demanda Prose.

— Non.

— Des traces d'ADN ?

—Les analyses sont en cours. Je m'attends à ce qu'il y en ait.

—Vous croyez que ce sera une femme différente des deux autres? s'enquit Prose. Et qu'elle sera d'une autre race que les deux précédentes?

—Qu'est-ce qui vous fait penser ça?

—C'est ce qu'on raconte sur Internet.

—Si vous avez raison, nous aurions donc trois femmes différentes, de trois races différentes. Et trois méthodes différentes. Exit la théorie du tueur en série.

—Mais on a quand même trois formes d'étouffement. Sur trois groupes de personnes ayant des caractéristiques communes…

Prose s'interrompit, comme frappé par une idée. Les deux Gonzague observèrent toute une série d'expressions se succéder sur son visage.

La dernière en était une de contrariété.

—On nous raconte une histoire sans queue ni tête!

Théberge et Leclercq le regardèrent, à la fois perplexes et curieux de connaître la suite. Il semblait être dans ce que Théberge appelait son mode *storytelling*.

—Le narrateur de cette histoire est un adepte des théories modernes de narration, formula Prose.

—Tu veux dire qu'on va le piéger avec une grammaire? maugréa Théberge.

Prose ignora la tentative d'humour de son ami et poursuivit:

—Je veux dire qu'il refuse de donner des indications claires au spectateur. Il s'amuse à tromper ses attentes. Il crée une impression de structure ordonnée, mais elle ne débouche sur rien. C'est du mauvais nouveau roman, si je peux me permettre ce quasi-pléonasme.

—En clair, ça veut dire quoi? s'impatienta Théberge.

—Dans une histoire, il y a des personnages types, il y a une série d'actions et tout ça est intégré dans une intrigue qui se tient. Mais il arrive que le romancier s'amuse à égarer le lecteur. Il lui montre des actions sans qu'il soit possible d'identifier qui les exécute. Il cache les relations que ces actions ont entre elles… Le lecteur est obligé de reconstruire la logique globale.

— C'est ce qu'on appelle une enquête, grommela Théberge.

Cette fois, Prose sourit.

— Ici, on a affaire à une drôle d'histoire, dit-il. On dirait que le narrateur a décidé de cacher le protagoniste et de répartir son rôle entre plusieurs personnages secondaires.

Puis son visage s'éclaira.

— Il nous manque un autre personnage. L'antagoniste… En fait, il nous manque à la fois l'antagoniste et le protagoniste. On ne sait pas qui est derrière tout ça. Ni qui est vraiment visé. On dirait qu'il n'y a pas de rôles principaux, juste une série de personnages et un metteur en scène… C'est ça! C'est le metteur en scène qu'il faut trouver!

Théberge risqua une traduction.

— Tu veux dire que le coupable est celui qui se tient derrière chacune des femmes liées aux séries de crimes?

— Exactement. Le vrai meurtrier n'est pas celui qui commet les crimes. Il se contente de les orchestrer et de les faire exécuter.

— Et comment fait-on pour le trouver, le metteur en scène?

— Il faut découvrir à quoi et à qui servent ces meurtres. Qui est visé : l'antagoniste. Et qui en profite : le protagoniste.

La discussion fut interrompue par la vibration du téléphone de Leclercq.

www.europel.fr/politique/manif-securite-pour-t…

> … une foule évaluée par les autorités à 20 000 personnes devant le ministère de la Sécurité publique. Les organisateurs de Manif pour tous avancent pour leur part le chiffre de 65 000. Ils affirment qu'il s'agit uniquement d'une première étape et que la mobilisation se poursuivra tant que…

RENDEZ-VOUS PRUDENT

Leclercq était sorti sur le trottoir pour prendre l'appel. Il s'abrita dans l'entrée du restaurant. Les rares passants se protégeaient du mieux qu'ils le pouvaient de la pluie froide qui tombait sur l'avenue de La Motte-Picquet.

Leclercq préférait éviter que Prose et Théberge, mais surtout Prose, soient au courant de sa discussion avec Natalya.

— Il faut qu'on se voie, dit-elle. J'ai des choses à vous montrer. Dites-moi où vous êtes et je vous rejoins dans une heure.

— Ce n'est pas une bonne idée. Je suis avec Théberge et Prose.

— Demain matin, alors? Au petit déjeuner?

— Vous avez un endroit à suggérer?

TRAQUER LE METTEUR EN SCÈNE

— Désolé, fit Leclercq en se rassoyant.

— Rien de pire que la retraite! répliqua Théberge.

Leclercq esquissa un sourire.

— Officiellement, elle ne commence qu'à minuit.

Puis il se tourna vers Prose.

— Que pensez-vous de l'hypothèse que ce soient vraiment des terroristes?

— Dans quel but feraient-ils ça? Dans une histoire, il y a toujours un enjeu. Mais dans celle-ci… c'est comme s'il n'y en avait pas. À ma connaissance, il n'y a eu aucune revendication.

Leclercq leur résuma la façon dont il était possible d'imputer la responsabilité des meurtres au terrorisme d'extrême droite.

— Ça se défend, fit Prose. C'est probablement faux, mais ça se tient comme hypothèse.

— Il suffit que le directeur puisse se servir de l'histoire s'il a besoin d'une justification.

Prose sortit son iPad de son sac, fit apparaître une liste et posa l'appareil sur la table devant Leclercq.

LE MONDE:	Six meurtres inquiétants
LE FIGARO:	Des crimes raciaux
FRANCE SOIR:	Un tueur de Blancs
LE PARISIEN:	Blancs et petits? Vous êtes visés!
SITE DE *MARIANNE*:	Que fait la police?
SITE DE *L'EXPRESS*:	Trois autres victimes. Justice impuissante
RUE89:	Les réponses évasives de la police
LIBÉRATION:	Un préfet qui se tait

— Vous y voyez quoi? demanda Leclercq.

— Ils se concentrent sur deux idées: que les crimes visent des Blancs et que la police est impuissante.

— Les commentaires sur l'impuissance de la police ont sûrement joué dans la décision de Dumas de se plaindre au ministre.

— Dumas? fit Prose.

— Le directeur de la Police judiciaire de Paris. À partir du moment où le ministre a senti la pression et qu'il a appelé le directeur de la DGSI, mon sort était scellé.

— Il est clair que le responsable de ces crimes joue la carte des médias, reprit Prose. Vous avez vu la rapidité avec laquelle la nouvelle de la mort des trois dernières victimes s'est répandue? L'histoire est déjà dans les médias et les réseaux sociaux.

— Ça, je peux vous le confirmer, dit Leclercq. Les médias étaient sur place avant nous. Il est clair qu'ils avaient été prévenus. Je peux aussi vous confirmer que des gens utilisent des *chatbots* pour alimenter la discussion sur ces meurtres.

— Des tchattequoi? demanda Théberge.

Ce fut Prose qui lui répondit.

— Des sortes de programmes informatiques semblables à des virus. C'est l'équivalent Internet d'un robot. Les *chatbots* se promènent sur le web et se font passer pour des internautes. Ils tweetent, ils ont des pages Facebook, ils postent des commentaires sur celles des autres, sur les blogues… En particulier ceux des médias.

— Et pourquoi font-ils ça?

— Dans certains cas, c'est pour créer de l'achalandage. Plus quelqu'un a de visites sur son site, plus il peut faire d'argent en vendant de la publicité. Il y a des entreprises spécialisées où on peut acheter des visites : l'entreprise envoie des robots qui se font passer pour des internautes et qui cliquent sur son site pour augmenter l'apparence d'achalandage. Il suffit de payer.

— Je ne vois pas le rapport avec ce qui nous préoccupe.

— Il y a une autre utilisation. C'est comme les messages publicitaires qui inondent les boîtes de courrier électronique. Ceux qui proposent d'augmenter la taille du pénis, de faire perdre 50 livres en deux semaines ou d'enseigner une technique secrète pour influencer les gens… Sauf qu'au lieu de vendre des produits, ils vendent des opinions. Les robots aident des idées à devenir populaires en les répétant partout.

— Et ils se font réellement passer pour des personnes ?

Théberge semblait médusé.

— C'est facile, expliqua Prose. Ils fonctionnent par mots-clés. Quand ils en rencontrent un, ils ajoutent un commentaire en utilisant une des phrases qui sont dans leur banque de données. Ils peuvent aussi reconnaître les commentaires des internautes favorables à leur point de vue et les recopier un peu partout… Avec l'effet cumulatif, ça crée un buzz. Ça donne l'impression que l'opinion publique va dans telle ou telle direction.

— Tu as vraiment étudié ça ?

— Pas le choix. Sur les pages Facebook et les comptes Twitter très suivis, il y a toujours un bon nombre d'abonnés qui sont en fait des robots. Si tu ne veux pas perdre ton temps à discuter avec eux, il faut que tu puisses les reconnaître. Il y a des techniques pour ça… Ça permet aussi de relativiser la popularité d'une idée, de se faire un meilleur portrait de la véritable opinion publique.

Amusé de voir Théberge un peu dépassé, Prose prenait visiblement plaisir à en remettre.

— Les politiciens et les groupes de pression les utilisent beaucoup. Les agences de publicité aussi. Il existe aussi des robots qui attaquent systématiquement certains points de vue… Actuellement, il y a un *bot* en circulation qui est programmé pour reconnaître les opinions climatosceptiques. Quand il en rencontre une, il réplique avec des arguments qui prouvent l'existence du réchauffement climatique.

— Les gens se laissent vraiment abuser?

— Il y a même des *bots* qui tiennent des blogues et qui ont des dizaines de milliers d'abonnés.

Leclercq profita de la digression pour faire signe au maître de salle qu'il pouvait venir prendre leur commande.

Après son départ, Leclercq se tourna vers Théberge.

— À ton avis, est-ce qu'il pourrait s'agir de la vieille stratégie consistant à tuer plusieurs personnes pour dissimuler l'identité de la seule qui est vraiment visée?

— Ça voudrait dire qu'il faut chercher la cible parmi les victimes.

— La ou les cibles…

— Ça fait beaucoup de mise en scène pour dissimuler un meurtre. Pense seulement au travail pour trouver des victimes qui se ressemblent.

Prose les interrompit, comme s'il venait d'être saisi par une idée.

— La seule piste, la seule trame narrative plausible, dit-il, c'est le fait que ce sont des petits hommes blancs qui ont rencontré des femmes avant de mourir.

L'idée semblait se développer dans sa tête à mesure qu'il parlait.

— Dans l'hypothèse où il y a plusieurs fausses victimes pour dissimuler la vraie, ce serait une solution très efficace. Quelle est la seule chose, chez les victimes, que le criminel ne peut pas cacher? Leur petite taille. Et le fait qu'ils sont blancs. Et alors, qu'est-ce qu'il fait? Il les multiplie!

— Il tuerait de plus en plus pour faire diversion? reprit Leclercq. Uniquement pour couvrir ses traces en en tuant de plus en plus. C'est bien ce que vous dites?

Manifestement, il était sceptique.

—Exactement. Et il introduit cette série arithmétique qui fait paniquer les habitants des arrondissements concernés. Une autre diversion.

—J'ai demandé qu'on fouille davantage la vie de chacune des victimes. On verra bien si elles ont d'autres points communs…

—Et le témoin que vous avez mis en sûreté? demanda Prose.

—Il ne nous a pas appris grand-chose. À part le fait qu'il était trop ivre pour commettre les meurtres. Son amie, par contre…

—Quelle amie?

—Sandrine Bijar… Un mètre 92. Trente-quatre ans. Brune aux yeux noirs. Née dans le Gers, selon l'état civil. Montée à Paris au début de la vingtaine. Petits boulots. École de mannequinat. Professeure de *power dancing*… Puis on perd sa trace.

—Vous croyez que c'est une légende, une bio fabriquée?

—Très possible. C'est à cause d'elle que Littoral affirme boire. Parce qu'elle l'a quitté. Elle est actuellement introuvable. Dernier emploi, selon son amoureux transi: une sorte d'agence d'escortes très particulière. Une agence où ce sont les clients qui se font payer.

—Ça existe vraiment?

—Cela a même un nom: Désirs extrêmes.

—Peut-être que ça inclut le désir de meurtre.

—Il y a aussi les femmes dont vous avez identifié l'ADN. Par elles, on a une chance de remonter au metteur en scène.

—Traquer le metteur en scène, murmura Leclercq avec un demi-sourire.

Il prit une note sur son téléphone portable pendant que Prose poursuivait son idée.

—Si c'est le metteur en scène, le vrai criminel, l'hypothèse du tueur en série tient la route: à chaque étape, il augmente l'enjeu. Son message est celui de la plupart des tueurs en série: "Attrapez-moi, si vous êtes si malin." Chaque étape est à la fois un défi et un triomphe.

—Sauf si les victimes sont déjà toutes mortes, objecta Leclercq. Sauf si le meurtrier se contente maintenant de disséminer les cadavres dans les arrondissements.

Il leur résuma les observations de l'inspecteur Pasquier et la conversation qu'il avait eue avec Brigitte Vasseur.

— Si c'est vrai, ça ne sert à rien de protéger qui que ce soit, conclut Théberge. Le vrai problème, c'est de retrouver le tueur avant qu'il provoque des réactions incontrôlées dans toute la ville.

— Ça confirmerait l'idée du metteur en scène comme véritable responsable des meurtres, ajouta Prose. Mais on ne sait toujours pas à qui cette mise en scène est destinée. Qui est le public visé.

JOUR 9

THÉÂTRES DE FANTASMES

Quand Natalya arriva au Cercle Luxembourg, Leclercq y était déjà.

Assis à une table de la terrasse, il prenait un café. Aucun nuage ne voilait le soleil, mais ce n'était pas suffisant pour empêcher la buée de se former au-dessus de sa tasse.

Un restant de croissant attendait dans une assiette. Un journal plié affichait à la une :

SIX INCONNUS VICTIMES DE L'INCOMPÉTENCE DE LA POLICE

Au-dessous, on pouvait voir six silhouettes de têtes noires. Sur chacune, il y avait un immense point d'interrogation blanc.

Natalya s'assit à une table près de celle de Leclercq.

Ils étaient les deux seuls clients sur la terrasse. Tous les autres avaient fui à l'intérieur ce printemps qui refusait d'en être un.

Pendant un bon moment, aucun des deux ne fit attention à l'autre. Ils semblaient absorbés, chacun de leur côté, par la contemplation des arbres au-delà de la grille du Jardin du Luxembourg, de l'autre côté de la rue.

— Vous en êtes où ? demanda Leclercq sans la regarder.

—J'ai effectué quelques recherches sur les "théâtres" de fantasme. Il y en a deux, L'Interdit et Death Wishes, qui sont relativement honnêtes pour ce genre d'endroit. Ils organisent des rencontres qui sont à la limite de ce que permet la loi et ils pratiquent des tarifs usuraires que les clients ont appris à considérer comme normaux. En gros, ce sont des sortes de maisons closes de luxe. Les membres préfèrent parler de clubs privés. Les deux se consacrent à des mises en scène théâtrales de domination sexuelle. Ils sont bien connus de plusieurs services de renseignement… Des vôtres aussi, j'imagine.

—On connaît effectivement un certain nombre de ces endroits. Mais ceux que vous mentionnez étaient passés sous notre radar.

—J'ai un peu creusé la structure de propriété des endroits où ils se réunissent. Contrairement à ce qu'ils prétendent, les locaux n'appartiennent pas aux membres. Ils ont bien quelques actions dans l'entreprise qui en est propriétaire, mais cela leur donne à peu près autant de pouvoir que si vous aviez deux ou trois actions de L'Oréal ou du Crédit Agricole.

—À qui appartiennent-ils ?

—À des sociétés anonymes. Elles détiennent plus de 95 % du capital. Une est enregistrée en Angleterre ; une autre, en France. Ces deux-là, on connaît les vrais propriétaires et ils savent qu'ils sont connus. À part de petites arnaques aux dépens de leurs clients, il n'y a pas grand-chose à leur reprocher. C'est le monde merveilleux de la simulation et du *grey shadow*. La société qui gère le troisième établissement, par contre, The Black Scene…

Malgré la longue pause que fit Natalya, Leclercq attendit qu'elle continue. Impassible.

—La société anonyme qui détient The Black Scene, reprit Natalya, a un siège social en Roumanie.

—Je comprends qu'elle vous intéresse.

—Et c'est une autre société anonyme enregistrée à Malte qui possède la quasi-totalité de l'entreprise roumaine.

—Donc protégée par le secret bancaire, un CA de figuration et des lois qui interdisent la divulgation dà peu près toute information.

— Notre meilleure porte d'accès est la Roumanie.

— Je vous l'accorde. Mais, pour l'instant, vous comprendrez que j'ai vraiment besoin de vous à Paris.

Ils furent interrompus par l'arrivée du garçon. Natalya commanda un expresso.

Leclercq attendit le départ du serveur pour reprendre la conversation.

— Sur les victimes, vous avez quelque chose ?

— Je devrais recevoir des informations au cours de la journée.

— Aussitôt que vous avez quoi que ce soit…

Quelques minutes plus tard, profitant de l'arrivée du serveur qui apportait le café de Natalya, Leclercq se leva, laissa un billet de cinq euros coincé sous la soucoupe de son café et descendit le boulevard Saint-Michel en direction de la Seine.

MÉPRISE MORTELLE

Lucien Grosjean mesurait 1 mètre 69, une taille qui l'excluait a priori du groupe des « petites personnes ». Mais il s'était toujours senti petit. Et vulnérable. Surtout depuis qu'il avait un cancer des os.

La maladie était en rémission, mais il avait perdu six centimètres de taille. Au mieux, il lui restait deux ans. Il entendait en profiter.

Sortir de chez lui était toujours une aventure un peu angoissante. À cause du quartier où il demeurait. Ce n'était pas exactement la banlieue, mais ce n'était pas non plus un quartier totalement sûr.

Trois jeunes venaient à sa rencontre.

Ils bloquaient toute la largeur du trottoir. Leurs capuchons rabattus dissimulaient en partie leurs visages. Un seul avait l'air d'être Blanc. Celui du centre était visiblement un Noir. Et le troisième avait le teint foncé. Un Maghrébin, probablement. Ou un Pakistanais.

Sa main se crispa par réflexe sur le manche du couteau qu'il dissimulait dans la poche de son paletot.

Depuis qu'il les avait aperçus, Lucien Grosjean tentait d'anticiper toutes les façons dont ces jeunes pouvaient l'agresser.

Allaient-ils attendre d'être tout près pour se jeter ensemble sur lui ? Allaient-ils s'écarter de manière à l'encercler tout en lui laissant croire qu'il avait la voie libre ? Allaient-ils le croiser sans le moindre signe d'agressivité, puis se retourner brusquement et l'assaillir par-derrière ?

Bien sûr, ils pouvaient avoir rabattu leurs capuchons simplement pour se protéger du froid. Avec cette bruine qui tombait et le thermomètre qui persistait à demeurer sous les moyennes saisonnières, ce n'était pas impossible. Mais ils étaient trois. Ils occupaient tout le trottoir. Et ils n'avaient pas l'air de vouloir le laisser passer.

Celui qui lui faisait face fit un pas de côté au dernier moment, juste ce qu'il fallait pour que Lucien puisse se faufiler de profil. Mais il accompagna son mouvement d'un brusque geste du bras.

Le jeune n'avait aucune intention de frapper Grojean : son bras remontait vers son propre visage pour simuler un brusque geste de protection. Comme si c'était lui qui avait peur. Pour se moquer de la peur qu'il avait perçue chez le petit homme… Encore un de ces racistes qui pensaient que tous les Noirs étaient dangereux ! Surtout s'ils étaient jeunes !

Mais l'esprit de Lucien Grosjean était accaparé par les scénarios qu'il avait imaginés. La brusquerie du geste suffit à lui faire croire qu'il était attaqué.

Sa main jaillit et le couteau se planta dans le bras relevé de l'agresseur présumé.

Les trois jeunes regardèrent un moment le petit homme, incrédules. Puis, réalisant qu'il avait blessé l'un d'eux, ils se jetèrent sur lui.

DÉSIRS EXTRÊMES

Une plaque de métal, à la gauche de la porte, affichait la raison sociale. Des lettres gris pâle sur fond noir.

DÉSIRS EXTRÊMES

À l'intérieur, Théberge et l'inspecteur Duquai furent reçus par une grande femme en robe noire, soigneusement maquillée. Ses cheveux roux tranchaient sur la blancheur de sa peau.

— Anne-Sophie Thorel.

Elle les conduisit dans son bureau, leur indiqua des fauteuils où ils pouvaient s'asseoir, leur offrit un café qu'ils refusèrent, puis elle s'assit à son tour.

À l'intérieur, tout était d'une propreté impeccable. Si ce n'avait été d'un ordinateur portable ouvert devant elle, on aurait pu croire la pièce inhabitée.

— Si vous nous expliquiez d'abord en quoi consiste le travail de cette agence ? demanda Théberge.

— C'est une sorte de gare de triage. On oriente les clients vers les théâtres en fonction de leurs besoins.

— Les théâtres ?

— Ils sont dirigés par des collectifs d'acteurs amateurs et d'intervenants théâtraux. Ils écrivent leurs propres pièces pour mettre en scène leurs fantasmes. Mon équipe de recruteuses s'occupe de leur trouver des participants intéressés par l'une ou l'autre de ces formes particulières d'art dramatique.

— À savoir ?

— Domination, sadomasochisme, *breath games*... Les clients nous demandent...

— Les victimes, vous voulez dire, rectifia Théberge.

La femme le regarda et sourit.

— Effectivement, dans bien des cas, ce sont des victimes. Consentantes, mais victimes.

Elle tourna l'écran de son ordinateur vers eux, accéda au site Internet de l'agence et fit apparaître un répertoire. Elle choisit ensuite la rubrique « scénarios fréquents ».

Un sous-répertoire illustré apparut. Elle le fit défiler.

Un client était enfermé dans une cage. Un autre, les poignets attachés dans le dos, se nourrissait comme un animal dans une écuelle posée par terre. Un autre encore, dans la soixantaine, avait pour tout vêtement une couche et un bonnet de bébé : il tétait un biberon. Suivaient un client ligoté et suspendu à une chaîne, un autre qui se faisait piétiner…

Elle ferma le sous-répertoire.

— Je vous épargne ceux qui veulent être dégradés, dit-elle.

— Parce que ceux-là…

— Je parle d'urine, d'excréments… À moins que vous n'insistiez…

Elle lui avait posé la question sur un ton où l'amusement le disputait au défi.

— Ce n'est pas indispensable.

— Le plus étonnant, c'est qu'il y a peu d'actes sexuels proprement dits. C'est comme si les clients étaient enfermés dans les préliminaires.

— Et il n'y a jamais de violence réelle ?

— Tout dépend de ce que vous appelez violence. Il y a des clients qui aiment recevoir des coups, être fouettés, qui aiment voir leur sang couler… L'important est que tout se passe selon les modalités précises fixées par le client.

— Et vous dites que ce n'est pas violent !

— Quand un sportif continue à s'entraîner malgré la douleur, qu'il en vient même à détruire ses articulations et à se condamner à être handicapé pour le reste de sa vie – et je ne parle même pas des commotions cérébrales – est-ce de la violence ? Quand un *marine* accepte d'être entraîné à résister à la torture, est-ce de la violence ?

Elle fit une pause pour scruter le regard étonné des deux hommes. Manifestement, la discussion prenait un tour auquel ils ne s'attendaient pas.

Elle reprit :

— Le problème que vous posez, c'est de savoir si la violence consentie est encore de la violence. Autant du point de vue de celui qui la subit que de celui qui l'inflige.

— Et vous, vous en pensez quoi ?

— À mon avis, tant que les choses se passent entre adultes consentants, on demeure dans la sphère privée, dans l'expression des fantasmes. Si certains veulent y donner une forme théâtrale, libre à eux.

Théberge se rappela une longue discussion qu'il avait eue sur ce sujet avec Prose. Une discussion où il avait surtout écouté…

Ils avaient parlé de ceux qui avaient des fantasmes de domination paternelle et qui devenaient la proie de toutes sortes de gens. Était-ce du domaine de la sphère privée ? Pouvait-on parler d'adultes consentants ?… Et si on ne le pouvait pas dans leur cas, pourquoi le pouvait-on dans les autres domaines ?

Est-ce que l'emprise d'un fantasme, quel qu'il soit, ne détruisait pas toute prétention au libre consentement ? Car on ne pouvait pas choisir ses fantasmes. Et consentir à ce qu'on ne peut pas choisir, est-ce autre chose que de consentir à un esclavage ?

Mais il était inutile d'amener la discussion sur ce terrain. Théberge se contenta de prendre acte du point de vue de la femme.

— Du théâtre, donc.

— Avec une touche de réalité augmentée. Du théâtre où le public s'approprie la pièce. S'y incorpore… Une bénédiction, paraît-il, pour ceux que les fantasmes sur papier ou filmés finissent par lasser !

— Et Sandrine Bijar ?

— C'est donc à elle que vous vous intéressez…

FRANCE 2/JT DE 9 HEURES

> … le ministre de l'Intérieur a confirmé, il y a quelques minutes, que l'enquête sur le meurtre des petits hommes blancs était désormais placée sous la responsabilité de la Police judiciaire, la DGSI se limitant à un rôle d'assistance et de collaboration. Écoutons ce qu'avait à dire le ministre.
>
> « La DGSI a été initialement chargée de l'enquête à cause de la possibilité que l'affaire soit reliée à une opération terroriste. Il importait de ne courir aucun risque. Maintenant qu'il est avéré que ces craintes étaient infondées… »

Anne-Sophie Thorel ne paraissait aucunement inquiète des questions des policiers. Elle avait même l'air d'y prendre plaisir, ce qui intriguait Théberge.

Sur son visage, un air amusé semblait avoir établi résidence de façon permanente. Sa voix gardait une subtile trace de moquerie, même quand elle disait s'inquiéter.

— À vrai dire, je me fais du souci pour mademoiselle Bijar, dit-elle. Il y a plusieurs jours que je l'ai vue. Comme elle est l'une de mes meilleures recruteuses…

— Recruteuse?

— Elle repère des clients potentiels, évalue leurs besoins et les transforme en clients réels.

— On croirait entendre une définition politiquement correcte du racolage.

— Mes filles ne reçoivent aucun argent des clients. Elles se contentent de les aborder, de les mettre en confiance, de susciter certaines confidences intimes… Ensuite, elles les orientent vers des groupes théâtraux conformes à leurs besoins.

— Vous voulez me faire croire qu'elles font cela gratuitement?

— Je sens une touche de réprobation dans votre remarque. À votre avis, elles ne devraient pas toucher un salaire pour leur travail?

— J'ai de la difficulté à imaginer qu'elles soient toutes des stakha-novistes de la philanthropie sexuelle.

La femme se permit un petit rire avant de répondre.

— Je vous rassure, elles sont rémunérées pour leurs efforts. Très bien rémunérées.

— Par qui?

— Par moi, bien sûr. Ce sont mes employées.

— En sommes, vous êtes une bienfaitrice de l'humanité désirante.

La femme éclata franchement de rire, cette fois.

Imperturbable, l'inspecteur Duquai semblait consacrer tous ses efforts à la tâche de se faire oublier. Seuls ses yeux, qui sautaient de l'un à l'autre au gré de la conversation, témoignaient de son attention sans faille. Si besoin était, il pourrait la reproduire la conversation au mot près. Il pourrait même préciser au besoin les gestes ou les regards qui avaient accompagné telle ou telle expression.

— Rassurez-vous, répondit la femme. Je ne suis pas une réincarnation de mère Teresa. Je n'ai absolument aucun plaisir à voir souffrir les gens sous prétexte que cela les rapproche du Christ.

Une accentuation du sourire ponctua la remarque. Puis elle poursuivit :

— Je ne tire aucun plaisir de cette apparente souffrance que je contribue à organiser. Seulement des honoraires. Et seulement quand il s'agit de souffrance librement consentie.

— Ces joyeux dispensateurs d'honoraires, ils ont un nom ?

— Ce sont tous les groupes théâtraux auxquels j'envoie de nouveaux membres.

Théberge s'arrêta un moment, comme s'il voulait vérifier un détail dans sa mémoire.

— Donc, reprit-il, les groupes paient les clients que vous recrutez.

— Exact.

— Et ils vous paient pour les recruter.

— C'est ça.

— Et eux, qui les paie ?

— Ce sont des gens qui ont des moyens. Ces groupes de théâtre sont leur loisir. Et ils tiennent à ce que cela demeure un loisir. Alors, ils me délèguent la partie qui ressemble à du travail... tout ce qu'on pourrait assimiler au recrutement du personnel.

— Le travail d'entremetteuse, en somme.

— Je préfère me voir comme une courtière en investissements fantasmatiques. Je repère des gens qui aimeraient s'investir eux-mêmes dans certains types de fantasmes et je les mets en contact avec d'autres gens qui sont à la recherche de ce type d'investisseur. En échange de mes services, comme tout courtier, je prends une commission sur les investissements.

— Et quand les clients ne sont pas du type "dominés"? Qu'ils sont plutôt du type "dominateurs"?

— Il existe des groupes d'accueil pour eux aussi. Regardez.

Elle pianota quelques instructions. L'instant d'après, des images d'hommes et de femmes violentés défilaient à l'écran.

— Impressionnant, n'est-ce pas? dit la femme.

— Criminel, vous voulez dire?

— Tout de suite les grands mots…

— Vous n'allez quand même pas me dire que des gens acceptent… ça!

— Je prends votre réaction pour un compliment envers les équipes de maquilleurs… Nous avons un département d'effets spéciaux que nous mettons à la disposition des groupes. Ils peuvent être très créatifs: colorants qui s'activent progressivement et qui créent l'impression d'ecchymoses, pochettes de sang qui imitent la peau et qui éclatent sous les coups de fouet… Des fouets pratiquement indolores, il va sans dire.

Elle sourit avant d'ajouter:

— Tout cela moyennant rémunération, bien entendu.

— Et pour les clients qui veulent de la vraie violence? Sur des victimes non consentantes?

— On les renvoie poliment. On s'en tient au théâtre. Mais je sais qu'il existe des lieux pour ce genre d'individus.

— Si on revenait aux groupes à qui vous envoyez des clients? Vous avez leurs coordonnées?

— Tout se fait par Internet. Le client fournit une adresse électronique où on peut le joindre. Je poste ces coordonnées sur un groupe Facebook privé aux allures banales. C'est le groupe qui contacte le client… Si les deux y trouvent leur profit, de l'argent est déposé sur mon compte bancaire.

— Quelle banque?

— Il faudrait demander à mon comptable. Je sais seulement qu'elle est enregistrée à Chypre. Là où notre société a établi son siège social.

— Tout cela est dans l'ordinateur ?

— Bien sûr.

L'ISLAM AU MILIEU DES CRISES

Dans le coin de l'écran, un carré rouge se mit à clignoter. Prose jeta un coup d'œil pour voir qui le contactait sur son blogue.

Comme il le pressentait, c'était un nouveau message de Phénix.

Vous êtes sans doute fort occupé. Alors, histoire d'accélérer le processus, j'ai pensé vous soumettre quelques questions supplémentaires.

C'était quoi, cette nouvelle urgence ?

Un moment, Prose jongla avec l'idée de fermer le message : il avait autre chose à faire. Mais il se rappela qu'il avait promis aux deux Gonzague d'en apprendre le plus possible sur son étrange correspondant.

Il se mit à lire.

L'Islam est par essence opposé à l'existence d'une société laïque. Selon le Coran, il est blasphématoire de prétendre soustraire la société civile à la loi coranique. Cela équivaudrait à interdire le règne d'Allah sur une partie de l'Univers. Alors, comment une société islamique peut-elle tolérer une société laïque en son sein ?

N'est-il pas réaliste de penser que les islamistes les plus intégristes vont finir par imposer leur vision de l'Islam à l'ensemble des musulmans, quand l'Arabie Saoudite et les États du Golfe les soutiennent chaque année à coups de milliards ?

Comment ne pas voir dans ce qui s'est passé en Égypte la véritable stratégie des islamistes : conciliants et profils bas tant qu'ils sont en position de faiblesse, radicaux et intolérants aussitôt qu'ils détiennent le pouvoir ?

Comment ne pas interpréter la réislamisation de la vie civile, en Turquie, comme une version plus habile, plus progressive, mais fondamentalement identique, de ce qui s'est passé en Égypte ?

Comment croire que, dans les pays musulmans modérés, les islamistes radicaux n'utiliseront pas les droits démocratiques pour prendre le contrôle de État, soumettre la majorité des musulmans à leur interprétation radicale de l'Islam et ensuite l'imposer à la totalité de la population?

Ne va-t-il pas de soi qu'ils utiliseront une stratégie similaire à mesure qu'ils deviendront majoritaires dans les régions européennes, ce qui ne manquera pas d'arriver, compte tenu de leur taux de reproduction supérieur à celui des populations locales?

N'est-il pas ironique que le principal architecte de cette mainmise des intégristes sur le monde musulman soit l'Occident, par son appui séculaire aux formes les plus archaïques et les plus intégristes de l'Islam en échange d'avantages pétroliers?

Plus Prose avançait dans sa lecture, plus il trouvait qu'il s'agissait d'un réquisitoire plutôt que d'une simple argumentation.

Phénix faisait allègrement fi de toutes les populations musulmanes résolument modérées et modernes, qui avaient de leur religion une vision essentiellement tolérante. Par ailleurs, sa thèse sur la prise de contrôle du monde musulman par les intégristes lui permettait d'ignorer toutes les différences existant entre les diverses populations musulmanes. Il faisait comme si l'Islam indonésien pouvait être assimilé à celui du Maroc ou de l'Arabie Saoudite.

Comment ne pas constater que, déjà, sur l'ensemble de la planète, la minorité religieuse la plus persécutée est la population chrétienne? Et que c'est dans les pays à domination musulmane que se trouve l'essentiel des persécutions religieuses?

Comment ne pas voir que cet islamisme politique fournira des arguments aux radicaux européens et nord-américains qui sont contre toute forme d'Islam? Que les attaques anti-islamiques vont se multiplier? Qu'il y aura des représailles? Et des contre-représailles?

Comment croire que les autres religions vont échapper à la contamination? Qu'elles ne deviendront pas plus intolérantes? Qu'elles ne seront pas tentées, elles aussi, par le recours à la violence purificatrice?

Comment imaginer que les communautés musulmanes, partout sur la planète, ne seront pas aspirées malgré elles dans cet engrenage? Que les représailles contre les autres communautés ne se multiplieront pas dans les pays à majorité musulmane?

Comment penser que la Grande-Bretagne, pour prendre un cas caricatural, ne récoltera pas les fruits de sa tolérance envers les mosquées où l'on prêche ouvertement le djihad depuis des décennies?

Comment ne pas voir que cette radicalisation dégénèrera en conflits ouverts? Que les modérés seront sommés de choisir leur camp? Et que ceux qui ne le feront pas seront considérés comme traîtres?

Comment imaginer que cette pression constante n'alimentera pas les conflits? Que les conflits ne pousseront pas à la radicalisation? Et qu'il y a là un cercle vicieux?

Finalement, ce que faisait son correspondant, c'était de prendre des faits réels, de véritables tendances, et de les absolutiser. Soit en les poussant à leurs conséquences extrêmes, soit en ignorant toutes les réactions que cet intégrisme pouvait susciter à l'intérieur même du monde musulman.

Comment imaginer que les groupes djihadistes renonceront à détruire toutes les structures de la société civile dans les zones qu'ils contrôlent, comme ils le font déjà en Afrique et au Moyen-Orient? Comment ne pas conclure que leur but est la destruction de l'État-nation, parce qu'il représente à leurs yeux l'essence de la société civile?

Comment ne pas reconnaître, dans les massacres perpétrés par EIIL, l'aboutissement logique de la pensée islamiste?

Comment est-il possible que s'apaise la guerre au Moyen-Orient quand la Russie a tout intérêt à l'entretenir en soutenant l'Iran, la Syrie et leurs groupes islamistes? Comment les choses pourraient-elles changer quand la santé économique de la Russie dépend des revenus du pétrole et que la guerre permet de maintenir son prix élevé?

Comment ne pas voir que cette montée de l'islamisme radical amènera Israël et plusieurs pays occidentaux à vouloir en découdre?

Bref, comment peut-on penser qu'une grande partie de la planète, particulièrement l'Occident et l'Afrique, pourra échapper à cette prolifération de conflits religieux?

N'est-il pas évident que cette guerre servira à renforcer les effets des autres crises qui sévissent sur la planète: crise alimentaire, crise de l'eau, crise énergétique et climatique, crise sanitaire… ? Et que les effets de ces autres crises ne seront pas amplifiés par ces tensions et conflits religieux ?

REVENIR POUR LE PLAISIR

Pendant la conversation entre Théberge et madame Thorel, Norbert n'avait pas soufflé mot. Il avait simplement regardé sa montre à quelques occasions.

La femme se tourna vers lui.

— Je vous trouve bien silencieux. Vous n'avez pas de questions ?

— Mon collègue a posé celles qui m'apparaissaient pertinentes. Sauf une, peut-être. Mais je suis certain qu'il allait y venir.

— Je vous écoute.

— Il s'agit de deux questions, en fait. Mais qui sont liées. La première : avez-vous l'adresse de madame Bijar ?

— Non.

— Comment la contactez-vous ?

— Par téléphone. Mais il y a plusieurs jours qu'elle ne répond plus… Ça m'inquiète un peu, d'ailleurs. Vous voulez que je vous donne son numéro de portable ?

Tout en parlant, la femme avait sorti un bloc-notes d'un tiroir. Elle inscrivit un numéro, arracha la feuille et la tendit à Duquai.

Duquai la prit et la rangea dans son porte-documents. Il ferma ensuite les yeux pendant une dizaine de secondes.

Théberge se demanda si c'était pour vérifier l'archivage des dernières réponses dans sa mémoire.

Quand Duquai ouvrit les yeux, il était prêt pour la question suivante.

— Mademoiselle Bijar avait-elle un bureau ici ?

La femme hésita quelques secondes. Théberge eut l'impression qu'elle évaluait les conséquences respectives d'un mensonge et d'une réponse franche.

Finalement, ce fut la franchise qui l'emporta.

— Toutes nos employées ont un bureau à leur disposition.

— Vous n'employez que des femmes ?

— En général, elles ont une attitude plus professionnelle. Et puis, compte tenu de la composition de notre clientèle, il est plus efficace d'avoir recours à des femmes… Même quand nos clients sont des clientes.

— Si vous le dites…

— Chacune dispose d'un petit salon qui fait office de bureau. L'utilisation qu'elles en font est très variable. Certaines n'y vont presque jamais. Il y en a qui l'utilisent comme pièce de rangement pour leurs dossiers. D'autres y reçoivent les clients en entrevue pour évaluer avec quel groupe ils seraient les plus compatibles.

Quelques instants plus tard, Théberge et Norbert entraient dans une pièce qui paraissait fraîchement relookée par un décorateur.

— On dirait une pièce inhabitée.

— Les travaux de réno se sont terminés il y a trois semaines. Combien de fois mademoiselle Bijar y est-elle venue depuis, je ne saurais le dire… Vous semblez croire que je suis la mère supérieure d'un couvent !

Le sourire qui accompagnait la boutade laissa Théberge sans réaction.

Norbert s'adressa à lui.

— Je fais venir une équipe technique.

Il sortit son téléphone.

Dix-neuf minutes plus tard, l'équipe était à pied d'œuvre et procédait à l'examen du salon-bureau de Sandrine Bijar. Elle saisit également l'ordinateur de madame Thorel, que cette dernière leur céda de bonne grâce.

Une fois le travail de l'équipe technique achevé, la toujours souriante madame Thorel reconduisit Théberge et Duquai à la porte.

— Il se peut que nous ayons besoin de vous revoir, l'informa Théberge.

— Revenez quand vous voulez. Même si c'est uniquement pour le plaisir.

Une fois à l'extérieur de l'agence, Théberge offrit à Duquai d'aller manger. Ce dernier refusa poliment : il devait être chez lui dans 28 minutes. Il avait tout juste le temps de s'y rendre.

Ils se reverraient dans l'après-midi pour discuter de la suite des choses.

RUMEUR CONFIRMÉE

Le présentateur commentait un article du *Figaro* avec un invité. Pour l'instant, son regard fixait la caméra.

Il s'efforçait de présenter comme une analyse objective ce qui était en fait – la chose était évidente pour tous les habitués de la prose du journaliste – une nouvelle façon de démontrer l'incapacité du PS à assurer la sécurité dans les rues du pays.

> Nouveau développement dans l'affaire des petits hommes blancs. La rumeur se confirme : Vincent Guyon est bien la première victime de la série. Depuis quelques heures, une photo circule sur Internet. On peut y voir le corps du jeune homme, tel qu'il aurait été abandonné dans la cour intérieure de la résidence familiale. Nous tenons à vous prévenir que cette image peut avoir un caractère choquant.

Une photo du corps de Vincent Guyon apparut à l'écran. On le voyait, nu, étendu sur la pelouse. La région du sexe était floutée.

Le présentateur poursuivait en voix off pendant que la caméra effectuait un lent travelling sur la photo.

> Rappelons que Vincent Guyon habitait chez ses parents, au cœur du 1er arrondissement. La progression des meurtres par arrondissement se trouve donc confirmée.
>
> Que faut-il en conclure ? Quelle est la nature du danger pour les résidants du quatrième ?

La caméra revint au présentateur et s'approcha lentement de lui pendant qu'il parlait.

Pour nous aider à faire le point sur ces questions, Herbie de Bellegrave est avec nous. Criminologue et blogueur réputé, il a fréquemment collaboré avec la Police judiciaire dans des enquêtes relatives à des tueurs en série.

L'animateur fit pivoter son siège vers l'invité.

— Herbie de Bellegrave, bienvenue sur ce plateau.

— Merci à vous.

— Herbie de Bellegrave, les Français veulent savoir, comme dirait un de mes collègues. Sommes-nous en présence d'un tueur en série?

FIBONACCI ET OLIBRIUS PATENTÉ

Théberge et sa femme mangeaient côte à côte au comptoir de la cuisine. Ils se partageaient un reste de blanquette de veau de Corrèze.

À la télé, on discutait du meurtre des petits hommes blancs.

— Dans la mesure où nous avons une série de meurtres, dans la mesure où ces meurtres sont commis de façon semblable, et dans la mesure où ils visent un type particulier de personnes, on peut soutenir cette hypothèse avec une assez bonne conviction.

— Et le fait qu'il y ait eu deux victimes dans le 2e arrondissement, trois dans le troisième …

— De toute évidence, il s'agit d'un élément de son rituel.

La caméra quitta l'invité pour revenir à l'image montrant le corps de Vincent Guyon.

Madame Théberge ne put s'empêcher de réagir.

— Le pauvre garçon… Quand je vois ça, Gonzague, ça me fait presque accepter de ne pas avoir d'enfants.

C'était le plus grand regret de madame Théberge. Vieillir sans avoir d'enfants et de petits-enfants. C'était là une des raisons de son bénévolat auprès des jeunes femmes «commercialisées», comme elle disait, par des motards ou d'autres groupes criminels.

— Il risque donc d'y avoir quatre nouvelles victimes dans le 4ᵉ arrondissement?

— Cela fait partie des hypothèses. À la condition que le criminel privilégie une série linéaire.

— Parce qu'il y a d'autres possibilités?

— Il a peut-être autre chose en tête. Une série de Fibonacci, par exemple. À ce stade-ci, on ne peut pas encore se prononcer…

— Fibo… vous dites?

— Fibonacci. Si on découvre une autre victime isolée antérieure aux dernières victimes, on aura la série 1-1-2-3… Il suffit d'y ajouter un zéro au début, pour illustrer l'absence initiale de victime, et on obtient une Fibonacci. Chaque terme est alors la somme des deux précédents.

— C'est… très astucieux.

— Les chiffres suivants sont 5, 8, 13…

— Vous voulez dire, Herbie de Bellegrave, qu'on pourrait avoir cinq victimes dans le 5ᵉ arrondissement au lieu de quatre dans le quatrième?

— Exactement.

Théberge, qui maugréait à voix basse depuis un moment, ne put se contenir plus longtemps.

— Non, mais! À quoi il pense, cet olibrius patenté! Il veut que la panique s'étende au 5ᵉ arrondissement?

Insensible aux protestations de Théberge, l'expert poursuivait son raisonnement.

— Et ensuite, ce serait huit victimes dans le huitième. Treize dans le treizième. Vingt et une dans le vingt et unième…

— À ce rythme-là, Paris ne lui suffira pas. Je veux dire, il n'y a pas 34 arrondissements à Paris…

Théberge continuait de maugréer.

— Tu imagines les gens qui habitent le 4ᵉ et le cinquième!

À la télé, le présentateur tentait d'élargir le débat.

— Dans votre carrière, avez-vous déjà rencontré des cas semblables?

> — Il y a bien le tueur du Zodiaque, qui choisissait ses victimes en fonction de leur signe astrologique, un signe après l'autre, en suivant l'ordre de l'horoscope. Mais la norme, pour les tueurs en série, si on peut parler de norme dans leur cas, c'est de se fixer sur un type de personne qui ont un certain nombre de caractéristiques communes..
>
> — Comme les petits hommes blancs?
>
> — Par exemple… Dans le cas présent, on serait en présence d'un double critère : la ressemblance physique des victimes et les arrondissements. Mais, pour l'instant, nous disposons d'un échantillon encore trop réduit pour asseoir une généralisation…

Théberge explosa.

— Mais qu'est-ce qu'il veut ? Que le meurtrier se dépêche d'empiler d'autres cadavres pour que monsieur l'expert puisse faire joujou avec ses statistiques ?

— Calme-toi, Gonzague. Ça ne sert à rien que tu te mettes dans cet état.

— Au contraire, ça sert à me défouler. Et défouler, ça élimine le stress. Ce qui est bon pour mon cœur.

— Tu devrais prendre un peu de fromage pour accompagner ton vin.

— Tu vois que tu es de mauvaise foi ! Tu ne veux pas que je m'exprime, soi-disant pour protéger mon cœur, et tu me pousses vers l'immersion intérieure dans le cholestérol !

> — Finalement, Herbie de Bellegrave, ce que vous nous dites est, de façon paradoxale, plutôt rassurant. Pour la très grande majorité de nos auditeurs, à tout le moins. Il n'y aurait aucune raison de paniquer. Les seules personnes à risque seraient les hommes blancs de petite stature qui habitent tel arrondissement, à tel moment.

— Tu l'entends ? rugit de nouveau Théberge. Ce n'est pas si grave qu'on assassine des gens, pourvu que ça se limite à une toute petite minorité !

Madame Théberge se contenta de soupirer et d'attendre que l'orage passe.

Puis elle sourit.

Avec un peu de chance, il lui apporterait des macarons en lui disant qu'il avait pensé à elle. Et, quelques minutes plus tard, il ajouterait que ce n'était pas pour se faire pardonner son éclat parce qu'il n'avait rien à se faire pardonner !

SUPPUTATIONS ÉRUDITES

La remarque qui avait provoqué l'explosion de Théberge ne suscita qu'un sourire amusé sur le visage de Payne. L'expert voulait disposer d'un échantillon plus représentatif ? Ses désirs étaient des ordres !

Il était décidément plein de bonnes idées, cet expert. La série de Fibonacci... C'était une trouvaille. Elle pourrait servir dans un autre projet.

À l'écran, l'animateur poursuivait l'entrevue.

> — En terminant, selon vous, Herbie de Bellegrave, quelle est la probabilité que le tueur frappe dans le 4e arrondissement ?
>
> — Je ne peux pas affirmer que ce sera dans le quatrième. Il y a beaucoup trop de paramètres non contrôlés. Mais si la police ne l'arrête pas rapidement, les prochaines victimes sont pour bientôt. Quelques jours tout au plus.
>
> — Puisqu'on parle de la police, je me tourne vers un autre invité.

La caméra balaya la table en U au centre de laquelle se tenait le présentateur. Il reprit.

> — Monsieur Dumontel a été pendant plusieurs années haut fonctionnaire au ministère de l'Intérieur. Depuis l'arrivée du nouveau gouvernement, il travaille comme consultant en dispositifs de sécurité dans le secteur privé. Monsieur Dumontel, merci d'avoir accepté notre invitation.

« Comme s'il avait eu le choix », songea Payne avec amusement.

Au total, l'opération avait coûté 20 000 euros. Trois pour encadrer l'intervention de Herbie de Bellegrave, une douzaine pour convaincre le réalisateur de l'émission d'inviter Dumontel et le reste pour Dumontel lui-même, afin qu'il intervienne dans le sens voulu.

Mais l'investissement serait rentable à long terme. Désormais, Dumontel n'aurait plus d'autre choix que de se plier aux demandes de Payne. Car leur « transaction » avait été filmée. Si l'ancien fonctionnaire ne se conformait pas aux exigences qui lui seraient imposées, la vidéo serait publiée sur YouTube. Sa réputation de consultant serait détruite. Adieu, les plateaux de télé, les entrevues à la radio, adieu la visibilité médiatique et les revenus que cela lui assurait.

En un mot, Dumontel lui appartenait. Désormais, il pourrait lui faire dire ou écrire n'importe quoi. Enfin, presque n'importe quoi. Et le scribouilleur serait payé pour le faire – ce qui enrichirait la preuve de sa vénalité et accroîtrait d'autant sa vulnérabilité au chantage.

— Qu'est-ce qui peut expliquer que la DGSI se soit initialement emparée de l'enquête?

— Je vois deux possibilités. Ou bien il existait un danger d'attentat jugé sérieux, auquel cas il est impensable que la population n'en ait pas été informée…

— Quel type de danger?

— Certains ont évoqué de possibles attentats racistes anti-Blancs. Cela m'apparaît une hypothèse plausible.

— Pour vous, ce sont donc des attentats?

— Plusieurs indices militaient, et militent toujours, en ce sens. Notamment, la détérioration du climat social à laquelle nous avons assisté depuis l'élection du gouvernement actuel.

— Et si ce ne sont pas des attentats?

— Dans ce cas, j'opterais pour l'hypothèse du tueur en série. Ce qui relève clairement des services policiers. Et on est alors en droit de se demander pourquoi le gouvernement est intervenu pour retirer cette enquête à la Police judiciaire et la confier aux barbouzes.

— Vous pensez qu'il y a anguille sous roche?

> — Difficile de ne pas se poser la question. Peut-être y a-t-il des faits embarrassants dans le passé des victimes ou de leurs proches. Des faits qui seraient gênants pour le parti au pouvoir... Ou encore, hypothèse plus troublante, il est possible que certaines pistes ouvertes par une enquête mèneraient trop près de personnes à haute responsabilité.
>
> — Il s'agit là d'allégations troublantes.
>
> — Ce ne sont pas des allégations. Je ne fais que poser des questions. Évoquer des hypothèses...

Payne souriait d'aise. L'ancien haut fonctionnaire du ministère de l'Intérieur donnait une performance à la hauteur de ce qu'il attendait de lui. Après son intervention, les réseaux sociaux prendraient la relève. L'affaire des petits hommes blancs verrait sa visibilité monter en flèche.

Les pressions politiques se multiplieraient.

Avec un peu de chance, cela perturberait les forces de police au point de handicaper leur travail. Le besoin de trouver un coupable deviendrait impérieux. Les autorités seraient prêtes à se jeter sur le premier coupable qu'on leur proposerait.

Or, Payne en avait justement un à leur proposer.

#CRIMEBLACKBLANCBEUR

Rachid Daran@rachidan
Un #CrimeBlackBlancBeur La mort de Lucien Grosjean. Qui est responsable? La suite sur mon blog. http://blog-rachidan.wordpress.com/un-crime...

NOUVELLE SALVE DE VICTIMES

En guise de déjeuner, Gonzague Leclercq avait apporté un sandwich jambon-beurre à son bureau.

Cela faisait partie des arrangements. Pendant sa suspension, il conserverait son bureau. Une forme de courtoisie. Une façon de lui témoigner certains égards… et de pouvoir le surveiller plus facilement.

Leclercq avait prévu prendre la matinée pour revoir l'ensemble du dossier, mais il peinait à avancer dans sa lecture. Depuis qu'il était arrivé, le monde extérieur le harcelait.

Il y avait d'abord eu une visite de Duquai. Mauvaise nouvelle : l'équipe technique avait fait chou blanc avec l'ordinateur confisqué dans les locaux de Désirs extrêmes.

Leclercq avait ensuite été relancé par Coppée.

— Guyon est dans tous ses états. Tu as vu les photos ?

— Oui.

— Sur certaines, ils ont à peine flouté les parties sexuelles !

— Je sais.

— Il est sûr qu'il y a eu une fuite.

— Tu penses que ça peut venir de Dumas ?

— Ça ne fait pas partie des photos qui ont été transmises à la PJ. Pour une excellente raison, d'ailleurs. Elles n'ont pas été prises par l'équipe médico-légale.

— Ça laisse une seule possibilité.

— Ceux qui l'ont déposé là…

~

Et maintenant, c'était Théberge au bout du fil.

— Comment va l'enquête ?

— Dans l'ordinateur de madame Thorel, il n'y avait rien d'utile. Tous les numéros de téléphone qu'on y a trouvés ont été désactivés. Des cartes achetées dans une boutique sous de faux noms…

— Et les théâtres de fantasmes ?

— Seulement quelques noms. Rien de plus. J'ai quelqu'un qui s'en occupe. Rien d'intéressant pour le moment.

Leclercq ne fournit pas davantage de précisions sur ce vague quelqu'un et Théberge n'insista pas. Si son ami jugeait utile de lui en parler, il le ferait.

— Une équipe est retournée à Désirs extrêmes, continua Leclercq. Plus personne. Aucune trace de madame Thorel.

— Ça veut dire qu'on tient une piste.

— Mais on n'a plus d'indice pour la suivre.

— Prose a eu une idée. Il se demande si les victimes ne fréquentaient pas toutes l'un ou l'autre de ces théâtres.

— J'aimerais bien le leur demander. Le problème, c'est qu'elles sont mortes.

— Tu peux interroger leurs proches.

— T'as une idée des réactions que ça va provoquer ? Les victimes viennent de se faire assassiner et c'est sur elles qu'on enquête ! Comme si elles étaient responsables de ce qui leur est arrivé !

— Je sais bien que ce n'est pas une partie de plaisir…

— Sans oublier que je ne suis plus censé m'occuper de l'enquête. En fait, je n'ai plus le droit de toucher à quoi que ce soit.

— Il y a Duquai…

— L'identité des victimes n'a pas encore été confirmée officiellement. Remarque, Dumas va sûrement le faire à la première occasion. Comme je le connais, il va annoncer la chose comme un progrès de l'enquête !

— Jusqu'où peut-il aller pour te nuire ?

— Aussi loin qu'il pourra tant qu'il ne court aucun risque.

— Et Norbert ? Du nouveau ?

— Il a mis sur pied une petite équipe pour s'occuper des victimes. On ne sait jamais…

— Ce serait bien de jeter un coup d'œil à leur situation financière. Ça peut se faire sans en parler aux parents.

— Connaissant Norbert, je suis sûr que c'est déjà en cours.

— Tu m'appelles s'il y a quoi que ce soit que je peux faire.

— Entendu.

Au moment où Leclercq allait prendre une deuxième bouchée de son jambon-beurre, le téléphone sonna de nouveau.

Il jeta un regard à l'afficheur : le directeur.

Un instant, il songea à envoyer une requête aux fabricants de dictionnaires pour leur faire ranger le téléphone parmi les instruments de torture. Puis il décrocha.

Leclercq commença par confirmer au directeur que oui, des progrès avaient été réalisés, mais que non, ils n'avaient pas encore identifié de suspects. Cependant, ils savaient désormais dans quelle direction chercher… Laquelle ? Il préférait ne rien dévoiler encore… Oui, bien sûr qu'il savait qu'il avait peu de temps et qu'il marchait sur des œufs… Avait-il une idée de ce que l'on pouvait dire pour rassurer les commerçants du 4e arrondissement ? Que l'on progressait… Évidemment qu'il comprenait que cela ne suffirait pas. Déjà, avec le mauvais temps, s'il fallait que les meurtres fassent baisser l'achalandage encore plus… Non, il ne pouvait toujours pas promettre qu'il n'y aurait pas une nouvelle salve de victimes. Mais il ferait tout pour l'éviter. Cela allait sans dire.

Après avoir coupé la communication, Leclercq répéta avec irritation :

— Une nouvelle salve de victimes !

Le directeur n'aurait pas inventé lui-même ce type d'expression. Il avait dû parler à un adjoint du ministre.

— Une nouvelle salve de victimes…

Leclercq avait répété les quelques mots malgré lui. Il n'en revenait toujours pas.

Pourvu que l'expression ne se retrouve pas dans les médias. Que ce ne soit pas un autre de ces éléments de langage pondus par les communicants.

DES CAGES PAYANTES

Madame Théberge était retournée à son ordinateur portable. Grâce à Facebook, elle se tenait quotidiennement informée de ce que faisaient ses amies du Québec.

Un verre de vin reposait sur le comptoir, presque vide.

Théberge le regarda pendant un bon moment, l'esprit ailleurs. Puis il le vida.

Il allait s'en servir un autre quand le téléphone sonna.

— Gonzague ?

— En personne et en rogne contre l'Univers.

— Leclercq.

— Dis-moi que vous l'avez arrêté.

— Pas encore, mais on tient peut-être quelque chose. On a retrouvé deux des "théâtres" qui utilisaient les services de Désirs extrêmes. Le jeune Guyon et deux autres victimes ont fait partie de leurs "membres invités".

— Membres invités ?

— C'est le terme qu'ils utilisent pour les gens qu'ils payent pour participer à leurs soirées.

— Je croyais qu'il n'y avait rien d'utile dans l'ordinateur de Thorel.

— L'information provient d'une autre source.

— Tu penses que c'est là que le tueur les a repérés ?

— C'est toi qui parlais de trouver un point commun autre que le fait qu'ils soient petits et blancs.

— C'était une idée de Prose.

— Les trois étaient des amateurs de domination *soft*. Ils aimaient être enfermés dans des cages, ligotés. Humiliés verbalement… Mais sans recevoir de coups.

— Exactement ce que Thorel nous a dit de ses clients… On dirait qu'ils ont eu ce qu'ils voulaient : ils sont morts étouffés, mais sans presque aucune trace de violence.

— Sauf ceux qui ont eu l'os hyoïde brisé.

— Les trois derniers, c'est vrai… Tu penses qu'ils ont été tués dans ce genre d'endroit ?

— Guyon et les deux suivants ont été repérés dans des théâtres différents. Duquai a mobilisé une équipe pour passer leurs locaux au peigne fin. Jusqu'à maintenant, ils n'ont rien trouvé.

Théberge n'arrivait pas à comprendre. Être ligoté, enfermé dans une cage…

— Dire qu'un peu partout sur la planète, des gens se battent pour leur liberté. Et eux…

— C'est peut-être le summum de la liberté : contrôler jusqu'à la manière dont on est contrôlé.

— Ou c'est une façon de refuser la possibilité d'être libre.

Théberge songeait à sa femme, qui avait tous les prétextes pour se replier sur sa douleur et ses infirmités, mais qui s'acharnait à récupérer son autonomie, à se remettre en état de reprendre son bénévolat.

— Tu as les noms des théâtres qu'ils ont fréquentés ? demanda-t-il.

— L'Abattoir et La Caverne interdite.

— L'Abattoir ?

Théberge répéta le mot, incrédule. Un nom pareil, c'était une garantie d'attirer l'attention des autorités policières.

— C'est un des endroits les plus *soft*, semble-t-il.

— Décidément… Et les autres victimes ? Elles ne font pas partie de leurs clients ?

— Pas selon les informations dont on dispose.

— Tu as vu la photo de Guyon à la télé ?

— Oui. D'après ce que j'ai compris, la droite est déchaînée.

— Pour une fois qu'ils ont trouvé quelque chose sur quoi ils peuvent s'entendre… Norbert m'a dit que tu n'étais pas disponible cet après-midi.

— Musée. Avec mon épouse, si tout va bien. Mais…

— Prends ton après-midi. De toute façon, il faut laisser à nos petites mains le temps de travailler.

— Vos petites mains ?

— Celles qui épluchent les dossiers et qui se promènent sur le Net à la recherche de sites cachés.

— Je pensais que tu te méfiais de l'interne, pour l'informatique.

— Avec le peu de temps qu'il me reste, je n'ai pas le choix. J'utilise, ou plutôt Duquai utilise tout ce qu'il peut.

MANIF SÉCURITÉ POUR TOUS: 30 000 PARTICIPANTS

Les organisateurs ont qualifié la manifestation d'immense succès. Selon les chiffres officiels, plus de 30 000 personnes ont répondu à l'appel de Manif pour tous, hier soir, devant le ministère de la Sécurité intérieure. Les organisateurs entendent poursuivre la lutte et ont attribué à des agents provocateurs les épisodes de vandalisme qui ont marqué…

LIMITATION DES DÉGÂTS

S'il n'en avait tenu qu'à lui, Lambert Coppée n'aurait pas donné de conférence de presse. Du moins, pas dans ces conditions. Il avait à peine commencé à parler et il pouvait déjà sentir l'impatience des journalistes.

Mais le ministre ne lui avait pas laissé le choix. Ni de tenir la conférence de presse ni d'exclure officiellement la piste terroriste.

Si les choses s'arrangeaient, il ne serait pas inquiété et Leclercq s'en tirerait avec une mise à la retraite à peine anticipée. Mais, pour sauver sa carrière, Coppée devait coopérer. Ce qui voulait dire : faire ce qu'on lui disait de faire sans poser de questions. Sinon, un rôle de bouc émissaire les attendait, lui et Leclercq.

De toute façon, il devait bien cela à Leclercq, qui avait accepté de le couvrir.

Il regarda un moment l'assistance sans parler.

S'il peut en finir… C'était ce que semblaient dire tous ces regards avides, devant lui, avant même qu'il ait commencé. La seule chose qui leur importait, c'étaient les questions qu'ils allaient poser. Et le bout de phrase qu'ils retiendraient comme lead.

Habituellement, c'étaient les responsables des communications de la préfecture qui s'occupaient des relations avec la presse. Mais le ministre avait été clair : la gravité de la situation exigeait qu'il intervienne en personne. D'autant plus que, s'il laissait les gens de la Police judiciaire s'en occuper, ils tireraient la couverture de leur côté. Et ils en profiteraient pour écorcher la préfecture au passage.

— Des criminels se sont attaqués à certains de nos concitoyens. À travers ces victimes, c'est toute la population parisienne qui est visée. Toute la population parisienne qui est atteinte.

« À ces criminels, je dis : vous ne nous intimiderez pas.

« Nous avons déjà traversé des heures plus tragiques. Et nous avons su raison garder. Cette fois encore, nous le saurons. Notre première victoire sur ces criminels, dont le plan vise clairement à provoquer la panique, sera le calme que nous saurons conserver.

« La population de Paris peut compter sur le dévouement et l'efficacité des milliers de nos concitoyens qui travaillent dans les forces de l'ordre.

« Dans tous les arrondissements, des unités spéciales patrouillent déjà les rues. Le directeur de la Police judiciaire me l'a assuré. Le gouvernement a dégagé un budget spécial à cet effet.

« L'enquête sur ces crimes a été amorcée par une unité spéciale dirigée par un haut responsable de la DGSI. Quand il est devenu clair qu'il ne s'agissait pas d'un complot terroriste, elle a été transférée, dans le plus grand esprit de collaboration, à la Police judiciaire.

« Ce n'est qu'une question de temps avant que ces criminels soient arrêtés. Combien de temps ? Je ne peux hélas pas vous le dire. Mais tout est mis en œuvre pour qu'ils le soient le plus rapidement possible. Soyez-en assurés.

« Mesdames, messieurs… »

La première question vint d'un journaliste de *Libération*.

…klmr.rs

Alatoff Payne était confiant.

L'opération se déroulait comme prévu. Mieux que prévu, même.

Dans les lieux publics, les gens étaient de plus en plus nerveux. Le matin même, Payne était allé se promener dans le 4e arrondissement. Sans nécessité. Pour avoir une idée de l'atmosphère.

Ce n'était pas exactement la panique, mais la tension était palpable. Les regards que se jetaient les gens étaient plus appuyés.

Comme pour vérifier que ceux qu'ils croisaient ne constituaient pas une source de danger.

Ils marchaient plus rapidement, aussi. Comme pour limiter leur temps d'exposition au risque d'agression. La rue était devenue un territoire hostile…

Payne regarda sa montre, puis il s'assit devant son ordinateur portable. Il était temps de prendre contact avec son employeur.

Après avoir rassemblé dans un dossier de presse numérisé tous les extraits de médias qu'il avait sous la main, il les joignit à un courriel et il expédia le tout à une adresse qui se terminait par « klmr.rs ».

Pour la communication suivante, le nom de domaine serait semblable, mais le code de pays serait différent. Son employeur le lui fournirait dans sa réponse.

LIMITATION DES DÉGÂTS (2)

Coppée avait à peine terminée sa réponse qu'un autre journaliste lui reposait la même question en des termes à peine différents.

— Vous avez utilisé à plusieurs reprises l'expression "criminels". Est-ce parce que la piste terroriste est définitivement exclue ?

— Si j'ai parlé de criminels, la raison en est simple : des crimes sont avérés. Cela, nous le savons… Pour ce qui est des motifs de ces criminels, je refuse de spéculer. Et même si je les connaissais, je m'abstiendrais d'en parler pour ne pas nuire à l'enquête en cours.

— La piste de l'extrémisme islamiste est donc exclue par les enquêteurs ?

— Je viens de répondre à cette question. Ce que je peux ajouter, c'est que les enquêteurs poursuivent, et poursuivront, toutes les pistes qu'ils jugent utiles.

— Donc, il s'agit d'un tueur en série ?

— Dans la mesure où nous avons une série de victimes ayant des caractéristiques communes et qu'elles ont été assassinées de façon similaire, il me semble raisonnable de penser qu'on cherche un criminel responsable d'une série de meurtres. Quant à savoir s'il correspond à la définition clinique de tueur en série, je laisserai aux experts le soin d'en juger.

Un journaliste de *L'Express* prit la relève.

— Si je vous comprends bien, les hommes blancs, surtout s'ils sont de petite taille, sont particulièrement menacés. Devraient-ils prendre des précautions particulières ?

— Il serait tout à fait compréhensible qu'ils le fassent. Bien verrouiller leur porte, ne pas sortir seuls la nuit. Ce genre de choses… Mais il faut éviter la tentation de l'armement à outrance. Les incidents récents ne le démontrent que trop.

— Vous parlez du meurtre d'Olivier Rabotin ?

— Oui. Et aussi de cet autre incident survenu ce matin. Un homme légèrement plus grand que les victimes précédentes a été battu à mort par trois individus après qu'il les eut attaqués au couteau. Il semblerait qu'il se soit cru menacé.

— Comment pouvez-vous le savoir ? Selon les premières informations, cela ressemble plutôt à un incident ethnique, non ?

L'objection sous forme de question venait d'un journaliste du *Figaro Magazine*.

— La scène a été filmée par une caméra de surveillance située à proximité. La victime a clairement porté le premier coup. Avec un couteau. Remarquez, cela n'excuse en rien les trois individus de l'avoir ensuite battu à mort. Mais il s'agit d'un exemple patent du danger qu'il y a de porter une arme… Par ailleurs, un des trois "agresseurs", si on peut dire, était blanc. Tout comme l'était la "victime" qui les a attaqués en portant le premier coup de couteau. Alors, pour ce qui est de qualifier cette agression d'incident ethnique…

klmr.ua

Après avoir expédié son rapport, Payne se mit à réfléchir aux véritables buts de son employeur. Toute cette histoire d'œuvre d'art était forcément un rideau de fumée. Il n'y avait rien d'artistique dans le fait de planifier des meurtres, si tordus soient-ils, et de susciter un sentiment de panique dans la population.

Ce dont Payne était sûr, en revanche, c'était que Hillmorek ne se donnait pas tout ce mal pour rien. Il y avait nécessairement, derrière ces meurtres en apparence pervers, des enjeux considérables.

Son employeur voulait-il provoquer une crise financière parce que cela lui permettrait de réaliser des profits faramineux en anticipant la réaction des marchés ? Travaillait-il pour des terroristes ? Ces derniers lui avaient-ils promis une montagne d'argent pour exécuter ces attentats ?

Payne était incapable de le dire. Mais il finirait bien par trouver.

Pour le moment, son seul indice était une remarque que Hillmorek lui avait faite, un jour qu'il lui expliquait ses projets. Cette « œuvre », lui avait-il dit, n'avait pas simplement une valeur pédagogique ; elle était aussi un test. Elle permettrait d'évaluer le potentiel de réaction de ceux que son employeur avait appelés : « les quidams endormis dans le ronron de leurs illusions ».

Un test en vue de quoi, Payne ne le savait pas. Était-ce pour étudier la réaction des médias et des corps policiers ? Celle de la population ? Si oui, dans quel but ? S'agissait-il de préparer une campagne électorale ? Une vague d'attentats ? Pouvait-il s'agir d'un scénario de guerre psychologique ?

La seule chose sûre, c'était qu'il ne s'agissait pas d'art. Ce n'était pas parce que Payne se pliait aux volontés de son employeur, et qu'il feignait d'accepter tout cet enrobage « artistique », qu'il était dupe.

Cela l'amenait à se poser une autre question : quand Hillmorek lui révèlerait-il le véritable enjeu de cette opération ? Ou même : le ferait-il un jour ?

Ses réflexions furent interrompues par un accusé de réception.

Jusqu'à maintenant, tout se déroule bien. Ont-ils gobé la piste que vous leur avez proposée ? *Bereitet die Wege, Bereitet die Bahn !*

Payne répondit que oui. Cette fois, l'adresse courriel de retour se terminait par «klmr.ua». L'indication régionale de l'Ukraine.

LIMITATION DES DÉGÂTS (3)

— Les individus ont quand même le droit de se protéger quand les institutions ne le font pas !

La remarque venait d'un journaliste de Marseille réputé proche du Front national. Coppée s'efforça de conserver son calme.

— Il est démontré que la probabilité qu'un citoyen soit tué par une arme à feu augmente avec la quantité d'armes en circulation. Comparez les statistiques des États-Unis, ou même de l'Angleterre, avec ce qui se passe en France. À population égale, les chances d'être tué par une arme à feu sont cent fois moindres !... Dernière question.

Ce fut un journaliste de France Inter qui la posa.

— Pour quelle raison a-t-il fallu autant de temps pour reconnaître que Vincent Guyon était la première victime ?

— Parce que le médecin qui l'a examiné a d'abord cru à une mort naturelle. Quand l'existence des autres victimes a été connue, une autopsie a été pratiquée. Différentes vérifications ont également été faites... Il aurait été contre-productif de révéler rapidement au meurtrier que nous savions que Vincent Guyon était sa première victime. Surtout qu'on a relevé sur son corps des indices qui ont permis aux enquêteurs de progresser...

— De quels enquêteurs parlez-vous ?

— Au début, c'était des agents de la DGSI. Puis, comme je vous l'ai dit, quand il est devenu évident qu'il ne s'agissait pas de terrorisme, l'enquête a été transférée à la PJ. On est toujours devant le même dilemme : doit-on informer le public de tous les indices que nous découvrons au fur et à mesure, au risque de prévenir le criminel et de compromettre l'enquête ? Est-il préférable d'en dire le moins possible, pour le bien de l'enquête, quitte à laisser dans l'ignorance la population ? Vaut-il mieux sacrifier l'enquête, et laisser s'échapper les coupables, pour apaiser l'inquiétude de la population ?

— Pouvez-vous nous assurer que la mort de Guyon n'a pas été dissimulée à cause de pressions venant de sa famille ?

— Messieurs, j'ai dit que c'était la dernière question. Quant aux spéculations, si vous n'avez pas d'objections, je les laisserai aux auteurs de romans populaires.

En s'éloignant de la tribune chargée de micros, Coppée se demandait ce que les médias retiendraient de ses propos. Qu'est-ce qui allait leur paraître suffisamment juteux pour être sorti de son contexte et mériter les quelques secondes de temps d'antenne qui serviraient de prétexte aux journalistes pour exposer longuement leurs « analyses » et pour élaborer leurs prévisions ?

VAN GOGH INSPIRÉ, VAN GOGH INSPIRANT

Au sortir de la Pinacothèque, Théberge et sa femme étaient époustouflés. L'exposition Van Gogh valait bien l'heure qu'ils avaient passée à faire la queue sous la bruine glaciale.

Ils n'avaient pas eu le choix : c'était le dernier jour de l'exposition. Le lendemain, elle était démontée puis expédiée dans un autre pays.

Ils se rendirent lentement à la brasserie de la Madeleine, madame Théberge accrochée au bras de son mari à cause de ses problèmes d'équilibre.

Depuis leur précédente visite dans la capitale française, l'établissement avait accentué son côté attrape-touristes, mais bon, c'était ce qu'ils étaient, des touristes. Et leurs genoux, comme leur dos, avaient besoin de se reposer. Cela valait bien un petit vin payé deux fois trop cher, servi par un garçon qui semblait se croire dans un restaurant de sushis transformé en discothèque.

Tout en sirotant un vin blanc présenté comme un sancerre, ils échangeaient leurs impressions. Le choc provoqué par les Van Gogh était toujours aussi intense. Ils en avaient rarement vu autant regroupés au même endroit. Et, parmi ceux-là, autant qu'ils n'avaient pas encore vus.

Mais ce qui les avait le plus impressionnés, c'était que l'exposition était jumelée à celle de Hiroshige. Et qu'à côté de chaque Van Gogh, il y avait un tableau explicatif illustrant quels motifs de quels tableaux de Hiroshige Van Gogh avait utilisés pour construire le sien. Parfois en modifiant leur taille relative dans le tableau, parfois en les transformant.

— Tu es pensif, Gonzague. Tu t'inquiètes pour moi?

— Non. Je veux dire oui, mais pas plus que d'habitude. C'est l'exposition. Elle m'a fait penser à l'affaire de Leclercq. Les petits hommes blancs.

Bien qu'elle soit au courant des manies de son mari, particulièrement de sa tendance à utiliser tout ce qu'il voyait ou entendait pour réfléchir à ses enquêtes en cours, la femme de Théberge ne ratait pas une occasion de le taquiner.

— Je pensais qu'on allait voir une exposition, pas résoudre une affaire.

Théberge ouvrit le catalogue de l'exposition qu'ils avaient acheté à la boutique de la Pinacothèque.

Il montra une des reproductions à sa femme.

— Tu vois, je me demande si notre meurtrier ne construit pas ses crimes de la même façon: en regroupant des motifs de différentes provenances. Sauf que lui, pour s'inspirer, au lieu de tableaux, il emprunte des éléments à différentes sortes de crimes.

— Qu'est-ce que tu veux dire?

— Il a pris deux éléments des tueurs en série: la similitude des victimes et la progression mathématique. Mais, au lieu d'accélérer le tempo, il augmente le nombre de victimes.

— Ça reste un tueur en série, non?

— Sauf qu'il ajoute un élément de crime raciste, mais inversé: au lieu de tuer des Noirs, il assassine des Blancs... Il y a aussi un élément de pédophilie, mais là encore transformé: il remplace les enfants par de petits hommes… Avec la nudité, il ajoute un élément de crime sexuel… Quant à l'ADN féminin découvert sur les victimes, cela pourrait laisser croire qu'ils ont été tués par des femmes. Là encore, on retrouve le motif du crime sexiste, mais inversé.

— Es-tu en train de dire que ce serait une sorte d'artiste?

— C'est probablement ce que dirait Prose. Il faut d'ailleurs que je lui en parle.

Voyant que sa femme était perturbée, il ajouta:

— Ce ne serait pas le premier artiste fou que l'on rencontre.

— Tu penses à Art/ho…

Même s'il y avait presque 20 ans qu'il était mort. Théberge et sa femme se souvenaient très bien de lui… Art/ho, l'artiste qui revendiquait le corps humain comme matériau artistique légitime. Il se proclamait le théoricien de l'art organique et il avait parsemé Québec de sculptures humaines. Au sens littéral.

C'était un policier de Québec, ami de Théberge, qui s'était occupé de l'enquête. L'inspecteur Lefebvre…

— Sais-tu ce qui me trouble le plus, Gonzague?

La question de sa femme le tira de ses réflexions.

— Quoi?

— Que tu sois capable de penser à tout ça.

Interdit, cherchant à retrouver le fil de leur conversation, Théberge regarda sa femme, subitement inquiet… jusqu'à ce qu'un large sourire apparaisse sur le visage de cette dernière.

— Tu n'as pas le droit! protesta Théberge.

Sa femme riait maintenant de bon cœur.

— Je n'ai jamais compris, dit-elle entre deux rires. Toi qui es aussi habile à démêler les histoires des criminels… Et, en même temps, si facile à faire marcher.

http://facebook.com/Li Alf

Li Alf
22:54

Un tout nouveau jeu a fait son apparition
dans les rues de Paris. Des bandes de jeunes
attaquent des hommes blancs de petite
taille, les dénudent et mettent des photos de
leur victime en ligne sur les réseaux sociaux.
Le nom du jeu: «Le lancer du petit Blanc».
L'un des premiers auteurs de ces exploits a
expliqué qu'il s'agissait simplement d'une
version «réseau social» des concours du
type: «Le lancer de nain»… On les lance
sur les réseaux sociaux, a-t-il dit, plutôt
que sur les trottoirs ou dans les rues, où ils
risqueraient de se blesser!
http://blog-alfonso.wordpress.com/
lancer-du-petit-blanc

J'aime   Commenter   Partager

Noémie Lecomte, Garence Meunier, Jacques Cholet et
49 autres personnes aiment ça.

POINT COMMUN MANQUANT

Malgré ses propres efforts et ceux de Prose pour animer la discussion, Théberge voyait croître le malaise de Duquai.

Le rendez-vous était fixé au Café Mabillon. Ils avaient choisi une table relativement isolée, dans une encoignure à côté du bar. Mais Leclercq n'arrivait pas.

Au cours des minutes précédentes, Duquai n'avait pas cessé de regarder sa montre.

— Il est peut-être retenu par un embouteillage, suggéra Prose.

Duquai balaya l'hypothèse.

— Son chauffeur est un expert pour éviter les embouteillages. Et il dispose d'un émetteur qui lui permet de faire passer les feux au vert.

— Un contretemps… Un informateur à voir d'urgence…

— Il n'est jamais en retard. Du moins, jamais sans prévenir. Et c'est très rare.

Un serveur posa quatre verres et une bouteille sur la table. Château de Pez 2009.

— Votre ami est désolé du retard, dit-il. Ceci est pour vous aider à patienter.

Théberge vit le visage de Duquai se détendre.

Le serveur déboucha la bouteille. Théberge fit office de dégustateur et déclara le vin apte à une consommation plaisante et conviviale.

Quand Leclercq arriva finalement à leur table, il avait 11 minutes de retard.

— Désolé, dit-il. Un rendez-vous qui a pris plus de temps que prévu.

Il se tourna vers Duquai avant d'ajouter :

— Une ou deux personnes avec qui j'ai gardé des contacts à l'intérieur du service.

Duquai accepta les explications d'un léger hochement de tête, comme s'il s'agissait là d'une chose naturelle. Pour survivre dans ce milieu, les individus devaient tisser des liens qui allaient bien au-delà de l'organigramme officiel et des autorités en place, lesquelles fluctuaient selon l'alternance politique et le va-et-vient des ministres.

Leclercq s'adressa ensuite à l'ensemble du groupe.

— J'ai choisi cet endroit en me disant que nous y serions tranquilles. Ici, normalement, il n'y a que des touristes ou des gens qui travaillent à proximité. Les chances sont faibles de tomber sur quelqu'un du service ou d'un ministère.

Théberge prit la bouteille du Château de Pez, remplit le verre de Leclercq et en profita pour remettre les trois autres à leur niveau initial.

Leclercq leva son verre à une conclusion rapide de leur enquête et se cala dans son fauteuil.

— Pour commencer, les dernières nouvelles. Comme Norbert vous l'a peut-être dit, il n'y a toujours aucune trace de mademoiselle Thorel.

—Ou bien elle est en fuite, dit Théberge, ou bien on l'a fait disparaître.

—Les deux sont possibles.

Après un moment de silence, Leclercq reprit:

—Autre nouvelle: les traces d'ADN retrouvées sur les dernières victimes confirment qu'il s'agit d'une troisième femme. Probablement d'origine africaine.

Prose réagit immédiatement.

—Une série de tueurs en série? Il n'y a pas beaucoup d'exemples de ça. Et encore moins de tueuses en série.

—Cette histoire est remplie de choses dont il n'y a pas beaucoup d'exemples.

—Et les victimes? interrogea Théberge.

—J'ai demandé à Norbert de vous préparer un résumé de ce que nous avons sur elles.

Ce dernier sortit un mini iPad de la poche intérieure de son paletot, le déposa sur la table devant lui et fit apparaître un tableau.

Théberge et Prose s'avancèrent pour mieux voir.

	Taille	Poids	Race	Occupation	Origine
Vincent Guyon	1 m 52	45,3 kg	B	Jockey	I
Gaspard Martel	1 m 48	42,1 kg	B	Informaticien	XIII
Lucien Bonnet	1 m 54	51,5 kg	B	Étudiant en arts	VII
Toussaint Barbier	1 m 46	42,9 kg	B	Apprenti cuisinier	V
Xavier Muller	1 m 51	45,2 kg	B	Fonctionnaire	XIII
Thibaud Lemaire	1 m 45	43,4 kg	B	Commis	VIII

—Les premières colonnes confirment ce que nous savions déjà: tous blancs, de petite taille et de constitution fragile. Pour les milieux professionnels, rien de frappant... Même les arrondissements d'où ils proviennent sont différents.

Cela prouvait que les arrondissements n'étaient qu'un raffinement apporté après coup par le tueur. L'origine des victimes lui était indifférente. Il y en avait même deux qui habitaient le treizième.

— Ces détails ne sont pas connus de la Police judiciaire, précisa Leclercq. L'enquête sur chacune des victimes a été effectuée par un agent différent de la DGSI. Seuls Duquai et moi sommes au courant… Nous sommes donc maintenant quatre. Et je propose que personne d'autre ne soit informé.

Prose était mal à l'aise.

— Si je vivais dans le 5e, j'apprécierais de savoir que le danger ne me menace pas plus que les autres.

— En termes de sécurité publique, il est plus facile de contrôler les réactions irrationnelles à l'intérieur d'un seul quartier que dans toute la ville.

Prose ne répondit pas. Son air disait clairement ses réticences, mais il était prêt à se rallier.

Même s'il était persuadé que seule la vérité donnait aux gens les moyens de se libérer, il devait reconnaître un certain mérite aux arguments de Leclercq. Et puis, il connaissait trop bien le caractère partiel et partial de ce que les gens, lui-même compris, appelaient la vérité.

— Ils n'ont rien d'autre en commun ? demanda Théberge. Le motif est peut-être politique…

— Deux sont plutôt au centre, trois sont de droite et un a sa carte du Front de gauche.

— Une secte, alors ?

— Rien non plus de ce côté.

— S'ils venaient tous d'un même milieu, cela pourrait expliquer comment le tueur les a rencontrés.

— Il y a peut-être quelque chose là, fit Leclercq. Dans ce qui n'est pas indiqué sur le tableau, il y a le fait que trois des victimes ont déjà fréquenté des théâtres de fantasmes. J'en ai parlé à Gonzague, cet après-midi.

— Et les trois autres ? demanda Prose.

— On ne sait pas encore.

— Peut-être qu'ils allaient dans des théâtres dont nous ne connaissons pas l'existence.

La conversation s'était poursuivie pendant plusieurs minutes sur les théâtres de fantasmes.

—Si les six victimes ont fréquenté ces endroits, avança Prose, on peut raisonnablement penser que le tueur les fréquente aussi.

—Ou au contraire, que c'est un milieu qu'il déteste, répliqua Duquai. Qu'il élimine ceux qui y appartiennent.

Après un moment, Prose reprit la parole.

—Il se peut qu'une petite taille, alliée à une certaine fragilité, contribue à établir un contact particulier avec la mère, laquelle aura alors tendance à être plus protectrice, surprotectrice même, ce qui se reflétera dans les fantasmes de l'enfant.

—Où voulez-vous en venir ?

—À l'idée que leurs fantasmes peuvent être une simple caractéristique secondaire liée à leur condition physique objective. Que ces fantasmes n'ont peut-être rien à voir avec la raison pour laquelle ils ont été choisis comme victimes… Par exemple, on pourrait envisager que le tueur est lui-même blanc, de petite taille et qu'il choisit des victimes qui lui ressemblent.

—Une sorte de suicide par personne interposée ?

—Si on veut.

Leclercq et Théberge échangèrent un regard, manifestement perplexes.

—Je ne suis pas sûr que ce brassage de supputations sur les tréfonds psychologiques du tueur nous avance beaucoup, dit Théberge.

Prose s'empressa de se justifier.

—Je voulais simplement montrer que cette histoire de goûts sexuels n'est peut-être pas importante.

—Et si on revenait aux choses certaines ? proposa Leclercq.

—Ils étaient tous blancs et de constitution délicate, répéta Duquai. Cela en faisait des victimes faciles à maîtriser.

Il avait parlé avec le calme d'un greffier méticuleux et impassible.

—Il y a peu de traces de violence ! objecta Théberge.

— C'est vrai. Mais ils ont tous été étouffés. Et là, on peut rejoindre les hypothèses initiales de monsieur Prose. Mère étouffante, besoin de recréer en fantasmes une situation traumatisante... Un autre argument milite en faveur de ce type d'interprétation : d'après ce que nous savons maintenant, les victimes n'ont pas été tuées là où elles ont été trouvées, elles y ont été abandonnées.

— Et... ?

Ce fut Prose qui répondit à la place de Duquai, comme s'il effectuait la découverte en même temps qu'il parlait.

— Le syndrome d'abandon a souvent pour cause une expérience d'envahissement. D'étouffement. C'est bien documenté. L'hyperprotection est une façon de ne pas reconnaître l'existence d'une personne, de nier son autonomie...

— De lui refuser une existence distincte, résuma Duquai.

— Ce qui, pour un enfant, est l'équivalent de le tuer avant qu'il ait eu la chance de venir au monde, conclut Prose.

— Exactement.

Leclercq et Théberge échangèrent de nouveau un regard.

— Si j'ai bien compris, résuma ce dernier avec un soupçon d'ironie, les six victimes auraient été tuées par quelqu'un qui n'existe pas vraiment. Nous aurions affaire à un tueur déjà mort.

— Mort psychologiquement. Socialement...

— Et la série numérique, dans tout ça ? demanda Leclercq. Pourquoi la progression du nombre de victimes ? Et pourquoi redoubler cette série par les numéros d'arrondissement ?

Duquai prit à son tour la relève de Prose.

— Ici encore, le symbolisme est cohérent. À chaque série de crimes, l'abandon augmente. Numériquement. Mais aussi symboliquement.

— Mais pourquoi les arrondissements ?

— Ce type de progression fait souvent partie du rituel des tueurs en série, dit Prose. Habituellement, c'est le temps qui raccourcit entre les attentats. Ici, l'augmentation de l'intensité se traduit par celle du nombre de victimes. Cette sorte d'escalade est une façon de faire monter les enjeux. Et l'excitation… Il se peut aussi que ce soit une façon de nous narguer.

— Alors, c'est quoi ? demanda Leclercq avec une certaine impatience. Un malade déjà mort qui se tue lui-même par personnes interposées ? Un militant qui a décidé de nettoyer un milieu qu'il juge immoral ? Un tueur en série qui fait une fixation sur les chiffres ? Un psychopathe qui s'est constitué une réserve de cadavres et qui s'amuse à faire monter la panique ?

Théberge, silencieux depuis un moment, fit signe au serveur qui passait à côté de lui. Il lui commanda une nouvelle bouteille.

— Je viens à mon tour d'avoir une idée, annonça-t-il.

Il jeta un regard en direction de Prose avant de se tourner vers les deux autres.

— Prose a peut-être davantage raison qu'il ne le pense. Imaginez que toutes les hypothèses soient à la fois vraies… et fausses. Imaginez que ce soit une œuvre d'art.

Théberge leur parla de l'exposition qu'il venait de visiter avec sa femme. Et de l'idée un peu folle qu'il avait eue.

— Il y a un seul problème, conclut-il. Si mon hypothèse est exacte, on n'a aucune idée des raisons qui ont pu motiver ce meurtre. Car enfin, le meurtre ne fait pas encore partie des beaux-arts !

Il se tourna vers Prose.

— Je sais, il y a eu Thomas de Quincey, il y a eu la boutade de Breton sur l'acte gratuit… Mais ça reste de la littérature.

— Et si nous avions affaire à une autre version d'Art/ho ?

— J'y ai pensé. Mais Art/ho est mort[3]. Et puis, il ne se contentait pas de tuer ses victimes, il les sculptait.

— Vraiment ? releva Duquai. Au sens littéral ?

— Il appelait ça de l'art organique, répondit Prose.

— Dans le cas qui nous occupe, on est loin de cela.

— Peut-être pas, répliqua Prose. Art/ho peut avoir des disciples. Ou des continuateurs. Des gens qui ne le connaissent peut-être

---

3. Voir : *La Chair disparue.*

même pas, mais qui ont des idées semblables… Le point commun, c'est qu'Art/ho aussi mettait ses victimes en scène. Lui aussi théâtralisait les corps.

BALLET DE CAMÉRAS

L'émission venait de débuter. Hervé Dumas regardait le ballet des caméras autour du présentateur pendant que celui-ci le présentait.

—Comme je vous le disais, nous avons ce soir le plaisir de recevoir quelqu'un qui se tient habituellement loin des caméras. Je veux parler de monsieur Hervé Dumas, directeur de la Police judiciaire de Paris. Compte tenu de la gravité des circonstances, et à titre exceptionnel, monsieur Dumas a accepté de nous accorder une entrevue. Vous l'avez deviné, nous allons parler de ces meurtres qui ont assombri certains arrondissements de Paris.

L'animateur se tourna vers lui. Au même moment, une autre caméra se positionnait à sa gauche pour le filmer de profil.

—Monsieur Dumas, bienvenue parmi nous. Tout d'abord, je vous remercie d'avoir accepté notre invitation. Je sais que la chose est exceptionnelle.

Dumas n'avait rien accepté. Une de ses connaissances avait contacté personnellement l'animateur pour lui dire que, s'il invitait le directeur de la Police judiciaire de Paris, il y avait de très fortes chances qu'il accepte son invitation. Bien sûr, il ne pouvait rien promettre, mais…

—Des circonstances exceptionnelles exigent parfois des réponses exceptionnelles, intervint immédiatement Dumas.

—Exceptionnelles, en effet. Comme vous le savez, la population parisienne est inquiète. Et personne ne semble en mesure de répondre à ses questions. Alors, je m'adresse au responsable de la Police judiciaire de notre ville. La population a-t-elle raison de s'inquiéter ?

—Tout d'abord, je voudrais dire que je comprends cette inquiétude. Rien n'est plus angoissant que de ne pas savoir. Quand on est laissé sans informations, quand les médias ne peuvent pas jouer leur rôle, les pires rumeurs peuvent proliférer.

Le sourire de l'animateur s'épanouit. L'invité pavait la voie à sa prochaine question.

— Pour que les médias puissent faire leur travail, il faut qu'on leur permette de le faire. Jusqu'à maintenant, le moins qu'on puisse dire, c'est que les autorités ont été particulièrement parcimonieuses en matière de collaboration.

— Je ne peux que le constater. C'est pour corriger la situation que je suis ici. Remarquez, je ne veux en aucune façon blâmer qui que ce soit.

— Bien sûr. Mais, tout de même…

— La Police judiciaire vient tout juste de prendre la responsabilité de l'enquête. Pour le moment, il m'est impossible de savoir pour quelle raison nos prédécesseurs ont choisi de ne rien dire. S'il y avait une véritable crainte d'attentat, leur discrétion pourrait se comprendre…

Dumas était particulièrement satisfait de sa dernière remarque : il paraissait défendre la DGSI, mais il mettait en doute qu'il y ait eu une crainte d'attentat. Ce qui laissait la porte ouverte à d'autres motifs.

— Puisque vous en parlez, est-ce que cette hypothèse est exclue ?

— C'est ce que nous dit la DGSI. C'est d'ailleurs la raison pour laquelle la responsabilité de l'enquête nous a été remise.

Encore une réponse qui rejetait la responsabilité sur la DGSI. Si jamais il y avait malgré tout un attentat, la responsabilité leur incomberait. C'étaient eux qui avaient statué qu'il n'y avait pas de danger.

— Si ce ne sont pas des terroristes, qui est responsable de ces crimes ?

— L'hypothèse du tueur en série vient spontanément à l'esprit. Nous sommes d'ailleurs en contact avec Interpol ainsi qu'avec les responsables policiers de différents pays, dont les Américains, pour voir si un tel mode d'opération a déjà été observé.

— Vous avez obtenu des réponses ?

— Il semble que nous ayons affaire à quelque chose de tout à fait inédit.

— Ce n'est pas ce qui va rassurer les Parisiens. La vraie question qui les intéresse, c'est de savoir si le meurtrier va encore frapper.

— Sur cette question, vous comprendrez que je ne peux pas faire de promesses. Mais, si cela peut rassurer les gens, je peux affirmer que, depuis que nous avons pris la responsabilité de l'enquête, des progrès ont été réalisés. Nous avons identifié les victimes. Nous avons précisé le mode opératoire du meurtrier. Nous avons établi son profil psychologique…

— Pouvez-vous nous donner des exemples de ce que vous avez appris ?

— Sur ce point, vous comprendrez que je préfère demeurer discret. Je ne voudrais pas nuire à l'enquête… Par ailleurs, nous avons triplé la présence policière dans les arrondissements les plus à risque, de manière à rendre les crimes plus improbables.

— Vous comprendrez que les Parisiens, je pense particulièrement aux résidants des 4ᵉ et 5ᵉ arrondissements, auraient préféré entendre des réponses plus rassurantes.

— Je le conçois aisément. Mais, comme vous le savez, jusqu'à très récemment, c'était la DGSI qui s'occupait de cette affaire. Maintenant que la piste terroriste est écartée, il faut tout reprendre à zéro.

— À zéro ? Vraiment ?

— Presque. Et cela n'est aucunement un blâme à nos collègues de la DGSI, qui ont été avec nous d'une transparence exemplaire. Mais force est de constater que leur enquête n'avait guère progressé. Or, dans ce genre d'affaire, ce sont souvent les premières heures qui sont cruciales.

— Monsieur Dumas, puisqu'on parle de la DGSI, il y a une question délicate qui agite actuellement les réseaux sociaux : y a-t-il eu, à votre connaissance, des efforts pour étouffer l'affaire ?

— Pas à ma connaissance. Si tel était le cas, vous comprendrez bien que j'aurais été le premier à en aviser le ministre pour que des mesures soient prises.

SUR UNE AUTRE SCÈNE…

Les trois hommes sont allongés l'un à côté de l'autre sur le sol matelassé de la scène. Inconscients.

Un premier reprend ses esprits. Seuls ses yeux bougent.

Une femme très grande, masquée, se tient debout à côté de lui. Elle l'observe.

L'homme se dit qu'elle fait au moins deux mètres.

Quand elle sourit en le regardant, l'homme pense que le sourire s'adresse à lui. Il ne peut pas savoir qu'un trait d'humour particulièrement ironique vient de lui traverser l'esprit.

La formule a jailli brusquement dans sa tête : elle n'est plus qu'à trois pas de la liberté !

Fini les mises en scène répétitives, filmées par des techniciens blasés, où elle fait semblant de dominer, avec plus ou moins de violence selon les contrats, des hommes forcément plus petits qu'elle.

Terminé, les hommes qui la regardent comme une sorte de Barbie asiatique géante qu'ils peuvent manipuler à leur guise pour assouvir leurs fantasmes ! Terminé, ces petits tyrans qui feignent de se soumettre et qui contrôlent ses moindres gestes !

Elle est à trois pas de la liberté…

En forçant son regard vers la droite, l'homme remarque qu'un autre individu d'une taille similaire à la sienne est couché à côté de lui. Il semble également attaché aux chevilles, à la taille et aux poignets. Une bande de cuir lui enserre le front et l'empêche de bouger la tête.

De l'autre côté de cet homme, il y en a un troisième, semble-t-il. Le premier homme le distingue mal. Il devine qu'il est attaché de la même manière.

On ne l'a pas prévenu qu'il y aurait une telle mise en scène. Que d'autres gens seraient impliqués. Tout ce qu'on lui a dit, c'était que, cette fois, il n'aurait pas besoin de payer. Après la petite pièce de théâtre, il pourra disposer de la femme comme il l'entend pendant deux heures.

Une musique de marche militaire retentit. La séance commence.

La femme se met au garde à vous, juste à côté du premier homme, puis elle écrase les trois gorges, lentement, l'une après l'autre, en marchant au pas.

À chaque pas, après avoir relevé le genou aussi haut qu'elle peut, elle rabat fortement son pied d'un coup sec, ainsi qu'on le lui a prescrit. Le but est d'infliger des dommages irréversibles aux délicates mécaniques qui régulent l'alimentation en air, en sang et en influx nerveux.

Ensuite elle maintient la pression de tout son poids, jusqu'à ce que le corps n'ait plus de réaction.

Puis elle passe au suivant.

Les trois caméras ne ratent rien. Ni la surprise des victimes. Ni leurs efforts pour tenter de respirer. Ni la terreur qui s'installe sur leur visage quand ils réalisent ce qu'il leur arrive.

Le plus intéressant, c'est ce qui se passe dans les yeux des deux derniers, à l'instant où ils comprennent ce qui les attend…

Une fois sortie de scène, la femme avale une longue rasade de cognac. C'est la première fois qu'elle en fait trois d'un coup. Et ce sera la dernière. À son appartement, un billet pour Bangkok l'attend.

Pour elle, une vie nouvelle commence.

MANÈGE À QUATRE

Besson avait l'impression que les corps entassés dans la fourgonnette le regardaient. Le fait qu'ils aient les yeux fermés et qu'ils soient morts ne changeait rien à la chose.

Ni même que certains lui tournent le dos.

En descendant du véhicule, il avait vérifié les panneaux de bois installés comme paravents autour du carrousel. C'était la priorité.

Satisfait de son inspection, il avait ensuite reculé l'arrière de la fourgonnette entre les deux panneaux qui faisaient une sorte de couloir donnant accès au manège.

Là, à l'abri des regards indiscrets, il pourrait terminer le travail.

La précaution n'était pas inutile. Au moment où il descendait de son véhicule, un automobiliste qui passait avait tourné la tête dans sa direction.

Aucun piéton en vue, par contre. Ce qui était une bonne nouvelle. C'étaient eux qu'il craignait le plus. Même avec les panneaux. Comment savoir s'il ne prendrait pas à l'un d'eux l'idée de s'approcher pour voir ce que l'on fabriquait dans le manège.

Besson inspecta une dernière fois les alentours. Toujours aucun piéton. Ni patrouille policière.

Il se dépêcha de transporter les quatre corps dans le carrousel et il les installa sur les sièges convenus : l'autobus des Simpson, le potiron rose, le vaisseau pirate et le tracteur bleu.

Il s'occupa ensuite de les attacher, de manière à ce qu'ils restent bien en place.

Une fois l'installation terminée, il jeta un dernier regard pour s'assurer qu'il n'avait rien oublié. Puis il réintégra la fourgonnette et s'empressa de s'éloigner.

Quelques minutes plus tard, il tournait dans une petite rue, se garait et téléphonait à l'homme qui l'avait engagé.

Ce dernier lui indiqua une adresse où se rendre le lendemain. En plus de lui payer la deuxième partie de ses honoraires, il lui donnerait des instructions pour le contrat suivant.

LA BOMBE HUMAINE

Natalya regardait le paysage défiler sous elle.

Bizarrement, en dépit de l'obscurité, elle pouvait tout voir. Elle avait déjà survolé plusieurs endroits qu'elle connaissait.

Malgré la douleur dans ses poignets, de plus en plus difficile à ignorer, elle s'efforçait de demeurer lucide. Conserver une vision claire était vital. Il fallait que son regard stabilise le paysage dont elle traversait le ciel.

Contre son dos, le métal devenait de plus en plus chaud. Presque brûlant. Peut-être à cause de la friction de l'air.

Le missile auquel elle était ligotée, bras et jambes en croix, était une bombe volante. Pour le moment, il n'y avait pas de danger. Elle voyageait.

Tant que Natalya conserverait la tête froide, tant qu'elle garderait une vision claire du paysage qui défilait sous elle, il n'y aurait rien à craindre. La bombe poursuivrait son voyage.

Mais si son regard se voilait. Ou pire, si elle fermait les yeux…

Natalya aurait été bien embêtée d'expliquer d'où lui venait cette conviction, mais elle en était certaine : si son attention faiblissait, une catastrophe se produirait.

Le problème, c'était qu'elle voyait de moins en moins bien. Le vent lui brûlait les yeux. Ses larmes tentaient vainement d'éteindre la douleur. Et, ce faisant, elles lui embrouillaient la vue.

Sous elle, le paysage lui apparaissait de plus en plus flou.

Un sifflement commença à se faire entendre. Un sifflement que Natalya avait déjà entendu, mais presque toujours dans des films. Le sifflement des bombes qui tombent.

Sauf que, cette fois, c'était elle qui était à l'origine de ce bruit.

Enfin, pas exactement elle. La bombe à laquelle elle était attachée.

Le paysage vers lequel elle se précipitait ne cessait de tournoyer. De plus en plus rapidement à mesure qu'elle se rapprochait du sol.

La dernière chose qu'elle vit, ce fut son lit. Et elle. Au centre. Couchée. Les yeux ouverts. Qui la regardait fondre sur elle.

Horrifiée.

fr.reuters.com/article/topnews.id…

> … le «lancer de petit Blanc». Les vidéos postées sur Internet ont été rapidement retirées. Se disant extrêmement préoccupé par cette nouvelle forme d'agression, le porte-parole du ministre a rappelé que…

SHADES OF DARK

Assise dans son lit, Natalya mit près de deux minutes à reprendre son souffle.

Ces cauchemars n'avaient pour elle rien de nouveau. Ils l'accompagnaient depuis la fin de son enfance. Depuis la Roumanie. Mais, récemment, ils étaient devenus plus fréquents.

Une chose, toutefois, n'avait pas changé : inutile d'espérer se rendormir.

Elle se rendit à son bureau.

Sur son ordinateur, un message de Malcolm l'attendait. Après en avoir pris connaissance, elle appela immédiatement Leclercq.

— Si j'ai bien compris, vous ne dormez jamais, dit ce dernier.

— Cela m'arrive encore.

— Vos cauchemars ?

— Oui.

— Mais ce n'est pas la raison pour laquelle vous m'appelez.

— Non.

— Je me disais, aussi.

— Payne. P-a-y-n-e. Alatoff Payne.

— Qui est-ce?

— Le vrai propriétaire de Désirs extrêmes.

— La source de cette information est absolument crédible, j'imagine.

— Quelqu'un à qui j'ai rendu service récemment.

— Et ce quelqu'un, où a-t-il trouvé l'information?

— Il connaît bien la Suisse. Il a beaucoup de contacts dans le milieu bancaire. L'entreprise qui possède Désirs extrêmes opère à travers une cascade de sociétés-écrans. Elle s'appelle Shades of Dark. Le propriétaire de cette entreprise est Payne Capital, autrement dit Alatoff Payne. J'ai mis toutes les informations, y compris bancaires, sur mon site sécurisé.

— Vous avez quelque chose sur ce monsieur Payne?

— Presque rien pour l'instant.

— Je vais demander qu'on fasse des recherches. De votre côté, si vous trouvez quoi que ce soit…

— Entendu.

Un instant, elle songea à lui parler de Prose, de son intention de le revoir. Puis son cauchemar lui revint à la mémoire.

Si elle était attachée à une bombe qui s'apprêtait à exploser, ce n'était peut-être pas vraiment le moment d'inciter les gens à se rapprocher d'elle.

UN CARROUSEL DE CADAVRES

D'abord, Norbert Duquai était passé prendre Théberge chez lui. Leur voiture s'était ensuite dirigée vers la rue Saint-Antoine.

— Connaissant vos habitudes, dit Théberge, je suis un peu étonné de vous voir au travail aussi tôt.

— J'ai pris des anxiolytiques. Quatre cadavres, j'ai estimé que cela pouvait justifier une entorse à mon horaire.

Arrivés sur place, Duquai et Théberge furent surpris du nombre de journalistes et de photographes déjà présents. Ces derniers se pressaient autour du cordon de sécurité qui isolait tant bien que mal le carrousel.

Duquai se dirigea vers un des agents. Lui montra son insigne.

— Ils étaient là avant qu'on arrive, expliqua le policier en désignant les gens des médias. J'ai demandé des renforts.

Quelques instants plus tard, un car arrivait. Il suffit de quelques minutes aux policiers pour refouler les journalistes et les curieux à distance respectable de la scène de crime.

Duquai et Théberge se contentèrent d'observer le spectacle de loin.

— Notre meurtrier devient de plus en plus sûr de lui, dit Théberge.

— Plus organisé, aussi.

— Et plus soucieux de publicité. C'est d'abord aux médias que cette mise en scène est destinée.

— Il est clair qu'ils ont été les premiers avertis.

— Leclercq est au courant?

— Oui.

Duquai ne jugea pas utile d'ajouter que ces quatre nouveaux cadavres risquaient d'être la bien connue goutte de trop, dont la fonction traditionnelle était de faire déborder le vase. L'arrangement dont Leclercq bénéficiait avait toutes les chances d'être révoqué dans les prochaines heures.

— Tous les trois jours, reprit Théberge. Il maintient son rythme.

Puis, reportant son attention sur la scène de crime, il ajouta :

— Ce qui m'intrigue, c'est comment il a réussi à mettre les corps sur le carrousel sans se faire remarquer.

— Les panneaux de bois.

— Quels panneaux?

Avant de pouvoir répondre, Duquai aperçut Dumas, qui arrivait sur les lieux.

— Il est préférable de prendre les devants et de faire un peu de diplomatie, dit-il à voix basse.

Il quitta Théberge et se dirigea vers le chef de la Police judiciaire.

— Qu'est-ce que vous foutez ici? aboya Dumas en l'apercevant.

— J'ai des informations pour vous.

— Vraiment ?

— Observez les panneaux, par terre. Autour du carrousel.

Dumas y jeta un œil.

— Et alors ?

— S'ils étaient relevés, le meurtrier a pu installer les cadavres sur les sièges à l'abri des regards. Ensuite, il suffisait de les faire tomber pour que le spectacle apparaisse.

Dumas regarda Duquai, impressionné malgré lui. Non seulement par son explication, mais surtout parce que cette explication ne supposait pas l'intervention de plusieurs personnes pour effectuer la mise en scène des cadavres.

Duquai s'empressa d'ajouter, comme pour minimiser l'importance de ses déductions :

— Il y a eu un cas semblable, il y a une trentaine d'années. À Lyon, si mon souvenir est exact.

Une discussion avec les premiers policiers arrivés sur les lieux confirma l'hypothèse de Duquai. Les représentants des médias avaient été convoqués à 7 h, devant la brasserie Les Chimères. À 7 h 07, il y avait eu un bruit d'explosion étouffée et tous les panneaux s'étaient abattus. Dans les secondes suivantes, le carrousel s'était mis en marche. C'était alors que les journalistes avaient aperçu les quatre petits hommes blancs, installés chacun sur leur siège. Malgré le mouvement du carrousel qui les agitait dans tous les sens, leurs liens les maintenaient en place.

Dumas reporta son attention vers Duquai. La méfiance s'était rallumée dans ses yeux.

— Mais vous, qu'est-ce que vous faites ici ? Comment pouviez-vous savoir que…

— J'étais dans ma voiture. J'ai entendu l'information sur l'attentat à la radio. Je me suis tout de suite demandé comment ils avaient pu installer les cadavres sans attirer l'attention. C'est alors que je me suis souvenu de l'affaire de Lyon. Je suis venu vérifier mon hypothèse… Je savais que si j'avais raison, il y aurait quelqu'un de la PJ sur les lieux à qui je pourrais communiquer l'information. Je ne m'attendais évidemment pas à ce que ce soit vous.

La méfiance s'atténua, mais ne disparut pas complètement dans le regard de Dumas.

— Bien. Je vous remercie. Maintenant, si vous le permettez… Nous avons du travail.

— Bien sûr.

Pendant que l'équipe technique s'efforçait de relever d'éventuels indices, Duquai se rendit à la terrasse des Chimères, sous le regard intéressé du chef de la Police Judiciaire.

Théberge l'y attendait devant un café crème. Duquai en commanda un, lui aussi.

— Avec ces quatre-là, dit-il, un autre mystère s'éclaircit.

— Quel mystère ?

— 10PHB… 10 Petits Hommes Blancs.

#10MEURTRESOUMAGOUILLES

Jérôme Delannoy@jdellanoy
#10PHB. Policiers impliqués dans les #meurtresoumagouilles des barbouzes ? Que nous cache-t-on ? le-truc-qui-inquiète.blog.leparisien. fr/arch…

PORNO POUR LES NULS

Théberge avait refusé l'offre de Duquai de le ramener chez lui. Il préférait marcher. Cela l'aidait à réfléchir. Et, surtout, cela lui permettait de voir des gens ordinaires dans la rue, qui discutaient ou faisaient une pause au café, menant une vie ordinaire, des gens qui n'étaient pas plongés dans des drames sanglants, qui n'étaient pas confrontés à l'innommable, qui pouvaient encore croire, quelle que soit leur situation, que l'avenir était le lieu où leurs désirs se réaliseraient, du moins certains d'entre eux, et dont les projets n'étaient pas vidés de leur sens par une mort que rien ne pouvait justifier.

Théberge avait marché pendant plus de deux heures quand il entra au Comptoir Tournon. Prose l'y attendait devant une tasse presque vide. Devant lui, son iPad affichait la page d'accueil de Rue89.

— Tu es au courant ? demanda immédiatement Prose.

— Les quatre nouvelles victimes ? Oui, j'étais avec Duquai et…

— Je parlais du truc sur Internet. Le lancer du petit Blanc.

— C'est quoi encore, ces calembredaines ?

Prose lui expliqua de quoi il s'agissait.

— Ils ont enlevé les vidéos, dit-il en terminant. Mais ça continue de faire le buzz.

Théberge se contenta de hocher la tête et de grommeler quelques mots que Prose ne parvint pas à saisir. Puis il commanda un petit crème au serveur qui arrivait.

À une autre table, au fond de la salle, deux hommes avaient commandé une bouteille de champagne. Théberge laissa son regard s'attarder quelques secondes sur eux, puis revint à Prose.

— Ils fêtent la signature d'un contrat, affirma Prose, avant même que Théberge ait le temps de poser une question.

Théberge leur jeta un nouveau coup d'œil avant de demander :

— Comment peux-tu savoir ça ?

— C'est un auteur connu. Et l'éditeur a l'habitude d'emmener ses auteurs ici. Je les ai vus signer des papiers à tour de rôle, tout à l'heure. L'auteur en a mis une copie pliée dans la poche intérieure de son veston. L'autre en a rangé une copie non pliée dans son porte-documents.

— Dis donc, on va finir par faire un détective de toi !

Et Prose de conclure :

— Ils sont venus déjeuner pour fêter une nouvelle publication.

— Ce n'est pas un peu tôt pour déjeuner ?

— Pas s'ils prennent d'abord la bouteille de champagne… Parlant d'horaire, à quelle heure Leclercq veut-il nous rencontrer ? demanda Prose.

— Onze heures.

Prose commanda un deuxième café au serveur qui apportait celui de Théberge.

— J'ai repensé à notre discussion d'hier soir, dit-il. Est-ce que tu connais bien les sites pornos ?

Théberge le regarda sans répondre.

— Pas pour ta consommation personnelle, s'empressa d'ajouter Prose, comprenant après coup ce que sa question pouvait laisser sous-entendre. As-tu déjà travaillé avec des gens qui sont préposés à la répression de la pédophilie ?

— Non.

— J'ai un ami qui travaille pour eux à l'occasion. Il a fait des études en criminologie et en psycho. Il m'est arrivé de l'aider dans certains travaux.

Théberge continuait de le regarder d'un air perplexe.

— J'ai réalisé que "la" porno, ça n'existe pas. La porno en général, je veux dire. Avant tout, c'est un répertoire. Un ensemble de comportements qui correspondent à des fantasmes. Et les gens ne vont pas d'un fantasme à l'autre au petit bonheur. Même à l'intérieur de ce qu'on prend pour des "spécialités" – la soumission par exemple, ou la domination – il y a des centaines de comportements différents.

Théberge l'écoutait, l'air de ne pas trop savoir où Prose voulait en venir.

— Prends la soumission… Il y en a qui aiment être attachés ou enveloppés de la tête aux pieds, mais qui ont horreur de la douleur. Ils veulent seulement être immobilisés. Réduits à l'impuissance. D'autres, au contraire, veulent souffrir. Ils veulent être frappés. Torturés, même.

— Si roboratifs que soient ces propos sur l'étonnante capacité inventive de l'esprit humain, j'avoue ne pas être ébloui par la lumière qu'ils jettent sur notre affaire. Que les gens s'adonnent à des fantaisies que le Vatican tendrait à réprouver, je l'admets volontiers. Mais, entre adultes consentants, ces étonnantes démonstrations physiques d'intérêt mutuel demeurent légales, si ahurissantes puissent-elles être. Légales et placées sous la haute protection du droit à la vie privée.

Prose se dépêcha de conclure : quand Théberge se mettait à employer un langage abusivement fleuri, c'était qu'il était agacé.

— Je sais. Tout le monde a droit à ses fantasmes. Le problème, c'est quand les gens ne font plus la différence entre les fantasmes et la réalité. Mais ce n'est pas ce que je voulais dire…

— Je ne vois toujours pas en quoi ce subtil distinguo fait avancer notre enquête.

— La chose importante, c'est que les gens ne changent pas de fantasmes comme de chemises. Les tueurs en série ne sont pas les seuls à avoir des rituels.

— Je sais, les religions en sont pleines… Ce qui constitue un rapprochement intéressant.

Prose ignora la remarque.

— En travaillant avec l'ami dont je t'ai parlé, j'ai constaté que les vendeurs de porno ont exactement la même approche. Ils font de la vente par catalogue !

— C'est une définition à laquelle je n'aurais pas songé.

— Pour que les clients s'y retrouvent, ils ont des pages et des pages de répertoires, qui sont en fait des listes de spécialités et de sous-spécialités.

Le serveur interrompit leur discussion en apportant les cafés.

— Donc, ce seraient des meurtres par catalogue, ironisa Théberge après le départ du garçon.

— Je veux simplement dire que l'une de ces spécialités est l'étouffement. Il y en a de multiples sortes, mais celles que nous avons vues jusqu'à maintenant sont non violentes.

— Des meurtres non violents ? Original comme concept !

Prose avait appris à ignorer les accès d'impatience de Théberge. Il savait qu'ils n'étaient pas dirigés contre lui, que c'était une sorte de soupape quand il éprouvait une surdose de ce qu'il appelait la « bêtise ». Particulièrement dans ses formes meurtrières.

— Sans marques de violence sur le corps.

— Il y en a quand même trois qui ont eu la gorge écrasée.

— Mais ils n'ont pas été battus. Ils n'ont pas de blessures défensives.

— Qu'est-ce que tu en déduis ?

— Que les quatre nouvelles victimes ont été étouffées. Qu'elles l'ont été de façon différente des premières victimes. Et qu'il n'y aura pas de traces de violence sur leur corps. Sauf sur le cou ou la gorge.

— Un étranglement raffiné, donc ? conclut Théberge avec une totale mauvaise foi.

— Peut-être pas. Il est possible que la strangulation soit plus brutale que les précédentes. Avec une corde ou un garrot, par exemple. Pour respecter la progression. Narrativement, c'est ce qui serait le plus cohérent.

— Je comprends mal qu'une personne puisse accepter de se faire étrangler sans se défendre.

— Peut-être qu'ils collaborent.

— Tu veux dire qu'ils paieraient pour se faire assassiner ?

— D'après ce qu'on sait, ce sont plutôt eux qui sont payés. Mais là n'est pas la question. Je ne crois pas qu'ils paient ni qu'ils se font payer pour se faire étrangler… Remarque, il existe sûrement des gens qui seraient prêts à le faire. Ou qui l'ont déjà fait. Mais autant de personnes ? En si peu de temps ? Non, je n'y crois pas.

— Tu ne réponds pas à ma question.

— J'y viens… Le S/M, c'est très scénarisé. Les gens se construisent des histoires qu'ils habitent. Qui leur donnent du plaisir. Qui structurent leur vie, le temps qu'elles se déroulent. Ce sont des scénarios. Beaucoup de ces scénarios impliquent un flirt avec la mort. Mais de manière symbolique. Par la perte de certaines qualités qui font de nous des êtres humains vivants… Être immobilisé, enfermé, étouffé… être dégradé, être réduit à un corps qui souffre… ce sont toutes des façons de devenir un peu plus un objet, de se rapprocher symboliquement de la mort.

— Je veux bien que des gens trouvent leur plaisir à faire joujou avec la mort. Après tout, les ados passent leur temps à faire ça dans les jeux vidéo. Mais, habituellement, ça ne les tue pas. Sauf quand ils font du *car surfing*, évidemment. Mais je digresse…

— Il arrive que l'expérience aille trop loin, reprit Prose. Comme dans les cas d'autoasphyxie érotique. Mais, dans le cas qui nous occupe, je pense que ce sont les organisateurs qui ont planifié les débordements. Sans que les clients en soient avertis. Ça pourrait expliquer leur docilité et l'absence de traces de violence.

— À moins qu'ils n'aient été drogués.

— Les deux ne s'excluent pas. On peut les avoir drogués en leur cachant le véritable effet de ce qu'on leur a donné. Et ce qui les attendait…

— Tout ça nous avance à quoi ?

— Ça nous donne un portrait des prochaines victimes éventuelles. Je veux dire : au-delà de leur petite taille et du fait qu'ils soient blancs.

— S'il y a d'autres victimes…

Théberge lui parla de l'hypothèse de Duquai sur la signification de 10PHB.

— S'il a raison, répondit Prose, on va vite le savoir. Jusqu'à présent, il maintient un rythme d'une série de cadavres tous les trois jours.

— En un sens, ce serait encourageant.

— À moins que ce ne soit seulement la fin de la première étape. C'est peut-être une ruse pour laisser croire que tout est terminé. Pour faire baisser la surveillance.

— Pour en revenir à ton histoire de fantasmes, on ne peut quand même pas faire remplir un formulaire à tous les Parisiens sur leurs goûts sexuels !

— Non. Mais on peut se concentrer sur les théâtres de fantasmes et les clubs qui se spécialisent dans les mises en scène de spectacles de soumission. On peut chercher ceux où l'on satisfait les clients qui aiment être étouffés. Découvrir *qui* se charge de les satisfaire… Dans le cas qui nous intéresse, il faut trouver quelqu'un qui aime étouffer les gens. Et qui aime les manipuler, leur faire croire que ce sont eux qui dirigent l'expérience – surtout si ce sont eux qui paient –, alors que c'est lui qui dirige tout.

— Tu penses que c'est un homme?

— Pas nécessairement.

— Il faut vraiment être tordu.

— Ce n'est pas si loin de l'écriture. Tu proposes aux gens un scénario qui leur plaît, qui satisfait certains de leurs fantasmes; tu leur demandes de payer pour vivre ce scénario dans leur tête; et, à la fin, ou même en cours de route, tu les surprends avec quelque chose qu'ils n'ont pas prévu. Par exemple, au moment où ils croient être immergés jusqu'au cou dans une histoire de meurtres en série, le scénario bifurque et ils se retrouvent à entendre parler d'art, de roman…

#YENAMARRE

Grégoire Bichou@grebich
Recadrer le ministre de l'Intérieur?
Le remplacer? Exiger une enquête
sur la DGSI? Qu'est-ce que le
président attend pour agir?
#yenamarre

STROMAE AUX *GUIGNOLS*

Madame Théberge brancha son iPad avant que la batterie soit à plat. Elle avait conversé pendant plus d'une heure avec différentes amies du Québec.

La plupart l'avaient interrogée sur les fameux « meurtres de nains ». Est-ce qu'elle se sentait en danger? Comment était l'atmosphère à Paris? Est-ce qu'il y avait des arrondissements de la ville qu'ils évitaient?

Pour se changer les idées, elle décida de regarder des reprises des *Guignols de l'info* sur Internet. C'était l'émission préférée de son mari.

Elle était presque certaine d'y trouver un sketch sur les crimes dont s'occupait Gonzague, avec son ami Leclercq. Elle était curieuse de voir de quelle manière ils abordaient le sujet.

Elle eut sa réponse quelques minutes plus tard quand la marionnette de PPDA accueillit celle de Stromae. Après les blagues d'usage sur l'évocation des pires drames humains sur une musique électropop presque joyeuse, la marionnette du chanteur amorça une énième variation sur le thème de *Alors on danse*.

Qui dit petit Blanc, dit cadavre,
dit inquiétude qui s'aggrave.
Pourquoi ces morts? Pourquoi ces crimes?
Toute cette folie, à quoi ça rime?
Qui dit meurtre, dit des flics,
dit préfet, dit politique...

Elle l'écoutait de façon un peu distraite tout en pensant à un menu pour le dîner. Ce serait bien de ne pas aller au restaurant. De manger tranquillement à la maison. Enfin, à l'appartement...

Enquêtes secrètes, calculs sinistres,
enveloppes discrètes... Où est le ministre?
Que nous cache-t-on? Que fait Tanguay,
à part se taire et se planquer?
Alors, on tangue.
Alors, on tangue...

Bien sûr, elle ne savait pas à quelle heure Gonzague reviendrait. Ni même s'il reviendrait à temps pour le déjeuner. Cette histoire dans laquelle son ami Leclercq était empêtré n'en finissait pas de devenir plus accaparante. Avec ces crimes qui se multipliaient...

L'attention de madame Théberge fut distraite par un signal sonore. Elle ouvrit la fenêtre des textos.

Tu survis toujours aux piétons parisiens?

Annabelle!
Elle s'empressa de répondre.

Les motards, à côté d'eux, ce n'est rien.

Après l'attentat dont madame Théberge avait été victime, Annabelle avait assuré sa relève dans l'organisation où elles faisaient du bénévolat. Un bénévolat un peu différent de ce que les gens entendent habituellement par ce terme. Il s'agissait de soustraire des prostituées et des danseuses nues à ceux qui les exploitent, souvent des groupes de motards criminels, et de leur donner les moyens de se refaire une vie – ce qui impliquait, dans les cas les plus sérieux, de leur fournir une nouvelle identité et de les relocaliser.

Tout n'était pas toujours entièrement légal, mais son mari n'avait jamais cru utile, tout policier qu'il soit, de s'inquiéter de ce détail. Ce qui comptait, c'était de donner une seconde chance à ces jeunes femmes, en commençant par celle de demeurer en vie.

> Et le meurtres des petits Blancs?

> Tu penses sérieusement que je suis menacée? Tu te souviens de quoi j'ai l'air? ;-)

Tout en continuant de texter, elle prit un comprimé d'indométacine dans le flacon qui était sur le comptoir et l'avala avec le reste de sa tasse de tisane.

Ce n'était pas une très bonne journée. Mais avec l'anti-inflammatoire pour casser la crise qui débutait, elle devrait pouvoir aller au musée.

UNE EXISTENCE DISCRÈTE

Gonzague Leclercq arriva au Comptoir Tournon à 11 h 35. Il semblait presque de bonne humeur.

—Enfin, ça débloque, annonça-t-il en s'asseyant.

—Vous avez une piste? demanda Prose.

—Quelque chose qui y ressemble. Ça vient de Natalya.

Prose fut incapable de maîtriser sa réaction de surprise.

— Elle travaille sur cette affaire ?

— De loin. Je lui ai demandé de demeurer à l'écart pour conserver un regard indépendant.

— Qu'est-ce qu'elle a trouvé ?

— Le nom de la personne qui se cache derrière Désirs extrêmes. Alatoff Payne.

— C'est quelqu'un de connu ?

— On sait très peu de chose de ses activités. Il est propriétaire de Payne Capital. Une entreprise de gestion financière enregistrée à Malte. À travers un réseau de sociétés-écrans, Payne Capital possède deux autres établissements spécialisés dans les goûts sexuels particuliers : The Black Scene et The Deep…

Tout en écoutant, Prose naviguait sur Internet avec son iPad.

— Il possède cinq ou six propriétés dans différents pays, poursuivit Leclercq. Il a un bureau à la Défense. Mais on ne trouve presque rien sur lui dans les médias. Quelques annonces de participations à des campagnes humanitaires, à des événements caritatifs, mais pas de photos. Les seules qu'on possède de lui ont été prises dans des aérogares. Elles correspondent à celle de son passeport.

Prose ferma son iPad.

— Vous avez raison, dit-il. Pas de photos sur Internet.

— À mon avis, fit Théberge, votre monsieur Payne, c'est moins un illustre inconnu qu'une personne qui a les moyens de ne pas être connue.

— J'ai demandé à Duquai de poursuivre ses recherches.

— Vous savez où il se trouve ?

— Non. Mais il n'est dans aucune de ses propriétés. Du moins, celles que nous connaissons. Ni à son bureau. On surveille les aéroports, les hôtels… J'en saurai probablement plus en fin d'après-midi.

— Duquai t'a parlé de la signification de la formule 10PHB ?

— Brièvement.

— Qu'est-ce que tu en penses ?

— Il a probablement raison. Mais pour ce que ça implique pour la suite des choses, ça…

www.lefigaro.fr/blogs/

> UNE INCURIE QUI FAIT LE JEU DES EXTRÉMISTES
>
> Les cadavres se multiplient, la police est impuissante et le sentiment d'insécurité s'accroît dans la population. Une peur diffuse se répand. Tout cela forme un cocktail explosif. Déjà, des milices citoyennes ont fait leur apparition dans certains quartiers…
>
> La suite

UN PETIT HOMME TROP GRAND

Duquai avait abrégé son heure de déjeuner. Il n'en ressentait pas encore trop les effets, mais il n'y avait pas de doutes que la fin de la journée serait difficile. Déjà, il sentait poindre une certaine nervosité. Il se demandait s'il ne serait pas dans l'obligation de prendre une deuxième dose d'anxiolytiques.

Leclercq lui avait demandé de se rendre discrètement à une nouvelle scène de crime. Des policiers étaient déjà sur les lieux. Encore un petit homme blanc. Étranglé, celui-là. En bonne et due forme. Avec le cordon d'alimentation d'une tablette électronique qui pendait autour de son cou.

Une seule victime. Mais dans le 5e arrondissement.

Durant le trajet, Duquai avait consulté ses sites préférés sur Internet. Les spéculations allaient déjà bon train. Plusieurs théories s'affrontaient.

Certains affirmaient que c'était un *copy cat*. Qu'il y en aurait sûrement plusieurs. D'autres étaient persuadés que le tueur avait changé de méthode. Qu'il y aurait cinq victimes consécutives dans le cinquième. Que c'était une stratégie pour faire monter la peur.

Et puis, il y avait ceux qui pensaient que c'était le début d'une course au trésor macabre, que les quatre autres corps étaient déjà cachés quelque part dans l'arrondissement…

En arrivant, Duquai reconnut un des policiers. Il avait travaillé avec lui lors de son passage à la PJ.

— Qu'est-ce que tu fais là ?

— Il paraît qu'on est censés collaborer, répondit Duquai.

— Tu es sûr ?

— Moi, je fais ce qu'on me dit.

L'autre hésita un moment, puis il l'emmena dans la chambre.

— Essaie de ne pas t'éterniser.

Le corps ne laissait aucun doute sur sa « parenté » avec les victimes précédentes. Blanc, mince, petit… Enfin, presque aussi petit. Car Duquai avait l'impression qu'il était un peu plus grand que les autres.

Le policier prit Duquai par le bras et le conduisit à la cuisine.

— Il y a quelque chose qu'il faut que tu voies.

Le quelque chose en question était une feuille de papier posée sur la table. Un court message y était imprimé, exactement au centre de la feuille.

Cette fois-ci, il y en a un seul. Pour vous faciliter les choses.
Peut-être saurez-vous résoudre cette charade ?

La forme du message trahissait un esprit méticuleux, attentif aux détails et à l'esthétique. Quant au contenu, on y trouvait à la fois le défi aux forces de l'ordre et la présentation de la série de meurtres comme une énigme à déchiffrer.

La véritable énigme que posait ce message, songea Duquai, c'était l'intention de son auteur en l'écrivant.

En apparence, tout semblait soutenir l'hypothèse du tueur en série. Mais il se pouvait que ce soit justement l'intention de l'auteur de renforcer cette supposition. Par ailleurs, le message s'empressait d'offrir une justification au fait que le mode opératoire soit différent.

Duquai retourna examiner le corps.

Tué dans son lit. Ou abandonné là après sa mort. Le médecin légiste clarifierait ces détails… Autour de son cou, des ecchymoses rouges allongées, manifestement laissées par la corde qui avait servi à l'étrangler.

Duquai se demanda un instant si le malaise croissant qu'il ressentait tenait à la perturbation de ses habitudes ou à la scène de crime elle-même.

Il s'affaira à calmer sa respiration. Ferma les yeux.

Quand il les rouvrit, il était persuadé que son propre comportement n'était pas en cause. C'était la scène de crime. Quelque chose clochait.

Il y avait trop d'anomalies dans le mode d'action du meurtrier. Le fait qu'il y ait une seule victime, qu'elle ait été étranglée brutalement… Un tueur en série ne change pas aussi radicalement son rituel. Et puis…

Duquai se tourna vers un des techniciens chargés de photographier la scène de crime et de relever les indices.

— Vous pouvez mesurer le corps ?

— Le légiste n'est pas encore arrivé.

— Sans le toucher. Une approximation suffira. Comme il est couché sur le dos…

Le technicien s'exécuta en maugréant.

— Un mètre 66. Peut-être quelques centimètres de plus.

Duquai sentit refluer une partie du malaise qu'il ressentait. L'univers reprenait de la cohérence.

Un mètre 66, cela dépassait nettement la taille des victimes précédentes.

Il sortit et appela Leclercq sur-le-champ.

Ce dernier commença par l'écouter sans l'interrompre. Quand Duquai eut terminé son rapport, Leclercq partageait son analyse. C'était probablement un *copy cat*.

— Au moins, conclut Duquai, il n'en a pas tué cinq pour mieux dissimuler son crime !

— Il ne faut pas qu'il se doute que sa ruse a été percée à jour. Officiellement, ça reste un meurtre du tueur en série. Si le criminel pense qu'il les a bernés, il va moins se méfier.

— Je ne contrôle pas la PJ.

— Je sais. Explique-leur ce qui se passe. Peut-être que Dumas va résister à la tentation de tout saboter.

QUELQUES HEURES POUR SAUVER LA FACE…

Le préfet n'attendit qu'une dizaine de minutes avant d'être reçu par le ministre de l'Intérieur, Charles Tanguay.

— Je n'ai malheureusement que très peu de temps, annonça-t-il d'emblée après avoir serré la main de Coppée.

Il fit signe au préfet de s'asseoir dans un des fauteuils placés en angle. Il prit place dans l'autre.

Visiblement, il voulait donner à la rencontre un caractère informel. Presque privé.

— Où en sommes-nous ? demanda-t-il.

— Dix victimes. Toutes mortes étouffées. Plus une 11e, qui est probablement un *copy cat*.

— Les cadavres, les médias sont capables d'en assurer la compilation, répondit Tanguay avec humeur. Je parle des pistes.

— À la PJ, Dumas m'a dit qu'il n'avait aucune information nouvelle à me communiquer.

— Il profite de l'occasion pour vous enfoncer.

— C'est un peu ça.

— C'est une situation qu'il va falloir régler. On ne peut pas tolérer que le directeur de la Police judiciaire de la ville soit en conflit larvé avec le préfet.

— Je suis bien d'accord.

— Toute la question est de savoir lequel des deux il va falloir sacrifier.

Coppée s'empressa de changer de sujet.

— De son côté, dit-il, Leclercq m'assure que les choses progressent.

— Il n'est pas sur la touche, celui-là ?

Le ton ironique du ministre disait qu'il n'en croyait rien.

— Il l'est. Mais certains agents de la DGSI travaillent sur une enquête qui recoupe cette affaire. Ils sont tombés sur des informations…

— Et je suppose que ces agents ont rencontré Leclercq par hasard, que la conversation est tombée par hasard sur ce sujet…

— Ce serait lié à l'univers du BDSM.

— Ils ont des suspects ?

— Pas encore.

— Vous avez une idée de la pression que je subis ? Avec cette rumeur que des policiers seraient impliqués…

— Tout cela est de ma faute.

— Je n'ai pas besoin de vos scrupules. Si vous voulez que je vous accorde un peu de temps, il faut que vous me trouviez quelque chose pour les médias. Qu'ils aient un os à gruger. J'ai besoin de développements susceptibles de faire la une. Et de justifier le fait d'avoir laissé l'enquête à la DGSI.

Le ministre respira profondément, comme pour se donner le temps de se calmer.

— Les choses ne peuvent pas continuer à ce rythme-là, déclara-t-il en guise de conclusion.

— Une enquête a son propre rythme…

— Je le sais bien. Mais les médias ont le leur. Et ce sont les médias qui fabriquent l'opinion. Donc, les votes. Déjà que le rythme de notre président fait XVIIIe siècle et début de la machine à vapeur ! Enfin… Comprenez que je n'ai pas le choix. Il faut qu'il y ait au moins une personne dans le gouvernement qui donne l'impression d'agir.

— Mais…

— Le Front national, l'UMP et tout ce qui grenouille au centre s'en donnent déjà à cœur joie. Ils nous reprochent de ne rien faire, stigmatisent notre incompétence. Et le pire, c'est que je peux presque les comprendre !… Même au PS – surtout au PS, je devrais dire –, il y en a plusieurs qui attendent avec impatience le moment de me tirer dans le dos. Tout ce qui leur manque, c'est une occasion.

Il caressa son menton de sa main droite.

— Si vous voyez Leclercq, dites-lui que je vous donne 24 heures. Peut-être quelques-unes de plus s'il se produit un miracle. Ensuite, je vais devoir sacrifier quelqu'un. Et il est hors de question que ce soit Vernon. Je viens de le nommer. De quoi aurais-je l'air ?

De retour à sa voiture de fonction, Coppée téléphona à Leclercq.

— Je sors de chez le ministre. On a 24 heures. Sans doute moins. Si la pression devient trop forte, tu vas être sacrifié. Moi aussi, j'imagine. Probablement quelques jours plus tard, histoire de laisser aux médias le temps de bien exploiter la première victime avant de leur en livrer une autre.

IL Y EN AURA POUR TOUT LE MONDE

Tout en suivant les infos télé, Gonzague Théberge achevait de manger au comptoir de la cuisine. Un reste de risotto aux chanterelles.

Dans quelques minutes, sa femme et lui iraient prendre le métro. Destination : station Châtelet. Puis Beaubourg.

Malgré l'appréhension qu'elle entretenait à l'endroit du métro, sa femme tenait à le prendre pour se rendre au musée. Le trajet lui-même se passait généralement bien, les passagers s'empressant de lui céder un siège quand ils constataient ses difficultés. Toutefois, à l'ouverture des portes et dans les couloirs du métro, ces mêmes passagers se transformaient en un torrent humain par lequel, à cause de ses problèmes d'équilibre, elle se sentait continuellement bousculée. Mais il fallait qu'elle s'habitue, disait-elle. Qu'elle devienne autonome. Il ne pouvait pas être à ses côtés 24 heures sur 24.

Beaubourg. La rétrospective Dali. Autrement dit, encore une file d'attente…

La nuit précédente, Théberge avait vu en rêve une interminable file de petits hommes blancs, vêtus d'un pagne, qui attendaient en silence d'être les prochains à se faire exécuter. Devant eux, il y avait une rangée de gibets où d'autres petits hommes blancs étaient pendus : ceux qui les avaient précédés dans la file.

Au-dessus des gibets, une pancarte les prévenait :

INUTILE DE VOUS BOUSCULER.
IL Y EN AURA POUR TOUT LE MONDE

Théberge n'avait pas parlé de son cauchemar à sa femme. Elle avait déjà son lot de problèmes avec la réalité, inutile de lui infliger les horreurs qu'élaborait l'imagination de son mari.

Dans le 4e arrondissement, les meurtres avaient eu comme effet paradoxal de détendre l'atmosphère. La vague était passée. Le tueur quitterait l'arrondissement pour aller dans le suivant. On pouvait respirer.

Dans le 5e, par contre…

Malgré le renforcement de la présence policière, il y avait déjà eu deux incidents. D'abord le meurtre du petit homme blanc. Puis une agression, perpétrée cette fois par un homme de petite taille : il se croyait menacé malgré l'origine clairement nord-africaine que trahissait la couleur de sa peau.

— Qui dit que le tueur ne va pas se tromper ? avait-il déclaré pour sa défense. Ce n'est pas comme si j'étais black.

Pour dissuader sa femme d'entreprendre cette expédition, Théberge avait évoqué le danger de se promener dans les quartiers où venait de se manifester le tueur de petits blancs, comme l'appelaient les médias.

— Des petits hommes blancs, avait répliqué sa femme en insistant sur les trois derniers mots. Tu crois vraiment que je risque quelque chose ?

Puis elle avait ajouté, sur le même ton pince-sans-rire :

— Et toi, pour ce qui est du format…

Aussitôt le repas terminé, ils se mirent en route vers la station de métro École militaire. Une correspondance et six stations plus tard, ils seraient près de Beaubourg. Une petite promenade d'une quinzaine de minutes.

Ils avaient choisi à dessein un trajet de métro différent de celui que conseillait la RATP sur son site Internet. Un trajet qui les rapprochait un peu moins du musée, mais qui leur permettrait de marcher dans un quartier que la femme de Théberge aimait bien malgré son côté touristique.

Pendant qu'ils se dirigeaient lentement vers le musée, Théberge observait l'agitation des passants et des commerçants. Tous étaient en proie à une forme d'urgence. Tous avaient un but qu'ils semblaient pressés d'atteindre.

Théberge y voyait un reflet du tourbillon dans lequel il avait été lui-même aspiré en voulant aider Leclercq. Pour échapper à ce tourbillon, il suffisait de ralentir. De profiter des expériences agréables qui se présentaient. Comme cette visite de Beaubourg, en compagnie de sa femme.

Se surprenant à se faire ces réflexions, Théberge fit la moue. Il avait l'impression d'entendre un personnage de *Joséphine*. Ou de *Plus belle la vie*! Mais c'était sans doute approprié aux circonstances. Après tout, c'était ce que Dali, à sa manière, avait suivi comme ligne de conduite : vivre pour sa relation avec Gala et envoyer joyeusement promener le reste au gré de sa fantaisie… à l'exception, bien sûr, de tout ce qui pouvait mettre en valeur son génie!

DEVOIR DE TRANSPARENCE

Guyon avait finalement accepté de donner une brève conférence de presse sur la mort de son fils. Cela lui avait été conseillé par un ami, le responsable des communications de sa banque.

C'était, jugeait-il, la meilleure façon de faire cesser le harcèlement dont il faisait l'objet : coups de fil intempestifs, journalistes en embuscade à l'entrée de sa résidence et de son bureau, courriels à répétition, cars de télé devant sa porte… Tenir une conférence de presse ouverte à tous pour refuser une entrevue à chacun.

Bien sûr, c'était abdiquer. Leur concéder la victoire. Leur reconnaître le droit d'envahir sa vie privée. Mais c'était aussi une façon d'acheter la paix. Car aucun tribunal ne pourrait la lui procurer. Le droit à l'information s'était désormais transformé en une obligation de transparence totale, applicable à tout individu auquel s'intéressait l'opinion publique.

Dorénavant, la vie privée était un luxe. Seuls les plus riches y avaient accès. Et encore, ils devaient y mettre le prix. Pour les autres, il fallait trouver des accommodements avec la voracité médiatique et les curiosités populaires qu'elle suscitait.

Guyon commença par une brève déclaration.

— Mon fils a effectivement été la première victime de celui qu'on appelle "le tueur de petits hommes blancs". Quand son corps a été découvert, rien n'indiquait qu'il s'agissait d'un meurtre. Les traces d'étouffement étaient si légères qu'elles sont d'abord passées inaperçues.

Il s'interrompit un instant, visiblement ému. Rien ne brisa le silence de la salle.

— Nous n'avons pas insisté pour qu'il y ait une autopsie. Sa mort paraissait accidentelle. Rien ne justifiait de lui infliger cette agression supplémentaire. Nos seules pensées allaient vers ce deuil éprouvant que nous allions devoir vivre.

« Il n'y avait là aucune manœuvre pour dissimuler sa mort. Simplement le réflexe de se replier sur ses proches et de vivre avec eux cette perte.

« Rien ne justifiait d'en faire un spectacle public. Rien ne le justifie davantage aujourd'hui. J'espère que vous saurez traiter avec retenue et sobriété cc qui demeure, pour nous, ses proches, malgré les atrocités auxquelles son décès est associé, un drame personnel.

« Voilà ce que j'avais à vous dire. »

Un journaliste de France Soir le relança aussitôt.

— Selon certaines informations qui circulent sur Internet, vous auriez fait intervenir vos relations pour que l'affaire soit enlevée à la police judiciaire et confiée à des intervenants plus "compréhensifs". Pouvez-vous nous dire ce qu'il en est ?

Guyon fit un effort pour se contenir.

— Croyez-vous sérieusement que je n'ai pas envie que la police enquête pour retrouver l'assassin de mon fils ? Comment pouvez-vous penser un seul instant que je ne désire pas qu'on arrête ce maniaque le plus rapidement possible ?... C'est tout ce que j'ai à dire sur ce que vous appelez vos "informations".

— Est-il vrai qu'il aurait trempé dans des affaires de courses truquées ?

— Mon fils n'a d'aucune manière été impliqué dans quelque fraude que ce soit.

Les questions se poursuivirent pendant une dizaine de minutes, souvent répétitives. Guyon s'efforçait de conserver son calme et d'être bref. Ses réponses commençaient régulièrement par : « Comme je viens de vous le dire... » ou « Comme je l'ai déjà mentionné... ».

Une question, toutefois, réussit presque à le désarçonner.

— Dans certains médias, on a signalé qu'il fréquentait des milieux marginaux liés à des pratiques sexuelles alternatives. Croyez-vous que sa mort puisse avoir un rapport avec ces fréquentations ?

— Mon fils a été victime d'un tueur fou. Je ne vois pas en quoi sa vie privée peut être du moindre intérêt dans cette histoire. Allez-vous fouiller dans la vie privée de chacune des victimes de meurtres pour chercher en quoi elle pourrait être responsable de ce qu'il lui est arrivé ?

La journaliste du *Figaro* prit immédiatement la relève.

— Pourquoi avoir aussi longtemps évité les médias si votre fils était simplement une victime de ce tueur fou ? Une personne publique n'a-t-elle pas le devoir d'être transparente ?

— Pour une raison qui vous semblera sans doute incongrue : la pudeur. Le désir de ne pas voir la vie privée de ma famille, la vie intime de mon fils étalée dans les médias... Je ne voulais pas voir sa mort et le deuil de mes proches transformés en matériel de téléréalité.

— Vous caricaturez le droit à l'information.

— Il y a aussi une autre raison, mais vous ne voudrez probablement pas l'entendre. Je suis persuadé que tout ce tapage médiatique est une erreur tragique. La moindre phrase, la moindre photo que vous publiez ou mettez en ligne nourrit l'ego de ce monstre, le pousse à poursuivre ces meurtres insensés. Alors, permettez-moi de ne pas y collaborer. Ma conscience ne le permet pas. Pour cette raison, je n'accorderai aucune autre entrevue.

Sur ce, Guyon tourna les talons et quitta le lutrin encerclé de micros. Derrière lui, les questions se multipliaient en vain.

DES PARIS SUR PARIS

Prose prenait un expresso dans un café du 13e, près de chez lui. À une table voisine, quatre hommes discutaient du nouveau crime commis dans le 5e arrondissement.

— … un tueur en série, j'te dis !

— Et pourquoi il y en a eu juste une ?

— Il prend son temps. Il fait durer le plaisir.

— Et si ce n'était pas le même ?

— Peut-être qu'il devient prudent. Avec tous les flics qu'il y a là-bas…

— Il se dégonfle, tu veux dire !

Tout en prêtant une attention distraite aux conversations qui l'entouraient, Prose se demandait de quelle façon il aurait pu les intégrer dans un roman.

C'était une idée intéressante d'inclure la rumeur publique. Pour ce faire, plusieurs auteurs avaient recours aux médias, une technique que Malraux utilisait déjà, bien que de façon restreinte, dans *Les Conquérants*.

Une autre solution consistait à intégrer des dialogues de foule tels qu'on pouvait les entendre, par exemple dans ce café. Des échanges entre des personnages qui n'avaient rien à voir dans l'histoire, à part le fait de faire partie du décor, de peupler les lieux publics.

À mesure qu'il suivait et démêlait les conversations autour de lui, Prose les voyait mentalement s'imprimer dans un livre. Avec un mince filet à la gauche du texte, pour qu'on saisisse au premier coup d'œil qu'il s'agit de conversations ambiantes.

— Il se dégonfle pas, il est rusé. Il s'amuse. Il veut faire durer le plaisir.

— Tu penses qu'il va rester dans le cinquième ?

— Pour le prochain ? C'est sûr.

— Avec tous les flics qu'il y a ?

— Ce type, c'est l'adrénaline qui le fait marcher. Plus il y a de flics, plus ça l'excite.

— C'est bien le seul que les flics excitent !

Cette solution, avec les tirets et les renvois à la ligne, avait l'avantage de la clarté. Mais on perdait un peu la texture décousue, souvent chaotique du flot de paroles et de bruits qui baigne un café.

Une troisième solution était de confier la tâche à un personnage particulier, à un témoin dont les réactions et les pensées illustraient les comportements de monsieur Tout-le-monde.

Souvent, c'était le narrateur qui assumait ce rôle.

La chose avait une certaine logique. Après tout, c'était le narrateur, le maître apparent du discours. Il était le mieux placé pour expliquer, par exemple, que les gens étaient partagés. Que certains s'attendaient à ce que le tueur frappe encore dans le 5e arrondissement malgré la présence policière, alors que d'autres pensaient qu'il passerait au 6e arrondissement. Ou encore qu'il irait ailleurs.

Un signal sonore en provenance de son iPhone attira l'attention de Prose. Une alerte du *Huffington Post France*.

Sites où l'on peut parier en ligne sur les prochaines victimes du tueur de nains.

Aussitôt, Prose vit le parti qu'on pouvait en tirer pour l'enquête. Des sites de paris en ligne ! Avec un peu de chance, le meurtrier serait tenté de vérifier sur ces sites où en était sa popularité, ce que les gens s'attendaient à ce qu'il fasse…

Il fallait prévenir Leclercq.

Alors qu'il composait un message sur son iPad à l'intention de Leclercq, une autre idée le frappa. Il savait comment il allait rendre les voix emmêlées de la rumeur publique : exactement comme il les entendait.

Une sorte de monologue collectif. Avec la même forme hésitante entre l'organisation et la désorganisation que le monologue intérieur. Il lui suffisait d'écouter ce qui se disait autour de lui. Avec toutes les hésitations, toutes les phrases à peine commencées puis interrompues, toutes les voix qui s'entrecoupaient, se chevauchaient, s'enterraient les unes les autres…

… à cause de Hollande… Tu déconnes… le tueur, il vient des banlieues, c'est sûr… C'est lui qui empêche Valls de s'occuper des problèmes… Et quoi, encore ?… Pourquoi c'est tous des Blancs, tu penses ?… On aurait besoin de Sarko !… C'est peut-être pas un tueur en série… Et pourquoi pas les extraterrestres ?… Monsieur Je-sais-tout… que ça vienne du Front national. Je ne serais pas surpris… Plus l'insécurité monte, plus il a de votes…

Non. Cela n'allait pas. La lecture perdait toute fluidité.

Un lecteur normal allait sauter allègrement par-dessus le paragraphe. Ou, pire, il allait le lire. Et conclure que c'était trop exigeant – ou, plus probablement, emmerdant.

Les mystères qui intéressent le lecteur, ceux pour lesquels il accepte de mettre son cerveau à contribution, ce sont ceux de l'histoire qu'on lui raconte. Pas les difficultés de lecture arbitraires que lui impose l'auteur.

Comme le disait très approximativement Shakespeare, il y a déjà suffisamment de choses mystérieuses sur la terre et dans les cieux pour se dispenser d'embrouiller le peu que l'on peut comprendre.

#10PHBÉCLAIRCI

Pascal Dupont@pasdup
Intrigue résolue. #10PHB était bien
un avertissement. 10 Petits Hommes
Blancs ont été tués. Quelle sera la
suite ? Dix autres ?

Au sortir de l'exposition, Théberge et sa femme se dirigèrent lentement vers le métro Châtelet.

Tout en marchant, Théberge pensait à la remarque de sa femme comme quoi, sous ses airs rebelles, Dali était un classique.

— Tout est très froid, très construit, disait-elle. Il met sa folie dans ses images, mais son pinceau est très précis.

Théberge n'avait pu s'empêcher d'y percevoir des rapprochements avec l'enquête. Cet ensemble de meurtres donnait, lui aussi, l'impression d'être très construit.

Finalement, ils avaient peut-être affaire à une sorte d'artiste. Déjà, après avoir visité l'exposition Van Gogh, il en avait eu l'idée. Prose avait trouvé l'hypothèse intéressante. Assez pour avoir ensuite fait le rapprochement avec Art/ho.

Par contre, ce que Théberge n'arrivait pas à imaginer, c'était ce que pouvait être une œuvre qui engloberait l'ensemble de ces meurtres.

Dans les œuvres, disait Prose, il y a toujours des symboles. Si les petits hommes blancs avaient une valeur symbolique, quelle pouvait-elle être? Et les traces d'ADN féminin, que fallait-il en faire? Les victimes avaient-elles été tuées par des femmes, comme on pouvait le croire? Ou est-ce que ces traces étaient là uniquement pour le symbole?

Aux prises avec ces questions d'art et de symboles, Théberge se sentait comme dans des sables mouvants. Tout pouvait signifier n'importe quoi et son contraire. Il avait besoin de retrouver la terre ferme. Autrement dit, le terrain des faits. Et les faits, c'était ce qui se répétait dans chacun des meurtres.

Même Prose était d'accord. Le sens, c'est ce qui insiste, avait-il l'habitude de rappeler à tout propos.

Or, ce qui se répétait, c'étaient les cadavres de petits hommes blancs morts étouffés. Et la double progression numérique. Progression du nombre de victimes. Progression des numéros d'arrondissement.

Que pouvait bien signifier cette progression ?

— Toi, tu penses à ton enquête ?

La question de sa femme tira Théberge de sa réflexion.

— Euh… oui. Un peu. Pourquoi ?

— Nous venons de passer devant un caviste et tu ne l'as même pas remarqué.

DES VICTIMES IDÉALES

Natalya s'était simplement allongée sur le lit pour réfléchir. Puis le sommeil était venu.

Et avec lui, le cauchemar.

Celui des machines à tuer qui défilaient devant elle. Par ordre croissant d'horreur. Et elle devait choisir laquelle serait utilisée contre la victime.

Si elle ne choisissait pas, ce serait la dernière.

Comme chaque fois, elle était incapable de choisir. Comme chaque fois, elle espérait qu'il en apparaisse une qui soit plus humaine. Qui fasse simplement mourir. Rapidement. Sans faire souffrir.

Et, comme chaque fois, il n'y en avait pas.

Les machines de mort continuaient de défiler. Toujours plus horribles. Toujours plus monstrueuses d'acharnement et de raffinement…

Après s'être passé de l'eau froide sur le visage, Natalya descendit au café, au coin de la rue. Elle avait besoin de voir des gens vivants. De se rappeler qu'ils existaient.

En fait, c'était Prose qu'elle avait besoin de voir. Mais c'était déraisonnable. Son métier excluait par définition toute possibilité de vie normale.

Et il n'y avait pas que son travail, en y pensant bien. Il fallait aussi qu'elle fasse la paix avec son passé. Et, pour cela, elle avait d'abord une guerre à mener.

Cette décision, elle doutait fort que Prose puisse la comprendre.

Elle sourit à l'idée d'en discuter avec lui. Elle pouvait déjà l'entendre aligner les arguments, lui expliquer qu'il serait préférable qu'elle se libère de l'emprise de ses souvenirs. Qu'elle affronte ce qui se cachait derrière ses cauchemars. Que c'était la seule façon pour qu'ils arrêtent de contrôler sa vie… par exemple en la poussant à entreprendre cette guerre.

À la télé, au-dessus du comptoir, un présentateur interviewait un « expert en tueurs en série ».

Natalya écoutait distraitement.

> Il est évident que l'hypothèse du *copy cat* ne peut être écartée. Il est cependant plus probable que ce soit le même criminel. Le message laissé sur place est tout à fait typique de la mentalité du tueur en série. Le défi aux autorités, l'escalade… Cette façon de faire monter les enjeux en narguant les policiers…

Le son de la télé peinait à surnager dans le bruit des conversations. À la table d'à côté, deux hommes discutaient également des derniers meurtres.

> — Moi, j'habite le treizième. Ils ont tout le temps de l'attraper avant qu'il arrive à notre arrondissement.
> — Le type, il vient de modifier sa façon de faire. Il va peut-être se mettre à sauter d'un arrondissement à l'autre au hasard. Au 13ᵉ, peut-être…
> — C'est du grand n'importe quoi !
> — Treize, c'est un bon chiffre s'il veut faire parler encore plus de lui !

À d'autres tables, les conversations portaient sur la météo et la politique. On s'accordait à les trouver également pourries.

Rapidement, les propos de l'expert, à la télé, et les discussions du café se mélangèrent dans un fond sonore d'où ressortaient au mieux des bribes de phrases de diverses provenances.

… nouvelle phase dans l'escalade… Moi, les socialistes… comme en témoignent les nombreuses marques de coups…

aux prochaines élections… un véritable défi aux auto-rités… Un autre Ricard, Maurice!… c'est sûr que le Front national… sûrement quelqu'un de très brillant… Faut ramener Sarko!… très organisé… Pas le choix… capacité à faire évoluer le scénario de ses crimes… C'est quand même mieux que la canicule!… Un Ricard, oui… Ce qui me frappe… sûr que ça vient des banlieues… pourris pour pourris… Moi, le tueur, tant qu'il reste dans les quartiers riches… On ne sait pas, le Front, comment il serait, on ne l'a jamais essayé!… Un vrai scénario de film. Hollywood est intéressé, il paraît…

La dernière remarque du présentateur attira l'attention de Natalya. Voir les crimes comme un scénario, c'était le genre d'idée que Prose aurait eue.

Elle se concentra sur la télé.

> — Le potentiel cinématographique de ces meurtres est énorme. Comme le mentionnait votre précédent invité, mon-sieur Delannoy, c'est très bien scénarisé. Même ce dernier crime, comme point de retournement…
>
> — Du point de vue cinématographique, quels éléments vous semblent les plus porteurs?
>
> — D'abord, le choix des victimes. Le fait que ce soit des hommes et qu'ils soient blancs. Cela en fait des victimes légitimes. On évite tous les dangers de dérapage qui existent quand il s'agit de femmes, d'enfants ou de représentants des minorités visibles.
>
> — Pas de poursuites, pas de campagnes de boycottage…
>
> — Exactement. Il y a aussi la nature peu violente des morts. C'est presque poétique!
>
> — Un thriller qui serait en même temps un film d'art?
>
> — Oui, mais avec une coloration politique. De ce point de vue également, ce sont des victimes idéales: on touche à la fois à la culpabilité des hommes blancs et au ressentiment de l'ensemble des minorités à leur endroit.

Tout en écoutant, Natalya n'avait pu empêcher son esprit de revenir à la Roumanie.

Curieusement, les propos pontifiants du critique de cinéma l'avaient renforcée dans sa décision. Elle ne serait pas une victime idéale. Elle serait le seul genre de victime capable d'arrêter les bourreaux : celle qui riposte.

Elle sortit son iPad mini et expédia un message à Yuri, un ex qui travaillait pour le compte d'une multinationale spécialisée dans la production agricole. L'entreprise en question procédait actuellement à des investissements massifs dans les terres arables de la Roumanie. Yuri était en quelque sorte leur délégué aux problèmes : négociations difficiles, sécurité des installations, protections des hauts dirigeants, pots de vin…

S'il y avait quelqu'un capable de lui organiser un séjour là-bas totalement incognito, c'était bien lui.

www.liberation.fr/politiques/meurtres-et-instrument…

MEURTRES ET INSTRUMENTALISATION POLITIQUE

Henri Lafont

Décryptage – Ingérences de la gauche dans la justice, police aux ordres, instrumentalisation partisane du drame par la droite, le meurtre des petits hommes blancs est un révélateur des pires pratiques politiques.

S'il est urgent de prendre les moyens pour arrêter rapidement ce tueur en série, il ne l'est pas moins de faire la lumière sur ce qui a toutes les apparences d'une manipulation pour camoufler un meurtre. C'est ce genre de dérapage des représentants politiques qui pave un boulevard au Front national, à Manif pour tous et à tous les extrémismes du même acabit…

PROMENADE À MEUDON

Hervé Dumas n'aimait pas se prêter à l'exercice des conférences de presse. Il préférait rencontrer les journalistes un à un. De la sorte, ils étaient plus faciles à manipuler.

Sa technique consistait à faire croire à chacun qu'il bénéficiait d'un traitement de faveur. Et à lui laisser entendre que l'avenir de cette collaboration dépendait de son attitude.

Bien sûr, il ne serait pas venu à l'esprit de Dumas de tenter de leur imposer la moindre censure. Il était très clair sur cette question dès la première rencontre. Il ne désirait d'aucune manière contrôler ce qu'ils disaient ou écrivaient.

De toute façon, c'était inutile. Les journalistes savaient bien que se montrer trop critiques, envers Dumas ou la Police judiciaire, risquait de leur faire perdre une source d'informations précieuse. D'où l'exercice spontané d'une certaine retenue dans leur travail. D'une autocensure.

Puis, avec le temps, se développait une sorte de syndrome de Stockholm. Une complicité s'établissait, que Dumas se faisait un devoir d'entretenir.

Tout ce qu'il attendait d'eux, disait-il, c'était une oreille attentive. À l'occasion, il attirait leur attention sur certains sujets dont il ne pouvait pas parler ouvertement. Des sujets dont, en conscience, il jugeait important que la population soit informée.

La seule condition qu'il posait, c'était de ne pas être identifié comme source. À la rigueur, le journaliste pouvait attribuer l'information à une personne proche des milieux policiers ou du ministère de la Justice.

Pour achever de mettre les journalistes en confiance, il leur demandait assez souvent leur avis sur les grands débats politiques ou sur les questions sociales du moment. Parce qu'il respectait leur jugement, disait-il. Et parce qu'il avait besoin d'échapper à la prison de la pensée collective que secrétait le Quai des Orfèvres, comme le faisait toute institution.

Nicolas Roussel était une de ses plus anciennes relations. Leurs rencontres avaient toujours lieu dans la voiture de Dumas. Ce dernier lui donnait rendez-vous quelque part à Paris et il passait le prendre. Pendant qu'ils discutaient, à l'abri des vitres teintées, le chauffeur de Dumas les promenait dans la ville. Ou encore, quand les discussions s'annonçaient plus longues, il allait se garer, souvent de l'autre côté du périphérique, près de chez Dumas.

Quand Roussel vit le chauffeur prendre la direction de Meudon, il comprit qu'ils en auraient pour un moment.

— Je suis préoccupé, commença Dumas. C'est cette histoire de petits blancs assassinés.

— Je croyais que vous faisiez des progrès.

— Le principal progrès, c'est que l'enquête ne soit plus aux mains de la DGSI ! On a perdu quatre jours ! Quatre jours parce qu'ils s'amusent à voir des complots terroristes partout !

— On ne peut pas les blâmer complètement, ils sont payés pour être paranoïaques !

— Je sais, je sais… Le problème, c'est qu'ils en voient partout sauf où il y en a. Je pourrais vous donner une liste de mosquées et d'écoles où on parle plus de djihad que de n'importe quoi d'autre !

— C'est ce que vous voulez partager ?

— Non. Ça, ce sera pour une prochaine fois. Ce dont je veux vous parler est plus grave.

— Qu'est-ce qui peut-être plus grave que d'endoctriner des jeunes pour en faire des terroristes ?

— Fermer les yeux quand on est chargé de faire respecter la loi. Voilà le pire !… Les terroristes sont nos ennemis : jusqu'à un certain point, il est normal, ou du moins prévisible, qu'ils cherchent à nous détruire. Mais si on ne peut plus se fier à ceux qui sont chargés de nous défendre !

— J'avoue ne pas voir le rapport avec les meurtres des petits hommes blancs.

— Savez-vous pourquoi nous avons perdu quatre jours ?

— Non.

— Parce que Guyon est un ami du préfet. Que le préfet est un ami de Leclercq et que Leclercq est un ami du ministre. Et parce que le ministre a nommé à la direction de la DGSI quelqu'un qui est incapable de rétablir l'ordre dans son organisation.

— Vous allez devoir reprendre ça plus lentement.

— Je sais. Je vous emmène à la maison prendre un verre.

LE MULTIPLE MONSIEUR PAYNE

Natalya reçut les photos sur son site sécurisé. Elles étaient accompagnées d'un message de Leclercq.

> Résultats intéressants. Alatoff Payne fréquente surtout les capitales. Il semble bouger beaucoup. À une occasion, il lui est arrivé d'être dans deux aéroports en même temps, si on en croit les caméras de sécurité! J'ai aussi inclus les photos des quatre dernières victimes. Si jamais une de vos connaissances… Contactez-moi.

Natalya examina lentement les 17 photos. Puis elle appela le numéro qui apparaissait au bas du message.

Leclercq répondit à la deuxième sonnerie.

Il commença par la remercier de vive voix du nom qu'elle lui avait communiqué. Ce monsieur Payne était un individu fort intrigant.

— Il a un jumeau, vous croyez? demanda Natalya.

— Ou un sosie.

— Qui a besoin d'un sosie?

— Souvent des personnes qui ont d'importants moyens financiers ou des chefs d'État qui veulent déjouer les attentats.

— Vous avez le nom de ce sosie?

— Payne. Comme l'original.

— À quel endroit a été prise la photo du sosie?

Leclercq hésita un instant.

— Difficile de répondre quand on ne sait pas lequel est l'original et lequel est le sosie. Il y a cependant un détail qui va vous intéresser: l'un des deux était à l'aéroport de Bucarest.

— En Roumanie…

417

AFP

> LE MEURTRE DU CINQUIÈME : UN *COPY CAT*
>
> Le meurtre du 5e arrondissement est un *copy cat*. Le directeur de la PJ confirme qu'un suspect a été placé en garde à vue. Louant l'efficacité du travail policier…

MACARONS ET MACABRE DÉCOUVERTE

Attablée au comptoir de la pièce de séjour, qui servait à la fois de salon et de salle à manger, madame Théberge grignotait le dernier des macarons. Son mari les lui avait apportés la veille.

> … toujours aucune déclaration des autorités policières…

Caramel à la fleur de sel. Elle les avait conservés pour la fin. Le macaron précédent avait servi de célébration pour la réussite de son problème de sudoku. Elle avait immédiatement entrepris un autre problème, dont elle avait fêté le début avec le macaron restant !

> … C'est ici que la macabre découverte a eu lieu. Ce matin, quelques minutes après sept heures…

Madame Théberge releva les yeux. Un journaliste était devant le carrousel, un micro en main.

> Incompétence, incurie et amateurisme sont les mots qui…

Elle revint à son problème de sudoku.

En partant, son mari avait laissé la télé allumée. Un canal d'informations en continu. Depuis, des segments d'information sur les quatre nouveaux cadavres se répétaient périodiquement, ajoutant plus de commentaires et d'opinions que de nouvelles données.

> … le Front national et l'UMP, qui ont dénoncé en des termes similaires la faillite du gouvernement en matière de sécurité…

Ironiquement, son mari et elle étaient venus à Paris pour passer des vacances tranquilles. Loin des soucis et des violences auxquelles leur vie était mêlée quand ils étaient à Montréal.

La recommandation du médecin était simple : éviter le stress, faire des choses agréables, se concentrer sur sa réadaptation... Madame Théberge se demandait s'il restait un endroit sur Terre où la chose était possible. À moins de se boucher les yeux et les oreilles, de se couper de toute information.

Était-ce la raison pour laquelle autant de jeunes et de moins jeunes se promenaient avec leur musique dans les oreilles ?

> ... au tour des résidants du 5ᵉ arrondissement de vivre dans la peur. Malgré le renforcement des mesures de sécurité, de nombreux...

Était-ce pour s'aménager des îlots de calme au cours de la journée, à l'abri du délire de la planète que relayaient les médias ? Était-ce pour cela qu'ils se concentraient de plus en plus sur les réseaux sociaux : pour discuter avec leurs amis de ce qu'ils voulaient, à l'abri de l'envahissement médiatique ?

Sauf de celui des publicités... Car les annonceurs, eux, n'avaient que de bonnes nouvelles : des produits nouveaux, encore plus efficaces, encore plus agréables et plus simples à utiliser. Des produits qui réglaient encore plus de problèmes avant même qu'ils se manifestent !

> ... revoyons ensemble ce spectacle qu'ont découvert ce matin nos collègues de France Inter, de Médiapart, de Rue89, de Canal+...

Madame Théberge releva les yeux malgré elle. Même si elle avait déjà vu le segment à trois reprises.

> ... conscients que ces images peuvent troubler certains téléspectateurs...

Il y avait effectivement quelque chose de fou dans ces images. Quelque chose qui la dérangeait profondément. Dont elle aurait aimé exorciser l'impact en le comprenant.

Ces quatre cadavres que le carrousel emportait dans une course effrénée, sur un air de fête, où ils ne faisaient que tourner en rond... C'était un peu de cette manière qu'elle voyait désormais la vie. Et si les cadavres qu'emportait le carrousel de la vie n'étaient pas tout à fait morts, leur aveuglement n'était peut-être pas si différent du coma qu'avait été sa propre vie pendant quelques mois. Seulement un peu plus imagé.

> ... dans le 5ᵉ, des comités de citoyens auraient entrepris de patrouiller les...

L'ILLUMINATION DU CRESCENDO

Payne venait d'envoyer à son employeur une série d'extraits de ce qu'il avait relevé dans les médias : radio, télé, presse écrite, blogues...

Cela donnait une bonne collection de titres et de courtes citations qui rendaient hommage autant à la créativité tapageuse des fabricants de formules qu'à la diversité des points de vue sous lesquels le sujet était envisagé.

ET DE QUATRE !
LA POLICE PIÉTINE, LES TERRORISTES S'AMUSENT
DIX PETITS MEURTRES...
LES QUATRE CADAVRES DU 4ᵉ
10PHB : DIX PETITS HOMMES BLANCS

On pouvait faire confiance aux médias. Chaque journaliste, chaque présentateur était préoccupé de trouver un angle original, de mettre en lumière un autre aspect des événements, de contextualiser l'information de manière à flatter les choix idéologiques et politiques de ses lecteurs.

UNE INSÉCURITÉ FABRIQUÉE: LES CAFOUILLAGES DU PS
ÊTRE BLANC: MÉTIER À RISQUE
FAUT-IL ARMER LES CITOYENS?
TOUT SUR LA TENTATIVE DE CAMOUFLAGE
DES MILICES S'ORGANISENT
DE QUOI CETTE TERREUR EST-ELLE LE NOM?

Et plus il y avait d'articles, plus il y avait de reportages, plus il y avait d'analyses et d'enquêtes d'opinion… plus il devenait impensable pour les médias de ne pas poursuivre la couverture. De ne pas chercher un angle plus percutant.

LE 5ᵉ ARRONDISSEMENT ASSIÉGÉ
CES PETITS HOMMES QU'ON ASSASSINE!
L'ANGOISSE MONTE!
74% DES PARISIENS BLÂMENT LE GOUVERNEMENT!
LA NOUVELLE MODE: BLANC CADAVRE!
UNE POLICE MUSELÉE: QUAND LA POLITIQUE TUE

Pas de doute, son employeur serait satisfait de ces derniers développements!

L'élaboration du scénario n'avait pas été une sinécure. Longtemps, la remarque de l'écrivaine québécoise sur les romans S/M à l'eau de rose l'avait taraudé. Et plus encore la question de son employeur: «Que pouvez-vous en faire?»

Jusqu'à ce qu'il ait une illumination. Il n'y avait pas d'autre mot. L'idée s'était brusquement imposée à lui.

Avec une évidence qui l'avait laissé pantois.

Si la bêtise consistait à faire du S/M une chose bénigne, une consommation qui enjolive la vie, le contrepoison était d'en faire quelque chose de mortel, de montrer que, derrière les fantasmes, c'était de flirt avec la mort qu'il s'agissait. Et que l'aspiration profonde de ce flirt, c'était le passage à l'acte.

Son employeur avait beaucoup aimé l'idée.

— Un bon début, avait-il dit. Un très bon début. Voyons maintenant comment il est possible d'améliorer tout ça.

La rencontre avait lieu au Comptoir du 7. L'endroit offrait l'avantage d'être situé à côté d'une bouche de métro, ce qui faisait l'affaire de Prose.

Le fond musical du moment datait des années 1950 et 1960. *Hound Dog*, d'Elvis, avait été suivi de *Lady Marmelade*.

— Version Patti LaBelle, avait précisé Prose. Un exemple de néoréalisme insistant.

Puis, pour Duquai, qui le regardait sans comprendre, il avait ajouté, avec un sourire :

— Répétition de la même phrase à plus de dix reprises : "Voulez-vous coucher avec moi, ce soir ?"

Théberge, pour sa part, en était resté à une réaction globale d'incrédulité. Elvis dans un bistro de Paris ! En 2014 !…

— Il me reste une heure, précisa d'emblée Duquai. Normalement, cela devrait suffire.

— On vous écoute, fit Théberge.

Duquai sortit un mini iPad de la poche de son veston et fit apparaître une liste.

— Premièrement, les quatre dernières victimes. Elles tombent toutes dans les paramètres communs aux précédentes. Des hommes, moins de 1 mètre 55, blancs, constitution fragile… Tous morts étouffés.

— Des traces d'ADN ? demanda Théberge.

— Les analyses sont en cours.

Théberge ne put s'empêcher de lui demander comment il avait obtenu ces informations.

— La DGSI a accès à tous les systèmes informatiques des différents services de police, répondit Duquai.

Comme si la chose allait de soi.

— Le ministre a déclaré que nous devions collaborer avec la Police judiciaire, reprit-il. Nous prenons les moyens pour que cette collaboration puisse se réaliser dans les deux sens.

Duquai avait parlé sur un ton posé. Dans sa voix, aucune trace d'humour ou d'ironie. Aucune trace d'impatience. Il y avait un problème et le problème avait été réglé.

—Il est probable que ce sera une quatrième femme, avança Prose. Et qu'elle sera d'une quatrième origine ethnique. C'est vraiment structuré comme une pièce de théâtre.

Duquai le regarda d'un œil curieux.

—Je ne serais pas étonné que monsieur Prose ait raison, dit-il finalement.

—Si c'est le cas, reprit Prose, la question est de savoir comment le tueur a recruté ses acteurs.

Il s'adressa à Duquai.

—Si on veut trouver 10 hommes blancs de très petite taille, qu'est-ce qu'on fait? On ne place quand même pas une annonce dans un journal ou sur Internet.

—J'imagine qu'il y a des agences de casting pour ce genre de théâtre. Comme l'agence où travaillait madame Thorel.

—Même dans une agence de casting, je doute qu'ils puissent en trouver autant.

—Ils ont peut-être une sorte de club, suggéra Théberge.

—J'ai vérifié auprès de l'Association des personnes de petite taille de France, répondit Duquai. Il n'existe pas de tel club.

—Et cette Association des personnes de petite taille de France, comme vous dites, elle possède une liste de ses membres?

—Oui. Mais ils n'ont pas de photos et ils ne précisent pas leur taille. De toute façon, la plupart des petites personnes ont une forme plutôt trapue. Les victimes, elles, ressemblent davantage à des adultes en miniature. Un peu comme des adolescents.

—Il a bien fallu qu'il les trouve quelque part!

—Je ne vois qu'une possibilité: une banque de données de l'État. L'agence des passeports, la sécurité sociale... Normalement, on devrait pouvoir y trouver le sexe, la taille, les caractéristiques physiques des individus. Et leur photo.

— Des milliers de gens ont accès à ces banques de données, objecta Prose. Les informaticiens qui entretiennent le système, les responsables de la mise à jour des données, les fonctionnaires utilisateurs, les services de renseignement. Sans parler des hackers. Et il ne nous reste même pas 24 heures !

— Dans ces banques de données, s'enquit Théberge, est-il possible d'effectuer des recherches en utilisant la taille comme critère ?

— Je serais fort étonné que ce soit prévu.

— Mais si quelqu'un disposait d'un accès au système et des services d'un bon programmeur ?

Duquai resta un moment sans répondre.

— J'aurais dû y penser, dit-il. Je demande immédiatement qu'on cherche de ce côté. Les systèmes ont peut-être conservé une trace de ce type de recherche.

Il pianota pendant une bonne minute sur son iPad.

— Voilà, dit-il. C'est fait… Un autre point, maintenant. Il ne fait plus aucun doute que le meurtre du 5e arrondissement est un *copy cat*. Le suspect a été placé en garde à vue. À l'heure qu'il est, il a peut-être même été présenté au juge. Ce serait un drame amoureux. Un homme qui se sentait délaissé par son conjoint. Ce dernier passait ses journées sur les réseaux sociaux à publier des *selfies* et à se faire des nouveaux amis sur Facebook.

— J'aurais cru que Dumas traînerait les pieds pour ralentir l'enquête, fit Théberge.

— C'était sans doute ce qu'il aurait fait. Mais il a reçu un message d'un journaliste. Ce dernier lui demandait si ses informations étaient exactes ; suivaient le nom du suspect ainsi que des références à plusieurs éléments de la preuve. Le message se terminait par une question : allait-il faire le même jeu que la DGSI et empêcher la population d'avoir accès à des informations d'intérêt public ?… Quinze minutes plus tard, le porte-parole du Quai des Orfèvres émettait un communiqué de presse.

Théberge et Prose regardaient maintenant Duquai avec une admiration non dissimulée. Ils comprenaient mieux pourquoi Leclercq leur avait vanté son efficacité.

#ENFINUNEPISTE

Louis-Georges Andrieux@logandri
Meurtre des petits hommes blancs.
#enfinunepiste. Une femme, la
trentaine, près de deux mètres,
physique de sportive. http://blog.
lavoixducentre.fr/logandri…

1+2+3+4 = 10

— Je reviens à cette histoire de mise en scène, fit Théberge.

Il se tourna vers Prose avant de poursuivre.

— Pourquoi fait-il tout ça ? Seulement pour attirer l'attention ? Et pourquoi les victimes ont-elles toutes été étouffées, mais chaque fois de façon différente ? Pourquoi les corps sont-ils mis en scène de façon délibérée dans ce schéma 1-2-3-4 ?

— Cela nous ramène à la mentalité obsessionnelle du tueur en série, dit Duquai.

— Et de l'artiste obsédé par la perfection formelle de son œuvre, ajouta Prose.

— Et pourquoi l'ADN des femmes ? reprit Théberge. Est-ce parce que ce sont des femmes qui les ont tués ? Est-ce seulement un élément de son rituel ? Un truc pour brouiller les pistes ?… Pour quelle raison les ferait-il tuer par des femmes ?

— Peut-être que ce ne sont pas seulement des meurtres, suggéra Prose. Peut-être qu'il veut insister sur le rapport symbolique entre les femmes et la mort. Beaucoup d'artistes ont été fascinés par ça.

— Statistiquement, ce sont les hommes qui tuent les femmes, objecta Théberge. Pas le contraire.

— Justement ! Ça peut être un indice que nous ne sommes pas dans la réalité, mais dans un fantasme.

Prose s'arrêta subitement, comme s'il venait de découvrir quelque chose.

— À moins que ce ne soit ce qu'il veut nous faire croire ! D'où son insistance sur les structures. La progression du nombre de victimes, des numéros d'arrondissement. La présence d'une femme différente chaque fois, pour reprendre la structure 1-2-3-4… Mais c'est presque trop construit. Même les tueurs en série ne sont pas aussi méticuleux. Enfin, peut-être, mais de façon plus statique… Ici, tout est simplifié. Tout est ramené à quelques structures de base. Mais qui vont en progressant. Pour créer un suspense. Tout est souligné au crayon rouge. La mise en scène des corps elle-même est de plus en plus dramatique. Au début, un simple corps découvert dans la cour, chez lui. Puis deux dans un lieu public. Ensuite, trois empilés l'un sur l'autre. Et, pour finir, le carrousel. C'est fait pour les médias. Pour s'adapter à leurs exigences de spectaculaire, de suspense et de révélations de plus en plus fortes.

— Je sais bien que les médias sont prêts à n'importe quoi pour augmenter leur part de marché, fit Théberge. Mais de là à commettre des meurtres ! Je ne dis pas que c'est impossible, sauf que…

Prose ignora la remarque et poursuivit.

— Ça expliquerait pourquoi les médias ont été avertis les premiers lors des derniers meurtres… Même le choix du carrousel ! Encore une mise en scène. Les cadavres emportés sur un air de fête. C'est un cirque !

— Ou bien c'est un artiste qui cherche l'attention des médias, reprit Théberge, ou bien, c'est pour qu'on ait les médias sur le dos.

— L'un n'empêche pas l'autre.

— Comment peut-on savoir si c'est une vraie mise en scène artistique ou si c'est un psychopathe qui aime l'attention des médias ? demanda Duquai.

— Je pense avoir le moyen de répondre à cette question, répondit Prose. 1+2+3+4 = 10.

— Oui. Jusque-là, je vous suis… Mais encore ?

— Si c'est vraiment un artiste obsédé par la forme, il va faire en sorte que son œuvre soit achevée. Qu'elle ne soit pas simplement interrompue au moment où il se fera prendre.

Prose s'arrêta brusquement de parler, comme s'il venait d'être frappé par une idée. Puis il reprit, comme pour lui-même :

— Une œuvre achevée, une œuvre où l'on achève les gens. Il y a là une correspondance intéressante entre le fond et la forme.

— Intéressante ? l'interrompit Théberge, un peu sèchement. Tu trouves ?

La question sonnait presque comme un reproche.

— Sur le plan conceptuel, s'empressa de préciser Prose. Bien sûr, dans la réalité…

Puis il revint à son explication.

— Une œuvre achevée se referme sur elle-même. Avec les 10 victimes, il obtient cette fermeture. Le nombre de femmes est quatre. Elles sont probablement de quatre origines ethniques différentes. On les a retrouvées dans les quatre premiers arrondissements… Un, deux, trois et quatre forment par addition le nombre dix. Par leur nombre, les victimes sont la synthèse des éléments de mise en scène. Une autre victime démolirait le réseau de correspondances. Il y a aussi le fait qu'il lui a donné un titre : 10PHB… Si c'est à un artiste que nous avons affaire, il n'y aura pas d'autres victimes.

— Ce qui est une bonne nouvelle, remarqua Duquai. Mais aussi une mauvaise. Cela diminue nos chances de l'arrêter.

— Pas nécessairement. Si c'est un artiste, il va sûrement vouloir se consacrer à une autre œuvre.

UNE LIMITE À LA PATIENCE

Hillmorek parcourait les réseaux sociaux avec ce qu'il fallait bien appeler une certaine forme de ravissement.

Un peu partout, on commentait la découverte des quatre nouveaux petits hommes blancs.

C'était merveilleux !

Ce qu'on en disait n'avait aucune importance. L'essentiel était qu'on en parle. Une fois le buzz créé, il serait facile d'orienter la tendance des commentaires.

Quinze ans plus tôt, il aurait fallu attendre que les médias s'emparent de l'information, qu'ils jugent qu'elle pouvait intéresser leur public cible, qu'elle ne soit pas susceptible de déplaire à un commanditaire majeur… Il aurait aussi fallu qu'il n'y ait pas de nouvelles plus importantes. Sans parler des lubies particulières du responsable des informations ou même du lecteur de nouvelles.

Aujourd'hui, quelques heures suffisaient pour que les quatre petits hommes blancs fassent l'objet de dizaines de milliers de commentaires. Blogueurs et adeptes de tweets rivalisaient pour s'établir comme une référence essentielle sur cette histoire. Même les médias internationaux s'en étaient emparés.

Sur le fil de presse du *Times*, un compte rendu des événements était coiffé d'un titre ironique : *Ten Little Frenchmen*. Une référence transparente au roman d'Agatha Christie.

C'était une véritable bénédiction, songeait Hillmorek. Qu'est-ce que ses prédécesseurs faisaient sans les réseaux sociaux ? Comment réussissaient-ils à manipuler l'opinion publique ? Et, surtout, comment parvenaient-ils à le faire aussi rapidement, en faisant fi des médias officiels et de leurs intérêts corporatifs ?

Ce n'était même plus un jeu. C'était comme la chasse au bison en hélicoptère dans une plaine. L'avènement des réseaux sociaux et l'invention des robots Internet avaient tout changé.

Hillmorek jeta un coup d'œil à sa boîte de courriel. Toujours aucune nouvelle de Prose. Son futur collaborateur jouait à se faire désirer.

Il lui accorderait encore un peu de temps. Mais s'il ne se décidait pas, il changerait d'approche.

Il y avait quand même une limite à sa patience.

UN FAUX FAUX-MEURTRE

L'appel de Malcolm surprit Natalya à 2 h 37. Elle répondit à la deuxième sonnerie.

— Tu ne dormais pas ?

— Toi non plus, on dirait.

— Des problèmes ?

—Rien d'inhabituel.

La réponse n'était pas tout à fait juste. Si ses cauchemars n'avaient rien d'inhabituel, leur fréquence, par contre, était en augmentation.

—J'ai mis une alerte sur les photos des victimes que tu m'as envoyées, reprit Malcolm. Je viens d'avoir un hit. Les victimes 4, 5 et 6 sont dans une vidéo mise en ligne.

—Quel genre de vidéo?

—C'est présenté comme une simulation. Mais on dirait bien que ce sont les vrais meurtres. On voit les trois victimes se faire piétiner la gorge.

—Comment as-tu eu ça?

—La vidéo a été mise en ligne sur un site du dark web. Les meurtres sont exécutés sur une scène. On dirait que c'est filmé d'assez près par un des spectateurs.

—Un théâtre de fantasmes…

—Mais qui veut réconcilier la réalité et la fiction, on dirait. Le site s'annonce comme spécialisé dans le *dark pedo*.

—Tu es sûr que ce sont les trois victimes?

—On reconnaît bien les visages. Je mets la vidéo sur ton site sécurisé.

—Je te revaudrai ça.

—Un dernier détail. La vidéo a été postée il y a moins de deux heures. J'ai pu remonter jusqu'au propriétaire de l'ordinateur d'où elle provient. Il habite Paris.

JOUR 11

RUE LEPIC

L'appartement de Germain Thibau était situé au 35, rue Lepic, au-dessus d'un restaurant nommé Lepic Assiette.

C'était une des raisons qui avaient décidé Thibau à choisir cet appartement, quand il avait pris sa retraite des affaires. À cause de l'ironie. De l'allusion masquée à ses deux anciens métiers. Celui de pique-assiette professionnel – en termes plus élégants, cela s'appelait diplomate – et celui de pickpocket.

Thibau avait toujours pratiqué les deux métiers simultanément. À cause de la synergie. Le premier lui donnait accès à des milieux difficilement accessibles ; le second, à des informations non publiques.

Mais tout cela était maintenant loin.

À l'occasion, il lui arrivait encore de financer des jeunes qui voulaient monter une affaire. Non parce qu'il manquait d'argent, même s'il était toujours agréable d'en avoir plus, mais pour sentir qu'il faisait encore partie du milieu.

Sa principale activité était désormais de jouir de sa retraite. Et, de manière plus spécifique, de satisfaire ses fantasmes. L'exercice n'était pas sans coûts, mais son capital accumulé le lui permettait. Il lui suffisait d'être discipliné, d'espacer ses visites dans les endroits spécialisés et d'utiliser Internet entre les visites. Le nombre de vidéos susceptibles de répondre à ses désirs ne cessait d'augmenter.

Thibau écarta ces pensées et sourit à son reflet dans le miroir. Retourner à la gym avait fait des merveilles pour son apparence.

Quand le carillon de la porte résonna dans la pièce, son sourire se figea. Par prudence, il regarda par l'œilleton. La rue Lepic, ce n'était pas la banlieue, mais il était quand même 4 h du matin.

Une femme. Seule.

Elle ne représentait aucun danger. Peut-être même était-elle une occasion…

Dans les premières secondes où Natalya fut dans l'appartement, Thibau s'activa à la déshabiller des yeux. Il aimait beaucoup ce qu'il voyait. Et il ne voyait pas comment elle aurait pu s'opposer à ce qui prenait forme dans son esprit.

Ses vêtements étaient moulants et elle n'avait qu'un minuscule sac où il lui aurait été impossible de cacher une arme. Tout au plus pouvait-elle y loger un peigne, un bâton de rouge à lèvres et un préservatif. Le seul objet avec lequel elle aurait pu le frapper, c'était un de ces ridicules téléphones portables de format élargi qu'elle avait dans la main gauche.

—Je n'ai pas commandé de fille, dit-il en guise de bienvenue. Mais puisque vous êtes là… Voulez-vous un verre?

Tout en se dirigeant vers le coin-cuisine, il détacha la ceinture de sa robe de chambre. Un geste qu'il avait adopté après l'avoir vu faire par la marionnette de Strauss-Kahn, dans *Les Guignols*.

—Les théâtres de fantasmes, cela vous dit quelque chose? lui demanda de but en blanc Natalya.

Thibau se retourna brusquement vers elle, une bouteille de calvados dans une main, un verre dans l'autre.

Il la regarda un instant d'un air méfiant. Puis il sourit.

—Non. Ça devrait?

—J'imagine, puisque vous les fréquentez.

Thibau déposa le verre et la bouteille sur le comptoir, puis il revint vers elle.

—Qui êtes-vous? Qui vous envoie?

Natalya poursuivit comme s'il n'avait rien dit.

—Non seulement vous y allez comme spectateur, mais vous filmez certains spectacles.

—Je n'ai aucune idée de ce dont vous parlez. Mais si c'est pour venir m'embêter que vous faites irruption chez moi en pleine nuit…

—Je parle de ça.

Elle lui montra l'écran de son téléphone. On pouvait y voir la vidéo du meurtre des trois petits hommes blancs.

—Qu'est-ce que c'est que cette histoire?

Elle arrêta la vidéo et regarda Thibau droit dans les yeux.

—Une vidéo que vous avez mise en ligne quelques minutes après minuit. Sur un site moins sécurisé que vous le pensiez, on dirait.

—Je vous trouve bien téméraire d'être venue seule.

Natalya ignora la menace.

—Votre personne n'a pour moi aucun intérêt. La seule chose que je désire savoir, c'est à quel endroit ce film a été tourné. Vous ne voudriez quand même pas que vos petits amis de l'Opus Dei soient informés de vos activités privées.

Thibau lui mit les mains sur les épaules et commença à serrer.

Quelques secondes plus tard, il était au plancher, le souffle coupé par un coup au plexus solaire. Ses deux bras étaient paralysés par la douleur.

Une pensée se fraya confusément un chemin jusqu'à sa conscience. Probablement un truc d'arts martiaux. Un de ces coups qui touchent des nerfs et qui paralysent…

Puis ce fut au tour de la colère de l'envahir. Elle l'avait peut-être pris par surprise, mais elle ne tirerait rien de lui.

—Je… ne vous dirai… rien.

—Cela ne fait pas partie des choix que vous avez.

La phrase avait été prononcée très calmement. Le constat d'une évidence.

Elle s'agenouilla à côté de lui, une seringue dans la main droite.

—Dans quelques instants, dit-elle, nous serons les meilleurs amis du monde.

UNE GRANDE FEMME PAR TERRE

Henriette Rolland se croyait protégée par sa grande taille et par le fait qu'elle avait gagné plusieurs concours de culturisme durant sa jeunesse.

Elle s'entraînait encore, mais raisonnablement. Juste assez pour maintenir une musculature respectable et éviter l'embonpoint des athlètes qui abandonnent brusquement toute activité physique.

Plus jeune, elle avait aussi suivi des cours d'arts martiaux. Pendant des années. Ceinture noire de karaté. Quatrième dan. C'était respectable. Assez pour qu'elle ne craigne pas de se promener seule dans la rue. Même au petit matin, quand le jour n'était pas encore tout à fait levé.

Après tout, c'était le 6e arrondissement! La rue Saint-André-des-Arts… Pas La Courneuve. Pas un de ces quartiers ou même les policiers hésitent à s'aventurer la nuit. Tout au plus croiserait-elle un SDF un peu insistant, un alcoolo qui tituberait péniblement jusqu'à elle pour l'aborder.

Rien qui puisse être de nature à l'inquiéter.

Sa grande taille, sa stature imposante et ses cours d'arts martiaux lui furent cependant de peu d'utilité. Quand la balle lui entra dans le dos et lui traversa le cœur, elle réussit à peine, à force de volonté, à rester debout quelques secondes de plus... le temps de recevoir une autre balle, puis de s'écrouler sur le trottoir, à côté d'un immense bac à ordures.

Vingt-quatre minutes après qu'elle se fut effondrée sur le ciment légèrement humide du trottoir, son corps était découvert par un passant. Il pensa d'abord qu'il s'agissait d'une femme qui avait trop bu au cours de la nuit précédente et qui s'était écroulée par terre en rentrant chez elle, ivre morte. Il se pencha vers elle pour l'examiner. Puis il remarqua la flaque de sang.

Il se redressa brusquement. Puis il s'empressa de s'éloigner. Si on le trouvait sur place, la police aurait vite fait de l'arrêter. De le questionner. Au mieux, on le retournerait au Mali. Comme des centaines d'autres d'immigrants clandestins.

Quatre minutes plus tard, une employée de la poste faillit trébucher sur le corps de la femme.

Elle hésita un moment, puis elle poursuivit son chemin. Elle craignait d'être mêlée à une sale histoire et d'arriver en retard au travail.

Toutefois, après une cinquantaine de mètres, elle entra dans un bistro.

Malgré l'insistance du propriétaire, qui s'acharnait à lui répéter que l'établissement n'était pas encore ouvert, elle finit par lui faire comprendre qu'il y avait un mort. Il fallait alerter la police.

www.franceinfo.fr/actu/fait-divers/lancer-du petit-bl...

> LE LANCER DE PETIT BLANC : TROIS NOUVELLES VICTIMES
> ... agressés à la sortie d'un bar. Ils ont été complètement dévêtus et bousculés pendant que leurs assaillants les filmaient. Ces films ont ensuite été mis en ligne. Aucune des victimes n'a été blessée sérieusement, mais deux ont été traitées pour choc nerveux...

Un bel immeuble bourgeois, dans le 16ᵉ. Avenue Foch. Au cœur d'une rangée d'édifices collés les uns contre les autres.

À côté du pavé numérique donnant accès à l'édifice, une plaque dorée affichait de manière allusive le nom du club : 51ᵉ. C'était suffisant pour rassurer ceux qui n'étaient pas certains d'être à la bonne adresse.

Natalya entra le digicode que Thibau lui avait fourni. La porte du hall d'entrée s'ouvrit devant elle.

Un escalier monumental menait aux étages. Natalya tourna plutôt vers la gauche et prit l'ascenseur. Un autre digicode et une trentaine de secondes plus tard, la cabine la déposait au cinquième, à l'intérieur d'un appartement qui semblait occuper tout l'étage.

Plafond à quatre mètres, boiseries anciennes, toiles de grands maîtres ici et là, toujours dans des endroits méticuleusement choisis et judicieusement éclairés. Quelques sculptures, quelques meubles XVIIIᵉ… On aurait pu se croire dans une salle de château offerte en pâture aux touristes. Ou dans une salle de musée. Sauf qu'un élément venait détruire cette belle représentation : les tables en métal rondes, surélevées, entourées de tabourets, qui meublaient la partie centrale de l'immense pièce, lui donnant l'aspect d'une salle de réception aux allures de pub.

Pas de doute, l'endroit ressemblait au lieu de rencontre que Thibau lui avait décrit. Mais il n'y avait là aucune trace d'une scène de théâtre. L'avait-il envoyé sur une fausse piste ?

Normalement, avec l'hypnose et le produit qu'elle lui avait injecté, c'était impossible.

Elle parcourut la pièce du regard.

À droite, il y avait une sorte de bar encadré de deux portes. Natalya découvrit que celles-ci donnaient sur une petite cuisine allongée qui faisait toute la largeur de la pièce centrale.

À l'opposé, une tenture noire recouvrait le mur.

Dans l'immense pièce centrale, Natalya compta 17 tables. Chacune était entourée de trois tabourets.

Cinquante et une places.

Cela ne pouvait pas être une coïncidence. Mais, avec sa ving-taine de mètres de longueur et ses quatre fenêtres, la pièce couvrait la largeur de la façade. Il ne restait aucun endroit où loger le petit amphithéâtre dont Thibau lui avait révélé l'existence.

Par acquit de conscience, Natalya s'approcha du mur caché par un rideau et l'écarta.

Rien.

Un mur de brique.

Mais le rideau offrait une résistance quand elle l'écartait. Comme s'il était relié à un système d'ouverture automatique qui l'empêchait de glisser librement.

Du côté gauche du mur, elle découvrit un interrupteur. Véri-fication faite, il commandait effectivement l'ouverture du rideau.

Quand il fut complètement ouvert, un déclic se fit entendre. Dans la partie centrale du mur, une section large d'environ deux mètres s'enfonça de quelques centimètres en suivant le contour den-telé de la brique, puis glissa à l'intérieur du mur, dégageant l'entrée d'une autre pièce.

Le petit amphithéâtre dont Thibau lui avait parlé était situé dans la maison adjacente. Il pouvait recevoir plus d'une cinquantaine de spectateurs. Les fauteuils étaient répartis sur cinq rangées en paliers, chacune comptant de 10 à 12 sièges.

Natalya traversa rapidement le corridor central qui menait à la scène. Elle y trouva une grande croix de bois à quatre branches ainsi que plusieurs tapis. Chaque pièce d'équipement était assortie de liens pour les pieds, la taille, les mains et la tête, ce qui laissait peu de doutes sur l'emploi auquel elles étaient destinées.

Des caméras étaient rangées dans un coin.

Outre ces pièces d'équipement, Natalya n'aperçut rien de parti-culier. Elle acheva rapidement de faire le tour des lieux.

Son travail était fait. Il était temps de passer la main. Pour recueillir des indices, Gonzague disposait de moyens techniques qu'elle ne possédait pas.

Elle composa le numéro de portable qu'il lui avait donné pour les urgences.

Il serait sûrement contrarié qu'elle ait agi seule, mais elle n'avait pas voulu courir le risque que des policiers soient sur les lieux en même temps qu'elle. Si jamais elle avait décalé un indice pointant la Roumanie…

De toute façon, l'important était qu'elle ait découvert l'endroit où avaient eu lieu les exécutions.

BAGUETTES ET PAPOTAGE

Madame Théberge avait adopté une boulangerie, rue de Grenelle, même s'il y en avait d'autres plus près de l'appartement où ils logeaient.

Cela lui donnait un excellent prétexte pour faire de l'exercice. Sans compter que la boulangerie avait gagné le premier prix de l'arrondissement, quelques années plus tôt, au concours annuel de la baguette.

Dans la file, il y avait cinq clients devant elle. Une dizaine la suivaient. Ils semblaient plus animés que d'ordinaire. Plusieurs parlaient entre eux des meurtres du carrousel.

> — Des terroristes, je vous dis !
> — Pensez-vous ! C'est un maniaque sexuel. Autrement, les corps ne seraient pas à poil.
> — Au moins, nous, dans le 7ᵉ, on n'est pas encore menacés.
> — Moi, ma fille habite le cinquième.
> — Pour les filles, ce n'est pas vraiment dangereux.
> — On ne sait jamais. Peut-être qu'après les hommes, ça va être le tour des femmes.
> — Vous y croyez, vous, que ce serait…

La voix de la préposée à la caisse mit brusquement fin à la conversation des deux femmes.

— Pour vous, mesdames ?

— Pour moi, une baguette bien cuite. Et trois amandines.

L'attention de madame Théberge se reporta sur un dialogue qui se tenait derrière elle.

> — Le "lancer du petit Blanc", qu'ils appellent ça. Des bandes de jeunes qui descendent des banlieues.
>
> — Ils en ont parlé à la télé, ce matin.
>
> — Si vous voulez mon opinion, madame Chrabi, ce n'est qu'une question de temps avant qu'ils fassent la même chose avec des femmes.
>
> — Et les femmes, ils ne se contenteront pas de les déshabiller, à mon avis !

— Tiens ! Mais c'est la dame du Québec avec un joli accent !

Madame Théberge regarda la caissière. Elle demanda une baguette pas trop cuite, deux croissants et deux pains au chocolat.

— Vous dites ?

— Des pains au chocolat, répéta madame Théberge.

— Ah !… Des pains au chocolat !

Elle avait prononcé « pan » au lieu de « pin ».

Madame Théberge sourit.

Elle n'arrivait pas à s'habituer à la prononciation. Même si elle avait eu droit à un cours de Prose sur le sujet, lors de sa dernière visite. Le son « un » qui disparaît au profit de « in », le son « in » qui dérive vers le son « an »… les voyelles fermées qui deviennent ouvertes…

À Paris, plus personne ne disait « lundi ». On prononçait « lindi ». On ne prononçait pas « pâtes », mais « pate », presque comme une patte de table…

— C'est de plus en plus achalandé le matin, se contenta-t-elle de dire à la vendeuse, pendant que cette dernière s'occupait de mettre les pâtisseries dans un sac.

— Vous avez raison. On a beaucoup plus de clients qui font toutes leurs courses le matin… Ce sera 6 euros 30.

Pendant que madame Théberge la payait, la jeune femme poursuivit son explication.

— Il a fallu revoir la production. Le matin, on manquait. Et le soir, on jetait! C'est à cause de tous ces meurtres. Plusieurs clients évitent de sortir le soir... Je n'ose pas imaginer ce que ce sera quand viendra notre tour, dans le septième.

Elle prit le billet de 10 euros que madame Théberge lui tendait et lui rendit la monnaie.

— Au revoir, madame.

— Au revoir.

Après avoir repris sa canne, qu'elle avait laissée appuyée contre le comptoir le temps de payer, madame Théberge se fraya péniblement un chemin vers l'extérieur.

Les gens se déplaçaient à peine pour la laisser passer. Ils semblaient plus tendus. Moins attentifs aux autres.

Sur le trottoir, ils marchaient plus rapidement. Leur pas était plus nerveux. Leurs visages, plus fermés.

Était-ce à cause de ces meurtres?

Elle avait voulu un entraînement pour s'habituer à se débrouiller seule avec sa canne, elle était servie!

Sur le chemin du retour, elle s'arrêta à deux reprises. Pour se ménager. Une grande partie de sa réadaptation, comme disaient les médecins, consistait à savoir s'arrêter avant d'avoir atteint sa limite. Pour éviter les crises de douleur aiguë.

C'était de loin la partie qu'elle trouvait la plus difficile. Constamment s'interdire des choses. Les reporter. Ne jamais être en mesure de prévoir jusqu'où elle pourrait réaliser ses projets.

Elle avait l'impression de vivre sous une épée de Damoclès. À tout instant, la douleur pouvait l'enfermer chez elle. Ou même la clouer au lit.

Heureusement que son mari avait cette affaire qui l'occupait, avec son ami Leclercq. Si elle avait des crises, elle pourrait prendre soin d'elle-même sans l'inquiéter.

PARLER POUR NE RIEN DIRE

Nicolas Roussel écoutait le ministre de l'Intérieur répondre à une question. Tout ce qu'il avait noté pour le moment sur sa tablette électronique, c'était le titre de l'article qu'il allait écrire.

PARLER POUR NE RIEN DIRE

En gros, l'argument du ministre était simple : ne rien dire pour ne pas informer les criminels de ce que savaient les policiers. En conséquence, il avait refusé de confirmer ou de rejeter les hypothèses que lui avaient proposées les journalistes.

Était-il vrai que la série de crimes était reliée au milieu du sexe alternatif ? Que plusieurs des victimes appartenaient à ce milieu ? Que les policiers en avaient déjà interrogé plusieurs à titre de suspects ?

Pour quelle raison avait-on cru qu'il s'agissait de terrorisme ?

Les services secrets avaient-ils tenté de couvrir l'affaire ? Des policiers étaient-ils impliqués ?... Autant de questions qui s'étaient butées à la même réponse :

— Je peux seulement vous répéter que nous progressons.

— Vous ne pouvez rien nous dire de plus précis ? insista Roussel.

— Rien ne m'y autorise pour l'instant.

Le journaliste pesa la réponse quelques secondes. C'était une façon habile de ne pas répondre. Rien qui l'autorise... Parlait-il des faits ? De l'autorisation officielle de parler ? Était-ce une décision gouvernementale d'en révéler le moins possible sur les meurtres ? Était-ce une affaire d'État ?

Il décida de se satisfaire de la réponse du ministre : cela lui permettrait de l'interpréter à sa convenance. Mais il pouvait quand même s'en servir pour lui poser une autre question.

— Pouvez-vous nous dire si la Police judiciaire est maintenant seule à s'occuper de tous ces meurtres ?

— Comme cela vous a déjà été mentionné, la Police judiciaire a maintenant la responsabilité de toutes les enquêtes reliées au meurtre des petits hommes blancs. Elle peut toutefois compter sur la collaboration de tous les corps policiers.

— Y compris celle de la DGSI ?

— Cela va de soi. Même si, techniquement, il ne s'agit pas d'un corps policier.

Une autre journaliste prit la relève.

— Des rumeurs circulent, selon lesquelles l'enquête aurait initialement été enlevée à la Police judiciaire parce qu'on soupçonnait le tueur d'être un policier. Avez-vous des commentaires ?

— Je ne commente jamais les rumeurs. Encore moins ce genre d'affirmations gratuites et farfelues.

Belle façon de commenter en disant qu'on ne commente pas, songea Roussel.

Mais déjà, une autre question relançait le ministre.

— Les rumeurs, qu'est-ce qui les alimente, sinon votre refus de répondre aux questions légitimes des gens ? Si vous respectiez le droit du public à l'information…

— Il y a le droit de savoir, c'est vrai. Mais toutes ces Françaises, tous ces Français qui ont le droit de savoir, ils ont aussi le droit à la sécurité.

Une journaliste de *Marianne* l'interrompit.

— Se pourrait-il que le responsable de ces meurtres soit quelqu'un de haut placé ? Se pourrait-il que cela soit la vraie raison pour laquelle l'enquête a été initialement soustraite à la Police judiciaire et confiée à des membres des services secrets ?

Au fil des échanges, le climat de la conférence de presse devenait plus tendu. Roussel se contentait désormais d'enregistrer les questions et les réponses. L'essentiel de son travail était fait. Pour la suite, il pouvait compter sur les collègues.

— Et si l'Élysée avait intérêt à laisser traîner cette affaire ? demanda un journaliste du *Figaro*. Après tout, tant que les médias parlent du tueur de nains, ils s'intéressent moins à l'hypoperformance de notre hypoprésident ! Et aux révélations de ses ex !

— Ce que vous suggérez là est irresponsable, répondit le ministre.

— Je ne suggère rien. Je pose une question.

Pendant qu'il écoutait la suite de la conférence de presse, Roussel envoya un premier tweet.

Nicolas Roussel@nicro
Conférence de presse pour
ne rien dire. Place Beauvau
en mode désinfo. Justice aux
ordres ou simple incompétence?
#tueurdepetitsblancs

En fin de journée, dans une entrevue à la télé, puis un peu plus tard, sur son blogue, il donnerait plus de détails. Il aurait alors une surprise de taille à offrir à ceux qui suivaient ses interventions.

Pendant que Roussel réfléchissait à sa stratégie de dévoilement des informations, le ministre continuait de ne pas répondre aux questions.

— Monsieur le ministre, j'aimerais revenir à cette histoire de "lancer de petits Blancs". Estimez-vous que ces attaques sont liées aux meurtres dans les quatre premiers arrondissements? Et si oui, comment?

— Comme je vous l'ai déjà dit...

UN OPTIMISME EXCESSIF

Jean-François Besson marchait avec confiance sur le boulevard Raspail. Un sourire assuré baignait son visage.

Son employeur lui avait annoncé, sur un ton mi-blagueur, qu'en plus de lui remettre le résidu de ses arrhes pour son récent travail, il aurait pour lui une proposition qu'il ne pourrait pas refuser.

Son avenir s'annonçait décidément prometteur.

Besson entra dans le vestibule d'un immeuble.

Quand il eut franchi la porte extérieure, il traversa la petite pièce et composa le digicode de la porte intérieure.

Il entendit alors la porte extérieure se verrouiller derrière lui. L'instant d'après, un gaz inodore envahissait le vestibule.

Besson eut à peine le temps de se demander ce qu'il lui arrivait. Subitement, il avait la tête lourde, tellement lourde. Il n'arrivait même plus à garder les yeux ouverts.

Moins de dix secondes plus tard, il s'effondrait. Au moment de s'écrouler, les doigts de sa main gauche avaient brièvement heurté la vitre de la porte intérieure. Par contre, l'intention qu'il avait eue de crier qu'on lui ouvre n'avait pas eu le temps de se matérialiser.

Il ne bougeait plus. Il ne pensait plus. Plus rien ne lui importait. Plus rien ne pouvait l'importuner.

Plus rien.

Même pas l'objectif de la caméra située au plafond, qui continuait de l'observer.

#HOMMEDETOUSLESSECRETS

Nicolas Roussel@nicro
Leclercq, #hommedetouslessecrets.
Son réseau: un banquier, un préfet,
un ministre et un accès illimité à la
DGSI. http://www.nicro.com/articles/
leclercq-hom

SE FAIRE ARTISTE

Payne avait observé la mort de Besson sur un écran, à distance confortable des événements.

Il prit la télécommande posée sur la petite table, à côté de son fauteuil, et il appuya sur la touche d'effacement.

Dans le vestibule, le plancher coulissa.

Payne vit le corps de Besson tomber dans la fosse remplie de chaux vive.

Bientôt, il n'existerait plus.

Le système de ventilation enlèverait toute trace de gaz du hall. Quant aux empreintes digitales de Besson sur la poignée de la porte, elles disparaîtraient quand l'équipe d'entretien ferait le ménage de l'entrée, dans moins d'une heure.

Les seules pistes qu'on ne peut pas suivre, songea Payne, sont celles qui n'existent pas. Pas de cadavre, pas de crime. C'est bien connu.

Il appuya ensuite sur la touche RESET. Le plancher coulissa en sens inverse et reprit sa position.

Hillmorek serait certainement satisfait de la rapidité avec laquelle il avait réglé le problème.

Y verrait-il de l'élégance ? Une forme d'esthétique ? Sans doute…

Payne sourit.

Il ne se percevait toujours pas comme un artiste. Mais si cela faisait plaisir à son employeur de le croire, pourquoi le contredire ?

Après tout, il avait peut-être raison. Peut-être était-ce simplement une question de temps, de travail.

Combien de fois Hillmorek ne le lui avait-il pas répété ?

— C'est l'œuvre qui crée l'artiste. Un jour, inévitablement, vous finirez par réaliser que vous en êtes un.

TUEUSES DE NAINS

De retour de la conférence de presse, Nicolas Roussel entreprit de mettre à jour le palmarès de son blogue. Il avait une autre demande dont il devait s'occuper. Elle concernait un hashtag encore peu suivi, mais dont le potentiel de croissance était considérable.

> **Rachid Daran**@rachidan
> Le suspect dans le meurtre des
> petits hommes blancs ne serait pas
> une femme… mais un groupe de
> femmes. #tueusesdenains

Roussel plaça d'emblée le tweet à la cinquième place du palmarès.

Rarement avait-il fait autant d'argent en travaillant aussi peu. Chaque demande de cet informateur était accompagnée de cinq billets de 100 euros. Usagés.

Roussel était cependant mal à l'aise. Non qu'il ait quoi que ce soit contre l'argent : il estimait normal qu'on le paie pour influencer ce qu'il écrivait. Mais l'identité de celui qui était derrière tout ça ne laissait pas de l'intriguer.

Il était clair que cet individu était, sinon impliqué lui-même dans l'enquête, du moins très bien informé.

C'était lui qui avait attiré son attention sur le meurtre des petits hommes blancs, alors que presque personne n'en parlait. Lui, qui lui avait suggéré de s'intéresser au meurtre de Vincent Guyon. Et maintenant, il lui parlait de ce groupe de tueuses !

Ce qui était moins clair, c'était la raison pour laquelle il voulait l'utiliser.

Était-ce le meurtrier ?… Si oui, que voulait-il ? Cherchait-il inconsciemment à se faire prendre ? Se sentait-il suffisamment hors d'atteinte pour se permettre de disséminer des indices et narguer les policiers ? Cherchait-il la publicité à tout prix, quel que soit le risque ?

Il pouvait aussi s'agir des policiers. Peut-être voulaient-ils utiliser les médias pour faire débloquer l'enquête ?… À moins qu'il n'y ait une lutte de pouvoir à l'intérieur de l'organisation ? Que quelqu'un veuille faire dérailler l'enquête pour nuire à quelqu'un d'autre…

Il y avait aussi le problème de l'argent. Chez les policiers, seul un haut dirigeant pouvait avoir accès à ce type de budget.

Ces questions, Roussel n'avait pu faire autrement que de se les poser. Mais il était totalement exclu qu'il les laisse interférer avec ses choix professionnels.

Les ignorer lui permettait de continuer à mousser la popularité de son blogue en toute bonne conscience, ce qui lui octroyait par ailleurs une sorte de statut d'expert et lui valait un nombre croissant d'interventions dans des émissions de radio et de télé.

QUELQUES AFFLIGEM

La rencontre avait lieu à la Chope Daguerre. Leclercq fréquentait l'endroit depuis des années. Il prenait souvent la même table, on y connaissait ses habitudes et, surtout, il était certain de ne jamais y rencontrer quelqu'un du service.

C'était un de ses refuges dans Paris.

Pour l'occasion, il avait réservé une table différente, isolée, engoncée dans une encoignure, près des toilettes. Prose et Duquai furent les premiers à arriver. Théberge se joignit à eux une dizaine de minutes plus tard.

— Le métro, dit-il. On est restés immobilisés une vingtaine de minutes entre deux stations.

Il jeta un regard aux trois bières déjà sur la table et commanda la même chose au serveur qui arrivait.

— Qu'est-ce qu'on boit? demanda-t-il ensuite.

— Affligem blonde, répondit Prose. Brassée depuis 1074, selon la publicité. Mais ce n'est pas une vraie bière d'abbaye. Elle appartient maintenant à Heineken.

Il s'interrompit brusquement, voyant que les autres le regardaient d'un air amusé.

— J'ai regardé sur Internet, dit-il en montrant son iPhone.

Il remit l'appareil dans sa poche.

Une fois la bière de Théberge arrivée, Leclercq entreprit de les informer des nouveaux développements.

— Compte tenu de la manière dont la conférence de presse du ministre s'est déroulée, je ne sais même pas si on a le reste de la journée avant qu'il décide de me sacrifier pour donner quelque chose à gruger aux médias!

— Que s'est-il passé?

Ce fut Prose qui répondit.

— D'après ce que j'ai vu sur les blogues et les réseaux sociaux, le ministre a été obligé d'interrompre la conférence de presse parce que les choses dégénéraient.

— Raison de plus pour ne pas perdre de temps, reprit Leclercq. J'ai du nouveau sur les quatre derniers meurtres. Cette fois, l'étranglement a été plus classique: les hématomes révèlent nettement les marques des mains et des pouces… Aucune empreinte digitale claire, cependant… Ni de traces de lutte. Les victimes ne semblent pas s'être débattues. On pense qu'elles ont été paralysées avant d'être tuées.

— Pour les autres, avez-vous vérifié ? demanda Théberge.

— Les analyses sont en cours. Ils avaient effectué des tests pour les poisons, les drogues, mais ils n'avaient pas pensé à un produit médical largement utilisé en anesthésie…

— Vous pensez que c'est une femme ?

— On le saura avec certitude quand on aura les résultats du test d'ADN.

— Si la PJ vous les donne.

— Nous avons des contacts au labo.

Leclercq leur parla ensuite de l'élusif monsieur Payne, qui avait été identifié comme le véritable propriétaire de plusieurs établissements voués à l'expression des fantasmes. Autant son existence publique était avérée – propriétés immobilières, bureaux d'entreprise, voyages en classe affaires –, autant sa vie privée semblait inexistante. Et puis, il y avait cette curieuse histoire de sa présence dans deux aéroports en même temps.

Quant aux perquisitions dans les théâtres de fantasmes, elles n'avaient rien donné. Aucune piste sérieuse excepté une liste de clients.

— Il y a peu de chances qu'ils aient été autre chose que des clients, précisa Leclercq.

On les interrogerait quand même. Pour la forme. L'un d'eux pouvait avoir remarqué un détail. Mais il ne fallait pas fonder beaucoup d'espoir sur cette piste pour faire avancer l'enquête.

Après une pause, Leclercq annonça, sur un ton qui se voulait plus optimiste :

— Le Quai des Orfèvres a confirmé une présence accrue de policiers dans les 5ᵉ et 6ᵉ arrondissements. Cela devrait rassurer un peu la population.

— Il faudrait ajouter le 10ᵉ, dit Prose.

Les regards se concentrèrent sur lui.

— J'ai examiné les sites de paris en ligne.

— Des sites de la Ville de Paris ? demanda Duquai, intrigué.

— Non. Des sites pour les parieurs. Ils font des paris sur l'arrondissement où on trouvera les prochaines victimes, sur leur nombre, sur le moment où on les trouvera.

— Je comprends ton indéfectible intérêt pour les incongruités diverses et variées, fit Théberge, mais qu'est-ce que ça vient faire dans notre enquête?

— Jusqu'à maintenant, tous les paris étaient concentrés sur le 5ᵉ et le 6ᵉ. Depuis hier, c'est le 10ᵉ qui monte. Il y a une rumeur comme quoi, après les 10 premières victimes, il y en aurait 10 autres d'un seul coup, dans le 10ᵉ.

— Vous êtes sûr que le tueur raisonne de cette façon? s'enquit Leclercq.

Avant que Prose ait le temps de répondre, Théberge confirma l'information.

— J'ai entendu des conneries de ce genre à une émission de télé, dit-il.

Ce n'est pas le meurtrier, qui m'inquiète, reprit Prose. C'est la réaction des gens. S'ils croient que c'est ce que le tueur pense…

FRANCE 2/ JT DE 13 HEURES

> …Par ailleurs, un groupe terroriste jusqu'à maintenant inconnu a revendiqué l'attentat de la rue Saint-André-des-Arts contre une femme de grande taille. Ce groupe, le MBO…

UN CADEAU LIGOTÉ

Natalya but une gorgée de thé, reposa la tasse dans la soucoupe et laissa son esprit vagabonder. Elle voulait donner à son cerveau le temps de digérer à son propre rythme la décision qu'elle venait de prendre.

Une fois son thé terminé, sa décision n'avait pas changé. Aucun motif susceptible de la remettre en question ne lui était venu à l'esprit.

Elle téléphona à Leclercq.

— J'ai un cadeau pour vous.

— Par principe, je me méfie toujours des cadeaux.

— J'ai retrouvé celui qui a mis la vidéo des meurtres en ligne. Il vous attend.

— Vous êtes avec lui ?

— Non. Mais il n'y a aucun danger qu'il disparaisse. Vous pourrez l'interroger à votre guise.

Elle lui donna alors l'adresse de Thibau, rue Lepic.

Il leur raconterait tout ce qu'il savait. Enfin, presque tout. La suggestion posthypnotique l'empêcherait de parler du Club 51.

Elle avait besoin d'un peu de temps. Ensuite, elle communiquerait elle-même l'information à Leclercq.

Pressée par ce dernier de lui fournir plus de précisions, Natalya prétexta une urgence. Des détails dont elle devait s'occuper sans délai pendant qu'ils étaient encore des détails… Un autre contrat, oui… C'était le prix qu'elle avait accepté de payer pour pouvoir remonter jusqu'à Thibau. Il fallait qu'elle rende un service.

Puis elle coupa la communication.

À LA POURSUITE DU CADEAU

Quand Leclercq raccrocha, les trois autres remarquèrent son air préoccupé.

— Ton ami le ministre qui te prévient que tout est terminé ? demanda Théberge.

— Non, un informateur. Il a retrouvé celui qui a mis en ligne la vidéo d'un des meurtres des petits hommes blancs. Celui des trois victimes.

Ce qui préoccupait Leclercq, ce n'était pas ce qu'il venait d'apprendre. Cela constituait au contraire une excellente nouvelle. Mais il y avait quelque chose dans la voix de Natalya… Elle était visiblement pressée de terminer leur conversation. Quelle était donc cette fameuse urgence ? Qu'est-ce qu'elle lui cachait ?

448

— Il est mort? s'enquit Prose.

Il se demandait si c'était là la raison de l'air soucieux de Leclercq.

— Non, il nous attend chez lui. Ligoté.

— Où ça?

— Dans Montmartre.

Il se tourna vers Duquai.

— Pouvez-vous envoyer quelqu'un là-bas tout de suite pour sécuriser les lieux? C'est au 35 rue Lepic. Au deuxième.

Duquai hésita quelques secondes. Son heure et demie de déjeuner n'était pas encore terminée. Puis il acquiesça d'un signe de tête.

— Vous pouvez tous partir, proposa Prose pendant que Leclercq donnait l'adresse à Duquai. Je m'occupe de régler.

— Je te tiens au courant, lui dit Théberge en sortant.

#ENCOREDESMAGOUILLES

Pascal Dupont@pasdup
Meurtrier du cinquième. Arrestation
du vrai coupable ou manœuvre
pour calmer la population?
#encoredesmagouilles

UN DICTIONNAIRE DE LA BÊTISE

Prose avait résolu de se libérer la tête de l'enquête en cours. Il travaillait sur un projet pour lequel il songeait à recruter Théberge. Un livre qu'ils écriraient en collaboration.

L'idée lui en était venue en lisant le *Dictionnaire des idées reçues*, de Flaubert, il y avait de cela plusieurs années. Ce serait un bêtisier. Mais d'une autre sorte.

Ce que Prose voulait réaliser, c'était une compilation de ce que l'humanité pouvait accomplir de plus stupide, tant sur le plan individuel que collectif. Non pas des idées stupides, mais des actions stupides.

Le projet était resté à l'état d'esquisse, dans les limbes de sa mémoire, en compagnie de dizaines d'autres, jusqu'à ce que les arguments de son mystérieux correspondant l'amènent à y repenser.

Idéalement, Prose aurait aimé réaliser ce projet avec Théberge. Il lui en avait d'ailleurs parlé. N'était-il pas l'expert autoproclamé de la « bêtise militante » ?

Théberge n'avait pas dit non. Mais, pour l'instant, il s'occupait de madame Théberge. Et aussi de cette enquête avec son ami Gonzague.

Prose avait alors décidé d'amorcer le travail en dilettante. Une simple collecte de données. Ce n'était pas très difficile. Il suffisait de fréquenter quotidiennement les médias et de recueillir la crème des aberrations qui y surnageait.

Pour l'instant, c'était suffisant. Plus tard, il faudrait commencer à regrouper, à classer. Car ce dictionnaire ne visait pas l'exhaustivité : il s'agissait plutôt de constituer un échantillon représentatif, qui montrerait la bêtise humaine dans toute son ingénieuse diversité, y compris lorsqu'elle devient meurtrière.

> Le vice-premier ministre turc affirme que les femmes ne doivent pas rire en public pour conserver leur droiture morale.
>
> Seulement 16 % des Américains sont en faveur du port d'armes en public par les aveugles. « Seulement » 16 %. Pour la simple possession d'armes, le pourcentage monte à 26 %. Chez les républicains, un tiers y sont favorables et un tiers ne sont pas sûrs…
>
> Un sosie d'Obama joue le rôle de Satan dans une émission de Bible TV.
>
> Un demi-million de femmes auraient été violées dans l'armée américaine.

Avant d'inscrire la cinquième mention, Prose hésita. D'une certaine façon, c'était futile. Mais, en même temps, c'était rigolo.

> Compte tenu de la menace que le tueur de nains fait peser sur les petits hommes blancs, une milice s'est constituée et se porte volontaire pour protéger Sarkozy.

Sur l'écran de la télé que Prose avait ouvert dans le coin de son écran d'ordinateur, l'animateur annonça l'arrivée en studio de Nicolas Roussel. Prose leva les yeux.

Il y avait plusieurs heures que l'on annonçait les révélations du journaliste sur l'affaire du tueur de petits hommes blancs. Son entrevue était prévue juste avant *Les Guignols*.

Après l'avoir présenté et avoir rappelé certains de ses scoops passés, qualifiés avec enthousiasme de coups fumants, l'intervieweur lui demanda de but en blanc :

— Qui est donc ce mystérieux tueur de nains ?

— Eh bien, notre tueur serait en fait une tueuse. Cela expliquerait le choix de victimes petites, plus faciles à subjuguer.

— Mais ça, on le sait déjà. Peut-être pas officiellement, parce que les autorités refusent de le confirmer, mais c'est dans tous les médias.

— En revanche, ce qu'on ne sait pas, c'est qu'il ne s'agit pas d'une femme, mais d'un groupe de femmes !

— Selon vous, Nicolas Roussel, est-il possible que l'on soit à l'aube d'une véritable guerre des sexes ?

L'animateur forçait la note sur l'incrédulité et l'indignation. Son attitude en disait long sur ce qu'il pensait des téléspectateurs susceptibles de s'identifier à lui, songea Prose.

— À mon avis, le choix d'hommes blancs s'explique aussi par des raisons de nature politique. Les victimes représentent le MBO.

— Le MBO... C'est quoi, ce machin ? Ce ne serait pas le groupe qui a revendiqué l'assassinat de la rue des Arts ?

— Exactement. Tout répréhensible que soit le geste de ce groupe, il a le mérite d'attirer notre attention sur les véritables enjeux.

— Qui sont ?

— Ils ont compris que la véritable cible de ces meurtrières en série, c'est le macho blanc occidental.

— Les victimes ne correspondent pas tellement à l'image habituelle du macho.

— Les machos ne sont pas tous grands. Regardez en politique !

— Vous faites allusion à notre ancien président ou au nouveau ?

— Je pensais surtout à Napoléon et à Hitler… Mais je ne veux pas vous empêcher de tirer vos propres conclusions.

Sur l'écran de l'ordinateur, un carré rouge apparut dans le coin supérieur gauche. Un message venait d'être posté sur le blogue de Prose.

Il y accéda.

Phénix !

Le message était bref.

Vous me négligez. J'attends toujours votre réponse.

Prose resta songeur un moment. Si quelqu'un était susceptible de l'aider dans l'élaboration de son dictionnaire, c'était bien lui. Son esprit semblait programmé pour ne percevoir que les comportements aberrants de l'humanité.

Il dactylographia finalement quelques mots et appuya sur SEND.

Je vous réponds demain.

Quand son attention revint à la télé, un panel d'experts discutait de ce que représentait le MBO.

S'agissait-il d'une catégorie légitime ? Tous les hommes blancs devaient-ils se sentir menacés ? L'étaient-ils d'abord en tant qu'hommes ou parce qu'ils étaient blancs ? N'était-ce pas plutôt parce qu'ils étaient occidentaux ? Aurait-il été plus juste de parler de HBO ? D'homme blanc occidental ?… Parler de macho blanc, n'était-ce pas une sorte de pléonasme ?

Et le plus ironique, songea Prose, c'était que tous les panélistes étaient des hommes blancs dont l'appartenance occidentale ne faisait aucun doute !

Il était presque 18 h 20 et Norbert Duquai était encore à son bureau. Il achevait d'organiser la répartition du travail à la suite de l'arrestation de Thibau, au 35 de la rue Lepic.

Sur la tablette de papier quadrillé placée devant lui, il avait dressé la liste des tâches à effectuer. Une ligne blanche séparait les éléments les uns des autres, de manière à ce que chacun d'eux se détache nettement. À la gauche des sept premiers, il y avait un crochet : la tâche était amorcée.

À l'appartement du prévenu, une équipe technique était à pied d'œuvre. Ils cherchaient des indices sur l'identité des gens qui avaient rendu visite à Thibau au cours des dernières semaines.

Le rapport du premier interrogatoire de Thibau était en voie d'être saisi à l'ordinateur. Dans moins d'une heure, il serait à la disposition de Leclercq, avec le résumé que Duquai en avait rédigé.

Thibau lui-même avait été confié à deux agents réputés pour leur habileté à interroger les suspects. Ils reverraient ses premières déclarations, à la recherche de failles, d'incohérences, de détails négligés.

Deux autres agents s'étaient vu attribuer la tâche de fouiller les banques de données gouvernementales, les archives des médias et les réseaux sociaux afin de découvrir tout ce qu'il était possible sur le prévenu.

Duquai lui-même avait procédé à un premier inventaire du contenu de l'ordinateur saisi à l'appartement de la rue Lepic. Il l'avait ensuite confié à un spécialiste. Celui-ci devait notamment déterminer si les vidéos des exécutions qu'il y avait trouvées étaient trafiquées ou s'il s'agissait du véritable enregistrement des mises à mort.

Quant à la planification de la perquisition au Club 51, elle était terminée. Elle aurait lieu dans quelques minutes. L'opération avait été confiée à un des plus anciens de la DGSI. C'était l'un des rares avec qui Duquai avait développé des liens de confiance qui allaient au-delà du respect professionnel. Sa compétence était unanimement reconnue. Sa discrétion, assurée.

Sur la liste de Duquai, le seul élément à côté duquel il n'y avait pas de crochet était le compte rendu qu'il devrait faire à Leclercq et au reste de l'équipe, un peu plus tard en soirée.

Duquai regardait la feuille avec un certain contentement. Non seulement les tâches étaient bien définies, mais la situation commençait à s'éclaircir. Savoir à quoi s'en tenir satisfaisait son besoin de clarté.

Il y avait aussi une autre raison à l'étrange sentiment de plaisir qu'éprouvait Duquai. Il s'agissait d'une sorte d'effet collatéral de l'enquête et de la présence des Québécois.

À plusieurs reprises, pour les arranger, et aussi pour les besoins de l'enquête, il avait été amené à se montrer plus souple dans ses horaires, moins rigide dans ses habitudes. Et, contrairement à ce qu'il craignait, ces compromis ne l'avaient pas trop perturbé. Malgré une certaine tension, ce qu'il ressentait était d'abord de la satisfaction. Une satisfaction inhabituelle. Comme s'il avait conquis un nouvel espace de liberté.

C'était sans doute pourquoi il tolérait aussi bien le stress de s'occuper d'une enquête manifestement illégale. Car il n'était plus possible de prétendre qu'il s'agissait de recruteurs terroristes dont l'action relevait de la sécurité nationale. Normalement, ils auraient dû cesser d'intervenir et laisser la Police judiciaire s'occuper de ces meurtres.

Mais l'avenir de Leclercq était en jeu.

C'était grâce à lui si Duquai avait pu poursuivre pendant toutes ces années une carrière stimulante, s'il avait pu vivre une vie plus ou moins normale, relativement bien intégrée à la société.

Alors, s'il devait s'infliger un peu plus de stress…

FRANCE INTER / LE JOURNAL DE 19 HEURES

> … a été évité de justesse. Un agent de sécurité a réussi à désarmer l'agresseur avant qu'il soit en mesure de faire feu en direction du groupe de femmes.

Toujours dans le 5ᵉ arrondissement, une femme a aspergé de poivre deux hommes qui marchaient derrière elle et par qui elle se sentait menacée. Selon les policiers, elle croyait qu'il s'agissait de membres du MBO, le groupe autoproclamé de défense des mâles blancs occidentaux.

Les autorités ont réitéré leur appel au calme, enjoignant notamment les gens qui se sentiraient menacés à se déplacer par groupe de quelques personnes plutôt que d'avoir recours à des armes…

PERQUISITION SOUS SURVEILLANCE

Sur l'écran, on voyait les agents de la DGSI avancer avec précaution dans la salle de spectacle, comme s'ils craignaient de se trouver en terrain miné.

Ils ne pouvaient pas savoir que c'étaient eux, la bombe, songea Payne. Que leur travail ferait éclater la vérité que lui, Alatoff Payne, avait choisie comme vraie.

Même si la découverte des locaux du Club 51 s'était produite deux jours plus tôt que prévu, tout continuait de se dérouler selon le plan. Restait à espérer que les agents soient assez brillants pour découvrir les coupables qu'il leur avait préparés. Qu'ils ne se contentent pas d'examiner rapidement les lieux et de repartir, comme l'avait fait la femme qui les avait précédés. Sinon, il devrait couler de nouvelles informations dans les médias et les réseaux sociaux. Cela entraînerait des délais.

Payne ne tarda pas à être rassuré. Il vit un agent se rendre au fond de la scène puis dégager le rideau noir qui masquait le mur.

Par le réseau de caméras qui couvrait l'appartement, il vit ensuite la porte aux formes dentelées se dégager et glisser à l'intérieur du mur.

Un des agents entraîna deux de ses collègues dans l'amphithéâtre. Quelques instants plus tard, ils forçaient une porte, au fond de la scène, découvraient un escalier et montaient à l'étage.

Les agents entrèrent dans une pièce meublée de façon moderne. Rien à voir avec le décor de la salle d'accueil. On aurait dit une suite d'hôtel aménagée pour le travail.

Sur le bureau, au fond de la pièce, un ordinateur portable était allumé. En guise de fond d'écran, quelques mots se déplaçaient de façon aléatoire.

TÉLÉ-TEEN THEATER

Quand un des agents activa l'écran, un menu apparut.

Payne ferma son propre ordinateur portable. Inutile de regarder la suite. Avec ce que les agents verraient, ils emporteraient sûrement l'ordinateur avec eux pour terminer l'inventaire de son contenu.

L'opération touchait à sa fin.

Payne s'en fut préparer ses bagages. Il n'était pas question de revenir dans son appartement de l'avenue Foch. Même s'il était situé à bonne distance de l'édifice abritant le club et qu'il l'occupait sous un nom d'emprunt.

AUTANT CONFIT QU'ENCHAÎNÉ

Théberge et sa femme se promenaient rue Daguerre. Madame Théberge aimait bien cette rue. On aurait dit une version pas trop modernisée des anciennes rues principales de quartier.

— Tu es sûr que je ne t'empêche pas de travailler sur l'enquête ?

— Il n'y a rien que je pourrais faire. Ils vont reprendre l'interrogatoire de Thibau, examiner son ordinateur, passer son appartement au peigne fin… Ma présence là-bas ne serait d'aucune utilité.

Après une pause, il lui retourna la question.

— Et toi ? On a déjà fait plusieurs endroits.

— Dont deux cafés où on est restés au moins une demi-heure.

— Mais…

— Ne t'inquiète pas. Je me suis reposée une grande partie de la journée parce que je tenais à pouvoir venir ici.

Ils prirent un apéro au café Le Naguère en examinant leurs achats.

Théberge avait découvert une librairie spécialisée dans les livres humoristiques et de parodie : Le Léopard démasqué. Il y avait acheté quelques titres. *J'écluse*, de Gordon Zola. *La dérive des inconti-nents...* Cela ferait un excellent cadeau pour l'anniversaire de Prose.

Pendant qu'il les feuilletait en prenant soin de ne pas les abîmer, sa femme écrivait des cartes postales.

Ses nombreuses sœurs et belles-soeurs, déjà inquiètes avant son départ de la voir entreprendre un voyage dans l'état où elle était, s'alarmaient de la savoir dans la même ville que l'horrible « tueur de nains » !

Les courriels et les textos ne semblaient pas avoir calmé leur inquiétude. L'une d'elles lui avait même demandé si elle était libre d'écrire ce qu'elle voulait dans les courriels. Il y avait tellement de choses effrayantes qui se passaient sur Internet : les Chinois qui espionnaient tout le monde, les pirates informatiques qui s'infil-traient partout, le gouvernement américain qui surveillait tout ce qu'écrivaient les gens... Peut-être quelqu'un avait-il trafiqué les courriels qu'elle leur envoyait !

Comme madame Théberge s'était engagée à leur expédier à chacune une carte postale, elle avait décidé d'utiliser ce moyen pour tenter, une fois de plus, de les rassurer... Inutile de s'inquiéter, elle était à la terrasse d'un café, elle et Gonzague prenaient tranquille-ment un verre, tout était paisible, la seule agitation était due aux cris et aux rires des enfants.

Puis elle se crut obligée d'expliquer qu'à Paris, il n'y avait pas d'autobus scolaires comme au Québec. Du moins, elle n'en avait pas vu. Après le travail, vers 18 ou 19 h, les parents allaient chercher les enfants à la garderie et les emmenaient faire les achats pour le souper... Oui, vraiment à 19 h. Parfois plus tard. Les Français tra-vaillaient plus qu'on le croyait, même s'ils avaient la réputation de passer beaucoup de temps au restaurant pour le dîner.

Elle s'arrêta soudain en écrivant le mot « déjeuner ». Sa belle-soeur Henriette se demanderait sûrement pourquoi les Parisiens ne déjeunaient pas chez eux avant de partir pour le travail. Elle biffa le mot et le remplaça par « dîner ». Puis elle corrigea toutes les cartes postales qu'elle avait déjà écrites. Une fois achevée la corvée des cartes postales, ils poursuivirent leur visite. Quelques minutes plus tard, ils faisaient une halte à La Cave des Papilles, dont l'une des spécialités semblait être des vins de petits producteurs. Théberge y acheta plusieurs bouteilles aux noms évocateurs : Rue de la soif, Élixir de longue vie, Raide Bulle, Le vin de jardin…

— Pour diversifier mon expertise, expliqua-t-il à sa femme.

Madame Théberge protesta sans se faire trop d'illusions.

— Tu es sûr que tu veux en acheter autant ? Avec tous les repas qu'on prend au restaurant, on n'aura pas le temps de boire tout ce que tu achètes.

— S'il le faut, je me sacrifierai, répondit Théberge, sur le ton du martyr qui se prépare au sacrifice ultime.

En guise de réponse, sa femme se contenta de hausser les épaules et de lever les yeux au ciel.

Ils se rendirent ensuite chez Péret, un restaurant que Théberge tenait à essayer.

Au moment de s'asseoir, Théberge s'aperçut que le client précédent avait abandonné un exemplaire du *Canard enchaîné* sur sa chaise. Il y vit un présage favorable. C'était le journal français qu'il appréciait le plus. Celui qu'il estimait le plus efficace pour traquer sa Némésis personnelle : « la bêtise jacassante et militante ».

La consultation du menu fut assez longue et assortie de multiples commentaires de la part de Théberge. Grand amateur de canard, autant confit qu'enchaîné, il choisit finalement une cuisse d'anatidé. Sa femme, par ailleurs un peu exaspérée par les intarissables critiques de son mari, opta pour la tête de veau… et précisa qu'il ne fallait y voir aucune intention éditoriale.

À la table située immédiatement à leur droite, un couple discutait des mesures à prendre pour protéger leurs deux ados, 16 et 18 ans.

— Si au moins on avait eu des sportifs baraqués !

— Tu ne vas quand même pas les envoyer à la campagne en pleine saison scolaire !

— Tu préfères qu'ils risquent leur vie ?

— Il ne faut rien exagérer. On habite le 14ᵉ.

— Qui te dit que le meurtrier ne va pas modifier sa façon de faire pour tromper la police ?

— Jusqu'à maintenant…

— Qui te dit que le 1-2-3-4, ce n'est pas pour endormir les gens ? Pour que ceux qui habitent ailleurs que le 5ᵉ baissent leur garde ?

Théberge et sa femme passèrent une grande partie du repas en silence, à écouter les conversations qui avaient lieu autour d'eux. De tout ce qu'ils entendirent, il se dégageait un sentiment d'inquiétude beaucoup plus marqué que ce que madame Théberge avait laissé entendre à ses sœurs et belles-sœurs dans ses cartes postales.

Quand ils en furent au dessert, plusieurs clients des tables avoisinantes étaient partis.

— Ça m'inquiète, Gonzague, fit brusquement madame Théberge.

— Qu'est-ce qui t'inquiète ? Ce tueur de petits hommes ?… Regarde-moi. Penses-tu vraiment que je risque quelque chose ? Toi-même, l'autre jour, tu disais…

— C'est la réaction des gens. L'inquiétude que tout ça provoque. Pendant mes promenades, j'entends de plus en plus de gens dire qu'ils ont peur pour un de leurs enfants, un de leurs amis… Ils parlent de s'inscrire à des cours d'autodéfense, pensent à acheter des armes…

— Je sais. C'est toujours la même chose. Et ça finit toujours par aggraver la situation. Déjà, avec les meurtres…

— C'est vrai, ce qu'ils ont dit, que ce serait un groupe de femmes ?

Théberge baissa la voix pour répondre.

— C'est ce que semblent indiquer les preuves. Mais ça ne veut pas dire qu'elles n'ont pas été téléguidées par un homme.

Μανή θέκελ φαρές

Hillmorek fit apparaître un numéro programmé dans la mémoire de son portable et lança l'appel.

— Monsieur Payne ?

— Je suis heureux d'entendre votre voix.

— Je sais que je ne suis pas toujours facile à joindre.

— Il n'y a pas de souci. Je vous assure.

— J'imagine que vous avez des informations à me communiquer.

— Le projet est presque terminé. Ils ont trouvé l'endroit où ont eu lieu les exécutions.

— Je sais. C'était aux informations.

— Ils ont aussi trouvé la liste des membres du club.

— J'imagine que cela va les inciter à se satisfaire de la solution que vous allez leur proposer. Tout pour éviter un scandale !

— Il ne reste qu'à leur fournir les coordonnées de l'appartement et tout sera bouclé.

— J'admire votre optimisme.

Le ton ironique de Hillmorek inquiéta Payne.

— Il y a un problème ?

— Des recherches vous concernant ont été effectuées dans de multiples bases de données. Vous étiez au courant ?

— Des recherches pour quoi ?

— On s'est beaucoup intéressé à votre image. On a même découvert votre sosie.

— Mon sosie… Quel sosie ?

— Si j'étais vous, je me ferais discret durant les prochains jours.

— Bien sûr. Mais qu'est-ce que c'est que cette histoire de sosie ?

Hillmorek ignora la question.

— Il faudra prendre quelques mesures de sécurité.

Après une légère pause, Payne demanda, d'une voix qui trahissait une inquiétude manifeste :

— Est-ce que cela implique… une autre série d'opérations ?

— C'est une solution que je ne peux pas exclure. Mais nous sommes encore loin d'en être là.

— Si c'est vraiment nécessaire, je suis d'accord.

— Je suis ravi de vous trouver dans d'aussi bonnes dispositions. Et je m'empresse de vous rassurer. Si de nouvelles altérations devaient être apportées à votre apparence, elles seraient minimales. Et sans douleur.

— Je n'ai aucune crainte à ce sujet.

— Tant mieux. Je suis ravi de votre attitude.

— Vraiment ?

— Ravi, mais pas étonné. Je n'ai jamais cru que votre comportement poserait le moindre problème.

Hillmorek ne jugea pas utile d'ajouter qu'il ne croyait pas davantage aux vertus de la bonne volonté, des bonnes intentions et de tout cet assortiment de prétextes par lesquels on valorise l'acharnement comme substitut au manque de talent.

Après avoir raccroché, il regarda le magnifique bas-relief babylonien représentant le roi Nabuchodonosor qu'il avait installé sur le mur en face de son bureau.

Sous le visage du roi, il avait reproduit la fameuse inscription mentionnée dans le *Livre de Daniel* :

Μανή θέκελ φαρές

TRANSFERT DE TÉMOIN

Quand il se présenta au bureau de Dumas, Leclercq était accompagné d'un agent de la DGSI et de Thibau. Ce dernier était menotté.

Leclercq désigna Thibau d'un geste.

— Au nom de notre collaboration, dit-il à Dumas. Je vous confie notre prisonnier.

Dumas regarda Thibau, puis Leclercq.

— Vous manquez de locaux pour vos prisonniers ? Vous vous êtes dit que vous pourriez l'entreposer ici ?

— Ce n'est pas mon prisonnier, c'est le vôtre.

— Et pourquoi arrêterais-je ce monsieur, que je ne connais ni d'Ève ni d'Adam ?

— Parce qu'il vous permettra de passer à la télé. Croyez-moi, vous voulez vraiment être celui qui l'a arrêté.

— Il a un nom ?

— Germain Thibau. Il fréquente des endroits peu recommandables où les gens donnent libre cours à l'expression de leurs fantasmes. Accessoirement, il a été témoin du meurtre des 10 petits hommes blancs. Il a même payé une bonne somme pour assister à ces "spectacles".

Dumas regarda de nouveau Thibau. Cette fois en plissant les yeux.

— Comme cette enquête est de votre juridiction, poursuivit Leclercq, je me suis dit que vous pourriez avoir envie de lui parler. J'aurais pu simplement lui recommander de vous voir, mais j'ai eu un doute sur son empressement à vous rencontrer. C'est pourquoi j'ai estimé préférable de vous l'amener moi-même.

Dumas appuya sur un bouton de l'interphone. L'instant d'après, deux policiers arrivaient dans la pièce. À la demande de Dumas, ils se chargèrent du prisonnier pour le conduire à une salle d'interrogatoire.

— Ce que j'aimerais savoir, s'enquit Dumas après leur départ, c'est comment vous êtes tombés sur lui, si vous ne vous occupez plus de l'enquête.

— Une affaire parallèle. Un réseau de recruteurs pour le djihad sur lequel nous enquêtons. Pour financer leurs activités, ils font chanter des individus comme ce monsieur. En échange de généreuses contributions, ils demeurent discrets sur leurs activités sexuelles… particulières, disons.

— Sexuelles ?

— On trouve son plaisir où l'on peut, semble-t-il. Pour certains, c'est la persécution hargneuse ; pour d'autres, l'assassinat imaginatif.

Dumas ne releva pas la flèche.

— Qui me dit que ce n'est pas un coupable que vous avez fabriqué de toutes pièces ?

Leclercq lui tendit une clé USB.

— Vous y trouverez une copie de l'interrogatoire sommaire que nous avons fait de votre prisonnier. Il y a également une copie de tout ce qu'il y avait sur le disque dur de son ordinateur, incluant les vidéos des quatre séries de meurtres. Nous avons également joint l'adresse de l'établissement où les meurtres ont eu lieu. Une conciergerie très chic, dans le 16e. Je suis certain que vous aurez plaisir à y perquisitionner.

— Si vous croyez que je vais être complice de cette fabrication…

— Écoutez, Dumas, je sais que vous ne m'aimez pas et que vous êtes prêt à n'importe quoi pour avoir ma peau. Même de saboter cette enquête si cela permettrait de me discréditer. Mais les preuves sont béton. Si vous tentez de les cacher, elles sortiront dans les médias.

— Je reconnais bien là vos manières !

Leclercq évita de répondre à la provocation. Il n'aurait servi à rien de l'accuser de faire précisément ce qu'il lui reprochait. Surtout que Dumas n'aurait probablement même pas à divulguer les preuves. Que le meurtrier s'en chargerait. Comme pour le reste.

— J'expliquerai alors à mes amis de la télé que je vous ai amené Thibau, poursuivit-il. Je leur parlerai des preuves que je vous ai transmises. S'il le faut, je leur donnerai accès aux copies de l'ensemble du dossier que j'ai pris le soin de préparer. Y compris des aveux de Thibau. Et je leur dirai que je n'ai aucune idée des raisons qui vous poussent à tout garder secret.

— Ce que vous faites est l'équivalent d'une déclaration de guerre. Vous le savez ?

— Ne boudez pas votre plaisir. Prenez le temps de savourer ce premier triomphe, puis mettez-vous au travail. Il vous reste maintenant à découvrir celui qui est derrière tout ça.

— Parce que vous ne le savez pas !

— C'est un pur coup de chance qui nous a permis de trouver Thibau. Vous semblez oublier que nous vous avons cédé l'affaire.

— … et pour nous aider à décrypter cette actualité, j'ai aujourd'hui le plaisir d'accueillir sur ce plateau Nicolas Roussel. Monsieur Roussel est un spécialiste des réseaux sociaux. Il a été le premier à porter à l'attention du public les hashtags #tueurdenains et #tueurdepetitsblancs. Nicolas Roussel, bonjour.

— Bonjour.

— Cette fois, Nicolas Roussel, vous nous alertez sur la possibilité que les responsables de ces meurtres soient un groupe de femmes.

— Précisément.

— Plusieurs médias ont repris cette information depuis que vous l'avez rendue publique. Mais aucun ne mentionne d'où vous la tenez.

— D'Internet.

— Il y a tout et n'importe quoi sur Internet. Particulièrement sur les réseaux sociaux.

— Bien sûr. C'est même la raison pour laquelle je passe mes journées à analyser ce qui s'y passe. Et c'est précisément cette analyse qui m'a permis de prédire qu'il y aurait d'autres meurtres. C'est aussi grâce à cette analyse que j'ai découvert que Vincent Guyon était la première victime de cette série de crimes. Et maintenant, c'est le même type d'analyse qui…

— Comment est-ce possible ?

— Les donneurs d'alertes se dissimulent sous des pseudos pour lancer les informations qu'ils détiennent sans encourir de représailles.

— Si on revenait à ce que vous nous annoncez. Ce serait donc un groupe de femmes qui…

— Les personnes qui ont perpétré ces meurtres sont effectivement quatre femmes. Leur taille est largement au-dessus de la moyenne. Et elles ont toutes une origine ethnique différente.

— Vous avez trouvé tout cela sur le Net ou vous avez un informateur ?

— Je n'ai pas un informateur : j'en ai des milliers. C'est cela, les réseaux sociaux.

DE RÉPUGNANTS IMBÉCILES

Malgré l'heure tardive, le ministre Tanguay avait accepté de recevoir Leclercq chez lui. L'amitié avait ses privilèges.

Le ministre avait écouté le rapport de Leclercq sans l'interrompre.

Ce dernier lui avait décrit le décor du club privé, photos à l'appui ; lui avait montré le matériel qui avait servi aux quatre exécutions ; lui avait mentionné qu'il existait des vidéos de chacune des exécutions. Il avait terminé son rapport en lui faisant voir les photos des quatre femmes qui avaient procédé auxdites exécutions.

— La 51e nuance de noir, tu dis ? interrogea Tanguay.

— C'est le nom du club. Une traduction de *51th Shade of Black*.

— Vous connaissez l'identité du propriétaire ?

— Il se nomme Alatoff Payne. On le recherche. Mais tu comprendras que dans ma position…

— Ce… théâtre. Ça implique des moyens considérables. On est loin des petits voyous qui s'amusent entre eux à se payer des spectacles de porno violente.

— J'en suis conscient.

— Vous avez une autre piste que ce monsieur Payne ?

— On en a presque trop.

Leclercq entreprit de lui lire la liste des membres du Club 51. Il en était au tiers lorsque Tanguay l'interrompit.

— On n'en est plus à un petit groupe de pervers…

— Je sais, il s'agit d'un assez grand groupe d'assez grands pervers, qui ont d'assez grands moyens.

— Tu sais ce que je veux dire ! On ne va pas traîner tout ce beau monde dans la boue à moins d'être absolument certains qu'ils sont coupables. Et il faut éviter que les détails les plus scabreux s'étalent dans les médias. Il est hors de question de salir les institutions auxquelles appartiennent tous ces…

Il n'arrivait pas à trouver de mot pour les qualifier.

— Criminels ? suggéra Leclercq.

Le ministre lui jeta un regard noir.

— Ces répugnants imbéciles, finit-il par dire. Il faut protéger les victimes.

— Tu parles de Guyon ?

— Je parle de toutes les victimes. Y compris celles à venir, si nous n'agissons pas à temps.

— Je suppose que les spectateurs de ces improvisations théâtrales font également partie des victimes ?

— Toi, Leclercq ! Si je ne te connaissais pas depuis aussi longtemps...

Puis Tanguay poursuivit sur un ton plus posé.

— Je comprends ton point de vue. Je te promets que nous nous occuperons d'eux. Mais on a déjà un petit homme blanc battu à mort, un autre qui a tué un jeune en croyant se défendre et une femme abattue de deux balles dans le dos par un débile qui revendique le meurtre au nom d'un groupe de justiciers mâles... Nous ne sommes quand même pas des Américains, que je sache !

Après une pause, il ajouta, comme s'il s'agissait d'une conclusion :

— Il faut empêcher cette folie de se répandre dans le public. J'ai besoin d'une histoire qui se tienne. Qui puisse calmer la population.

— Ce n'est pas un enquêteur qu'il te faut, c'est un romancier.

Le ministre ignora la remarque et poursuivit.

— Tu te rends compte ? La crème de la société qui paie pour voir des gens se faire assassiner ! On ne parle plus seulement de vol, comme Cahuzac et les autres, mais de meurtre ! As-tu une idée de l'effet sur le plan électoral ?

— Pour la réélection du PS, ça ne peut pas être pire que les mésaventures de Hollande au pays de Closer et des sans-dents.

— C'est une histoire à mettre le Front national au pouvoir dès le premier tour ! On est en train de lui fournir une justification sur mesure pour son discours sécuritaire alarmiste et sa dénonciation des élites.

Le ministre fit une pause avant d'ajouter :

— Et c'est moi qui dis cela !

C'était une allusion aux critiques qui pleuvaient à son endroit dans son propre parti. Il y était régulièrement accusé, de façon à peine voilée, de défendre le discours du Front national. Mais cela, c'était le lot de tous les ministres de l'Intérieur.

— Il faut que je puisse annoncer une arrestation imminente, déclara le ministre.

— Pour cela, il faudrait savoir qui arrêter. Et où le trouver.

Tanguay ne résista pas à la tentation de faire de l'ironie.

— Si tu ne le sais pas, demandez à ce journaliste, Roussel. Il me semble remarquablement bien informé.

— Tu me suggères de l'arrêter ?

— Gonzague, j'en ai déjà assez sans devoir en plus me payer ton humour.

— Rassure-toi, il est gratuit.

Le ministre le regarda un moment, comme s'il allait éclater, puis il retrouva son mince sourire.

— Tu as raison, cela ne sert à rien de s'énerver.

Leclercq lui expliqua alors de quelle manière il avait structuré le travail, comment il pouvait utiliser l'ensemble des ressources de la DGSI sans que personne de l'interne ne soit en mesure d'avoir une vue globale de ses activités.

— Et comment Duquai justifie-t-il toutes ces requêtes ?

— Officiellement, il s'occupe des filières de recrutement pour le djihad. Ça lui permet d'avoir accès à tous les services.

— Donc, vous êtes quatre à savoir ce qui se passe vraiment. Toi, Duquai et les deux Québécois.

— Oui.

— Les quatre mousquetaires. Seuls contre le reste de l'Univers ! Tu crois vraiment avoir une chance ?

— Nous disposons quand même des ressources de la DGSI.

— Ton équipe de valeureux Gaulois, elle est fiable ?

— Probablement plus que n'importe lequel de tes adjoints, conseillers politiques et attachés de presse.

— C'est censé me rassurer ?

— Aucun n'a intérêt à ce qu'il y ait des fuites dans les médias. Malheureusement, on ne peut pas en dire autant de Dumas…

— Lui, je m'en occupe.

— Ni de tes collaborateurs, qui ont tous un plan de carrière, des amitiés à entretenir, des faveurs à retourner.

— Je réponds entièrement d'eux.

Le ministre n'insista pas davantage sur la défense de ses collaborateurs. Nul mieux que lui savait sur quel terrain miné il évoluait, avec quels réseaux complexes de susceptibilités, d'intérêts et d'ego il devait composer.

— Je serais plus à l'aise si tu appelais Vernon pour lui expliquer que je bénéficie d'une relative réhabilitation. Que j'ai les coudées franches pendant quelques jours.

— Vingt-quatre heures ! Je peux te donner 24 heures. Dans le meilleur des cas… Les attaques dans les médias me visent de plus en plus directement. Et les informations sont trop précises pour ne pas provenir de quelqu'un de très bien informé.

Inutile de préciser qu'il s'agissait de Dumas. Ou, plus probablement, de quelqu'un qui obéissait à ses directives.

— Entendu, accepta Leclercq.

— Et tu conserves un statut non officiel. Il est hors de question que le public apprenne que la DGSI est de nouveau mêlée à cette histoire. Du moins, pas tant que le coupable n'est pas arrêté. Et seulement si tu peux justifier l'implication de la DGSI.

— Et Dumas ?

— Je lui dis de fermer les yeux sur tes activités pendant 24 heures et de poursuivre sa propre enquête comme si de rien n'était. Mais ensuite, tu lui donnes tout ce que tu as. Vraiment tout.

UN JOURNALISTE AU SOLEIL

Nicolas Roussel ne regardait rien.

Sa seule activité consistait à demeurer assis, la tête penchée en avant, comme s'il somnolait. Ses bras étaient alignés le long de son corps. Ses mains reposaient sur le banc, les paumes ouvertes, comme pour accueillir le soleil qui tombait sur elles.

Plusieurs personnes étaient passées devant lui. Aucune ne lui avait véritablement accordé d'attention. À peine, de temps à autre, un regard vaguement étonné : il était quand même tôt pour faire une sieste dans le parc. Le soleil peinait à compenser le froid anormal de la saison.

Mais Roussel était habillé chaudement. Aucun danger qu'il attrape froid. Aussi, ce fut seulement lorsqu'un policier le toucha à l'épaule pour le réveiller que son état devint une préoccupation d'ordre public.

Il s'affala sur le banc, puis tomba sur le sol.

DE LA VISITE INATTENDUE

La surprise qu'affichait le visage de Payne n'était pas feinte.

Sandrine Bijar se tenait devant lui, son habituel sourire ironique sur les lèvres, un air de défi dans les yeux. Elle semblait plus déterminée que jamais à ne pas lui manifester le respect qu'il attendait des gens qu'il utilisait.

— Vous avez vu l'heure ? Et d'abord, qu'est-ce que vous faites ici ?

— Je viens vous voir. Cela me semble évident.

— Je vous avais pourtant ordonné de ne jamais venir ici sans avoir pris rendez-vous !

— Toutes les règles ont des exceptions.

— Dans votre intérêt, j'espère que vous avez une bonne raison.

— La meilleure qui soit. Un…

— Et d'abord, comment êtes-vous entrée ?

Elle poursuivit en ignorant l'interruption.

— ... ordre direct de monsieur Hillmorek. C'est suffisant pour vous ?

Une certaine inquiétude apparut sur le visage de Payne.

— Quelque chose ne va pas ?

— Au contraire, tout se déroule à l'entière satisfaction de notre employeur bien-aimé. Vous avez fait exactement ce qu'il attendait de vous.

— Ah...

— Il m'a chargée de vous transmettre un message.

— Il aurait pu...

Elle l'interrompit :

— Je sais, il aurait pu vous appeler. Mais la nature de certains messages exige qu'ils soient transmis de personne à personne.

— C'est si important ?

— Vital.

Elle sortit un pistolet de son sac.

blog.lavoixducentre.fr/logandrieux/10phb...

10PHB... LA SUITE

Si le meurtrier maintient son rythme, une série de cadavres tous les trois jours, c'est normalement demain qu'on trouvera les prochains PHB. La question, c'est : combien y en aura-t-il ? Cinq dans le 5e arrondissement ? Dix dans le dixième ? J'attends vos commentaires...

MANQUE RADICAL D'ÉLÉGANCE

Sandrine Bijar marchait sur le trottoir, un iPhone collé à l'oreille.

— C'est fait. Exactement comme vous l'avez demandé.

— Tout est en place ?

— Tout sera terminé dans moins d'une heure. Je venais à peine de sortir quand l'équipe de nettoyage est arrivée.

— Ils savent où le conduire ?

— Oui… Où le conduire, quoi faire de lui, quoi laisser dans l'appartement, quoi faire disparaître…

— Bien. Je vais bientôt avoir besoin de vous pour un autre travail.

— C'est relié à cette opération ?

— Il s'agit de Victor Prose. Tenez-vous prête à exécuter les ordres le concernant.

— D'accord.

Après avoir raccroché, Sandrine Bijar repensa au message qu'elle avait livré à Payne. Elle détestait ce genre de travail. Il manquait radicalement d'élégance. Mais décider de ce genre de détail ne faisait pas partie de ses prérogatives. Son rôle se bornait à mettre en œuvre les décisions de Hillmorek.

Quelques instants plus tard, la vibration du téléphone contre sa cuisse, dans la poche gauche de son pantalon, l'avertit de l'arrivée d'un message.

PERPLEXITÉ À BUCAREST

L'homme se tenait derrière le comptoir d'un café-bistro, à Bucarest. Quelques clients occupaient une table, au fond de la salle. Un autre était à sa place habituelle, accoudé au bout du bar. Le *shlemiel*. L'espion du SRI.

Pour le moment, le *shlemiel* était seul. Le poivrot qui lui servait de couverture avait dû avoir du mal à s'extraire de son lit.

À cette heure, l'affluence était toujours réduite. C'était le moment où le barman écoutait la musique qu'il aimait. Du blues. Et il montait le volume. Tout le monde savait que c'était sa passion. C'était aussi le temps idéal pour gérer ses affaires, ce qu'il faisait presque uniquement par téléphone.

Il allait alors à l'extrémité du bar opposée à celle où le *shlemiel* avait ses habitudes. De la sorte, ses paroles étaient noyées dans le fond sonore.

Le *shlemiel* avait depuis longtemps identifié le manège du barman. Il avait placé son téléphone sur écoute. Il s'était alors aperçu que toutes ses communications étaient brouillées.

Aux yeux de l'espion, cela constituait un motif suffisant pour l'interroger. Pour l'arrêter, même. L'usage des logiciels de brouillage était interdit. Mais, en haut lieu, on avait choisi de ne pas trahir l'intérêt particulier que l'on portait au barman. Il était préférable de poursuivre la surveillance, avait-on décidé. Et de prendre note de tous les gens qui venaient le voir.

Tout cela, l'homme derrière le bar le savait aussi. Il avait lui-même un informateur qui le renseignait sur les activités du SRI. C'est pourquoi il continuait à jouer le jeu. À faire celui qui ne sait pas.

Et parfois, quand il communiquait par texto, il s'installait en face du *shlemiel*. Comme maintenant. Par une sorte de taquinerie.

Une de ses agentes venait de le contacter. Depuis Paris. Il s'était donné quelques minutes de réflexion avant de répondre. Une réponse laconique.

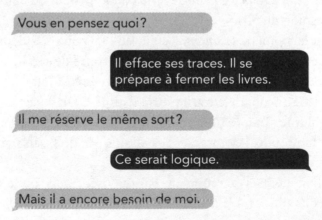

> Rapport lu.

Cela signifiait qu'il voulait discuter. La réponse de l'agente n'avait pas tardé.

> Vous en pensez quoi ?

> Il efface ses traces. Il se prépare à fermer les livres.

> Il me réserve le même sort ?

> Ce serait logique.

> Mais il a encore besoin de moi.

Pour Prose, oui. Ensuite?

Je ne crois pas être en danger pour le moment.

Comme vous dites, pour le moment.

Je serai prudente.

Je ne peux pas me permettre de perdre vos services.

Et madame Circo? Le temps commence à manquer.

Je sais.

Je peux m'occuper d'elle.

Je préfère qu'elle vienne d'elle-même.

D'accord.

Quand vous vous serez occupé de Prose, dites-le-moi.

Une fois la communication terminée, l'homme derrière le bar était perplexe. Le travail qu'il demandait à Sandrine n'était pas aisé. Mais s'il y avait quelqu'un qui pouvait mener de front ces deux missions…

Duquai leur avait fixé rendez-vous à son appartement, pour le petit déjeuner.

Tous les trois étaient assis autour de la table carrée de la salle à manger. La place vacante était occupée par un ordinateur portable dont l'écran affichait une image figée.

Sur la table, les trois couverts étaient alignés avec une symétrie qui relevait de la haute précision. Des cafés crème fumaient à la droite de chacun.

Un instant, Prose eut l'idée de vérifier si la fumée qui montait des cafés évoluait également de façon symétrique.

Il prit une brioche dans le panier de pâtisseries, la déposa dans son assiette, puis il réajusta sa position pour la placer exactement au centre, comme celle de Duquai.

Il la découpa ensuite en quatre parties à peu près égales, tant selon l'axe vertical qu'horizontal.

À Rome, faire comme les Romains…

Duquai examina la table pour vérifier que chacun avait tout ce qu'il lui fallait. Satisfait de son inspection, il demanda :

— On peut commencer ?

— Quand vous êtes prêt, répondit Théberge.

Prose se contenta d'acquiescer d'un mouvement de tête. Son attention était accaparée malgré lui par l'examen de la pièce.

Le mur couvert d'horloges avait d'abord attiré son attention. Douze horloges. Toutes anciennes. De différentes parties du monde. Chacune indiquait l'heure de son pays ou de sa région d'origine.

Le mur en face des horloges était presque entièrement occupé par une fenêtre qui offrait une vue panoramique de la ville.

— L'espace et le temps, avait dit Duquai.

Comme s'il s'agissait d'une explication suffisante. Peut-être même superflue.

La table était située à une égale distance entre les murs et ses pieds avaient été fixés au sol. Dans l'autre axe, elle était située à mi-chemin entre la porte conduisant aux différentes pièces et celle donnant sur le vestibule.

Rien ne pouvait troubler l'équilibre de la salle à manger, sauf le va-et-vient inévitable des chaises.

Duquai commença par leur apprendre que Leclercq avait remis Thibau à Dumas, en même temps qu'une copie de l'ensemble du dossier. Mais il avait conservé tous les originaux.

— Dumas s'est contenté des copies ? s'enquit Théberge, étonné.

— Sauf de Thibau.

Prose et Théberge mirent quelques secondes à réagir à la tentative d'humour de Duquai.

— Bien sûr, sauf de Thibau…

— Leclercq a invoqué la sécurité de l'État, expliqua Duquai. Les preuves ont été recueillies dans le cadre d'une enquête sur des filières djihadistes. À l'étape du procès, s'il devient nécessaire de produire les originaux, ils seront rendus disponibles.

— J'aurais aimé voir ça ! lança Théberge.

— Et maintenant, poursuivit Duquai, on peut commencer par l'interrogatoire de Thibau, qui a été réalisé hier soir. La version intégrale est évidemment à votre disposition, mais j'ai cru utile de vous montrer d'abord un montage des moments que j'estime les plus instructifs.

— La 51e nuance. C'est le nom officiel du club.

— D'où vient ce nom ?

— Il faudrait le demander à celui qui l'a fondé.

— Il a bien dû vous en parler un peu.

— Je pense que c'est lié à la série de livres. *Cinquante nuances de gris*. Vous savez de quoi je parle ?

— Et pourquoi 51 ?

— Il n'en a jamais parlé. Pour aller plus loin que 50, je suppose.

— Et les membres du club ? Il y en a combien ?

— Cinquante et un. Certains se connaissent, mais aucun nom n'est jamais prononcé pendant les rencontres. Chacun s'adresse aux autres par son numéro. Quand on entre dans le club, on est tenu de le porter épinglé à la boutonnière. Comme pour les noms dans les congrès.

Duquai arrêta l'enregistrement.

— Nous lui avons montré la photo de plusieurs habitués de ces théâtres de fantasmes. Il a reconnu une dizaine d'individus.

— Des pistes intéressantes ?

— Rien de particulier. Leur seule implication, semble-t-il, c'était l'obligation d'être membre du club et de payer le prix d'entrée pour chacun des spectacles.

Sans cesser de prêter attention aux propos qu'échangeaient Théberge et Duquai, Prose examinait la porte d'entrée de l'appartement, à sa gauche. De chaque côté, des reproductions identiques de gravures d'Escher couvraient la plus grande partie du mur.

— Dans le prochain extrait, poursuivit Duquai, il reconnaît avoir été témoin des quatre séries de meurtres. Tout en s'efforçant de se disculper, bien sûr.

Il relança l'enregistrement.

— En quoi consistaient les activités de ce théâtre ?

— On assistait à la mise en scène de fantasmes.

— Quel type de fantasmes ?

— Des formes non-violentes de domination.

— Non-violentes ?

— Les pseudo-victimes étaient consentantes.

— Consentantes à se faire tuer ?

— Pas à se faire tuer. C'étaient des simulations... Du moins, je pensais que c'étaient des simulations. Tout le monde le pensait... Je veux dire, c'était ce que c'était censé être : des simulations.

— Et maintenant, vous le croyez toujours ?

— J'en suis moins sûr.

Duquai interrompit de nouveau l'enregistrement.

— Par la suite, il décrit les quatre séries de meurtres. Il confirme que les hommes choisis comme victimes avaient tous le même type physique – petit, blanc, fragile – et qu'ils ont été tués par quatre femmes différentes, de quatre races différentes.

—A-t-il expliqué pour quelle raison les meurtres ont été mis en scène de cette façon ? Pourquoi quatre femmes différentes ont procédé aux exécutions ?

—À son avis, c'était une question d'esthétique. La maîtresse de cérémonie a toujours présenté ces exécutions simulées comme des événements artistiques.

—Il y en a eu d'autres ?

—Pas à sa connaissance. On leur a dit que c'était un nouveau concept. Que s'ils acceptaient de participer à cette première série de spectacles, ils profiteraient de prix de faveur pour les suivants.

—Vous a-t-il précisé en quoi consisteraient ces prochains spectacles ?

—Il n'en a pas la moindre idée.

Théberge et Prose profitèrent d'une pause dans la conversation pour reprendre une pâtisserie : Prose, un palmier ; Théberge, une brioche.

Chacun la prit d'un côté du plateau, comme s'ils avaient eu soin de ne pas perturber l'équilibre des pâtisseries restantes.

Duquai les imita en prenant un minicroissant, qui était juste au milieu.

—À mon avis, dit-il, cela confirme qu'il s'agit bel et bien d'un réseau de pornographie violente. Ce qui veut dire que la progression mathématique par arrondissement est un leurre. Et que l'histoire du tueur en série est une stratégie pour nous orienter sur une fausse piste.

Théberge semblait préoccupé.

—Quelque chose cloche… Comment les spectateurs ont-ils pu croire que les gens n'étaient pas réellement tués ?

Duquai sourit, heureux de voir Théberge attentif aux mêmes détails que lui.

—Je me suis fait la même réflexion, reconnut-il. J'ai un autre extrait à vous faire entendre.

— Vous n'avez pas réalisé que les victimes étaient réellement mises à mort?

— Pas du tout. On était persuadés que c'étaient des acteurs. D'ailleurs, aucun ne s'est débattu.

— Vous deviez pourtant voir qu'ils ne bougeaient plus.

— Cela faisait partie du spectacle. Ils étaient consentants à être étouffés jusqu'à ce qu'ils perdent conscience. On nous a dit que c'était pour cette raison que les spectacles coûtaient aussi cher. À cause des primes versées aux comédiens.

Duquai appuya sur le bouton PAUSE.

— J'ai tendance à le croire, dit-il. À l'exception de Guyon, toutes les victimes ont été droguées.

— Vous n'avez jamais parlé de ça.

— Les derniers résultats des analyses toxicologiques viennent juste de me parvenir. Selon toute vraisemblance, les neuf victimes étaient conscientes quand elles ont été étouffées. Mais elles étaient à peu près incapables de bouger.

www.france-inter.fr/player

— ... que je peux le comprendre. Mais pourquoi une telle inquiétude?

— On est en droit de se demander si l'arrestation de ce présumé meurtrier n'est pas une manœuvre pour calmer l'opinion publique. Veut-on nous cacher le fait que le tueur de petits blancs a de nouveau frappé? Et qu'il l'a fait dans le 5e arrondissement, conformément à la logique qu'il suit depuis le début? Ce sont des questions légitimes auxquelles...

TROP PROPRE

Le petit déjeuner chez Duquai s'achevait. Le témoignage de Thibau permettait de résoudre une grande partie de l'affaire.

On savait maintenant avec certitude où avaient eu lieu les crimes. Dans les coulisses du « théâtre », on avait retrouvé tous les accessoires et tous les éléments de décor liés aux meurtres, ce qui corroborait le témoignage de Thibau.

Ce dernier avait également fourni une description de chacune des quatre femmes. Il avait confirmé qu'elles étaient toutes de grande taille et d'origines ethniques différentes : une grande blonde aux yeux bleus, une Noire, une Asiatique et une Arabe.

Le rapport sur l'ADN de la femme responsable des quatre dernières exécutions, qui venait d'arriver, confirmait sa possible origine nord-africaine.

Il ne restait donc plus qu'à retrouver ces quatre femmes.

— Au moins, Leclercq va avoir quelque chose à donner au ministre, souligna Théberge.

Ayant déjà eu sa large part de problèmes avec les politiques, à l'époque où il travaillait au SPVM, il était particulièrement sensible aux difficultés de son ami.

— Il y a autre chose dont je voudrais vous parler, intervint Prose. Vous connaissez le journaliste Nicolas Roussel ?

— Il est assez connu, répondit Duquai.

Prose raconta alors les étranges spéculations qu'il l'avait entendu faire à la télé, la veille.

— Quatre femmes ? reprit Théberge. Très grandes ? De races différentes ?… C'est clair, quelqu'un le renseigne.

Prose et Théberge regardèrent Duquai.

— Je me porte garant des policiers que j'ai choisis pour m'aider dans cette enquête, répondit calmement ce dernier.

— Et les laboratoires ? demanda Théberge.

— J'ai réparti les analyses de manière à ce que personne n'ait de vue d'ensemble.

— Et si ça venait de Dumas ?

— Roussel annonçait des révélations depuis le matin sur Twitter. Dumas n'avait pas encore l'information.

La conclusion s'imposait : cette information venait du meurtrier.

— Je vais demander qu'on retrouve Roussel, lança Duquai en prenant son téléphone.

À peine eut-il le temps d'appuyer sur le premier chiffre que la sonnerie de l'appareil se manifestait.

— Oui.

Duquai écouta ensuite assez longuement.

— J'allais vous appeler… Non, ce n'est pas de la télépathie.

Le visage de Duquai prit brusquement un air plus attentif. Il écouta sans dire un mot pendant plus d'une minute.

— Bien. Maintenant, vous allez me convoquer Nicolas Roussel… Oui, le journaliste… Je sais très bien que convoquer un journaliste équivaut à courir après les problèmes. Il y a la liberté de la presse et tout ça. Mais vous le convoquez. 13 h 50. À mon bureau.

Il remit son téléphone dans la poche de son veston.

— Le département d'informatique confirme que les vidéos de chacune des séries de meurtres sont identiques. De plus, en les analysant, ils ont réussi à éclaircir l'image des spectateurs quand la caméra balayait la salle plongée dans la pénombre. Ils confirment la présence de 23 des personnes dont le nom apparaît sur la liste des membres. Cela corrobore le témoignage de Thibau.

Duquai recula sur sa chaise et regarda les autres avec un air modestement satisfait.

— On dirait bien qu'on avance, messieurs.

— Presque trop, répondit Prose.

Théberge se tourna vers lui.

— Qu'est-ce qui te tracasse ?

— C'est trop propre. Trop bien construit. Tout tombe en place exactement au bon moment. On dirait la finale d'un mauvais scénario, quand les indices et les preuves se mettent à débouler de partout. Je…

Prose hésita un moment, comme pour s'assurer de la meilleure manière d'exprimer une idée.

— Je reviens à ce que tu as dit l'autre jour, sur le fait que ça ressemble à une œuvre d'art. Ce que je sens, c'est que c'est une très belle pièce de théâtre qu'on nous propose. Très convaincante. Mais tout est fait pour qu'on ne découvre jamais qui est l'auteur de la pièce.

— J'ai eu une impression semblable quand on a trouvé le théâtre, dit Théberge. Tout était presque trop propre. Nettoyé, on aurait dit. Ou plutôt, mis en scène. Il y avait juste ce qu'il fallait pour prouver que c'était bien le lieu du crime. Et rien d'autre… C'était comme s'il ne s'était jamais rien passé dans ce théâtre, à part l'enregistrement de ces vidéos.

— Il y a aussi Alatoff Payne, ajouta Prose. Qu'est-ce qu'il vient faire dans cette histoire ?

DEUIL AU LONG COURS

Guyon trouvait difficile de faire le deuil de son fils. Il se demandait s'il pourrait un jour non pas oublier, mais simplement penser à la mort de son fils sans sentir ce déchirement dans sa poitrine, qui ressemblait à la fois à un étouffement et un éclatement.

Pourtant, Vincent n'avait pas été un fils facile à aimer. Et encore moins à élever. Il avait toujours eu besoin de tester les limites, autant celles de la loi que celles du simple bon sens.

Tout jeune déjà, il était fasciné par ce qui était hors norme, par ce qui était extrême. Pour le fils adolescent d'un banquier, élevé dans le luxe et le confort, la chose pouvait s'expliquer. Mais, pour Vincent, l'adolescence semblait ne jamais devoir s'achever.

À deux reprises, Guyon avait dû aller le chercher d'urgence à l'étranger.

Une fois à Bangkok. Il s'était fait prendre avec de la marijuana.

Bien sûr, c'était une arnaque. Bien sûr, le vendeur était de mèche avec la police. C'était courant. On payait le *bakchich* et on se promettait d'être plus prudent la fois suivante.

Mais Vincent en avait fait une question de principe : il avait refusé de payer les 20 000 bahts demandés. Il s'était alors retrouvé en prison, où on avait découvert que ses parents étaient riches. Pour le libérer dans l'attente de son procès, le juge avait fixé la caution à 500 000 bahts, soit plus de 11 000 euros. Et ce n'était qu'un début :

Guyon avait ensuite dû verser le triple de cette somme en pots de vin pour lui éviter la prison.

La fois suivante, c'était en Indonésie. Vincent s'était fait prendre avec une statuette non déclarée dans ses bagages. Il avait été accusé de trafic d'œuvres d'art.

Là encore, au lieu de payer, Vincent s'était indigné. Et, une fois de plus, Guyon avait dû se rendre sur place et distribuer des pots de vin pour faire libérer son fils…

En regardant le *Journal de 13 heures*, le banquier apprit que des progrès avaient été réalisés dans l'enquête sur le meurtre des petits hommes blancs.

> Les victimes auraient été sacrifiées dans le cadre de spectacles organisés par un club de pornographie violente. Il semble que les spectateurs de ces mises à mort, tout comme plusieurs des victimes, croyaient qu'il s'agissait de simulations. Par ailleurs, les victimes auraient été droguées avant d'être tuées. Cela explique qu'aucune ne se soit débattue, comme en font foi les enregistrements retrouvés sur place.
>
> Voici quelques images fixes tirées de ces vidéos. Nous vous prévenons que, sans avoir un caractère sexuel explicite, elles peuvent choquer plusieurs spectateurs.

Guyon ferma les yeux en apercevant la première image. Elle représentait un gros plan du visage de son fils, dont le cou et la gorge étaient coincés à l'intérieur d'une jambe repliée. Son visage était rouge et gonflé de sang.

> La police est à la recherche de quatre femmes de grande taille. Chacune de ces femmes serait responsable de l'une des séries de meurtres.
>
> Pour discuter avec nous de ces clubs de services sexuels extrêmes, j'ai le plaisir de recevoir aujourd'hui…

Faisant un effort pour surmonter sa douleur et sa colère, Guyon regarda l'émission jusqu'à la fin. Ce fut ainsi qu'il apprit que des clubs de ce genre étaient courants. Qu'il y en avait de plusieurs types: pour dominants, pour dominés, avec tous les degrés de violence physique, et qu'on les regroupait aimablement sous le nom de sexualité alternative.

Il écouta un spécialiste parler des études qu'il avait consacrées à la question, de l'intérêt qu'il prenait personnellement à la chose et de son site Internet, où on pouvait le joindre pour discuter en détail tel ou tel point de son exposé.

Il regarda ensuite l'animateur remercier le spécialiste pour l'éclairage profond et judicieux qu'il avait jeté sur ces événements troublants.

Puis, la pause pub amorcée, Guyon appela son ami le préfet.

LE PIANO VACHE

Prose entra au Piano Vache et traversa la première salle. Pas le moindre espace, sur les murs, qui ne soit couvert de microphotos, d'affiches ou de graffitis.

Il avança dans la deuxième salle et repéra Natalya, assise à une table, au fond. Elle avait commandé un demi.

Même une fois assis, Prose continua de balayer le mur des yeux.

— Tu n'étais jamais venu ici, je parie ? fit Natalya.

— Non. Toi ?

— J'y viens à l'occasion.

— C'est ouvert depuis longtemps ?

— 1969… Le lundi soir, il y a des spectacles *live*, fit Natalya. Les autres jours, ce sont des *deejays*. Ça varie selon les soirs. Pop, jazz manouche, succès des années 1980, punk rock… Mais les prix restent abordables. Et le mercredi, il y a la soirée gothique.

Quand le serveur vint s'enquérir de ce qu'ils voulaient, Prose commanda un demi et une assiette de saucisses/frites. Natalya, une salade.

Une fois le serveur reparti vers les cuisines, Natalya s'avança sur son siège.

— Il y a combien de temps, déjà ?

— Plus d'un an.

Les deux semblaient mal à l'aise. Natalya parce qu'elle craignait, en s'approchant de lui, de l'exposer aux mêmes dangers qu'elle. Surtout si elle se rendait en Roumanie… Prose parce qu'il avait trouvé leur séparation difficile et qu'il se demandait s'il ne se préparait pas à revivre la même chose.

Après une hésitation, Natalya confia :

— Récemment, j'ai effectué des recherches pour Gonzague. Le dossier sur lequel tu travailles avec Théberge.

— Il m'a dit…

— Je suis tombé sur un nom. Alatoff Payne.

— L'homme mystérieux qui a une sorte de jumeau ou de double ?

Natalya sourit.

— C'est ça.

— Pour quelle raison t'intéresses-tu à lui ?

— À cause d'une autre enquête sur laquelle je travaille. Une affaire privée.

— Pour un autre client que Gonzague ?

— Une affaire strictement privée. Cela concerne la Roumanie.

Natalya s'interrompit pendant qu'un couple se faufilait à côté de leur table.

— Les traces de l'existence de Payne s'arrêtent toutes il y a 27 ans, mentionna Natalya. À Bucarest. Dans un quartier qui a été presque complètement détruit par Ceausescu. C'était l'époque où ils rasaient des quartiers complets de vieilles maisons pour construire des blocs d'habitations identiques.

Elle lui expliqua le choc qu'elle avait eu quand elle avait appris que le serveur du courtier en informations qu'elle poursuivait était situé à proximité de ce quartier. Et le deuxième choc, quelques jours plus tard, quand elle avait découvert que la biographie de Payne remontait au même quartier… Quelle chance y avait-il que cela soit une simple coïncidence ?

— Tu es certaine de vouloir remuer tout ça ? demanda Prose.

— C'est l'endroit où a été assassinée une bonne partie de ma famille. Seules ma mère et moi avons survécu. Le responsable de ce massacre n'a jamais été retrouvé. Il a disparu lors du renversement de Ceausescu. Alors, si je peux…

Il y avait bien d'autres souvenirs que Natalya aurait pu lui raconter. Mais ceux-là suffiraient à justifier son intérêt dans cette enquête aux yeux de Prose. Combien de fois ne lui avait-il pas dit que la seule façon de se libérer de son passé, c'était de le regarder en face? De l'affronter.

Ils discutèrent quelques minutes encore de ce qu'avait été la vie de Natalya en Roumanie. Elle escamota les détails les plus sordides, ce qui n'empêcha pas Prose d'être horrifié de l'existence que menait sa famille sous la dictature du *Conducator*.

— Nous n'étions pas les plus mal nantis, protesta Natalya. Le soir, ma mère enseignait les maths et la physique. Pour préparer les élèves aux tests d'entrée à l'université. C'étaient des matières qui servaient de critères de sélection. Comme ses élèves avaient un taux de réussite élevé aux tests, les gens étaient prêts à payer un bon prix pour ses cours. On avait souvent de la farine, du sucre, de la viande…

— Elle se faisait payer en marchandise?

— La plupart du temps. À quoi sert d'avoir de l'argent quand il n'y a rien dans les magasins?… L'argent, c'était pour le marché noir. Ou pour que le boucher lui mette de côté une pièce de viande quand il en recevait. Ça évitait à ma mère de faire la queue pour arriver au comptoir quand il ne restait plus rien à acheter.

Inutile de lui dire que cette situation somme toute confortable avait brusquement cessé le jour où celui qu'elle appelait «le porc» était venu arrêter toute la famille. Le jour où ils avaient presque tous été tués, sauf sa mère, qui avait été épargnée à la condition que sa fille accepte d'entrer dans une école d'État. Une école qui était en fait un camp de formation pour assassins.

Leur conversation fut interrompue par l'arrivée de leur repas.

Après le départ du serveur, Natalya reprit.

— Je sais que Leclercq me cache des choses sur cette histoire de petits hommes blancs. Ce n'est pas par mauvaise volonté, mais il est tellement habitué à tout compartimenter. Il y a peut-être des détails qui m'éclaireraient… ou qui auront de l'importance pour comprendre ce qui se passe quand je serai en Roumanie.

Une demi-heure plus tard, Prose lui avait confié tout ce qu'il savait. Parce qu'il lui faisait confiance et qu'il était lui-même sensible à cette frustration, quand quelqu'un faisait obstacle à son besoin de savoir. Combien de fois n'avait-il pas pesté parce qu'on lui refusait une information à cause d'un règlement ou, plus exaspérant encore, parce que la personne qui la détenait voulait s'arroger une forme de supériorité en empêchant les autres de savoir ?

Natalya s'arrêta brusquement au milieu d'une phrase et mit la main dans la poche de son blouson. Son téléphone vibrait. Elle jeta un coup d'œil au message qui s'affichait puis rangea l'appareil.

Elle se leva, l'air décidée.

— Une urgence. Peux-tu régler pour moi ?

— Sûr. Mais on se revoit quand ? On a à peine eu le temps de parler !

Natalya hésita un instant, puis son expression s'adoucit.

— Tu as raison… 14 h 30. Au Café des officiers. C'est à côté du métro École militaire.

— Je connais.

— Si jamais je suis en retard, tu m'attends.

UN CRS SOCIALISTE

Théberge et sa femme déjeunaient au Roussillon, un bistro de quartier qu'ils avaient plus ou moins adopté comme choix par défaut quand ils n'avaient pas envie de se demander où aller.

Assis à une table près de la fenêtre, ils regardaient les clients, sortis sur le trottoir le temps de griller une cigarette, le col relevé, qui tentaient de se défendre contre le vent froid.

— Ta pipe te manque ? demanda madame Théberge.

— Un peu…

Tout en parlant, madame Théberge chipotait dans son assiette. Une salade campagnarde.

— Je ne pourrai jamais manger tout ça, dit-elle. En tout cas, pas si on veut partir à temps pour l'exposition.

Théberge leva les yeux.

— Tu n'es pas obligée de tout manger.

— Tu sais que ça me dérange, jeter de la nourriture.

Autour d'eux, les clients ne semblaient parler que de la grande femme retrouvée assassinée, aux petites heures du matin.

> — Une sorte de culturiste, il paraît. Une géante. Elle faisait presque deux mètres.
>
> — Des balles pour le gros gibier, qu'ils ont dit. Dans le dos. Elle n'a rien vu venir.
>
> — Moi, tant qu'à mourir, c'est comme ça que…
>
> — Sur le site de France Inter, ce matin.
>
> — MBO ?
>
> — Les Machos blancs occidentaux. Le groupe a revendiqué l'attentat. Œil pour œil. C'est ce qu'ils promettent

— Tu étais au courant ? demanda madame Théberge.

— Non.

— Tu penses que c'est lié à votre affaire ?

— Probablement.

Théberge décida de prêter une oreille plus attentive aux conversations. À la table à côté de la leur, deux hommes discutaient avec passion.

> — Les hommes blancs occidentaux sont victimes de toutes les minorités. Contre eux, la chasse est ouverte toute l'année. Permis illimité ! Mais quand ils se défendent…
>
> — C'est la raison pour laquelle tu votes Front national ? Un parti dirigé par une femme !
>
> — Une femme qui a plus de couilles que tous tes socialistes mis ensemble ! Si ce n'est pas une honte ! Un

CRS comme toi qui vote socialiste ! Tu ne vas pas me dire que tu es fier de ton président !

— Tu préfères des illuminés de l'extrême droite qui tirent dans le dos des femmes ?

— Ne me fais pas dire ce que je n'ai pas dit. Je n'approuve pas ce genre de violence. Je suis un pacifiste… Mais je comprends.

— Tu comprends que dalle.

— Je comprends que les Français sont exaspérés. Tu n'es pas exaspéré, toi, avec tout ce qui se passe ?

— C'est sûr… Entre la droite qui nous vole, la gauche qui ne fout rien et le centre qui est en train de disparaître…

— Tu vas voir, ils vont le retrouver vite fait, le tueur de la géante. Bien avant les tueuses de nains !

— Non, mais tu t'entends ? Le tueur de géantes ! Les tueuses de nains !… Et quoi, encore ? C'est ça que tu leur enseignes, à l'université ?

— On verra bien.

— Et pour quelle raison ils les retrouveraient avant ?

— Parce que tuer des femmes, c'est toujours plus grave.

— C'est du grand n'importe quoi !

Le CRS se tourna vers le serveur derrière le comptoir.

— Philippe, tu nous remets ça.

Il avait accompagné sa commande d'un geste qui englobait son verre vide et celui à moitié plein de son vis-à-vis.

Théberge songeait à toutes les discussions du genre qui devaient se tenir dans les cafés de la ville, dans les bureaux, dans les maisons.

Même si la condamnation du MBO était majoritaire, quelques milliers d'individus, peut-être quelques dizaines de milliers, devaient certainement croire que cela envoyait un signal intéressant aux politiques. Et parmi ceux-là, quelques centaines seraient tentés de s'impliquer. D'ajouter leur grain de sel dans la lutte contre la tyrannie des femmes. Et au milieu de ces derniers, quelques-uns voudraient probablement reprendre à leur compte l'initiative du MBO.

Du plus loin qu'il se souvenait, c'était ce que Théberge avait toujours craint le plus. Le caractère contagieux de la bêtise.

Il se leva.

— Je sors un instant.

Devant le regard interrogateur de sa femme, il ajouta :

— M'aérer le cerveau.

www.leparisien.fr/politique/denonciation-du-ministre-de…

DÉNONCIATION DU MINISTRE DE L'INTÉRIEUR
PAR LA GAUCHE RADICALE

Jérôme Delannoy

Dénoncé par la gauche radicale pour avoir instrumentalisé politiquement l'affaire des petits hommes blancs, le ministre de l'Intérieur, Charles Tanguay, s'est refusé à tout commentaire, jugeant préférable, a-t-il dit, de «consacrer ses énergies à traquer les fauteurs de violence qui sévissent dans nos rues, plutôt qu'à envenimer la situation avec des propos incendiaires»…

La suite

PRÉSUMÉ MORT

Au Café des officiers, Prose avait choisi une table sur la terrasse chauffée, un peu à l'écart. Il venait juste de commencer à examiner la carte quand Natalya s'assit devant lui.

— Des développements plus rapides que prévu, annonça-t-elle.

— Des développements importants ?

— J'ai le numéro du portable qui a servi à appeler Roussel. Le journaliste à qui les meurtriers transmettaient des informations.

— Tu sais à qui il appartient ?

— C'est une carte prépayée. Le client a donné un faux nom au préposé.

Le serveur arriva enfin à leur table. Difficile d'avoir l'air plus déçu que lui quand Prose demanda un simple verre de saint-émilion et Natalya une tasse de thé.

Après avoir pris leur commande, il se dirigea vers la table derrière Natalya et il entreprit une discussion animée avec un client, visiblement un de ses amis. Aller chercher le verre de saint-émilion et le thé semblait très loin dans sa liste de priorités.

— Autrement dit, on n'est pas plus avancés, constata Prose tout en gardant un œil sur le serveur. Si on ne peut pas remonter au propriétaire…

— Au propriétaire, non. Mais à son appartement, par contre…

Un sourire amusé éclairait le visage de Natalya. Elle observa quelques instants l'air perplexe de Prose avant d'ajouter :

— J'ai les coordonnées GPS des appels faits sur le téléphone. Une fois éliminés les lieux publics, il reste un seul appartement privé.

Pour elle, la suite des événements s'imposait : il fallait examiner cet appartement au plus tôt. Si possible à l'insu de son propriétaire, mais la chose n'était pas indispensable.

Ce que Natalya s'abstint cependant d'expliquer à Prose, c'était que l'une des voix qui avaient appelé Roussel avait pu être identifiée. L'empreinte vocale était celle d'une personne présumée morte. Une personne jadis liée à Hogue.

Le serveur finit par leur apporter leurs consommations, après quoi il alla carrément s'asseoir avec son ami. Une fois installé, il se servit un verre de champagne.

Prose jeta un regard à la serveuse responsable de l'autre partie de la terrasse, qui tentait tant bien que mal de couvrir les deux sections.

Puis il proposa à Natalya de l'accompagner dans cette visite.

— C'est ce que j'allais t'offrir, répondit-elle.

— Vraiment ?

— Je ne sais pas ce qu'on va trouver. Si jamais je dois partir rapidement pour suivre une piste, tu pourras raconter à Leclercq ce que nous avons découvert.

L'alibi était commode. Mais elle ne se leurrait pas. Elle savait bien que d'autres motifs étaient intervenus dans sa décision d'impliquer Prose dans son enquête. Que c'était surtout une façon de passer du temps avec lui.

Quand Prose et Natalya s'arrêtèrent devant le numéro 22 de la rue Jean-Nicot, ils furent photographiés à plusieurs reprises à leur insu.

S'ils avaient prêté attention à la femme, de l'autre côté de la rue, ils l'auraient probablement prise pour une touriste américaine. Elle en avait l'attirail caricatural. Des verres fumés, un blouson « *I love Paris* », un fichu de couleur criarde qui retenait ses cheveux, un sac en bandoulière, un plan de Paris qui dépassait de la poche de son blouson, des espadrilles… et un téléphone avec lequel elle prenait des photos.

Inconsciente de l'intérêt que leur portait la touriste, Natalya appuya son iPhone contre le lecteur de digicode de l'entrée. Quelques secondes plus tard, une série de chiffres et de lettres s'affichait sur l'écran du téléphone.

01B64.

Au même moment, la porte se déverrouillait.

— C'est une application standard sur le iPhone ? demanda Prose.

— C'est le nouveau iPhone 26D. Il n'est pas encore officiellement en vente.

— D, c'est pour déverrouillage, j'imagine.

— Une blague d'une amie. Elle travaille en crypto. C'est elle qui a conçu l'application.

— Ça ne vient pas de l'un de tes ex ?

Prose semblait étonné.

— Mes ex ne sont pas seulement des hommes.

Ils se rendirent au fond de la cour intérieure, entrèrent dans l'édifice B et montèrent au deuxième étage.

Parvenus sur le palier, ils se dirigèrent vers la gauche et entrèrent dans l'appartement du fond, ce qui exigea près d'une minute, le temps que Natalya se débrouille avec la serrure.

Un salon-salle à manger, une chambre, une microcuisine et une salle de bains.

Exception faite d'un ordinateur portable posé sur une table basse, devant le divan de la partie salon, l'appartement avait l'air inhabité, ce que confirma un rapide examen des lieux.

Natalya s'empara de l'ordinateur portable et ils sortirent.

S'OCCUPER DE PROSE

Adossée à la façade d'un édifice, Sandrine gardait son iPhone collé contre son oreille gauche. Elle ne parlait à personne, mais cela faisait une bonne couverture.

Quand elle vit Prose et Natalya sortir du 22 Jean-Nicot, de l'autre côté de la rue, elle appela Hillmorek.

— Ils viennent de sortir.

— Ils sont restés combien de temps ?

— Une vingtaine de minutes.

— On peut donc raisonnablement penser qu'ils ont découvert ce que vous aviez préparé pour eux et qu'ils vont le transmettre aux amis de Prose ?

— C'est probable.

— Bien. Assurez-vous que ce soit effectivement le cas. Dès que vous en êtes certaine, occupez-vous de Prose.

— D'accord.

Tout en suivant de loin Natalya et Prose, Sandrine se demandait ce que l'homme de Bucarest pouvait bien penser de tout ça.

Derrière elle, le dolichocéphale la suivait tout en affectant de ne pas la regarder.

TROP CHORÉGRAPHIÉ

Attablés devant un thé et un café crème au Lutetia, Prose et Natalya examinaient le contenu du portable.

L'opération fut rapide. Le disque dur de l'appareil était presque vide.

Dans le dossier « réception » du logiciel de courriel, ils trouvèrent quatre messages. Tous dataient de moins d'une semaine. Le contenu de chacun se résumait à une photo. Le cadavre d'une femme. On pouvait y reconnaître sans difficulté les quatre femmes qui apparaissaient dans les vidéos. Les quatre femmes qui avaient exécuté les petits hommes blancs.

Les messages provenaient de Stockholm, Bangalore, Bangkok et Dakar.

— Des contrats, dit Prose. Les quatre femmes ont été assassinées. Les photos, c'était la preuve que le travail avait été effectué.

— Une autre piste de coupée.

— À moins qu'on ne puisse remonter à l'expéditeur de l'une des photos.

— Tu y crois vraiment ?

Dans un autre dossier, ils découvrirent des courriels plus anciens, archivés sous forme de PDF. Plusieurs étaient en écriture cyrillique. L'un d'eux contenait quatre photos extraites des vidéos montrant la mise à mort des petits hommes blancs.

Natalya traduisit pour Prose le court texte associé à chacune des photos. On y mentionnait le type de vidéo dont il s'agissait, sa longueur, son prix de vente ainsi que l'âge allégué des victimes. De 13 à 16 ans.

— Ça explique le maquillage, dit Prose. Ils veulent les vendre comme des exécutions d'adolescents.

— Ce serait donc une affaire de pédophilie…

Le ton de Natalya disait qu'elle avait de la difficulté à accepter cette hypothèse.

— Si c'est du *snuff*, reprit-elle, pourquoi n'ont-ils pas simplement fait disparaître les corps ? Pourquoi toute cette mise en scène ? Toute cette publicité dans les médias ? Pourquoi faire en sorte qu'on découvre l'identité réelle des victimes ? C'est totalement illogique.

— Tu as raison quand tu parles de mise en scène. Une fois encore, on a trouvé un appartement complètement nettoyé, avec rien d'autre qu'un ordinateur, en grande partie nettoyé lui aussi. Un ordinateur sur lequel il y avait juste ce qu'il faut pour désigner un coupable totalement inaccessible, la mafia russe. Tout est très… "chorégraphié". Je pense que cette histoire de mafia russe est une manœuvre pour nous refiler un coupable qui fait l'affaire de tout le monde.

— Pourquoi feraient-ils ça ?

— Pour arrêter l'enquête. Avec les mafias de l'Est, toute l'affaire retombe dans l'insignifiance des crimes ordinaires. Il suffira que les crimes s'arrêtent pour que les médias passent à autre chose.

— Et le principal responsable est à l'abri. Ça se tient.

— Penses-tu que les coordonnées GPS des appels étaient plantées uniquement pour nous amener ici ? Si on ne les avait pas trouvées, tout leur plan tombait à l'eau.

— Peut-être avaient-ils un plan B ?

Après un moment de réflexion, Prose sembla parvenir à une conclusion.

— On n'a pas le choix. Il faut donner l'ordinateur aux deux Gonzague.

— D'accord. Mais avant, j'aimerais revoir tout ça tranquillement.

Prose commanda un deuxième thé et un autre café crème pendant que Natalya relisait tous les courriels.

Quand elle eut terminé, elle tourna l'appareil vers Prose.

— Tu as trouvé quelque chose ? demanda-t-il.

Mal à l'aise de mentir, elle préféra ne pas répondre à la question.

Dans un des courriels expédiés au distributeur russe de pédopornographie, l'adresse était en Roumanie. Cela commençait à faire beaucoup trop de coïncidences.

— Tu as raison, dit-elle finalement. Le mieux est de remettre l'ordi aux deux Gonzague.

— Les politiques vont pouvoir dire que l'enquête progresse, que les quatre femmes responsables des meurtres sont mortes et que toute l'affaire est en voie d'être résolue.

— Mais que la personne qui a tout organisé continue de leur échapper.

Au sortir du musée du Luxembourg, Théberge et sa femme décidèrent de casser la croûte chez Angelina, dont l'entrée était située de façon stratégique à côté de la sortie du musée.

La visite avait laissé madame Théberge épuisée. L'aménagement du parcours, constitué en bonne partie de corridors étroits où les visiteurs s'agglutinaient devant les tableaux, avait été une épreuve difficile.

Par chance, quand ils étaient dans la file d'attente, un membre du service d'ordre du musée avait aperçu la canne de madame Théberge. Il était venu les chercher et leur avait évité une heure et demie de lent piétinement jusqu'à l'entrée.

— Tu regrettes la visite? demanda Théberge.

— Non. J'ai beaucoup aimé l'exposition… Il y avait trop de toiles pour l'espace, on ne pouvait pas prendre de recul…

— Ni même voir certaines toiles, ajouta Théberge avec humeur. Il y avait toujours deux ou trois rangées de spectateurs entassés juste devant, le nez sur les tableaux.

— Mais c'était quand même bien. Je n'avais jamais vu…

— … ou entrevu…

— … autant de Chagall. Je ne savais pas que sa peinture était aussi marquée par la guerre.

Théberge avait également été frappé par cet aspect de l'exposition. L'alternance entre les œuvres de paix et les œuvres de guerre. Et tout ce symbolisme codifié…

Se pouvait-il que les meurtres des petits hommes blancs relèvent du même genre de logique? Que les meurtres soient à interpréter comme des allégories?

De quoi étaient-ils le symbole?

Les victimes étaient des hommes blancs occidentaux. Et ils étaient morts étouffés. Qu'est-ce qui étouffait les hommes blancs? Pourquoi les avait-on choisis petits?

Il y avait aussi le fait qu'ils avaient tous été tués par une femme. Y avait-il là un message ? L'homme occidental serait assassiné par les femmes ? Était-ce là ce que le tueur voulait montrer ?

Théberge se souvenait de ce que Prose lui avait déjà raconté sur la féminisation des mâles par le rejet de différentes substances chimiques dans l'environnement.

Mais pour quelle raison les victimes auraient-elles été tuées par des femmes d'origines ethniques différentes ? Pour composer un échantillon représentatif de la planète ? Un échantillon qui regrouperait également les principales des minorités, d'ailleurs : sexuelles, raciales, culturelles…

Était-ce là le symbole ? L'homme blanc occidental comme oppresseur de la majorité, étouffé par l'alliance des différentes minorités ? Allait-on assister au triomphe de la dictature des minorités ? De toutes les minorités ?

L'idée lui arracha une moue de contrariété.

Décidément !… Il valait mieux laisser ce genre de supputations à Prose. Quant à lui, il s'en tiendrait à faire son boulot : chercher des indices. Ou mieux : se concentrer sur le type d'indices qu'il fallait chercher.

Néanmoins, il toucherait un mot de ses « supputations » à Prose et à Leclercq.

— Terminé ? demanda madame Théberge avec un sourire légèrement amusé.

— Euh… oui.

— Où étais-tu ?

— Le boulot.

Quelques minutes plus tard, ils avaient fini leur dessert : lui, son choc africain ; elle, sa tartelette au citron.

À la sortie, malgré sa fatigue, madame Théberge prit le temps d'acheter plusieurs boîtes de poudre de cacao à la boutique, pour ses sœurs et ses belles-sœurs.

Coppée se rendit chez son ami Guyon. Avec tout ce qui avait déferlé dans les médias, prendre le temps de lui parler était la moindre des choses.

— De notre côté, il n'y a pas eu de fuites, assura-t-il. Les gens impliqués dans l'enquête ne sont pas en cause.

— Qui, alors ?

— Ceux qui sont responsables des crimes. Ce sont eux qui tuyautent les journalistes.

Guyon vida son verre de scotch, s'en versa un autre.

— La conclusion de l'affaire approche, affirma Coppée.

— Tu es sûr ?

— Leclercq vient de m'appeler. Les choses ont bougé au cours des dernières heures.

— Tout ce que je souhaite, c'est que ça finisse. Chaque jour, je me lève en me demandant quelle nouvelle image de Vincent va circuler dans les médias !

— Cette affaire sera rapidement oubliée. Ton fils est une victime. Il n'a rien à se reprocher.

— Mais il a quand même fréquenté de drôles de milieux.

— Chaque génération doit faire ses folies en croyant qu'elle est en train de s'émanciper. Nous-mêmes, à leur âge…

Un sourire passa brièvement sur le visage de Guyon. Puis il ajouta, découragé :

— Maintenant, il ne suffit plus d'élever ses enfants. Il faut aussi composer avec leurs gaffes durant leur vie d'adultes. Et protéger leur mémoire une fois qu'ils sont morts… On est coincé entre des parents déclinants dont il faut prendre soin et des enfants jamais adultes, dont il faut aussi prendre soin. Il y a certainement quelque chose que l'on n'a pas fait correctement !

Après un moment de silence, il demanda à Coppée :

— Cette espèce de club, vous avez la liste des membres ?

— Oui.

— Des gens connus ?

— Je n'ai pas la liste complète, mais Leclercq m'en a nommé quelques-uns. Ils sont assez connus pour que le ministre marche sur des œufs.

— Je me demandais…

Coppée comprit subitement le vrai sens de la question de Guyon.

— Vincent n'en faisait pas partie. C'est une des premières choses que Leclercq m'a dites.

#GÉANTESTUEUSESETQUOIENCORE ?

Diogene Karma@diokarm
Des féministes terroristes ? De toutes les races ? Qui tuent dans un théâtre !
#géantestueusesetquoiencore

Cécile Boutin@celbout
@diokarm Des féministes Benetton !
Toutes couleurs unies ! ;-))

Diogene Karma@diokarm
@celbout Ils inventent n'importe quoi !

Lucie Dorval@lucido
@diokarm @celbout Quelqu'un de haut placé est sûrement impliqué.
C'est pour ça qu'ils magouillent pour tout garder secret.

Cécile Boutin@celbout
@diokarm @lucido Ce genre de théâtres pour pervers, vous saviez que ça existait ?

Lucie Dorval@ lucido
@celbout En tout cas, pour cacher des magouilles… @diokarm

PISTE EN FORME D'ENTONNOIR

À la suite de la découverte de l'appartement de l'informateur de Roussel, Leclercq avait convoqué Prose et Théberge au Chai de l'Abbaye. Ils occupaient une table au fond de la salle à manger. Sur son iPad, Leclercq leur montra une compilation de titres provenant de journaux, de bulletins d'information électroniques...

Les médias, chacun selon leur orientation politique et leur clientèle cible, rivalisaient de titres percutants pour traduire les dernières révélations.

LES QUATRE AMAZONES DE LA MORT
DE NOUVEAUX DÉGUSTATEURS D'AGONIES
LA DÉPRAVATION SEXUELLE DES NANTIS
LE THÉÂTRE DE LA MORT
TUER POUR JOUIR
LA FIN DE LA CHASSE AUX HOMMES BLANCS?

— Jusqu'à maintenant, remarqua Leclercq, tout était centré sur les petits hommes blancs. Cela semblait être le cœur de l'affaire. Maintenant, je n'en suis plus aussi sûr.

— Parce que les quatre femmes ont été éliminées? demanda Théberge.

— Oui. Et parce que les preuves qui incriminent les mafias de l'Est sont manifestement plantées.

— Vous avez raison, approuva Prose. Ce n'est pas une piste, c'est un entonnoir! On n'a qu'à se laisser aller pour être entraînés vers la conclusion prévue. C'est sûrement ce que va faire Dumas.

— Les quatre femmes sont mortes, réfléchit Leclercq. Roussel est mort. Quelqu'un fait le ménage.

— Mais nous avons Thibau, dit Prose.

— Qui est probablement demeuré vivant parce que son rôle était de nous conduire au Club 51, ce qui nous a permis de trouver toutes ces preuves... Le plus embêtant, c'est que la perquisition a été presque entièrement filmée. Les caméras sont parmi les dernières choses que nos agents ont découvertes.

Théberge, qui écoutait la discussion tout en continuant à regarder les photos, releva la tête et regarda Leclercq.

— Si ce que tu dis sur le rôle de Thibau est vrai, je ne parierais pas sur sa survie. Maintenant qu'ils savent qu'il a rempli son rôle…

— Tu as probablement raison. J'ai recommandé à Duquai de lui assurer une protection 24 heures sur 24.

INTERCEPTION À UN COIN DE RUE

Peu après avoir tourné le coin de la rue Jean-Nicot, Théberge fut intercepté par deux policiers.

Vingt minutes plus tard, il était dans une salle d'interrogatoire, au Quai des Orfèvres, à la direction générale de la Police judiciaire.

On le laissa seul dans la pièce. Pour qu'il ait le temps de s'inquiéter, sûrement. D'essayer de comprendre. D'imaginer tous les scénarios.

Laisser mijoter le prévenu…

Théberge avait beau connaître la technique pour l'avoir lui-même utilisée, il ne pouvait s'empêcher d'en éprouver la redoutable efficacité.

Le cerveau humain a besoin de comprendre l'environnement dans lequel il se trouve. C'est une condition de survie. Alors, quand il est plongé dans l'inconnu, il invente. Il échafaude des hypothèses. Il s'acharne à essayer de comprendre…

Le plus probable était l'erreur sur la personne. Mais il y avait aussi la possibilité que ce soit lié à son travail avec Leclercq. Comment? Il n'en avait pas la moindre idée.

Et pendant qu'il s'efforçait de comprendre, il pensait à sa femme. Elle s'inquiéterait de son retard. Elle imaginerait peut-être tous les accidents susceptibles de lui être arrivés… Un infarctus, un ACV, une chute devant le métro… Un conducteur qui a perdu le contrôle de sa voiture et qui fonce sur le trottoir, un empoisonnement dans un resto…

Le pire, c'était qu'il n'y avait même pas moyen de savoir l'heure. On lui avait confisqué tous ses effets personnels.

Après un temps qu'il estima à plus d'une heure, la porte s'ouvrit. Deux policiers entrèrent.

Ils le questionnèrent d'abord sur son identité et les motifs de sa présence à Paris. Puis ils s'intéressèrent à la raison pour laquelle il se trouvait à la terrasse des Chimères, quelques minutes après la découverte des quatre petits hommes blancs assassinés, dans le carrousel.

— J'étais avec un ami.

— Son nom?

— Norbert Duquai.

— Vous avez les coordonnées de ce monsieur Duquai?

Théberge hésita avant de répondre.

Le policier qui était resté debout, en retrait, le mit en garde.

— Je vous rappelle que toute réponse mensongère ne ferait qu'aggraver votre cas.

— Comment ça, aggraver mon cas?

— Les meurtriers ont tendance à retourner sur les lieux de leur crime. Surtout les meurtriers en série. Cela satisfait leur ego de voir toute l'agitation qu'ils provoquent.

— Vous êtes cinglé, ou quoi? J'ai été policier pendant plus de 30 ans!

— Vraiment?

Il consulta ses notes.

— Vous avez pourtant déclaré être retraité.

— Retraité de la police.

— Pour quelle raison avez-vous dissimulé le fait que vous avez déjà fait partie des forces policières?

Théberge contrôla avec difficulté son besoin de les envoyer promener.

— Je n'ai rien dissimulé. J'ai simplement pensé que cela n'avait pas d'importance. J'ai présumé que vous traitiez tous les citoyens également, quelle que soit leur profession.

— Bien entendu. Mais certains actes sont perçus comme plus répréhensibles quand ils sont commis par des représentants des forces de l'ordre.

— Quels actes ?

— Le meurtre de quatre personnes, par exemple.

— Vous êtes ridicule !

— Donc, vous niez être impliqué de quelque manière que ce soit dans ces crimes ?

Théberge hésita de nouveau.

Car il était impliqué dans ces crimes. Comme enquêteur. Mais l'avouer équivalait à incriminer Leclercq.

— Si on en revenait à ce monsieur Duquai, reprit le policier assis à la table, devant lui. Quel est son métier ?

Malgré ses réticences, Théberge savait qu'il devait répondre franchement à cette question. Duquai était connu. Le matin, il avait même parlé à Dumas.

— Il travaille à la DGSI.

— Vraiment ? Et vous, vous l'assistez, sans doute ? Une façon de meubler le vide de la retraite…

— Norbert est un ami. Nous devions passer la journée ensemble. Il a entendu l'annonce du meurtre à la radio et il a foncé sur les lieux du crime. Il disait avoir un renseignement à vous communiquer.

— Vraiment ?

— Je n'ai aucune idée de ce que c'était. Mais il a parlé à quelqu'un, sur la scène de crime, pendant que je l'attendais à la terrasse.

— Selon nos informations, vous seriez également un ami du supérieur de l'agent Duquai, Gonzague Leclercq. Je remarque aussi que vous portez le même prénom. Il y a une raison ?

— Aucune. Je l'ai connu dans un colloque international. Nous avons ensuite effectué quelques voyages de pêche ensemble.

— Dans les grands espaces sauvages du Québec, j'imagine ?

— Comme vous dites, répondit Théberge en faisant la moue.

Il rêvait du jour où un Français l'aborderait en lui parlant d'autre chose que de l'hiver, du froid et des grands espaces. Ou de son accent.

— Vous êtes sûr de ne pas travailler pour lui ?

— Bien sûr que non.

— Cela vous est déjà arrivé, pourtant.

— Je n'ai jamais travaillé "pour" lui. Par le passé, nous avons collaboré à quelques reprises : il s'agissait de cas où des criminels opéraient à la fois en France et au Québec.

— Et maintenant, vous ne collaborez plus avec lui ?

— Je suis à la retraite.

— Même pas une petite collaboration à temps partiel pour occuper vos temps libres ?

— Mon épouse se remet des séquelles d'un attentat. Elle est en réadaptation. Je passe tout le temps que je peux avec elle.

— C'est touchant. Mais il reste que vous étiez à la terrasse des Chimères. Et pas avec votre femme. Que faisiez-vous là ?

— Je vous l'ai dit, je devais passer une partie de la journée avec Duquai. Il voulait me montrer des endroits à visiter susceptibles d'intéresser ma femme.

— Je ne savais pas que la DGSI avait une section "guide touristique".

— D'une part, Duquai ne travaille jamais avant 9 h 30. D'autre part, son supérieur l'autorise à avoir un horaire flexible.

— Ce supérieur, c'est votre ami Leclercq ?

— Oui.

— Qui se trouve être une sorte de directeur adjoint à la DGSI ?

— Oui.

— Eh bien, je crois que nous en avons assez pour le moment.

Le policier ferma son calepin de notes et se leva.

Théberge se leva aussi.

— Si vous n'avez plus besoin de moi…

— Je vous place en garde à vue.

— Mais… pourquoi ?

— On n'est jamais trop prudent. Dans ma position, vous feriez la même chose.

— C'est ridicule.

— On se reverra sans doute demain.

— Vous voulez dire que je vais passer la nuit ici ?

— C'est le principe de la garde à vue. On vous garde à notre vue.

— Il faut que j'appelle mon épouse.

— Cela ne fait pas partie de vos droits.

— Et vous ne m'accusez de rien ?

— On peut vous détenir 48 heures sans avoir à porter d'accusations. Au bout des 48 heures, il faut vous présenter à un juge ou vous relâcher. L'idée, c'est d'empêcher les prévenus de communiquer avec leurs complices pour les prévenir ou pour "harmoniser" leurs versions des faits.

— Si je ne lui téléphone pas, elle va s'imaginer le pire.

— Je suis désolé, je ne peux pas faire d'exception.

QUIZ/CATASTROPHES

Pour se changer les idées, Prose avait travaillé une dizaine de minutes sur les *Naufragés du Juskoboutistan*. Puis il avait laissé tomber.

Ses recherches n'aboutissaient à rien. Tout ce qu'il avait réussi à obtenir, c'étaient quelques références et un compte rendu critique dans les journaux et les revues de l'époque, deux mentions de l'ouvrage dans des travaux académiques et quelques allusions dans des correspondances.

Sa seule découverte importante, depuis qu'il était à Paris, c'était un plan détaillé du livre. Il l'avait trouvé joint à une lettre inédite d'un officier français mort en Allemagne pendant la Seconde Guerre mondiale ; sa correspondance avait récemment été mise en vente par le petit-fils d'un général allemand et la Bibliothèque nationale venait de s'en porter acquéreur.

À lui seul, le plan faisait plusieurs feuillets. Mais le plus surprenant, c'était la lettre. L'officier français semblait avoir bien connu l'auteur. Dans cette lettre à un ami, il citait de longues déclarations de l'auteur sur ses intentions, ses choix d'écriture, le ton qu'il voulait donner au livre…

En se basant sur ces deux textes ainsi que sur les commentaires qu'il avait glanés ici et là, Prose aurait presque pu réécrire le roman.

Mais le manuscrit lui-même lui échappait. Pas le plus petit feuillet. Quelqu'un s'était vraiment acharné à tout faire disparaître. Et ce quelqu'un était probablement cet acheteur dont lui avait parlé le libraire, celui qui était disposé à acheter tout ce qui était disponible, quel qu'en soit le prix.

À l'instant où Prose refermait le dossier, un carré rouge apparut dans le coin supérieur de l'écran, puis se mit doucement à pulser.

Un nouveau commentaire sur son blogue.

Il l'ouvrit avec le pressentiment que ce serait Phénix.

Ce qui était le cas.

> Je ne vous en veux pas de me négliger. Je sais que vous avez présentement d'autres priorités. Ne serait-ce que vos recherches sur le Juskoboutistan et le soutien que vous accordez à votre ami Théberge, en ces temps difficiles pour lui et sa femme.

Prose interrompit sa lecture.

Comment son correspondant pouvait-il savoir ? Avait-il infiltré son ordinateur ?

Bien sûr, ses relations avec Théberge étaient connues. Quant à ses recherches sur le Juskoboutistan, il avait posté quelques appels à tous sur son blogue.

Néanmoins, Prose n'arrivait pas à se départir d'un certain malaise, car son interlocuteur avait pris soin de se renseigner sur sa vie privée.

> J'estime toutefois notre discussion suffisamment importante pour que nous la menions à terme. Du moins, à un certain terme. Aussi, pour vous faciliter les choses, je vous soumets un formulaire, en pièce jointe. Vous n'avez qu'à cocher les cases appropriées (OUI ou NON) pour signifier votre assentiment ou votre désaccord avec les différentes affirmations.

Prose ouvrit le document avec une certaine mauvaise humeur. Il détestait ce type de procédure par laquelle on prétend enfermer la pensée dans des choix binaires.

	oui	non
Le climat continuera de se réchauffer, notamment à cause des pays pauvres qui voudront rattraper leur retard industriel.	❏	❏
La population mondiale continuera d'augmenter, particulièrement dans les mégalopoles et les zones les plus pauvres de la planète.	❏	❏
Les incidents climatiques iront s'aggravant.	❏	❏
Aucune régulation mondiale efficace de l'anarchie financière ne verra le jour.	❏	❏
Démographiquement, l'Occident est voué à la marginalisation et/ou l'assimilation.	❏	❏
Il est probable que, dans un avenir pas si éloigné, l'un des 20 pays qui disposent de l'arme nucléaire se sentira en droit de l'utiliser.	❏	❏
Les mafias et autres groupes criminels auront une emprise croissante sur l'économie et la vie politique.	❏	❏
La montée de l'Islam produira des tensions majeures en Europe.	❏	❏
Un retour des grandes épidémies est probable.	❏	❏
Partout, l'écart entre les riches et les pauvres continuera de s'accentuer.		
La guerre pour accaparer et conserver les ressources va s'amplifier.	❏	❏
La démocratie de type libéral ne pourra se maintenir que par une surveillance généralisée.	❏	❏
Le terrorisme et les autres formes de guerres asymétriques vont se répandre et se banaliser.	❏	❏

Après une première lecture, Prose n'avait coché aucune réponse.

Il devait admettre qu'il était difficile, rationnellement, d'être en désaccord avec ce que le questionnaire de Phénix tendait à démontrer.

Pourtant, quelque chose en lui se révoltait à l'idée de lui donner raison.

Il avait consacré une trop grande partie de sa vie à l'étude de la rationalité pour ne pas savoir sur quelles simplifications de la réalité elle reposait. Il avait trop étudié l'histoire pour ignorer que des éléments purement irrationnels pouvaient faire voler en éclats les prévisions des modèles théoriques les plus sophistiqués… et censés être les plus sûrs.

Dans quoi s'était-il embarqué ? Ou, plutôt, dans quoi Phénix voulait-il l'embarquer ?

http:/blog.herbiedebellegrave.fr/la-mort-opp…

LA MORT OPPORTUNE D'UN JOURNALISTE

Des faits troublants entourent la mort de Nicolas Roussel. Que faisait le journaliste sur un banc du Jardin des Tuileries, aux premières heures du jour, lui qui travaillait jusqu'au milieu de la nuit et qui se levait toujours tard ? N'est-il pas étrange qu'il ait fait une crise cardiaque, alors que son médecin, la semaine précédente, venait de le déclarer en parfaite santé ? Pour quelle raison une autopsie n'a-t-elle pas été ordonnée ? Voulait-on le faire taire parce qu'il a été l'un des premiers à parler du #tueurdepetitsblancs ? S'apprêtait-il à faire de nouvelles révélations ?…

La suite

UN PESSIMISME MÉTICULEUX

Prose relut lentement le questionnaire de son mystérieux correspondant.

Il aurait été difficile de rencontrer quelqu'un de plus foncièrement pessimiste que ce Phénix. Plus que pessimiste, en fait : à l'aise dans le constat catastrophiste qu'il posait sur l'état de l'humanité !

Presque satisfait.

Au ton du texte, on devinait chez lui une certaine jouissance à dresser cet inventaire des raisons de désespérer de l'humanité.

Ce qui agaçait particulièrement Prose, c'était le caractère rationnel de son interlocuteur. Il parlait en termes de probabilités, choisissait manifestement ses mots avec soin, se souciait de préciser la portée exacte de ses affirmations… Tout le contraire d'un illuminé amateur de théories du complot et de films catastrophes. Chacune de ses conclusions pouvait s'appuyer sur une multitude de faits.

Un pessimisme argumenté, méticuleux, difficilement parable. Il lui envoya un court message.

Votre bilan est remarquable de rigueur, mais tout de même partiel. Oserais-je dire partial? Aucune de vos questions n'est susceptible de recevoir une réponse de type oui ou non. Il faudrait partout nuancer, tenir compte de tout ce qui se fait de positif pour lutter contre les tendances destructrices que vous soulignez.

« Dire que c'est moi qui écris cela! », songea Prose. Il pensait à la réputation de pessimiste invétéré qu'il avait aux yeux de ses amis. Quelques instants plus tard, la réponse lui parvenait.

Le véritable problème ne tient pas à l'une ou l'autre des crises que je mentionne – écologique, économique, démographique, sociale ou ethnicoreligieuse –, mais à leur interaction. L'imbrication de ces différentes crises rend la situation… j'allais dire désespérée. Mais ce n'est pas une question d'espoir. C'est une question de réalisme.

Prose répondit aussitôt, ce qui amorça un échange qui dura plusieurs minutes.

— Vous voulez dire qu'il n'y a plus rien à faire?
— Pas du tout. Mais rien qui puisse prétendre régler les problèmes à court terme.
— Et à long terme?
— Il faudrait qu'on se rencontre pour en parler.
— Ce serait avec plaisir. Mais vous persistez à dissimuler votre identité derrière l'adresse courriel d'un anonymiseur.
— Je suis tout prêt à vous la révéler. Je vous ai invité à plusieurs reprises à venir me rendre visite.
— Sans me dire qui vous êtes ni où vous habitez.
— Je croyais que vous auriez apprécié le côté ludique de ma démarche. Tant de choses sont désormais prévisibles, dans nos vies.
— Je préfère savoir ce qui m'attend.
— Il faut prendre garde à ce qu'on désire. Il arrive que l'on soit exaucé.

— Est-ce que je dois voir dans votre réponse une forme de menace ?

— Grand Dieu, non. Je veux seulement souligner que les enquêtes – ou les recherches que l'on entreprend – sont des voyages dont on ne connaît pas forcément la destination. Par exemple, qui aurait pu croire que ceux qui ont découvert le corps de Vincent Guyon, et qui ont tenté d'étouffer l'affaire, mettaient les pieds dans un tel scandale ?

— Ce n'est pas la première fois que vous faites allusion à cette histoire.

— Parce que c'est un événement hautement symbolique. On y trouve à la fois l'attaque contre l'Occident, la mise en cause de la domination sexuelle des hommes ainsi que la violence qu'engendre le mépris généralisé pour tout ce qui est différent et trop petit pour se défendre. De cela aussi, nous pourrions reparler, si jamais vos activités vous en laissent le temps.

— Je veux bien en discuter sur ce blogue.

— J'avais en tête une rencontre plus conviviale.

— La confiance exige un minimum de réciprocité. Tant que vous persisterez à dissimuler votre identité…

La sonnerie de la porte d'entrée retentit.
Prose s'empressa d'écrire :

— Je reviens dans un instant.

Il était déjà parti quand la réponse commença à s'inscrire sur l'écran.

— Je vous laisse. Mais quelque chose me dit…

AFP

GERMAIN THIBAU RETROUVÉ MORT
Germain Thibau, qui était détenu en relation avec l'affaire des petits hommes blancs, a été retrouvé mort dans sa cellule, tôt ce matin, au Quai des Orfèvres. La police privilégie pour l'instant l'hypothèse du suicide, mais désire attendre les résultats de l'autopsie avant de…

COLIS-SURPRISE

Prose ouvrit la porte.

Personne.

Un instant, il se demanda si c'était une blague d'ado : on sonne à la porte et on s'enfuit.

Ou peut-être un visiteur avait-il sonné par erreur à son appartement puis, réalisant ss méprise, s'était-il empressé de s'éclipser.

Pourtant, aucun bruit ne provenait de la cage d'escalier.

Prose allait refermer la porte quand il aperçut une enveloppe à ses pieds. On y avait inscrit quatre mots.

À VICTOR PROSE, IDÉALISTE

Intrigué, il la prit et la regarda sous tous les angles en allant à son bureau chercher un coupe-papier.

Le message brillait par sa concision.

Prose le lut à deux reprises, puis il se dépêcha d'appeler Natalya.

Une partie de lui-même songeait vaguement qu'il aurait dû contacter Théberge. Ou Leclercq. Mais il s'agissait d'une pensée confuse, totalement dominée par l'urgence de joindre Natalya.

SA TÊTE À LA TÉLÉ

Assise au comptoir de la cuisine, devant son iPad, madame Théberge échangeait des textos avec une de ses sœurs qui persistait à s'inquiéter de la façon dont les Français la traitaient.

> Est-ce qu'ils passent leur temps à vous reprendre sur votre façon de parler ?

> Ce n'est pas si fréquent. Et d'habitude, c'est fait avec gentillesse.

510

De temps à autre, elle jetait un regard à la porte. Gonzague n'arrivait toujours pas. Au retour du musée, il avait eu un message de Leclercq. Pour une rencontre au Chai. Sans doute une urgence liée à l'affaire dont ils s'occupaient. Manifestement, l'urgence se prolongeait.

Au fond de la pièce, la télé jouait en sourdine.

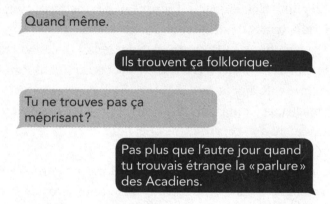

Quand même.

Ils trouvent ça folklorique.

Tu ne trouves pas ça méprisant?

Pas plus que l'autre jour quand tu trouvais étrange la «parlure» des Acadiens.

Madame Théberge avait à peine appuyé sur SEND qu'elle aperçut la tête de son mari à la télé.

Le temps qu'elle trouve la télécommande et monte le volume, elle rata le début du commentaire.

> … ancien policier de la Ville de Montréal. L'homme a été placé en garde à vue. Interrogé quant à la gravité des présomptions qui pèsent sur lui, le porte-parole de la Police judiciaire s'est contenté de dire que cette interpellation était liée à l'affaire des petits hommes blancs. «À ce stade-ci de l'enquête, a-t-il déclaré, je suis incapable de vous dire si le suspect sera présenté aux juges au terme de sa garde à vue, et encore moins s'il sera inculpé.»

La réaction première de madame Théberge en fut une d'inquiétude. Presque de panique. Voir son mari présenté par les médias comme suspect dans une histoire de meurtres en série, ce n'était pas banal.

Puis l'inquiétude céda le pas à l'incrédulité. Il était impossible que Gonzague soit impliqué dans ces meurtres. Ils ne pouvaient donc pas avoir de preuves. Comment pouvaient-ils le présenter publiquement comme suspect ?

Elle se demanda comment Gonzague analyserait la chose.

Elle se rappela alors qu'il attendait toujours qu'une enquête soit ficelée avant de contacter les médias. Il détestait les annonces prématurées, parce qu'elles finissaient souvent par nuire à l'enquête. La seule exception, c'était quand il se servait des médias pour susciter une réaction, tenter de débloquer une enquête.

Le langage prudent du porte-parole de la Police judiciaire lui revint à l'esprit : il ne savait pas si le suspect serait inculpé, ni même s'il serait présenté aux juges…

La conclusion s'imposait : ils n'avaient probablement rien contre lui. Ils voulaient s'en servir. Dans quel but ?

La réponse était évidente.

Elle fouilla dans son iPad et ouvrit le dossier « Paris ». Son mari y avait consigné en désordre les adresses et numéros de téléphone de ses références parisiennes : Le Chai, Le Florimond, la fromagerie Griffon, la boulangerie de la rue de Grenelle…

À la deuxième page, elle vit le numéro de téléphone de Leclercq.

1OH4F - SOS1É

Natalya arriva chez Prose 23 minutes après avoir reçu son appel. Il s'empressa de lui montrer le message qu'il avait reçu.

Vous trouverez l'ingénieur de l'histoire des petits hommes blancs au 21 C, avenue de La Motte-Picquet. 1OH4F SOS1E
    L'architecte

Natalya désigna du doigt les deux séries de chiffres et de lettres.

— Tu as une idée de ce que ça veut dire ?

— La deuxième série ressemble à "sosie". Ou à "sos" suivi de "le". Je ne sais pas…

— La première, par contre, est limpide.

— Dix hommes, quatre femmes.

— Le message, tu l'as reçu quand?

— Une minute avant de t'appeler.

— Tu as une idée de qui a pu envoyer ça?

— Aucune. Et je ne connais pas d'architecte. C'est peut-être à cause de Théberge. Si l'auteur du message sait que je le connais et qu'il travaille sur l'enquête…

— Il aurait voulu lui donner une information sans l'approcher directement?

— Peut-être.

Natalya envisageait une autre explication. Le message pouvait s'adresser à elle. C'était peut-être un piège qui lui était destiné. Si on l'avait aperçue au Club 51 ou à l'appartement de Thibau, rue Lepic… Sans compter tous ces éléments qui pointaient la Roumanie!

Peut-être les gens derrière Hogue l'avaient-ils repérée? Peut-être était-ce une façon de l'amener à se jeter dans la gueule du loup?

Natalya avait beau savoir que la paranoïa était la principale maladie professionnelle induite par son type d'occupation, elle avait beau se dire que l'indice pointant la Roumanie découvert chez Oaken ne pouvait pas avoir été planté là par ceux qu'elle poursuivait, elle n'arrivait pas à chasser complètement ses doutes.

— Où as-tu trouvé l'enveloppe? demanda-t-elle.

— Par terre, devant la porte.

— S'est-il passé beaucoup de temps entre la sonnerie et le moment où tu as ouvert la porte?

— Trente secondes, je dirais. J'étais à l'ordinateur. Je discutais avec un visiteur sur mon blogue. Un drôle de numéro.

Il lui parla brièvement des théories catastrophistes de celui qui signait Phénix.

— C'est curieux, non? fit Natalya. Tu reçois un message signé par un pseudonyme au moment où tu discutes avec quelqu'un qui utilise lui aussi avec un pseudonyme. Je sais bien que cela peut être une coïncidence, mais…

— Peut-être pas.

Prose semblait subitement préoccupé.

— À plusieurs reprises, il m'a parlé des petits hommes blancs.

Il se rendit à l'ordinateur, où il découvrit le dernier message de Phénix.

Je vous laisse. Mais quelque chose me dit que nous nous rencontrerons bientôt.

Prose fit lire l'ensemble de leur échange à Natalya. Il lui montra aussi les autres messages dans lesquels Phénix faisait allusion aux petits hommes blancs.

— Qu'est-ce qu'on fait ? demanda-t-il quand elle eut terminé de lire.

— La seule façon d'en avoir le cœur net, c'est d'aller au 21 C, avenue de La Motte-Picquet.

— On ne devrait pas d'abord en parler à Théberge ou à Duquai ?

— En y allant tout de suite, on gagne du temps. On leur téléphonera après.

— Et si c'est un piège ?

— Je ne pense pas que c'en soit un. À mon avis, c'est plutôt quelqu'un qui s'amuse à nous faire marcher.

— Mais si c'en est un ?

— Je suis là, non ?

En lui disant cela, elle lui mit la main sur l'épaule.

Aussitôt, sans savoir pourquoi, Prose se sentit moins inquiet. Comme si le contact avait éveillé en lui de vieilles certitudes dont il n'était même pas conscient.

Elle avait raison. Si elle était là, il ne pouvait rien lui arriver.

http://www.rtl.be/rtltvi/categorie/le-journ...

... de plus en plus nombreux à demander la démission du ministre de l'Intérieur. Autant la droite, qui sent dans cette affaire une occasion de faire oublier ses divisions, qu'une partie de la gauche, qui n'a jamais pardonné au ministre ses positions en matière de politique sécuritaire...

L'entrée du 21 C était protégée par un digicode.

— On va de nouveau avoir besoin de ton appareil, constata Prose.

Puis, avant que Natalya ait le temps de sortir son iPhone, il ajouta :

— Mais peut-être pas. Il ne se serait pas donné tout ce mal sans nous fournir le moyen d'entrer.

Il sortit de sa poche le message qu'il avait reçu, déplia la feuille puis composa la première série de chiffres et de lettres sur le digicode. 10H4F

La porte s'ouvrit.

— Il y a sûrement quelque chose qui nous attend dans cet appartement, dit Natalya.

— Tant que ce n'est pas une bombe ou un tireur embusqué.

Sur le pavé numérique contrôlant l'entrée de la cour intérieure, Prose entra la seconde partie du code.

La porte s'ouvrit à son tour.

Ils se dirigèrent vers un escalier, au fond de la cour. À la droite des premières marches, le numéro 21 C était collé sur le mur.

Deux étages plus haut, ils s'arrêtèrent devant la porte d'un appartement. Elle n'était pas verrouillée ni même complètement fermée : un mince filet de lumière filtrait dans le couloir.

Prose réalisa qu'un pistolet était apparu dans la main de Natalya. Elle lui jeta un regard, puis elle appuya doucement sur la porte pour l'ouvrir.

Rien ne se produisit.

Dans l'appartement, seul un bip intermittent brisait le silence, à des intervalles de cinq ou six secondes. Vraisemblablement en provenance d'un ordinateur.

Le mystérieux ingénieur ne semblait pas pressé de répondre au signal. Peut-être était-il absent ?

Ils le découvrirent devant un ordinateur portable, dans un petit bureau au fond de l'appartement. En face du mur, dos à la porte.

Prose ne put s'empêcher de songer que c'était en contradiction avec les principes élémentaires du feng shui. Puis il se demanda pourquoi cette idée lui était venue à l'esprit. Sans doute parce qu'il n'imaginait pas que quelqu'un puisse se sentir à l'aise en travaillant en face du mur du fond, dos à la porte, dans une pièce sans fenêtre.

Les fils qui pendaient des oreilles de l'homme et qui disparaissaient devant son corps reliaient sans doute ses écouteurs à l'ordinateur. Cela expliquait pourquoi il ne les avait pas entendus venir.

Natalya s'approcha et fit brusquement pivoter la chaise. De l'autre main, elle le tenait en joue.

Bien inutilement.

Le trou dans son front clamait haut et fort l'arrêt de ses fonctions cérébrales. Mais le plus impressionnant, c'étaient les deux autres trous. Ceux qu'il avait sous les sourcils.

On lui avait arraché les yeux.

Malgré ces blessures, le visage était reconnaissable. C'était Alatoff Payne.

— La balle est restée à l'intérieur, dit Natalya. Probablement une balle à tête expansive.

— Une autre piste qui se transforme en cul-de-sac.

Natalya tourna son attention vers l'écran de l'ordinateur.

La page titre d'un livre électronique occupait les deux tiers de l'espace : *Dix petits nègres*.

À côté, une phrase était affichée en caractères blancs sur un fond rectangulaire noir. Elle pulsait lentement.

Seuls les aveugles voient la vérité, car leur regard n'est plus troublé par les apparences.

— Œdipe à Colonne, murmura Prose.

Puis, à voix haute :

— On appelle Théberge ?

— On commence par regarder ce qu'il y a dans l'ordinateur.

À l'exception du livre électronique et de l'aphorisme affiché à l'écran, l'ordinateur ne contenait qu'un document vidéo dont le titre était : *Dix petits hommes blancs.*

Quand Natalya eut terminé de le regarder, elle se tourna vers Prose.

— C'est totalement cinglé, fit ce dernier.

— Mais ça explique de façon cohérente tout ce qui s'est produit, dit-elle. Et ça recoupe plusieurs de nos hypothèses.

— Justement…

On leur fournissait un coupable qui était mort et ne pouvait rien dire. Ni sur le rôle qu'on lui faisait tenir ni sur le document enregistré dans l'ordinateur – une fois encore dans un ordinateur ! Un document qui prétendait énoncer la vérité sur cette affaire sans que personne ne soit en position de le contredire.

Quelque chose clochait.

CHOISIR LES DEUX

Théberge avait passé ce qui lui avait paru plusieurs heures dans la salle d'interrogatoire. À attendre. Visiblement, ils n'en avaient pas terminé avec lui. Autrement, ils l'auraient relâché. Ou mis en cellule.

Il commençait à somnoler quand la porte de la salle d'interrogatoire s'ouvrit.

— Désolé de vous avoir retenu aussi longtemps, déclara Dumas en entrant. Il fallait d'abord vérifier un certain nombre de détails. S'assurer que vous étiez bien qui vous affirmiez être…

Il s'assit devant lui.

— Nous pouvons maintenant discuter, ajouta-t-il. J'imagine que vous connaissez la raison pour laquelle vous êtes ici.

— Ma présence ce matin à la terrasse des Chimères, je présume.

— Nos avocats parleraient de cause subsidiaire.

— Et la cause principale ?

— L'intervention désastreuse de votre ami Leclercq dans cette triste affaire des petits hommes blancs. Dissimulation de preuves, confiscation de cadavres, ingérence dans une enquête qui n'est pas de sa juridiction… Je suis certain que vous ne tenez pas à être associé à ce type de pratiques.

— Où voulez-vous en venir ?

— Vous témoignez que Leclercq vous a utilisé à votre insu pour saboter notre enquête, dans le but de protéger des amis, et je m'engage à faire en sorte que vous ne soyez pas inquiété.

— Autrement dit, vous voulez que je le trahisse ?

— Tout de suite les grands mots ! Je veux simplement que vous donniez votre version de la vérité. Que l'on comprenne comment vous avez été entraîné sans le savoir dans une enquête clandestine et illégale.

— Vous voulez que je le compromette, que je détruise sa réputation.

— Je vous jure que votre témoignage demeurera confidentiel. Rien de ce que vous révélerez ne sera rendu public. Ce serait même contre-productif de le faire. Plus vous conserverez une image de policier modèle, plus votre témoignage aura de valeur aux yeux des quelques personnes qui le liront. Je ne vous demande pas de mentir, simplement de révéler ce que vous savez. Au fond, vous devez choisir : d'un côté, il y a vous, votre intégrité, vos intérêts ; et de l'autre, Leclercq et son ami Coppée.

— Je choisis les deux.

Dumas le regarda un instant, interdit.

— Donc, vous refusez.

— Vous représentez tout ce que j'exècre dans notre métier.

Dumas se leva et alla lentement s'adosser au mur.

— Et vous, dit-il, vous représentez l'irresponsabilité criminelle de tous ceux qui s'illusionnent sur le monde.

Il commença à marcher dans la pièce.

— Je sais que je ne pourrai sans doute pas vous convaincre, dit-il. Mais ce que vous représentez, vous et Leclercq, c'est la mort du monde "civilisé". Nous sommes devant des ennemis qui ne comprennent que la force. Toute concession est interprétée par eux comme une marque de faiblesse, donc comme une opportunité de nous faire reculer… C'est pour cette raison que je veux obtenir la direction de la DGSI. Pas pour d'imbéciles raisons narcissiques… Les magouilles stupides de Leclercq pour protéger un ami, je m'en moque. C'est simplement une occasion. Je crains l'orientation suffisamment "civilisée", quasi soixante-huitarde, que lui et Vernon veulent donner à la DGSI pour plaire aux socialistes. La réforme qu'ils préparent équivaut à castrer nos services de renseignement au moment où on en a le plus besoin.

Théberge regardait Dumas. Toute son expérience de policier lui disait qu'il n'y avait chez lui aucune tromperie. Au-delà de ses motifs personnels, il était sincèrement convaincu de travailler à sauver l'intégrité des services de renseignement et de lutter contre les illusions pernicieuses qui menaçaient la survie à long terme de son pays.

— Vous perdez votre temps, se contenta-t-il de répondre. Je ne vous aiderai pas.

SEULS LES AVEUGLES…

Malgré l'heure tardive, ils étaient réunis dans un appartement du 8e arrondissement que Leclercq utilisait à l'occasion. La DGSI en était propriétaire à travers un réseau opaque de sociétés-écrans.

Leclercq leur avait d'abord appris la garde à vue de Théberge.

— C'est sérieux ? demanda Prose.

— Ils n'ont rien contre lui. Mais ils peuvent le garder 48 heures sans le présenter aux juges.

— Vous pensez que c'est pour vous atteindre ?

— C'est clair. Dumas m'a déjà appelé pour m'offrir de négocier avant qu'il soit trop tard.

— Il veut négocier quoi ?

— Ma démission. Et mon engagement à plaider sa cause auprès du ministre pour qu'il soit nommé à la tête de la DGSI.

— Il est sérieux ?

— En échange, il est prêt à soutenir la candidature de Vernon à la tête de la Police judiciaire de Paris. Il dit que ce serait une sorte de transfert de compétences. Chacun pourrait introduire dans sa nouvelle organisation les meilleures pratiques qui ont cours dans celle dont il arrive. Une situation *win-win*!

— Et pour Théberge?

— Si j'accepte sa proposition, il fait disparaître tout ce qui pourrait m'incriminer, moi, Théberge et tous ceux qui ont participé à cette enquête.

— Qu'est-ce que vous allez faire?

— Ce qu'il faut pour régler cette histoire au plus tôt. Il est hors de question de mettre la DGSI entre les mains d'un illuminé qui considère que le Front national est trop à gauche!

Prose leur raconta ensuite de quelle façon ils avaient été amenés, au sens littéral, à découvrir Payne.

— Il est encore là-bas? demanda Leclercq.

— On n'a rien touché. Sauf cet ordinateur.

Prose désignait l'ordinateur portable qu'il avait placé sur la table.

Prose revint ensuite à Phénix, son mystérieux correspondant. À la manière qu'il avait d'utiliser le meurtre des petits hommes blancs pour illustrer ses théories. Et à la curieuse coïncidence qu'avait soulignée Natalya, entre le fait qu'il reçoive un message signé d'un pseudonyme au moment où il s'entretenait par Internet avec quelqu'un qui se cachait lui aussi derrière un pseudonyme.

Assise en retrait, Natalya se cantonnait depuis le début dans un rôle d'observatrice. En esprit, elle était déjà en Roumanie.

— Quand vous a-t-il contacté pour la première fois? demanda Leclercq.

Prose réfléchit un moment. Puis il consulta ses courriels sur son téléphone portable.

— C'était…

Il hésita un moment, comme s'il cherchait à vérifier mentalement une information.

— Le lendemain de la mort de la première victime, dit-il.

— Encore une coïncidence, murmura Duquai.

— Par contre, ce n'était jamais l'essentiel de son propos. Il parlait des petits hommes blancs comme s'il s'agissait d'un exemple accessoire susceptible de prouver son opinion plus large sur le déclin de l'Occident... Et de l'ensemble de l'humanité, en fait.

Duquai souligna une autre coïncidence :

— Vous ne trouvez pas curieux que le message ait été déposé devant votre porte justement quand vous étiez à l'autre bout de votre appartement ?

Prose et Natalya échangèrent un regard.

— Vous pensez que celui qui a livré le message était de mèche avec Phénix ? demanda Prose.

— Si vous aviez été tout près de la porte, le messager n'aurait pas eu le temps de disparaître.

L'accord se fit rapidement : c'était curieux. Mais quel lien pouvait-il y avoir entre ce mystérieux correspondant et les meurtres ? Personne n'avait de réponse.

Ils discutèrent ensuite de la phrase qui clignotait à l'écran, en blanc sur carré noir.

Seuls les aveugles voient la vérité, car leur regard n'est plus troublé par les apparences.

Prose y pressentait une portée symbolique, une indication pour interpréter le message que constituait le visage de Payne... Qu'est-ce qu'ils ne voyaient pas ? Que voulait-on que Payne puisse voir en libérant son regard du monde des apparences ?

Duquai, pour sa part, y soupçonnait un lien avec les milieux criminels. C'était une pratique connue. On arrachait les yeux des délateurs et on leur mettait des pièces de monnaie dans les orbites... Mais ici, le cérémonial était partiel : il n'y avait aucune trace de pièces.

— Ils étaient peut-être à court de monnaie, ironisa Leclercq.

— Il y a aussi le fait qu'ils ne lui ont pas coupé les mains et la langue, réfléchit Duquai. C'est également courant dans ce genre de message.

Prose ouvrit ensuite l'ordinateur devant lequel ils avaient trouvé Payne. L'essentiel du contenu consistait en une sorte de discours, prononcé d'une voix grave et posée.

http://www.reuters.fr/article/topnews/id…

LA VOIX DU MASQUE

La vidéo commençait par un gros plan. Trois mots inscrits un
mur :

Μανή θέκελ φαρές

—Du grec ancien, expliqua Prose. La phrase est tirée de la
Bible. Une main est apparue et l'a tracée sur un mur. Elle annonçait
au roi Balthazar qu'il avait été jugé et condamné. Il allait mourir
avant l'aube et son royaume serait détruit… Mais je ne comprends
pas pourquoi il l'a écrite en caractères grecs. Tant qu'à vouloir faire
authentique, il aurait dû l'écrire en araméen.

—Bien sûr, approuva Leclercq, sans cacher une certaine ironie.

La caméra glissa ensuite lentement vers un homme assis sur une
sorte de trône, qui portait un masque reproduisant le visage sculpté
d'un roi babylonien.

La voix, qui semblait sortir du masque, prononça à haute voix :

Votre civilisation a été évaluée. Elle a été jugée. Elle a été
condamnée.

Après une pause, la voix reprit sur un ton moins dramatique :

Vous avez réussi à déchiffrer une grande partie de l'énigme des
petits hommes blancs. Vous méritez une explication. Ou, du
moins, une partie de l'explication.

Comme point de départ, voici une question : quels sont les quatre principaux vices de l'Occident ?

Son racisme blanc. Son sexisme. La petitesse de sa conception du monde. L'idolâtrie du plaisir.

De là les quatre dimensions de leur mort. Aux mains de femmes, à cause du sexisme. Géantes, en réponse à la petitesse. De races diverses, pour contrer le racisme. Indifférentes à ces jeux sexuels qui tuent, à cause de cette idolâtrie du plaisir qui est censée faire vivre.

Quatre séries de victimes. Quatre femmes. Quatre scénarios d'étouffement… L'unité dans la diversité.

Quatre groupes de morts artisanales. Penser globalement, agir localement.

Pourquoi dix victimes ? Parce que 10 constitue la globalité des parties que sont 1, 2, 3 et 4.

L'Occident étouffe sous sa consommation de plaisirs instantanés, de fantasmes mis en scène industriellement. Telle était la conviction de monsieur Payne. Telle a été son œuvre. Je ne suis que son témoin, celui qui a pour tâche de jeter un peu de lumière sur l'originalité et la pertinence de son œuvre.

Soyons-lui reconnaissants d'y avoir, au sens littéral, sacrifié sa vie.

La vidéo était à peine terminée que le téléphone de Leclercq sonnait.

— J'espère qu'il n'y a pas de nouvelles victimes, dit-il avant de prendre l'appel.

#CESTLAGUERRE

Brigitte Adouani@brigad
C'est le début de la guerre.
Contre les hommes et les Blancs.
#cestlaguerre

Antoinette de Billy@antidebil
@brigad La guerre, elle dure depuis
des siècles. Menée par les hommes
blancs.

Lucien Debauge@lucide
@brigad @antidebil Vous délirez.
C'est pas la guerre, c'est l'évolution.

Antoine de Billy@antidebil
@lucide Tu déconnes.
@brigad

Lucien Debauge@lucide
@antidebil L'évolution, je dis.
L'élimination des plus faibles,
des ratés de la bio.
@brigad

Brigitte Adouani@brigad
@lucide Le raté de la bio,
c'est toi, stupide raciste.
@antidebil

QUE DES SOSIES

Leclercq coupa la communication et resta quelques instants à regarder son téléphone. Puis il le remit dans la poche de son veston et se tourna vers les autres.

— Alatoff Payne n'était pas Alatoff Payne. C'était un sosie.

— De qui ? demanda Duquai.

— Aucune idée. Peut-être de celui qui est apparu en même temps que lui dans un autre aéroport.

— C'est peut-être l'autre, le vrai Alatoff Payne ?

— La médecin légiste dit que c'est un travail extrêmement bien fait. Son visage a été largement transformé. Même sa silhouette a été altérée. La longueur des jambes, notamment.

— Au moins, on a une photo de l'individu que l'on cherche, nota Duquai. Il ne pourra pas échapper indéfiniment à notre surveillance. Sans l'aide d'un sosie pour brouiller les pistes…

— Vous avez probablement raison, confirma Prose. Narrativement, c'est cohérent : l'auteur de ces crimes sacrifie son sosie pour tout lui faire endosser.

— Est-ce que l'on connaît la véritable identité de ce sosie ? demanda Théberge.

Leclercq inspira profondément et se tourna vers lui.

— C'est une personne que toi et Prose connaissiez. Nabil Saharabia.

— Quoi ! Tu es sûr ?

— Cela ne fait aucun doute. Mêmes empreintes digitales. Même profil dentaire, à quatre molaires près, sans doute extraites quand on a remodelé son visage. Une analyse ADN a été demandée, histoire de ne rien négliger.

Tout comme eux, il savait ce que cela signifiait. Saharabia était censé être mort quelques années plus tôt dans l'explosion de son yacht. L'attentat avait décapité la direction de son empire médiatique.

Le richissime homme d'affaires avait été mêlé aux attentats commis par les Tea-Baggers, bien que son rôle exact n'ait jamais été clairement établi.

Sa résurrection, même sous forme de cadavre, impliquait qu'il avait profité de l'attentat pour disparaître. Et donc qu'il en était peut-être l'organisateur.

Cela laissait penser que d'autres, comme lui, étaient peut-être encore vivants. D'autres que l'on avait vus mourir, ou qui avaient simplement été portés disparus à la suite d'une catastrophe : explosion, accident d'avion, naufrage…

Combien d'entre eux étaient encore en vie, sous d'autres traits, après avoir délégué à un sosie le soin de mourir ?

— Et si Payne n'existait pas ? demanda brusquement Prose.

Duquai lui jeta un regard étonné. Puis, rapidement, la compréhension se peignit sur ses traits.

— Vous voulez dire…

— Qu'il n'y a peut-être pas d'original. Seulement des sosies.

Il se tourna vers Leclercq.

— Si c'est vrai, le véritable responsable de tout ça n'a même pas besoin de se transformer pour échapper aux recherches !

Duquai regardait Prose en hochant lentement la tête.

— Brillant, finit-il par dire sans qu'on sache s'il parlait de l'hypothèse de Prose ou de celui qui avait élaboré un tel plan.

— Ça expliquerait pourquoi les enquêtes s'arrêtent toutes il y a 25 ans, dans cette petite ville de Roumanie, reprit Prose. Payne n'existe pas. Sa biographie est fictive. On l'a construite jusqu'à un point dans le passé où il était plausible que toute trace ait disparu.

Natalya, qui continuait d'écouter en silence, dut faire un effort pour se maîtriser. Elle était encore toute jeune quand elle avait appris l'existence de ces biographies fictives. Tous les enfants de son groupe qui avaient réussi la formation avaient eu droit à une telle fiction. On les avait entraînés à la mémoriser. Et, pour être certain qu'ils ne seraient pas tentés de retomber dans leur ancienne vie, on en avait éliminé toute trace. Leur famille avait disparu – littéralement.

— Tout cela suppose que, derrière cette histoire, il y ait un inconnu qui tire les ficelles, dit Leclercq.

— En tout cas, ça cadre avec l'ensemble des événements, fit Prose. Tout est très construit. Tout renvoie à quelque chose d'autre. Peut-être que le sosie renvoie à l'original, mais sans lui ressembler !

Duquai regardait Prose avec des points d'interrogation dans les yeux.

— Je suis curieux de savoir comment vous en êtes arrivé à cette conclusion.

— Si le responsable de ces meurtres les a conçus comme une œuvre d'art, il serait normal qu'il l'ait signée.

— Ce n'est pas un tableau, mais je comprends votre idée.

— Puisqu'il s'agit d'une œuvre-événement, la seule façon de signer, c'est de s'inclure lui-même dans les événe…

Il s'interrompit brusquement. Son visage s'éclaira comme sous l'effet d'une révélation.

— Oui ! reprit il. S'intégrer à celui qu'il a fabriqué. Mais de façon cachée. Il l'a fait à travers l'ingénieur de toute l'opération.

— À travers Payne?

— Exactement! C'est la raison pour laquelle il a signé son message: l'architecte! Payne était en quelque sorte son chargé de projet. Son ingénieur.

— Et comment fait-on pour le trouver, cet architecte? demanda Théberge.

La question ramena brutalement Prose sur terre.

— Ça, je n'en ai aucune idée. S'il existe des indices, ils sont dans la personne même de Payne. Je suis sûr que, d'une façon ou d'une autre, l'architecte s'exprime à travers lui.

SUR UNE AUTRE SCÈNE...

Les quatre corps sont attachés avec des lanières aux quatre branches d'une croix. Les quatre branches sont d'égale longueur. La croix, à peine surélevée du sol, pivote autour d'un point situé à l'intersection des deux axes.

Aucune inscription n'est fixée au-dessus de la tête des quatre hommes. Et pour cause. Leurs pieds sont près du centre de la croix et le sommet de leur tête est aligné avec le bout de la poutre sur laquelle ils sont attachés.

Les spectateurs, à cause de leur position en surplomb dans les gradins, peuvent observer le visage des quatre hommes.

Le maquillage les rajeunit considérablement, à les rendre méconnaissables. Une façon de protéger leur identité, leur a-t-on dit.

Une femme s'avance sur la scène et examine chacun de ceux qui seront ses partenaires durant le spectacle. Leurs corps sont immobiles, détendus. Aucune marque de stress ou de crainte ne peut se lire sur leurs traits.

Il est essentiel que tout se passe sans la moindre violence apparente. Sans le moindre signe de résistance de la part des victimes. Comme si les quatre hommes avaient délibérément choisi de vivre l'ultime expérience sexuelle...

On les a sans doute drogués pour les calmer, se dit-elle. Même si les quatre sont censés être volontaires. Ce dont elle doute.

Le visage de la femme est recouvert d'une cagoule. Elle a dû insister pour obtenir cette concession. Ils lui avaient proposé à la place un maquillage qui la rendrait méconnaissable : un masque de divinité tibétaine. Mais elle a maintenu son exigence. Elle est d'accord pour exécuter le travail, mais à la double condition que ce soit le dernier et qu'on ne puisse jamais rattacher son visage à l'événement.

Une autre de ses exigences a été de connaître l'histoire personnelle des quatre sujets sur lesquels elle doit opérer.

Les quatre sont des êtres méprisables. On le lui a assuré. Leur apparence de jeunesse est trompeuse. Une simple question de maquillage. Ce sont des débauchés qui ont voulu essayer toutes les perversions. Parfois victimes, plus souvent bourreaux. Ils n'hésitaient jamais à infliger les pires tortures à leurs éventuels partenaires sous prétexte qu'eux aussi acceptaient de souffrir à l'occasion.

Elle enjambe le corps du premier, dont le sommet du crâne fait face à la salle, et s'assied sur sa poitrine.

Ensuite, elle lui met les mains autour de la gorge et elle commence à appuyer avec les pouces.

L'homme n'a aucune réaction.

Elle augmente la pression de façon progressive. Jusqu'à ce que ses doigts se rejoignent derrière le cou de l'homme. Que ses pouces soient profondément enfoncés dans la gorge.

À travers son masque, elle plante son regard dans celui de l'homme et prononce les paroles qu'on lui a demandé de dire.

— La réalité est le jeu suprême.

Rapidement, elle ne voit plus que des yeux vides, qui ne regardent plus rien.

Elle se lève et retourne devant la scène.

La croix se met lentement à tourner.

Il n'en reste plus que trois.

L'INSOUTENABLE SIMPLICITÉ DE LA DÉMISSION

Quand Hervé Dumas se présenta à l'appartement de fonction de Charles Tanguay, il s'attendait à une annonce importante de la part du ministre. On ne convoquait pas le directeur de la Police judiciaire au début de la nuit pour régler les affaires courantes.

Une décision politique avait dû être prise dans l'affaire des petits hommes blancs.

Le ministre était attaqué de toutes parts. Il n'avait pas le choix de bouger. Il allait sûrement sacrifier Leclercq. La question était de savoir si Vernon ou le préfet y passeraient aussi. Mais ce sur quoi Dumas avait le plus hâte d'être éclairé, c'était le rôle que le ministre entendait lui confier dans cette opération de sauvetage.

Chose certaine, Dumas entendait imposer ses conditions. Le ministre était en position de faiblesse. Difficile de rêver d'un contexte plus favorable pour négocier avec lui.

Un agent de sécurité escorta Dumas jusqu'au salon. En entrant, il eut la surprise de voir que Vernon et Leclercq étaient tous deux présents, de même que le préfet de Paris. Ils étaient debout et discutaient avec le ministre, un verre à la main.

Pas de doute, c'était des petits hommes blancs qu'il serait question.

Un détail le surprit, toutefois. Parmi les personnes présentes, aucune n'avait l'air abattue, ni même tendue. Au contraire, l'atmosphère, sans être joyeuse, était… conviviale. Ce fut le mot qui lui vint à l'esprit. Conviviale… Pour une réunion où la carrière de certains de ces hommes allait vraisemblablement connaître une fin abrupte, c'était plutôt inattendu.

Le ministre s'avança vers lui, la main tendue.

—Il ne manquait plus que vous. Nous pouvons maintenant commencer.

Le ministre fit signe à ses invités de prendre place dans les fauteuils, offrit un verre à Dumas, qui refusa, et s'assit à son tour.

—Alors, mon cher Dumas, vous en êtes où, dans cette histoire de petits hommes blancs?

—Les choses avancent. Mais prendre une enquête en marche, c'est toujours un peu plus compliqué... Il y a ce théâtre où ont eu lieu les meurtres. L'équipe technique a procédé à des prélèvements...

—Et votre témoin, Thibau? Avez-vous eu le temps de l'interroger avant qu'il meure?

—Hélas, non.

—Bref, vous en êtes au même point que ce qu'on peut lire dans les médias.

—Un peu plus loin, quand même! Comme je disais, il y a les analyses techniques, dont j'attends les résultats. Il y a aussi le contenu de l'ordinateur que nous avons trouvé sur place. Son examen se poursuit...

—J'ai une bonne nouvelle pour vous, l'interrompit le ministre.

—Une nouvelle piste?

—Mieux. L'affaire est résolue.

Dumas regarda le ministre avec un mélange de perplexité et d'inquiétude, comme s'il n'arrivait pas à être certain de ce qu'il venait d'entendre.

—Complètement élucidée, affirma Tanguay.

—Mais... par qui?

—Votre bon ami Gonzague Leclercq.

Dumas regarda Vernon et Leclercq, qui l'observaient avec un air discrètement amusé. Puis il revint au ministre.

—Vous êtes sûr?

—Absolument.

Tanguay lui tendit une feuille.

— Lisez, dit-il. C'est la version "projet" du communiqué de presse qui l'annoncera. C'est encore un peu brut, les gens des communications ne l'ont pas révisé, mais l'essentiel y est.

Dumas commença à lire.

LE MEURTRE DES PETITS HOMMES BLANCS EST RÉSOLU. UN GROUPE MAFIEUX ÉTAIT IMPLIQUÉ. TOUS LES RESPONSABLES SONT MORTS OU EN FUITE.

Les 10 hommes ont été tués pour le tournage de vidéos de pornographie violente. Ces vidéos de *snuff* ont été réalisées par un groupe apparenté à la mafia tchétchène.

Les victimes ont été assassinées sur une scène de théâtre, devant un public. Les spectateurs affirment avoir cru qu'il s'agissait d'une simulation.

Le directeur de la Police judiciaire leva les yeux du texte. Avant même qu'il ait le temps de dire un mot, le ministre l'enjoignit à continuer à lire.

— Quand vous aurez terminé, nous en parlerons.

Dumas reprit sa lecture.

Les 10 hommes ont été choisis à cause de leur apparence jeune. Cette allure a été renforcée au moyen d'un maquillage élaboré. La raison en est que les vidéos étaient destinées à des amateurs de pédophilie violente pratiquée sur des adolescents.

Le responsable de ces crimes a lui-même fait éliminer la plupart de ses complices. Ainsi, les quatre femmes qui ont procédé aux meurtres ont été assassinées le jour même de leur arrivée dans les villes où elles pensaient trouver refuge : Stockholm, Bangalore, Bangkok et Dakar.

Germain Thibau a été retrouvé mort dans sa cellule, au Quai des Orfèvres. Parmi les gens qui ont assisté aux meurtres comme spectateurs, il était le seul que nous avions réussi à identifier.

Heureusement, monsieur Thibau a eu le temps de livrer un témoignage qui s'est avéré très utile. Il a notamment révélé aux enquêteurs l'endroit où ont été perpétrés tous ces crimes. Ses informations ont également permis de remonter jusqu'au cerveau de cette opération.

Cet homme, qui vivait sous l'identité d'Alatoff Payne, a lui-même été exécuté moins d'une heure avant que nous le trouvions. La façon dont il a été tué ne laisse aucun doute sur l'identité de ses assassins. C'était clairement un contrat mafieux.

L'hypothèse la plus probable est que le groupe criminel pour lequel ce monsieur Payne travaillait a mal toléré son échec : quand les dirigeants ont réalisé que l'opération était compromise, ils ont décidé de couper les pistes, tout comme Payne l'avait lui-même effectué en faisant disparaître ses complices. Il est aussi possible que les nombreuses fuites dans les médias aient également contribué à miner leur patience.

Cette enquête a été menée de bout en bout par la Direction générale de la sécurité intérieure. Tout au long de son travail, elle a bénéficié de l'appui de la Police judiciaire, qui a accepté pendant un certain temps d'être le visage officiel de l'enquête pour permettre à la DGSI de mieux travailler dans l'ombre.

Comme vous le savez, quand la DGSI a succédé à la DCRI, son mandat a été élargi. En plus de ses anciennes tâches, elle a maintenant la responsabilité de lutter contre l'infiltration des groupes criminels étrangers sur notre territoire. Ce succès est un excellent présage de son efficacité future.

En terminant, je tiens à remercier particulièrement monsieur Gonzague Théberge, policier émérite de la Ville de Montréal, maintenant à la retraite. Non seulement a-t-il apporté une aide précieuse aux responsables de cette enquête, mais il a accepté de tenir publiquement le rôle de suspect pour égarer les soupçons des criminels.

Pour cela, toute la population de Paris le remercie.

Dumas releva les yeux.

— Qu'est-ce que c'est que cette histoire ?

— La vérité.

— Vous allez vraiment rendre ce communiqué public ?

— Demain matin. À la première heure.

— Mais…

— Une conférence de presse suivra en cours de journée. D'ici là, monsieur Leclercq et son personnel auront le temps de me faire un briefing pour peaufiner ma connaissance du dossier.

—Je ne peux pas endosser le contenu de ce texte. En tout cas, certainement pas tout de suite. Pas sans vérifications.

—Et pourquoi donc ?

—Il faut prendre le temps de vérifier les faits, de réinterroger les témoins qui restent… Les analyses techniques de la scène de crime ne sont pas terminées. Il faut aussi remonter la piste de la mafia tchétchène, si c'est bien elle qui est en cause… découvrir qui étaient les spectateurs…

—Pour ce qui est des spectateurs, nous en avons la liste complète. Nous avons aussi des preuves visuelles de la présence d'une vingtaine d'entre eux à l'un ou l'autre des spectacles.

—Quoi ?

—Nous avons choisi de régler cet aspect du problème en toute discrétion. Un scandale porterait atteinte aux institutions auxquelles plusieurs de ces messieurs – et de ces dames – sont associés. En fait, il ne reste que deux problèmes à régler. Et pour ces deux problèmes, nous allons avoir besoin de votre aide.

Dumas sentit qu'il y avait peut-être là une occasion de marquer des points. Si on avait besoin de son aide…

—Qu'est-ce que je peux faire ?

—Le premier concerne l'inspecteur Théberge. Vous allez téléphoner au Quai pour qu'il soit immédiatement remis en liberté et reconduit chez lui. Avec toutes les excuses qui s'imposent, cela va de soi.

—En pleine nuit ?

—Il faut qu'il soit à son appartement demain matin, quand les médias vont le contacter pour des entrevues. Un héros toujours en prison parce que nous n'avons pas eu le temps de nous en occuper, cela ferait mauvais effet.

—Très bien, si c'est votre décision.

—C'est notre décision. À tous.

Dumas téléphona à un de ses adjoints et lui ordonna de se rendre personnellement sur place pour faire remettre Théberge en liberté.

Aussitôt qu'il eut rangé son portable dans la poche de son veston, le ministre reprit là où il avait laissé.

— Et maintenant, mon autre décision, comme vous dites. Ce qu'elle requiert est d'une simplicité désarmante : votre démission.

— Ce n'est pas sérieux…

Tanguay poursuivit sans s'occuper de la remarque de Dumas.

— Demain matin, enfin, ce matin, vous allez présenter votre démission, laquelle sera acceptée. Pour raison de santé.

— Vous ne pouvez pas me forcer à démissionner sans motifs.

— Grand Dieu ! Je ne ferais jamais une chose pareille ! Puisqu'il vous faut des motifs, commençons par la mort de notre seul témoin, Germain Thibau, dans une cellule du Quai des Orfèvres. En vous le confiant, monsieur Leclercq vous a explicitement demandé, devant témoin, de le faire protéger… Il y a là, comment dire, matière à étoffer un blâme pour négligence ayant entraîné la mort.

— J'allais m'en occuper dès le lendemain matin !

— Il y a aussi votre arrestation sans motifs valables de monsieur Théberge. Pour faire pression sur votre collègue Leclercq, selon toute apparence, et nuire de ce fait au progrès de l'enquête en cours.

— Avec ça, vous ne pouvez rien faire ! Vous ne pouvez pas, en même temps, le présenter comme un héros qui accepte de se sacrifier, et en faire une victime emprisonnée malgré elle.

— Je suis sûr que l'on peut retravailler notre histoire. Expliquer que notre sympathique ami canadien a refusé de participer à votre plan pour détruire la réputation de votre collègue Leclercq, qu'il a préféré demeurer en garde à vue pour ne pas nuire à l'enquête, qui était sur le point d'aboutir… Mais il serait évidemment préférable que nous puissions nous en tenir à la version que je vous ai présentée, histoire de protéger l'institution que vous représentez.

— Pour cela, vous avez besoin de ma collaboration.

— Oui, dans une certaine mesure. Votre démission exige une certaine collaboration de votre part.

— Vous pouvez toujours rêver. Si c'est tout ce que vous avez…

—Il y a aussi les fuites dont vous êtes responsable. Vos voyages à travers Paris ou à Meudon avec des journalistes…

—Comment…?

—Votre chauffeur.

Dumas se tourna vers Leclercq.

—Vous me paierez ça!

—Il n'a rien à voir dans cette enquête, intervint Coppée. C'est une initiative de l'un de vos adjoints. D'après ce qu'il m'a dit, il n'appréciait pas tellement vos contacts privilégiés avec les médias. Je pense qu'il craignait d'en être un jour victime… Comme un autre de vos adjoints, il y a deux ans, quand vous l'avez sacrifié parce qu'il commençait à vous faire de l'ombre… Nous avons une série d'enregistrements qui couvrent les deux dernières années.

Dumas était sans voix.

—Je disais donc, reprit le ministre, que nous allons régler ce problème de façon civilisée. Vous démissionnez pour raisons de santé, vous évitez l'emprisonnement, votre réputation est intacte, du moins aux yeux du grand public, et, de notre côté, nous évitons une énième affaire…

EURONEWS

> **10PHB AFFAIRE RÉSOLUE**
>
> Le préfet de police de Paris a annoncé par voie de communiqué de presse la résolution de l'affaire des 10 petits hommes blancs. Les victimes auraient été sacrifiées par un fabricant de porno violente. Un réseau mafieux tchétchène serait impliqué.
>
> Le ministre de l'Intérieur et le préfet tiendront une conférence de presse conjointe, au cours de la journée, dans le but de faire le point sur l'ensemble de…

CLOS DE TART À PLACE BEAUVAU

Gonzague Leclercq était accompagné de Théberge, Prose et Duquai. Le ministre les attendait, debout à côté de son bureau, la main tendue, un sourire solidement ancré sur le visage.

Leclercq savait que le sourire n'était pas que de politesse. La résolution de l'affaire des petits hommes blancs lui enlevait une épine du pied. C'était une complication dont il n'avait pas besoin. Surtout pas au moment où les attaques contre lui se multipliaient à l'intérieur même de son parti.

Et puis, dans deux jours, il passait à *On n'est pas couché*. On l'interrogerait sûrement sur sa décision d'avoir confié l'enquête à la DGSI. Il pourrait utiliser la conclusion heureuse et relativement rapide de l'affaire pour justifier rétrospectivement la pertinence de son choix… et celle d'élargir le mandat de la DCRI pour en faire la nouvelle DGSI.

Le ministre les conduisit dans un petit salon attenant à son bureau. Ils prirent place dans des fauteuils positionnés en cercle autour d'une table basse. Huit bouteilles y attendaient le bon vouloir des invités.

Le ministre se tourna vers Théberge.

— Mon ami Gonzague m'a parlé de votre grande expertise quant à notre production vinicole. Aussi, j'ai pensé que vous aimeriez peut-être autre chose que les traditionnels cognacs, scotchs et armagnacs… À vous le choix.

Théberge ignora les premiers crus de bordeaux et choisit un Clos de Tart 1996.

Un sommelier s'empressa de le décanter, de le humer et de vérifier l'ensemble de ses qualités organoleptiques. Satisfait, il servit chacun des invités. Il décanta ensuite une seconde bouteille, qu'il alla chercher derrière le comptoir du bar, au fond de la pièce. Puis il s'éclipsa.

Quand tout le monde eut porté un toast au succès de l'opération et goûté au vin, Leclercq aborda le motif de leur rencontre.

— Mon cher Charles, j'ai tenu à te présenter l'inspecteur Duquai, l'ex-inspecteur Théberge, un collègue du Québec, ainsi que monsieur Victor Prose, avec qui j'ai également eu le plaisir de collaborer. Leur aide a été extrêmement précieuse.

Le ministre accueillit la déclaration d'un hochement de tête dans lequel on pouvait lire à la fois le plaisir que lui procurait la conclusion satisfaisante de l'enquête et la volonté d'être agréable à ces braves personnes qui lui avaient épargné une tempête médiatique susceptible de lui coûter son poste.

— Maintenant que la partie officielle de cette histoire est réglée, reprit Leclercq, il serait utile, je pense, que tu aies une version complète de ce qui s'est passé. Et de ce qu'il reste à mener comme enquête. Cela te permettra de procéder aux derniers ajustements en vue de la conférence de presse.

— Qu'est-ce que tu m'as caché ?

Toute aménité avait disparu de la voix du ministre.

— Rien n'est faux, dans ce que je t'ai dit, ou dans ce que tu as dit au public par voie de communiqué de presse. Du moins, pas en ce qui a trait aux faits. En revanche, pour ce qui est des motivations du criminel et du commanditaire ultime de ces meurtres… Le plus simple est que je te présente la chronique détaillée des événements, telle que nous avons pu la reconstituer. J'ai pensé t'en faire un compte rendu oral. On aura ensuite le loisir de voir ce qui devra être consigné par écrit, s'il y a lieu.

Bien qu'encore méfiant, le ministre approuva d'un hochement de tête.

Leclercq parla pendant près de 40 minutes. Une fois son récit achevé, le ministre avait perdu toute apparence débonnaire.

— Donc, ce tueur en série était en fait un artiste, si je vous ai bien compris.

— Oui.

— Il n'a personnellement tué personne. Il a simplement orchestré et financé une série de meurtres.

— C'est ce que nous pensons.

— Et il a aussi fait en sorte de faire éliminer tous ceux qui ont exécuté ces crimes. Tous ceux par lesquels on aurait pu remonter jusqu'à lui.

— Oui.

— Et vous n'avez aucune idée de qui il est ?

— Pas la moindre idée. Mais nous avons quelques pistes.

— Quel genre de pistes ?

Ce fut Prose qui répondit.

— Le fait que Payne soit une personne que l'on croyait morte depuis des années ouvre de nouvelles avenues pour la suite de l'enquête. Il faut réexaminer les circonstances de sa disparition… et de celle des autres personnes qui ont disparu en même temps que lui.

— Et vous croyez que cette histoire de petits hommes blancs est terminée ?

— Pour un temps, du moins. Toute la structure opérationnelle a été éliminée. Volontairement éliminée. Le local du Club 51 est brûlé comme lieu de rendez-vous. Les quatre femmes qui ont commis les meurtres sont mortes. L'ingénieur de toute cette histoire est également mort… Même le journaliste qui était leur porte-parole dans les médias, Nicolas Roussel, semble-t-il, a été éliminé.

— Du personnel, cela se remplace.

— Il y a aussi la logique interne de l'œuvre : je ne vois pas comment il pourrait y ajouter de nouveaux crimes en respectant la logique 4/10 qui unifie l'ensemble de ses aspects.

Le ministre esquissa un sourire.

— Je me vois mal rassurer la population avec un argument d'ordre esthétique. Il est nettement préférable que nous nous en tenions à l'explication que nous a préparée cet artiste : une opération montée par une mafia de l'Est. On pourra même laisser entendre que Moscou a fermé les yeux en réplique à notre position sur l'Ukraine.

— Excellent ! ironisa Théberge. De la désinformation positive !

— Il reste un problème de crédibilité, dit Prose. La thèse de la mafia russe…

— Tchétchène, corrigea Duquai.

— … russe ou tchétchène, peu importe. Une vidéo de pornographie *snuff*, avec des adultes déguisés en enfants, ça ne cadre pas avec une opération mafieuse. Ils auraient carrément pris des enfants et ils n'auraient pas fait tout ce cinéma. On se croirait davantage dans un film d'avant-garde que dans une boucherie porno.

Leclercq soupira et se porta à la défense de l'explication sur laquelle ils s'étaient entendus. Ce n'était pas la première fois qu'il était dans cette situation : devoir trouver en vitesse une réponse vraisemblable, qui éviterait d'affoler inutilement la population ou de fournir des armes à d'éventuels adversaires politiques.

— Je comprends que vous vous fassiez l'avocat du diable, dit-il. Mais nous savons que les mafias sont prêtes à n'importe quoi, pourvu que ce soit rentable. Avec le succès mondial de *Fifty Shades of Grey*, pas étonnant que des criminels aient voulu profiter de ce marché. Que cela leur ait donné des idées… Mais si vous avez une meilleure explication pour satisfaire le public et contrôler la curiosité des médias, je vous écoute.

Un silence suivit. La proposition du ministre ne satisfaisait ni Prose ni Théberge. Mais ils n'avaient rien de mieux à suggérer.

— Reste la question du Club 51, remarqua Théberge. Je parle des membres.

— Je ne peux tout de même pas envoyer tous ces gens en cour, répondit le ministre. Ils pourraient aisément plaider qu'ils croyaient de bonne foi assister à des simulations. Que c'était censé être du théâtre…

Il se tourna vers Prose avant d'ajouter :

— Si Sade est un auteur respectable, la mise en scène théâtrale de fantasmes semblables aux siens ne peut pas être condamnable, n'est-ce pas ?

La question de Tanguay se voulait ironique. Elle ne suscita aucun commentaire. Théberge en revint plutôt à ce qui lui semblait essentiel.

— Vous voulez dire qu'ils vont s'en tirer ?

— Je veux dire qu'il y a une autre façon de s'en occuper.

Leclercq vola au secours du ministre.

— On leur fera comprendre que c'est terminé, ce genre de fantaisies. Que désormais, on les aura à l'œil. Et qu'au besoin, leur collaboration sera sporadiquement requise… En échange, une certaine discrétion sur leur implication sera maintenue.

— Et si la liste est publiée dans les médias ? objecta Prose.

— L'information sera niée. Sans preuve pour appuyer l'authenticité de la liste, le feu s'éteindra au profit d'un nouveau scandale.

— Et si la vidéo retrouvée dans l'ordinateur de Payne fait surface dans les médias ?

— Même chose. On prétendra que c'est une fabrication. Et on trouvera bien un groupe conspirationniste qui sera heureux d'endosser la responsabilité de cette vidéo. Je suis sûr qu'il y a déjà plusieurs candidats dans nos dossiers.

— Autrement dit, ils s'en tirent, conclut Duquai. Tous ceux qui ont assisté à ces meurtres restent libres de poursuivre leurs activités normales, pourvu qu'ils respectent la loi.

Théberge lui lança un regard reconnaissant. Il appréciait de ne pas être seul à être mal à l'aise devant ce type de règlement.

— Je sais bien que leurs mœurs sont dépravées, concéda le ministre. Mais nous ne sommes pas une police des mœurs.

— Il reste quand même à trouver le cerveau qui est derrière tous ces crimes, releva Théberge.

— Rien ne nous empêche de continuer à le chercher, répondit Leclercq. Mais, pour ce qui est du meurtre des petits hommes blancs, c'est terminé.

Une dizaine de minutes plus tard, ils avaient fini de peaufiner la version officielle que présenterait le ministre. Chacun s'était engagé à ne rien révéler de cette histoire qui contredise la version officielle. Leclercq en avait pris l'engagement au nom de Natalya. Une tâche urgente avait requis son attention à la dernière minute, avait-il expliqué.

En fait, il n'avait jamais été question pour elle d'assister à la rencontre. Son existence exigeait qu'elle maintienne un maximum de discrétion autour de sa personne.

Toutefois, l'excuse qu'il avait préparée pour le ministre avait acquis, au cours des dernières heures, une vérité inquiétante.

Ni lui ni Prose ne savaient où elle était. Elle avait coupé tous les canaux de communication.

www.huffingtonpost.fr/louis-pradeau-le-suspect-était-un...

> LE SUSPECT ÉTAIT UN HÉROS
>
> Gonzague Théberge, l'ex-policier canadien que la Police judiciaire avait présenté hier comme un suspect, est en fait une sorte de héros. En plus de contribuer au succès de l'enquête sur le meurtre des petits hommes blancs, il a accepté le rôle ingrat de suspect pour égarer les soupçons des criminels.
>
> Retraité du SPVM, le Service de Police de la Ville de Montréal, l'inspecteur Théberge n'en est pas à sa première expérience en matière de collaboration avec les forces de police françaises. Le truculent personnage a en effet...

SAUMON SAUVAGE ET CRIMINEL HEXAGONAL

Théberge avait décidé de fêter sa libération au Florimond. Une soirée en tête à tête avec sa femme. Par égard pour ses acouphènes, il avait réservé la petite table isolée, à gauche en entrant.

Madame Théberge prit place à la droite de son mari. De la sorte, sa bonne oreille était protégée des bruits de la salle et elle entendrait mieux ce qu'il lui dirait.

Ils avaient à peine eu le temps de s'asseoir que Laurent, le maître de salle, apportait trois flûtes de champagne.

— Ce n'est pas tous les jours qu'on reçoit un héros !

— Faut pas exagérer, protesta Théberge, mal à l'aise.

— Si, si ! Ils l'ont dit aux infos. Le héros qui s'est sacrifié pour faire croire aux meurtriers que la police était sur une fausse piste... Tu veux que je demande à l'ensemble des clients de porter un toast ?

Théberge lui jeta un regard où l'appréhension se mêlait à un début d'irritation.

— Au héros venu des grands espaces canadiens ! s'exclama Laurent en levant son verre. Après avoir affronté la neige, le froid et les ours polaires, il vient combattre les malfrats locaux.

Connaissant l'allergie de Théberge à ce type de folklore, il prenait plaisir à en remettre.

— À celui qui a dompté des troupeaux de caribous, pêché le saumon sauvage dans l'Arctique, trappé le castor dans les forêts profondes et qui vient maintenant chasser le criminel hexagonal !

Théberge ne put s'empêcher de rire. Laurent était passé du simple folklore au style fleuri que Théberge lui-même adoptait quand il était contrarié.

— D'accord, ça va.

Il leva sa flûte, salua sa femme, salua Laurent et prit une gorgée.

— Au héros, dit Laurent avant de boire à son tour.

— Je te préviens, avertit ensuite Théberge. J'ai de la mémoire. À ton prochain voyage au Québec…

— Des menaces ! C'est pas gentil. Moi qui faisais un effort pour m'ouvrir à vos différences culturelles… Allez, je vous apporte la carte et je vous laisse discuter.

Madame Théberge choisit des ravioles au homard et un risotto aux petits pois, artichauts et persil plat. Son mari la regarda un moment, l'air soucieux. Puis il choisit à son tour : tranche de foie gras au torchon et saucisse d'agneau.

Après le départ du jeune apprenti qui avait pris leur commande, Théberge se tourna vers sa femme.

— La douleur est revenue ?

— Oui.

— Et tu ne voulais pas m'inquiéter, j'imagine.

— Tu as d'autres soucis.

— Depuis combien de temps ?

— La douleur ? Deux ou trois jours après notre arrivée. Je pense que le froid et l'humidité ont servi de déclencheur.

— Et tu as enduré le mal sans rien prendre ?

— J'ai augmenté les médicaments à deux ou trois reprises. Je me suis reposée.

Théberge resta un moment silencieux

— Tu es sûre que ça va aller ?

— Oui, oui… C'est parce que j'ai choisi des choses faciles à mastiquer que tu t'en es aperçu ?

—Et pas de sorbet.

C'était une des particularités de cette douleur qui était apparue au côté droit de son visage. Le chaud et le froid pouvaient la déclencher. Et les crises que cela provoquait étaient de plus en plus violentes.

Durant les périodes où elle était plus vulnérable, ce qu'elle appelait ses mauvais jours, le simple fait de mastiquer, ou même de parler, suffisait à occasionner des crises.

Elle mit la main sur celle de son mari.

—Tu n'as pas à t'en faire. Avec les médicaments, je réussis à bien contrôler le mal.

—Si tu as un problème, on peut retourner à l'appartement. Je suis certain que Laurent comprendra.

—Je t'assure que ça va aller. Je veux en profiter pendant que je peux.

—Qu'est-ce que tu veux dire : pendant que tu peux ?

—Je ne suis pas certaine de revenir à Paris, Gonzague. Si les crises continuent d'augmentei... s'il faut que je prenne davantage de médicaments...

—Et que tu es de plus en plus fatiguée...

—Tant qu'à venir et ne pas pouvoir en profiter...

—C'est pour ça que tu as annulé notre souper à L'Opportun, soupira-t-il comme s'il venait subitement de comprendre pour quelle raison elle l'avait fait.

—Oui.

—Et la douleur de fond ?

—Stable à 4 sur 10. Parfois ça monte un peu, mais il suffit que je me repose.

C'était sans doute le pire. Entre les crises, la douleur était permanente, mais différente et moins intense. Sans les éclairs qui lui déchiraient tout le côté droit du visage. Une douleur contre laquelle les médicaments ne pouvaient rien. À moins de prendre de la morphine en continu.

Ils parlèrent ensuite de sujets plus réjouissants, notamment des plats qu'ils goûtaient, tentant d'identifier tous leurs ingrédients.

Entre l'entrée et le plat principal, madame Théberge revint sur la possibilité d'un futur séjour à Paris.

— Tu sais, ce n'est pas impossible. Mais ce ne sera probablement pas pour aussi longtemps. Et je vais me concentrer sur les choses que je tiens absolument à voir. La visite guidée de l'Opéra Garnier, la promenade plantée…

À la fin du repas, Pascal, le chef, se joignit à eux. Il voulait leurs commentaires sur ce qu'ils avaient mangé.

Théberge et sa femme n'eurent que de bons mots.

Puis la conversation dévia sur la philosophie culinaire de Pascal, qui leur expliqua ses plans pour faire évoluer la carte du restaurant au cours des prochaines années. De façon progressive. Pour respecter la clientèle. En réconciliant la cuisine traditionnelle régionale dont il s'inspirait et sa préoccupation grandissante de s'assurer que chacun de ses plats ait un effet positif sur la santé des gens, et qu'il élargisse le répertoire de saveurs auxquelles ils sont habitués.

Au moment de partir, madame Théberge refusa que son mari appelle un taxi. Elle était très capable de marcher, assura-t-elle. Il suffisait qu'elle aille à son rythme et qu'elle se protège du froid.

DES ŒUVRES-SÉISMES

L'homme qui se faisait appeler Darian Hillmorek s'ennuyait souvent. Plus rien ne le passionnait sauf ses projets artistiques. Et encore…

Œuvrer pour les générations futures, comme il l'avait fait au cours des dernières années, avait ses limites. Un artiste avait besoin de reconnaissance. Il en avait besoin de son vivant. Même si c'était à la toute fin de sa vie.

Et, plus fondamentalement, il avait besoin de s'adresser à ses contemporains.

Bien sûr, Hillmorek n'espérait plus changer le monde. Il était revenu de ses illusions. Sa période pharaonique, comme il l'appelait maintenant avec dérision, avait été un échec. L'humanité était ce qu'elle était. Rien ne pouvait la sauver. Rien ne pouvait lui épargner la période de misère et de souffrances vers laquelle elle se dirigeait. Sa survie même était loin d'être assurée.

Désormais, une seule chose importait à Hillmorek : témoigner. Laisser des œuvres qui parleraient pour lui.

Son action serait moins évidente. Plus diffuse.

Il l'avait compris. Non seulement compris : accepté.

Pour changer la réalité, il faut modifier la façon dont les gens la perçoivent. Il faut des œuvres coups-de-poing. Des œuvres qui rendent visibles les aberrations dans lesquelles l'humanité s'enfonce et qui obligent à réfléchir. Qui forcent le grand nombre à sortir de la digestion inconsciente des évidences partagées.

Pour cela, les écrits ne suffisent pas. Pas plus que la peinture ou la sculpture. Il faut des œuvres-événements. Des œuvres-séismes. Qui s'inscrivent dans l'histoire par leurs répercussions sociales et médiatiques. Une sorte de théâtre, mais aux dimensions de l'humanité.

Les artistes qui pratiquaient l'art organique étaient sur la bonne voie. Mais ils n'avaient pas poussé au bout leur intuition. S'en tenir à sculpter la chair des individus était bourgeoisement superficiel. Décoratif, pour tout dire. Imprégné de narcissisme.

C'était à même l'humanité qu'il fallait sculpter.

Steve Jobs avait été un précurseur. Mais un précurseur qui s'ignorait. Ses objets avaient modifié les habitudes de communication de l'humanité, le rapport que les gens entretenaient les uns avec les autres. Mais Jobs, lui aussi, était enfermé dans l'horizon narcissique hérité de sa période hippie.

C'était en partie de façon inconsciente que Hillmorek s'était engagé dans cette voie. Les Hommes sans visages avaient constitué une sorte d'ébauche involontaire. Une retombée de ses premières tentatives muséales.

10PHB était sa première esquisse réfléchie.

Avant de poursuivre, il lui fallait maintenant un témoin. Une sorte de chroniqueur. D'exégète. Quelqu'un qui serait à même de comprendre ses œuvres. De les expliquer aux foules, toujours promptes à se fourvoyer dans des interprétations manichéennes, toujours empressées de s'identifier aux victimes et de les plaindre pour éviter d'avoir à comprendre ce qui se passe.

Hillmorek reporta son attention sur l'écran de l'ordinateur et relut le texte qu'il s'apprêtait à envoyer.

> Cher monsieur Prose,
>
> Je crois savoir que vous êtes à la recherche d'un exemplaire des *Naufragés du Juskoboutistan*. Ce livre est l'une des raretés de ma collection. Je n'ai pas l'intention de m'en départir. Mais si vous désirez le consulter, ce sera un plaisir de vous accueillir chez moi. Si le cœur vous en dit, vous pourrez en profiter pour jeter un coup d'œil à l'ensemble de ma collection.
>
> Si ma proposition vous intéresse, je vous invite donc à me rendre visite au 56, rue Raynouard. Il faudrait toutefois que cette visite ait lieu assez rapidement. Je pars dans trois jours pour un voyage de six mois. D'ici là, j'ai mille choses à faire.
>
> Hillari Kormaden

À mesure qu'il relisait, un sourire se dessinait sur le visage de Hillmorek. Contrôler les gens n'était jamais très compliqué : il suffisait de savoir quelle histoire leur raconter.

Prose faisait une véritable obsession de ce livre. Il avait posté des messages sur tous les sites importants de collectionneurs. Il mordrait à l'appât. Hillmorek en était certain.

Il suffirait ensuite de discuter avec lui. D'être patient. Jusqu'à ce qu'il réalise qu'il n'avait pas le choix. Et qu'il accepte le rôle que Hillmorek lui avait réservé : tenir la chronique de sa lutte contre l'absurde et l'inconscience de masse.

Bref, être le commentateur privilégié de ses œuvres.

Il appuya sur SEND.

#PÉDOTUEURS

Grégoire Bichou@grebich
Meurtre des #petitsblancstués résolu. Spectacle #pédohard. Aucun spectateur identifié. Personnalités en vue parmi eux ? #pédotueurs

À la recherche du Prose perdu

SURVIVRE À L'ÉCOLE DE LA VIE

En se réveillant, Natalya mit quelques instants à reconnaître l'endroit où elle se trouvait. Une partie d'elle-même était demeurée dans le camp de formation de la Securitate, les services secrets roumains. Là où elle avait passé la fin de son enfance et l'essentiel de son adolescence.

Toute la nuit, elle avait rêvé à ce camp. Un cauchemar après l'autre. Tous les souvenirs s'étaient réveillés dans son esprit. Avec une précision terrifiante.

Les cours pratiques où elle devait se familiariser avec différents types d'armes sur des êtres humains, parfois même sur d'autres recrues dont les performances étaient jugées insatisfaisantes.

Les séances d'entraînement à la privation de nourriture et de sommeil, qui duraient jusqu'à ce que 10 pour cent des participants aient abandonné. Ce qui signifiait leur élimination du programme. Et leur élimination tout court.

Les exercices de désensibilisation, au cours desquels elle devait tuer des prisonniers, l'un après l'autre. Pour que le geste d'enlever la vie devienne banal. Comme une habitude. Avec la menace d'être exécutée si elle n'y parvenait pas, ou si elle démontrait simplement trop d'hésitation.

Les épreuves éliminatoires, à la fin de chaque trimestre, où les moins performants étaient sacrifiés. Elle se rappelait encore le mélange de peur et de rage qu'il y avait dans les yeux des perdants, quand ils réalisaient ce qui allait leur arriver.

Elle se souvenait aussi des rares visites de sa mère, qui se passaient presque en silence, chacune ne disant que des banalités de peur de nuire à l'autre.

Et surtout, elle se rappelait l'homme au sourire compatissant, le directeur du camp. Valentin Cioban. Tout au long de son séjour, il s'était efforcé d'afficher envers elle de la sympathie, presque de l'affection. Même s'il était le principal responsable de tout ce qu'on lui avait infligé.

Natalya aurait payé cher pour effacer tous ces événements de sa mémoire. Pour que cessent les cauchemars. Mais lui, Cioban, elle ne voulait pas l'oublier.

Pour la première fois depuis des années, elle avait une piste. Un bistro qui offrait un service de café Internet, au centre-ville de Bucarest. Elle savait que monsieur Brice avait à plusieurs reprises utilisé ce relais pour expédier des messages…

Natalya parcourut la chambre du regard, comme pour s'assurer une dernière fois de l'endroit où elle était.

Ensuite, elle prit une douche, s'habilla, rangea son iPad dans le petit coffre-fort de la chambre et descendit dans le hall de l'hôtel.

Le Golden Continental était l'un des hôtels réputés de Bucarest. Les hommes d'affaires et les diplomates y côtoyaient les espions et les chefs du crime organisé. Tout le monde se savait surveillé et agissait en conséquence. Cela n'empêchait pas le SRI, l'organisme qui avait pris la relève de l'ancienne *Securitate* du temps de la guerre froide, d'exercer une surveillance continue des clients. Mais il le faisait sans trop de zèle, sachant qu'il avait peu de chance de trouver quoi que ce soit de compromettant.

C'était la raison pour laquelle Natalya avait laissé son iPad dans le coffre de l'hôtel. C'était encore là qu'il serait le plus en sécurité.

Il ne faisait pas de doute que sa chambre serait fouillée durant son absence et que le coffre serait ouvert. Mais il était peu probable que l'on puisse accéder à la partie secrète de la tablette électronique. Les agents du SRI s'arrêteraient à ce qui était évident : les courriels, les photos, les dossiers marqués confidentiels et cryptés d'une manière facile à décoder.

Derrière la simple touriste, ils découvriraient une représentante d'un conglomérat minier. Ce dernier désirait garder secrètes ses visées sur certains territoires de la Roumanie. Pour cette raison, on avait envoyé une enquêteuse. Mission : procéder à une évaluation discrète des conditions de réalisation de leurs projets. Et de l'accueil qu'ils recevraient s'ils allaient de l'avant avec les investissements projetés.

Il y avait là tout ce qu'il fallait pour satisfaire la curiosité du SRI.

http://www.francetvinfo.fr/replay-jt/france-2/6h30

> Alatoff Payne. Cet homme qui dirigeait un réseau spécialisé dans la production de pornographie serait le responsable du meurtre des 10 petits hommes blancs. Les crimes ont été commis pour réaliser des vidéos de pornographie pédophile ultra-violente.
>
> Les victimes ont été choisies jeunes et petites parce qu'il était plus facile de les faire passer pour des mineurs. Par respect pour leur famille, aucune des vidéos retrouvées sur place ne sera rendue publique.
>
> Il semblerait par ailleurs que le groupe mafieux, pour égarer les soupçons des enquêteurs, soit intervenu de façon massive dans les réseaux sociaux : ses efforts visaient à accréditer la thèse d'un tueur en série ainsi que celle d'un groupe terroriste antioccidental...

L'OBSÉDANT MONSIEUR BRICE

Natalya passa devant l'entrée de la station de métro Universitate et se dirigea vers la rue Blanari.

Une heure plus tard, elle était attablée au comptoir d'un bistro, à proximité du café-théâtre Godot. En arrivant, elle avait demandé au serveur s'il connaissait monsieur Brice. Elle savait qu'il fréquentait cet endroit.

Le serveur l'avait examinée quelques secondes avant de lui répondre qu'il ne connaissait aucun client de ce nom, mais qu'il y avait toujours des hommes intéressants dans le bar.

— Pompiliu Moscovici, avait-il précisé en lui tendant la main.

Après une brève hésitation, Natalya saisit la main offerte.

— J'ai vraiment besoin de voir monsieur Brice, dit-elle. C'est pour affaires.

— Je ne connais vraiment aucun client de ce nom, répéta le barman.

Intérieurement, Pompiliu se dit qu'il ne mentait pas. Monsieur Brice n'était pas un client. C'était une sorte de compétiteur de son patron. Ce dernier le laissait opérer dans le bar et profiter de la connexion Internet pour endormir sa méfiance, car il espérait mettre la main sur le commerce du courtier en informations.

Exceptionnellement, Pompiliu remplaçait le patron derrière le bar pour toute la journée. Des choses intéressantes risquaient de se produire, avait déclaré ce dernier. Il voulait demeurer libre de ses mouvements.

Pompiliu lui envoya un texto pour lui confirmer que tout se déroulait comme prévu. Un message anodin dont son patron comprendrait la signification.

Cinquante minutes plus tard, rien ne s'était passé. Natalya commençait à se demander si elle n'allait pas faire pas chou blanc quand un homme à la carrure de videur, mais dont le costume était impeccablement coupé, s'approcha d'elle.

— On me dit que vous cherchez monsieur Brice ?

— Oui.

— Qu'est-ce que vous lui voulez ?

— Je cherche à retrouver quelqu'un. Je pense qu'il peut m'aider. Je suis prête à payer ce qu'il faut.

Le videur au costume chic fit signe à un des deux hommes qui prenaient un verre au bar. Compte tenu du débraillé et de la saleté de son habillement, de sa barbe longue, de ses cheveux en bataille, et de la rougeur de son nez épaté, l'individu en question aurait pu passer pour un alcoolique en phase avancée. Ses yeux froids, qui ne cillaient pas, racontaient cependant une autre histoire.

Costume chic ramena son attention vers Natalya.

— Nous allons vous conduire à lui, dit-il.

Natalya aurait préféré rencontrer monsieur Brice dans un lieu public, ce bistro par exemple, mais elle n'avait pas le choix.

— Si vous croyez que c'est nécessaire…

Costume chic l'emmena au fond du bistro, ouvrit une porte donnant sur l'extérieur, traversa la ruelle en biais, ouvrit une porte à l'arrière d'un édifice dont la façade donnait sur une autre rue, emprunta un corridor qui menait à un escalier et descendit au deuxième sous-sol.

Il ouvrit ensuite la porte d'un bureau.

Costume chic ouvrait la marche. Nez épaté la fermait.

À peine Natalya était-elle entrée qu'un coup violent à la jambe gauche lui fit perdre l'équilibre. Puis la douleur s'installa.

Nez épaté venait de lui tirer une balle dans la cuisse.

Les deux hommes la saisirent ensuite par les bras et la traînèrent vers un fauteuil.

Natalya jugea préférable de ne pas réagir immédiatement. Mieux valait installer dans leur esprit l'idée qu'elle était sans défense. Plus tard, elle bénéficierait d'un effet de surprise. Entre-temps, elle aurait peut-être l'occasion d'en apprendre sur eux, ne serait-ce que par les questions qu'ils lui poseraient.

Costume chic amorça l'interrogatoire. Nez épaté, en retrait, continuait de la tenir en joue.

— Qu'est-ce que vous lui voulez, à monsieur Brice ?

— Lui parler.

Elle prit sa cuisse entre ses mains pour montrer que la blessure lui faisait mal et qu'elle essayait vainement de contrôler la douleur. Son visage n'avait aucune difficulté à traduire cette souffrance, qui était bien réelle.

Son entraînement lui aurait permis de la surmonter, mais il importait de ne pas avoir l'air d'une agente aguerrie. Elle s'efforçait plutôt de paraître tenter avec difficulté de maîtriser son affolement.

— Lui demander des informations sur quelqu'un, reprit-elle. C'est quoi, cette idée de tirer sur moi ?

Costume chic ignora la question.

— Des informations sur qui?

— Ça, je ne le dirai qu'à monsieur Brice. Je suis certaine qu'il préférera être le seul à entendre ce nom.

— Qui vous a parlé de monsieur Brice?

— Un correspondant Internet. Il m'a affirmé que c'était un des intermédiaires les plus sûrs pour discuter de ce genre de question. Aussi sûr que l'Arménien ou Dum-Dum…

— Et vous ne l'avez jamais rencontré?

— Jusqu'à aujourd'hui, jamais.

Elle se tourna vers Nez épaté avant d'ajouter, d'une voix plus contrôlée:

— N'est-ce pas, monsieur Brice?

Ce dernier la regardait d'un air à la fois ironique et amusé. Il fit un signe à Costume chic, qui dégaina son pistolet.

— Qu'est-ce qui vous fait croire que je suis monsieur Brice? demanda Nez épaté.

— On envoie toujours les seconds fusils en première ligne et on observe ce qui va se passer.

— Je pourrais simplement être un sous-ordre un peu plus haut placé dans la hiérarchie.

— J'ai tenté ma chance. La logique voulait que ce soit vous.

— La logique?

— On ne construit pas ce genre d'organisation sans vérifier personnellement toute source imprévue de problèmes. Et qu'est-ce qui peut être plus problématique que de voir quelqu'un entrer dans son quartier général… ou une de ses annexes… en demandant le patron par son nom?

— Vraiment astucieux. Je vous avais sous-estimée. Croyez-le ou non, pour une rare fois, je vais regretter la mort de quelqu'un.

— Vous ne pouvez pas me tuer! Vous ne savez même pas pour qui je travaille. Il faut qu'on parle!

— Nous avons assez parlé. Et je sais très bien qui vous êtes.

— C'est impossible!

—Je ne connais peut-être pas tous les détails de votre fausse identité, mais la seule chose qui m'importe, c'est de savoir que vous travaillez pour le SRI.

—Quoi? C'est ridicule!

—J'ai eu un avertissement, le mois dernier. Ils étaient sur le point d'envoyer un nouvel agent pour tenter d'infiltrer mon organisation.

—Je ne suis pas du SRI!

—Je dois reconnaître que vous êtes forte. Découvrir l'entrée de mon bureau, m'identifier. Je suis impressionné… Comme je vous le disais, vous êtes une des rares personnes que je vais regretter de devoir sacrifier.

—Mais puisque je vous dis!

—Épargnez-moi vos protestations.

Il se tourna vers Costume chic.

—Tue-la.

L'instant d'après, deux coups de feu se faisaient entendre.

#ONESTPASDESVALISES

Lucie Dorval@lucido
Elles ont bon dos, les mafias
de l'Est? Pourquoi pas les
extraterrestres? N'importe quoi
pour cacher leurs magouilles.
#onestpasdesvalises

Cécile Boutin@celbout
"@lucido Elles ont bon…" Un réseau
de trafiquants de porno, ça n'a rien
de surprenant. Aujourd'hui, tout se
vend.

Diogene Karma@diokarm
"@celbout Un rés… " Très possible,
le réseau de pédoporno. Mais est-ce
vrai? La désinfo, aussi, ça existe.
@lucido

DEUX DÉTONATIONS ÉTONNANTES

Les deux détonations surprirent Natalya.

Mais le plus étonné fut Costume chic. Il regarda, l'air de ne pas y croire, la tache rouge qui s'élargissait sur sa poitrine, tourna les yeux vers son pistolet, vit sa main qui s'ouvrait et l'arme qui tombait par terre.

Puis il s'écroula.

L'instant d'après, une balle touchait Nez épaté au milieu du front.

Natalya le regarda, puis regarda l'homme qui venait de s'encadrer dans la porte.

— Vous !

Valentin Cioban ! L'homme au sourire compatissant !

Il la fixait. Un peu d'amusement perça dans sa voix quand il répondit :

— Tu n'es pas une personne facile à protéger, Natalya.

— Pourquoi les avoir tués ? Pour pouvoir me tuer vous-même comme vous l'avez fait du reste de ma famille ?

Elle criait et pleurait en même temps.

— Ça ne vous suffit pas de les avoir tués ? De m'avoir torturée pendant toutes ces années ? Vous en voulez plus ?

Cioban répliqua sèchement, mais sans perdre son sourire et sans élever la voix.

— Natalya, tu es ridicule. Reprends-toi !

Elle s'arrêta immédiatement de parler et de pleurer, comme si cet ordre avait activé de vieux mécanismes à l'intérieur d'elle.

Rapidement, elle se sentit calme. Implacablement calme.

— C'est mieux, approuva Cioban. Quelqu'un qui est froidement résolu à vous tuer est un meilleur interlocuteur. Il est attentif à tout ce que vous dites et tout ce que vous faites, car cela pourrait lui donner un avantage.

Natalya ne put empêcher son visage de trahir la surprise d'être aussi clairement percée à jour. Et, surtout, de voir que Cioban semblait apprécier son attitude.

— Bien. Il est maintenant temps de discuter.

— Qu'est-ce que vous voulez ? Pourquoi êtes-vous ici ?

— Pour te sauver la vie. Quoi d'autre ?

— Et pour quelle raison feriez-vous ça ? Pour pouvoir me torturer plus longtemps ?

— Tu te rappelles le moment où tu as dû choisir qui, de ta famille, tu allais sauver ?

Natalya sentit de nouveau les larmes lui monter aux yeux. Elle fit un effort pour se maîtriser. Ce n'étaient plus la peur et la confusion qui l'habitaient. C'était la haine. Une haine froide.

Elle ferait tout pour venger sa famille.

— Les tuer ne vous a pas suffi ? dit-elle. Vous voulez terminer le travail, peut-être ?

— Juste avant que tu choisisses, j'ai fait le même type de choix. Normalement, toute ta famille aurait dû disparaître. Toi y compris. Mais je t'ai choisie. Je ne pouvais rien pour le reste de ta famille. Je ne pouvais sauver qu'une seule personne, deux en comptant ta mère. C'était ça ou vous laisser tous mourir.

— Et c'est la raison pour laquelle vous m'avez envoyée au camp de formation ? Pour me sauver ?

— Exactement.

La réponse coupa net l'élan de Natalya. Elle s'attendait à des dénégations… Ce n'était pas sa faute. Il n'avait pas eu le choix. Il aurait été suspect de paraître la protéger…

Au lieu de cela, il reconnaissait les faits. Il paraissait même être content de la décision qu'il avait prise.

— Je voulais que tu apprennes à te défendre, expliqua Cioban. Que tu améliores tes chances de survie. Le régime n'en avait plus pour beaucoup d'années, c'était évident, et je voulais que tu survives jusque-là.

— Bien sûr ! Une école où je risquais de servir de gibier à mes petits camarades si mes performances n'étaient pas à la hauteur !

— J'avais confiance en toi, en tes capacités. Mais j'ai quand même toujours veillé à ce que tu ne sois pas confrontée à des situations où tu ne pouvais pas prévaloir. Comme j'ai veillé à ce que tu ne te retrouves jamais trop bas dans la liste… Ce qui est remarquable, c'est que je n'ai presque pas eu à intervenir. Tu t'es vraiment bien débrouillée.

— C'était quand même un enfer !

— Je le sais. Mais ceux qui reviennent de l'enfer sont les mieux équipés pour survivre aux horreurs quotidiennes… De toute façon, je n'avais pas vraiment d'autre choix. Si je voulais te sauver, c'était ça ou l'école de charme. Aurais-tu préféré devenir une prostituée au service du régime ?

Natalya le regardait, incrédule.

Après une pause, Cioban poursuivit son explication.

— J'ai pensé que tu serais mieux armée pour survivre si tu venais dans mon école. Et, en toute honnêteté, je dois dire que tu es ma plus belle réussite.

— Parce qu'il y en a eu d'autres ?

— Seize. Neuf de ceux que je voulais protéger sont morts au service du régime. Il en reste sept. Je vous ai toujours considérés comme mes enfants.

— Ça, jamais !

— Bien sûr, bien sûr. Je comprends ta réaction. Mais ça n'a pas d'importance. Cela ne change rien à ce qui a été… Vous étiez comme ma liste de Schindler personnelle, mais je ne pouvais pas vous faire sortir du pays. Je pouvais seulement vous donner la chance de survivre… Par la suite, j'ai toujours suivi ce qui arrivait à chacun de vous.

— C'est complètement fou !

— Sur cela, nous sommes d'accord… Tu sais que tu es la seule qui a eu l'idée de te servir de tes compétences pour tenter de réparer les torts que tu estimes avoir causés ? J'imagine que tu y vois une forme de salut. Une façon de parvenir à vivre avec tes souvenirs.

Comment faisait-il ? On aurait dit qu'il lisait en elle comme dans un livre ouvert. Qu'il comprenait mieux qu'elle même ce qui la bouleversait et ce qu'elle tentait de faire pour se soulager. Elle était presque tentée de croire à sa compassion. De croire qu'il se faisait réellement du souci pour ceux qu'il appelait ses enfants.

Puis le souvenir de tout ce qu'elle avait subi remonta à sa mémoire. C'était impossible que quelqu'un ayant son statut n'ait pas eu le choix.

Cioban interrompit ses réflexions.

— J'ai suivi avec attention ton travail à Venise. C'était à la fois hautement créatif et moral malgré tout, la façon dont tu as éliminé Gregoriu. J'imagine que c'est toi qui as trouvé le petit mot que j'avais fait planter dans l'appartement. Celui sur la liste XIII.

Natalya le regardait, incrédule.

De nouveau, elle était prise de court. Il ne s'était pas seulement tenu informé de ce qu'elle faisait. Il l'avait fait suivre. Il avait même tenté de la manipuler.

— Tu ne le sais pas, mais nous poursuivons le même ennemi. Notre meilleure piste est l'homme qui a commandité le meurtre des 10 petits hommes blancs… Une autre de mes enfants travaille sur cette piste.

C'était tellement inattendu que Natalya resta littéralement bouche bée.

L'homme éclata brusquement de rire.

— Je ne te dirai pas de qui il s'agit. Les seuls secrets que l'on ne peut pas trahir sont ceux que l'on ignore.

Natalya prit conscience de sa réaction et ferma la bouche.

— Tu te demandes sûrement ce qu'est cette liste… Treize individus. De différentes nationalités. De différents milieux. Inégalement riches, mais tous extrêmement puissants. Qui ont peu de contacts entre eux. Et qui s'entraident lorsque c'est utile… Peu de gens soupçonnent l'existence du groupe et personne ne connaît l'identité de ses membres. Pas même moi… Enfin, ce n'est pas tout à fait exact. Je sais que l'un d'eux a financé l'opération qu'il a appelée 10PHB. Dix petits hommes blancs… Je pourrais probablement le faire tomber, mais je préfère le garder en réserve. Il est ma seule piste pour retrouver les autres.

— Si vous voulez me convaincre, il va falloir me dire son nom.

— Pour que tu te précipites chez lui et que tu brûles notre seule piste ? Sûrement pas !… Je peux cependant te dire que c'est lui qui t'a engagée pour le travail de Venise. Il voulait éliminer Gregoriu.

— Pour quelle raison ?

— Parce qu'il lui faisait de l'ombre… Mais assez parlé. Tu as un avion qui s'envole pour Paris dans six heures et il faut s'occuper de ta blessure avant que tu partes.

— Pourquoi tenez-vous à ce que je retourne aussi vite à Paris ?

— Parce que je me fais du souci pour Victor Prose.

LA LEÇON DES PETITS HOMMES BLANCS

Darian Hillmorek savourait les derniers moments de son existence. Encore quelques jours et il deviendrait Hilliard K. Morane.

Toute trace de son ancienne identité disparaîtrait. C'était dans la peau d'une nouvelle personne qu'il entreprendrait son prochain projet.

Son seul lien avec son existence précédente, à l'exception d'Aischa, serait Sandrine Bijar. Elle aussi, il lui faudrait un nouveau nom. Et une nouvelle existence.

En toute rigueur, il aurait dû la faire disparaître. Pour recommencer vraiment à neuf. Mais le personnel de qualité devenait de plus en plus difficile à trouver. Et long à former. Or, il ne rajeunissait pas. Le temps était un luxe qui lui était de plus en plus inaccessible. S'il voulait réaliser ses projets – ou du moins les principaux d'entre eux –, il devait accepter quelques risques.

Il activa le logiciel téléphonique de son ordinateur.

— Bonjour, madame Bijar.

— Tout est prêt pour recevoir votre invité.

— Bien.

— Vous êtes sûr qu'il viendra ?

— C'est une invitation qu'il lui est impossible de refuser.

—Je vous ai envoyé par courriel le texte de la déclaration conjointe du Quai des Orfèvres et de la DGSI. Ils ont fait le choix que nous avions prévu.

—Et sur Internet?

—Je vous ai également transmis les coordonnées d'une vingtaine d'interventions significatives.

—Très bien. Vous pouvez maintenant procéder à votre métamorphose. Je compte vous voir demain, armée de votre nouvelle identité.

Aussitôt la conversation terminée, Hillmorek chercha le site du *Huffington Post* et entreprit la lecture du résumé de l'affaire qu'on y présentait.

> L'enquête sur le meurtre de ceux que les médias ont appelés «Les 10 petits hommes blancs» est maintenant terminée. Le principal responsable de ces meurtres est mort ce matin, après avoir lui-même fait assassiner ses principaux complices.
>
> Il s'agit d'une figure importante du crime organisé des pays de l'Est, qui était notamment connue sous le nom d'Alatoff Payne. Il dirigeait un réseau spécialisé dans la pornographie violente. Les meurtres des 10 victimes...

À mesure que Hillmorek progressait dans sa lecture, son sourire s'élargissait. Comme il l'avait prévu, les autorités n'avaient pas eu le choix: elles avaient avalé son histoire. Pour elles, c'était la meilleure porte de sortie.

Sa lecture achevée, il ouvrit le répertoire de liens Internet que lui avait envoyé madame Bijar.

Il parcourut rapidement les quatre premiers articles.

UNE ENQUÊTE QUI NE RÉSOUT RIEN
QUI A DONC VRAIMENT TUÉ PAYNE?
DES MORTS COMMODES
LA MAFIA RUSSE A BON DOS

Un des thèmes majeurs de la réaction médiatique était de laisser entendre, plus ou moins ouvertement, que toutes ces morts faisaient l'affaire des autorités policières et du pouvoir politique. C'était une façon habile de continuer à exploiter le sujet.

Le Front national, pour sa part, y allait sans prendre de gants blancs.

CE RACISME ANTI-BLANC QU'ON NOUS CACHE

La thèse était simple : le vrai motif de ces crimes était la haine des Occidentaux blancs. Preuve en était l'origine étrangère des femmes qui avaient perpétré ces meurtres. Leur porte-parole accusait à mots à peine couverts les autorités de cacher la vérité pour protéger des gens haut placés.

> Dans leur empressement à nier les faits, les responsables politiques et leurs laquais en uniformes se sont dépêchés d'entériner cette histoire de mafia et de porno. Cela leur donnait un coupable facile à vendre à l'opinion publique : le crime organisé. Et tchétchène, de surcroît. On est en droit de se demander qui a vraiment éliminé Payne. Et quels intérêts sert cette élimination… Qui avait-on peur qu'il dénonce ? Quelles complicités aurait-il pu révéler ?

— Excellent, ne put s'empêcher de murmurer Hillmorek.

L'article suivant reproduisait le message retrouvé sur l'ordinateur de Payne. Le chef de pupitre l'avait coiffé d'un titre et d'un sous-titre nettement accusateurs :

LA VRAIE LEÇON DES PETITS HOMMES BLANCS
CE TEXTE QU'ON VOULAIT NOUS CACHER

Sur les réseaux sociaux, la mise en doute de la version « officielle » se répandait comme un feu de brousse.

Bien sûr, les autorités s'étaient empressées de nier ces allégations. Mais chaque dénégation alimentait le scepticisme et donnait de nouvelles munitions aux amateurs de théories du complot : si les autorités se donnaient la peine de réagir, c'était que la vérité qu'elles tentaient de cacher était alarmante. Et plus elles intervenaient, plus elles alimentaient la méfiance des gens.

Le test s'avérait concluant, songea Hillmorek. Ce type de manipulation pouvait effectivement soulever les foules. Il suffisait de bien coordonner les événements avec leur prise en charge par les réseaux sociaux et les médias.

Par association d'idée, il pensa à Payne…

Pauvre Payne ! Jusqu'à la fin, il avait été incapable de saisir le potentiel des médias sociaux. Hillmorek avait bien tenté de lui faire voir que, pour quiconque voulait manipuler les foules, c'était désormais un outil indispensable. Qu'avec eux, l'ampleur et la vitesse des manipulations possibles étaient décuplées. Centuplées.

Mais Payne persistait à s'en méfier. Il était quelqu'un d'enraciné dans le XXᵉ siècle. Plus qu'enraciné : englué. Impuissant à voir au-delà de l'empire médiatique qu'il avait construit. Une sorte de dinosaure. Incapable de sentir la révolution qu'avaient produite les médias sociaux. Incapable de voir qu'ils fusionnaient déjà avec les médias traditionnels. Qu'ils étaient en train de transformer l'ensemble de la société.

Désormais, on pouvait s'adresser à l'humanité entière. Il suffisait de disposer des moyens nécessaires pour manipuler ces réseaux. Des moyens techniques, bien sûr, mais aussi des moyens financiers. Et ces moyens, Hillmorek les avait.

Cela signifiait que ses œuvres auraient un impact planétaire quasi instantané. Pour la première fois, sculpter dans l'humanité elle-même devenait possible…

Mais, pour cela, il fallait cesser de rêver. Il restait beaucoup de travail. En dernier lieu, il devait s'occuper du recrutement de son nouveau collaborateur. Celui qui serait son Grand Témoin, l'exégète officiel de son travail artistique.

SAUVER LE SOLDAT PROSE

Théberge n'avait pas encore eu le temps de prendre son premier café quand il reçut l'appel de Duquai.

— Je passe vous chercher. Je serai chez vous dans... 18 à 20 minutes. Votre ami Prose ne répond pas au téléphone. Il se peut qu'il ait des ennuis. Je vous expliquerai.

Dix-neuf minutes plus tard, la voiture de Duquai s'arrêtait devant l'édifice où demeurait Théberge.

Pendant qu'ils se rendaient à l'appartement de Prose, l'agent de la DGSI lui expliqua comment ils avaient été prévenus qu'un danger menaçait l'écrivain.

— C'est cette femme, Natalya. Elle a appelé Leclercq pour l'avertir. Prose est en danger, lui a-t-elle dit. Elle en était certaine. Mais elle n'avait aucune idée de la nature de ce danger.

— Je suis étonné qu'elle ne soit pas avec vous.

— Elle était en Roumanie quand elle a appelé. Son avion venait d'être retardé à cause d'une alerte de sécurité.

www.franceinfo.fr/actu/politique/article/des-amis-imagin...

DES AMIS IMAGINAIRES

Les services de renseignement ont annoncé à midi le démantèlement d'un vaste réseau de robots Internet qui avait pour but de manipuler l'opinion publique. Ces robots, qui se présentaient comme des blogueurs, des twitteurs ou des amis Facebook, sont intervenus de façon massive au cours des dernières semaines. Ils auraient joué un rôle non négligeable dans...

L'ÉCRIVAIN ÉLUSIF

Théberge et Duquai entrèrent sans difficulté dans l'appartement de Prose.

Il était désert.

Théberge ouvrit le placard, inspecta les tiroirs d'une commode pendant que Duquai enfilait ses gants de latex.

— Tous ses vêtements et ses effets personnels sont encore ici, remarqua Théberge.

— Il est peut-être à la Bibliothèque nationale. Il y va presque tous les jours.

— Sans son ordinateur ?… Il ne s'en sépare jamais. Même pour aller au café !

Théberge appuya sur une touche du clavier.

L'écran s'activa. La fin d'un message envoyé par une dénommée Hillari Kormaden était affichée.

Si vous êtes libre, je peux vous recevoir demain midi. Je ferai préparer un déjeuner. Cela me permettra de vous accorder quelques heures.

Je suis bien consciente que cette proposition vous donne peu de temps pour vous libérer. Si je me permets de vous la faire, c'est que j'imagine facilement votre impatience. Les *Naufragés* est un livre étonnant et j'espère que nous aurons le plaisir d'en discuter.

Très cordialement,

    Hillari Kormaden

— Il est peut-être allé à ce rendez-vous, suggéra Théberge.

Il fit défiler le message pour remonter jusqu'aux premières lignes et il le parcourut en entier. Rien. Pas d'adresse.

Il fit alors apparaître la liste des messages et retrouva le premier que lui avait envoyé Hillari Kormaden.

Duquai, qui lisait par-dessus son épaule, prit en note l'adresse que mentionnait la correspondante.

— Il faut aller là-bas, dit-il. Tout de suite.

Pendant le trajet, Duquai téléphona à la DGSI et demanda des informations sur le propriétaire de l'appartement situé rue Raynouard.

La réponse ne mit que quelques minutes à lui parvenir. Il s'agissait de Robert de Marmontais, professeur retraité de l'Université de Lyon. Spécialité: littérature du XIXe siècle. Il vivait seul et occupait lui-même l'appartement. Depuis deux mois, il était en tournée aux États-Unis pour y donner une série de conférences sur Chateaubriand et la politique.

— Ça ressemble de plus en plus à un piège, commenta Théberge.

Se faire ouvrir l'appartement de Marmontais par le concierge de l'édifice prit une dizaine de minutes. Le plus long fut d'attendre qu'il revienne du café, où il était allé boire un expresso.

L'appartement faisait facilement 150 mètres carrés. D'allure moderne, il était joliment aménagé. La chambre avait été transformée en bibliothèque. Les quatre murs étaient couverts de livres, à l'exception de l'espace occupé par la tête du lit, qui était encastrée dans la bibliothèque.

Seuls le lit et la porte d'un placard témoignaient de la vocation initiale de la pièce.

— Je n'ai pas l'impression que nous allons trouver grand-chose ici, fit Duquai.

— Il ne s'est quand même pas volatilisé !

— Volatilisé, non. Mais il peut avoir été enlevé.

Pourvu qu'il ait seulement été enlevé, pensa Théberge.

UNE BALLE QUI A DES YEUX

Tout au long du trajet, Natalya avait été hantée par le souvenir de sa rencontre avec Cioban.

Ce dernier avait été étrangement prévenant à son endroit. Il l'avait d'abord emmenée dans une clinique privée, où l'on avait pris soin de sa jambe.

Elle avait eu de la chance, lui avait dit le médecin. Aucun os n'était touché de façon importante. Juste une rayure sur le fémur. Une balle qui avait des yeux. Elle avait évité de justesse l'artère fémorale. Il s'en était fallu de moins d'un centimètre. Si l'artère avait été touchée, Natalya aurait pu mourir en très peu de temps par exsanguination.

Le médecin lui avait conseillé de se déplacer en fauteuil roulant pendant quelques jours. Au pire, elle pourrait utiliser des béquilles pour de courtes distances.

Natalya n'avait d'abord rien voulu savoir du fauteuil roulant. Puis elle avait réalisé que cela lui faciliterait les choses dans les aéroports : elle pourrait couper les files d'attente, ferait l'objet de plus de bienveillance, éveillerait moins les soupçons… Une fois à Paris, elle s'en débarrasserait. Elle en avait tout au plus pour quelques heures. Du moins, c'était ce qu'elle croyait.

Juste avant le départ, il y avait eu une alerte de sécurité. Tous les passagers avaient été évacués et soumis à une nouvelle fouille. L'appareil avait été passé au peigne fin.

Voyant que les choses s'éternisaient, Natalya avait contacté Leclercq pour lui demander de protéger Prose.

Deux heures quarante plus tard, l'avion décollait.

En arrivant à Charles-de-Gaulle, Natalya réactiva son cellulaire. Un texto l'attendait.

> Prose introuvable.

Elle s'engouffra dans un taxi et se rendit directement au bureau de Leclercq.

En entrant, elle eut la surprise d'y trouver Théberge et Duquai.

— J'ai pensé que nous devrions unir nos efforts, dit Leclercq.

Dans les 20 minutes qui suivirent, il leur résuma toutes les démarches qui avaient été faites pour retrouver Prose. En vain.

— Vous croyez qu'il a été… éliminé ? demanda Théberge.

Mal à l'aise, il avait buté sur le dernier mot, comme si le simple fait de mentionner cette possibilité était déjà lui reconnaître un trop grand coefficient de réalité.

— Ce n'est malheureusement pas à exclure.

Natalya se rappelait sa discussion avec Cioban. Il lui avait affirmé que la vie de Prose n'était pas menacée à court terme.

Comment savait-il cela ? Il avait refusé de le lui dire. Mais il en était certain. Pour ce qui était de sa liberté et de son bien-être, par contre… Si elle tenait à lui, comme il le pensait, elle devait le retrouver et le protéger.

La remarque avait désarçonné Natalya. Comment pouvait-il être aussi certain de son intérêt pour Prose ? Il fallait que la surveillance qu'il avait exercée sur elle soit vraiment efficace! Dire qu'elle n'avait jamais rien remarqué!

Comme s'il avait suivi le fil de ses pensées, Cioban avait ajouté :

— Je vous connais bien. Je me préoccupe de tout ce qui peut contribuer… j'allais dire : à votre bonheur. À votre bien-être, disons.

— Je vais le retrouver, s'était-elle contentée de répondre.

C'était à ce moment que Cioban lui avait parlé de la liste XIII. Ce qu'il lui avait révélé situait la disparition de Prose dans une tout autre perspective.

Un bref moment, Natalya se demanda si elle devait faire part aux autres de ce qu'elle avait appris en Roumanie. Puis elle décida d'attendre. Comment savoir si l'un d'eux n'était pas espionné à son insu et susceptible de révéler tout ce qu'elle leur disait?

Dans un premier temps, elle entreprendrait des recherches discrètes avec quelques-uns de ses ex. Puis…

Une question de Leclercq la tira brusquement de ses pensées.

— Quelque chose vous tracasse, Natalya ?

— C'est ce message, se dépêcha-t-elle de dire. Comment cette femme pouvait-elle savoir que Prose s'intéressait à ce livre ?

— Nous avons examiné sommairement son ordinateur, répondit Duquai. Il avait placé plusieurs annonces sur des sites de collectionneurs. Par contre, nous n'avons trouvé jusqu'à maintenant aucune trace de cette Hillari Kormaden.

— C'est probablement un pseudo.

Natalya demanda ensuite l'adresse de l'appartement où l'on croyait que Prose avait été enlevé.

Pendant que les autres continuaient de discuter, elle s'y rendit. Elle voulait voir les lieux.

Et, surtout, elle avait besoin d'être seule.

Prose réémergea lentement.

Sa vue mit plusieurs minutes à s'éclaircir. Ses perceptions, plus longtemps encore à se réorganiser.

Il était allongé sur un lit. Sa première idée presque cohérente fut qu'il était à l'hôpital.

Il se leva sur les coudes.

Par la fenêtre, il pouvait apercevoir de l'eau. Et, au loin, une bordure de terre avec un arrière-fond de montagnes.

Un fleuve… Peut-être un lac… Oui, probablement un lac.

Ramenant son attention vers la chambre, il réalisa qu'elle était meublée avec un luxe peu compatible avec l'équipement mobilier habituel d'un établissement de santé.

Une clinique privée ?

Son dernier souvenir était pourtant d'être entré dans un appartement du septième…

Le Juskoboutistan ! Il avait rencontré la femme qui en détenait un exemplaire. Elle lui avait montré sa bibliothèque. Il s'en souvenait parce que c'était une bibliothèque où il y avait un lit. Bizarre…

Puis… plus rien.

Il en était encore à s'interroger quand la porte de la chambre s'ouvrit.

Une femme entra, que Prose crut reconnaître.

— Vous êtes… ?

— Je vous confirme que je suis, dit-elle avec un sourire. Je suis bien réelle.

Il n'arrivait pas à trouver le nom qui allait avec ce visage.

— J'ai l'impression de vous avoir déjà rencontrée.

— J'avais les cheveux roux la dernière fois que nous nous sommes brièvement entretenus.

— La femme de l'appartement où il y avait la bibliothèque.

— Mais vous m'avez probablement vue en photo auparavant. Habillée de noir, les cheveux noirs… Cela ne vous dit rien ?

Après une pause, au cours de laquelle Prose garda son regard fixé sur son visage, elle ajouta :

— Je m'appelais Sandrine, à l'époque. Sandrine Bijar.

Elle regardait avec amusement le visage stupéfait de Prose.

— Je vous croyais… disparue.

— D'une certaine manière, c'est le cas.

Soudain, Prose se rappela effectivement qu'il n'avait aucune idée de l'endroit où il était. Ni de ce qu'il lui était arrivé.

— Qu'est-ce que je fais ici ?

— Vous vous reposez.

— Je me repose…

— La vraie réponse, c'est que vous avez gagné un stage d'étude en art actuel. Toutes dépenses payées.

— Je n'ai participé à aucun concours.

— Pour ce genre de stage, on ne pose pas sa candidature. C'est le mécène qui choisit. Vous avez retenu son attention, il vous a évalué et il a fixé son choix sur vous.

— Quel mécène ? Je n'ai jamais rencontré de mécène !

— Il a lu tous vos écrits. Vos trois essais l'ont particulièrement intéressé.

Puis elle ajouta avec un sourire :

— Vous avez même correspondu avec lui !

— Vraiment ?

— Bien sûr, vous ne saviez pas avec qui vous discutiez.

Phénix ! Son mystérieux correspondant ! Il devait s'agir de lui.

Mais la femme n'avait pas vraiment répondu à sa question. Où était-il ? Comment était-il arrivé dans cette chambre au bord d'un lac ?

Avant que Prose ait le temps de formuler une nouvelle question, elle fit un geste en direction de la penderie.

— Vous y trouverez une garde-robe à votre taille et choisie selon vos goûts.

Elle se dirigea ensuite vers la porte.

Avant de sortir, elle se retourna.

— Je reviens vous voir dans une heure. Vous allez rencontrer votre mécène. Il sera en mesure, mieux que moi, de répondre à toutes vos questions.

http://ump-paris17e.typepad.fr/actu/rideau-de-fu…

RIDEAU DE FUMÉE

Une enquête qui se termine en queue de poisson. Voilà ce qu'on nous présente comme une victoire des forces policières. Tous les coupables sont morts et personne ne saura jamais ce qui s'est vraiment passé. Ni s'ils étaient vraiment coupables.

Des rumeurs circulent sur les membres de ce club de pervers qui assistaient aux spectacles de mise à mort. Mais le seul membre connu de ce groupe a été tué. Sur cela non plus, on ne saura jamais rien.

Comme on ne saura rien sur ce mystérieux chef mafieux qui aurait tout orchestré depuis une ville inconnue de l'ex-empire soviétique.

Au fait, que sait-on, à part le fait que 10 personnes ont été tuées et qu'il n'y a plus personne pour rendre compte de leur mort?

La suite

LE VOLEUR DE VISAGES

Prose regardait avec curiosité l'homme assis derrière l'immense bureau. Ce dernier portait un masque moulant qui était une reproduction presque parfaite du visage de Prose.

— J'ai voulu vous rendre cet hommage de vous ressembler, dit l'homme. Vous êtes un des seuls interlocuteurs dignes d'intérêt que j'ai rencontrés.

— Interlocuteur?

— N'insultez pas mon intelligence. Vous avez sûrement compris que je suis celui qui signait Phénix.

La réponse avait été formulée sur un ton bon enfant, presque jovial, mais il demeurait, dans la voix et l'attitude générale de l'homme, des signes de menace voilée.

— J'y avais pensé. Mais en l'absence de confirmation…

Prose avait l'étrange impression de se parler à lui-même.

—Cette rigueur intellectuelle vous honore, répondit Prose II. Je vous le confirme donc. Je suis bien Phénix. Et je vous confirme par la même occasion que, des 13 correspondants avec qui j'ai ébauché un dialogue, vous êtes le seul qui m'intéresse vraiment. Ne serait-ce que par votre réticence à accepter les idées que je vous ai proposées. Vous ne les avez pas adoptées stupidement. Ni rejetées stupidement, d'ailleurs. Et puis, il y a vos essais, que j'ai bien aimés malgré leurs limites… Honnêtement, votre cerveau m'intéresse.

—Tant que ce n'est pas pour une transplantation ou quelque chose du genre.

Prose II éclata de rire.

—Vous allez avoir le privilège d'être le Grand Témoin de mes œuvres. Un témoin critique, cela va de soi. Vous allez les commenter en toute liberté. Ce qui va également de soi.

—Quelles œuvres?

—Par exemple, cette histoire des 10 petits hommes blancs. Le titre en est 10PHB… Vous allez commenter mes œuvres et vous allez le faire honnêtement. Même si vous désapprouvez certaines choses… Que voulez-vous, l'honnêteté est votre faiblesse!

—Vous avez l'intention de me garder prisonnier ici?

—Nous vivons tous en prison. Prisonniers de nos certitudes, de nos habitudes, prisonniers de nos affections, de notre métabolisme… Alors, disons que je vais modifier quelques-uns de ces paramètres. En un mot, je vais redéfinir temporairement les coordonnées GPS de votre liberté.

—Et si je refuse de coopérer?

—Alors, à mon grand regret, je devrai m'adresser à votre deuxième faiblesse: votre affection pour vos amis. Si vous refusez de coopérer, ce seront eux qui en paieront le prix. En commençant par votre ami Théberge et sa charmante femme, si courageuse dans l'épreuve qui lui échoit, si exemplaire. Je suis persuadé que vous ne voudriez pas avoir sur la conscience les désagréments qui pourraient leur survenir. Il y a aussi les autres…

Voyant le regard consterné de Prose, il ajouta :

— Je sais, l'Institut n'existe plus. Mais plusieurs des individus qui en faisaient partie existent encore.

— Qu'attendez-vous de moi ?

— Je vous l'ai dit : que vous expliquiez au monde la signification de mes œuvres. Que vous l'aidiez à franchir le vide conceptuel qui existe entre l'art contemporain, si avancé qu'il se prétende, et l'art global que j'entends pratiquer.

— Qu'est-ce que je devrai faire ?

— Expliquer. Tout simplement expliquer. Comme c'est votre métier, ça ne devrait pas être si compliqué pour vous !

Il se leva et tendit la main par-dessus le bureau pour lui remettre un minidisque dur.

— Comme gage de ma bonne foi, dit-il.

Prose hésitait à le prendre.

— Qu'est-ce que c'est ?

— Toute l'information que j'ai colligée sur les *Naufragés du Juskoboutistan*. Je crois avoir bien travaillé.

Après être demeuré interdit un moment, Prose saisit le minidisque dur.

— Bien sûr, le texte du roman n'y est pas. Il semblerait qu'un collectionneur ait fait disparaître tous les exemplaires disponibles. Mais je vous promets de poursuivre mes recherches…

L'homme fouilla dans un des tiroirs du bureau, en sortit une chemise cartonnée noire et la posa devant Prose.

— Votre premier dossier, dit-il. Pour meubler vos heures d'insomnie.

Sur la chemise, trois mots étaient écrits en lettres rouges :

LA RELIGION TUE

Avant que Prose puisse répondre, l'homme reprit :

— Pour le moment, je vais vous confier aux bons soins d'Aïsha. Quand nous allons nous revoir, vous serez un homme neuf.

REMERCIEMENTS

Merci...

À Sylvain David et Christian Sauvé pour leur travail attentif sur le manuscrit, pour leurs questions embêtantes et pour leurs suggestions.

À François Julien, pour m'avoir éclairé sur l'anoxie du cerveau, les pétéchies et tous ces jolis phénomènes qui accompagnent parfois la mort des gens.

À Jean-Philippe Titley, pour m'avoir guidé dans la jungle syntaxique des réseaux sociaux.

À Michel Rudel-Tessier, pour les heures que nous avons passées à négocier des accommodements qui se voulaient raisonnables entre la langue telle que réglementée par les grammairiens et la langue en évolution attestée par les linguistes.

À Florence About, pour son initiation aux particularités de l'idiome parisien.

À André Gagnon, éditeur à l'humour décalé et aux suggestions remarquablement pertinentes ; merci pour la qualité du travail apportée à la « fabrication » de ce livre.

Aux gens de l'équipe de Hurtubise, pour leur support et pour le plaisir de travailler avec eux.

Et, surtout, un énorme merci à Lorraine qui, malgré ses difficultés, m'a accompagné et supporté pendant l'écriture de ce roman.

Et puis aussi, parce qu'ils existent...

Merci, paradoxalement, à tous ceux dont les abus de pouvoir, la violence et la bêtise nous enseignent quotidiennement que l'imagination humaine n'a pas de limites, et qu'il est toujours possible de faire pire. Ils sont en bonne partie ce qui me fait réagir et me provoque à écrire.

Merci aussi, heureusement, à tous ceux dont le courage, l'empathie et l'intelligence nous enseignent chaque jour que c'est le propre de l'action humaine de faire reculer l'injustice, la violence et la bêtise, que l'on peut toujours faire mieux. Ils me convainquent quotidiennement qu'il vaut la peine d'écrire ou d'entreprendre quelque projet que ce soit.

Suivez-nous

Achevé d'imprimer en octobre 2014
sur les presses de l'imprimerie Marquis-Gagné
Louiseville, Québec